STRATÉGIES DE RECHERCHE EN SCIENCES SOCIALES

(applications à la gérontologie)

RICHARD LEFRANÇOIS

STRATÉGIES DE RECHERCHE EN SCIENCES SOCIALES

(applications à la gérontologie)

1992

LES PRESSES DE L'UNIVERSITÉ DE MONTRÉAL
C.P. 6128, Succ. A, Montréal (Qc), Canada H3C 3J7

ISBN 2-7606-1588-X
Dépôt légal, 3e trimestre 1992 - Bibliothèque nationale du Québec

À MES PARENTS

REMERCIEMENTS

Le présent ouvrage a été réalisé au secteur «gérontologie» de la Faculté des lettres et sciences humaines de l'Université de Sherbrooke. Il a germé au contact de nombreux collaborateurs, collègues et étudiants, qui ont été une grande source d'inspiration et dont les travaux ont constamment alimenté notre réflexion. Nous tenons à leur exprimer notre plus vive reconnaissance pour nous avoir fait bénéficier de leur dynamisme et de leur savoir-faire. Notre gratitude s'adresse également aux lecteurs, à qui on a confié le manuscrit, pour leurs précieuses remarques et leur encouragement. Nous tenons aussi à souligner l'excellente collaboration des Presses de l'Université de Montréal dont le soutien n'a eu de cesse à chacune des étapes de la conception de ce livre. Nous remercions également le Bureau de la recherche de l'Université de Sherbrooke pour sa contribution financière. Pour terminer, nous tenons à exprimer notre admiration aux membres de ma famille, et en particulier ma compagne Yvonne Bertrand, pour leur patience inlassable, leurs conseils et leur soutien.

AVANT-PROPOS

Ce livre se veut à la fois une méthodologie générale de la recherche, appliquée aux sciences sociales et à la gérontologie en particulier, et une initiation à la culture scientifique. Loin d'épuiser ce vaste domaine qu'est celui des méthodes de recherche sociale, il expose plutôt les principes architecturaux de la recherche, dans l'espoir d'éclairer le lecteur sur les dispositions intellectuelles à adopter, ainsi que sur les solutions techniques à envisager pour concrétiser un projet de recherche ou comprendre et appliquer dans sa pratique les résultats d'une recherche.

L'idée de concevoir un ouvrage de méthodologie de la recherche gérontologique tire sa source d'une constatation qui permet de prévoir, dans un proche avenir, un développement fulgurant des connaissances et des pratiques ayant pour objet les phénomènes associés à la vieillesse et au vieillissement. Dans cette perspective, la recherche gérontologique sera certes fortement sollicitée, non seulement en vue d'édifier les nouveaux savoirs qu'entraînera le choc démographique du vieillissement, mais aussi dans le but de proposer les solutions à mettre de l'avant pour faire face aux multiples problèmes soulevés par une telle mutation sociale.

Les efforts qui se déploient de nos jours pour mieux comprendre le vieillissement, mesurer son impact socio-économique ou répondre plus efficacement aux besoins qu'il suscite se font grandissants et émanent de tous les paliers de l'organisation sociale: politiques économiques, services de santé et programmes sociaux, programmes de formation, recherche, réseaux d'entraide familiale et communautaire. Or, l'essor actuel de la gérontologie dans les sociétés post-industrielles trouve son explication dans l'apparition de nouveaux enjeux socio-économiques, qui soulèvent des débats mettant en avant plan des choix de société, et dans l'émergence de problèmes résultant du phénomène du vieillissement de la population. La problématique du vieillissement démographique renvoie de fait à l'augmentation du poids relatif que représentent les personnes âgées par rapport à l'ensemble de la population, phénomène essentiellement attribuable à l'allongement de l'espérance de vie et à la dénatalité, constatés partout, surtout en Europe et en Amérique.

À en juger par le statut épistémologique qu'elle a acquis, la gérontologie est parvenue aujourd'hui à un tournant historique. En effet, l'état d'avancement de son discours théorique et les percées méthodologiques réalisées à ce jour donnent à penser qu'elle a atteint la maturité d'un champ disciplinaire véritable.

En outre, comme les besoins en formation scientifique et professionnelle vont augmenter, l'appel en direction de la recherche gérontologique va se faire de plus en plus pressant, d'où la nécessité de préparer les conditions optimales pouvant améliorer l'enseignement de la gérontologie et le développement d'habiletés nouvelles en recherche. À cet égard, de par son rôle, la recherche sera sans doute déterminante dans l'élaboration d'une plate-forme commune permettant aux différentes approches et disciplines reliées à la gérontologie de s'articuler, d'échanger, de se développer.

Aux fins de l'intervention individuelle et sociale, le recours à la recherche gérontologique va également s'accentuer, notamment pour les besoins de l'évaluation des programmes, de l'élaboration des politiques sociales et économiques, du travail clinique, de l'implantation de nouvelles structures d'aide pour les personnes âgées et de programmes destinés à offrir le soutien aux intervenants.

Si l'impulsion première derrière ce projet de livre s'est manifestée à la suite de notre implication dans le secteur de la gérontologie et du travail social, en tant qu'enseignant universitaire et chercheur, il a surtout germé au contact des étudiants, des collègues de travail et grâce à un travail de lecture assidu, ce qui a contribué au mûrissement de notre réflexion et à l'approfondissement de notre démarche. Nous avons vite constaté la nécessité d'un tel ouvrage qui constitue sans doute le premier du genre à être publié en langue française[1].

Si cet ouvrage est adapté à la réalité des étudiants, des chercheurs en sciences sociales, des professionnels et des gestionnaires des services sociaux en général, il s'adresse de façon plus particulière à tous ceux que la gérontologie et l'intervention auprès des aînés concernent ou intéressent.

Par ailleurs, il est apparu impératif de bâtir un précis de méthodologie qui soit plus qu'un recueil de méthodes et de techniques apprêtées au domaine de la gérontologie. Partant, nous proposons un livre qui, bien que suggérant comme il se doit des démarches de recherche et expliquant des procédures d'observation et d'analyse, oriente le lecteur vers une réflexion sur la valeur et la portée des méthodes de recherche elles-mêmes, sur le rapport entre le chercheur et l'objet de recherche et sur le lien entre la connaissance scientifique, la conception et la gestion des programmes s'adressant aux personnes âgées et l'intervention professionnelle auprès de cette clientèle.

Nous avons surtout évité d'inciter à une lecture passive, repoussant cette idée, hélas ancrée, que le travail scientifique est oeuvre de technicien ou une activité réservée aux savants, ou encore un rituel mystérieux. L'apprentissage de la science procède au contraire des expériences de la vie quotidienne, s'inspire des représentations populaires et des savoirs empiriques en les réorganisant sur une autre base épistémologique. La disposition au travail scientifique exige donc un effort de rigueur, une planification méthodique des étapes menant à la compréhension, des connaissances méthodologiques sûres. Mais la recherche scientifique est aussi un art, une activité intellectuelle qui demande que soient conjuguées les forces de l'imagination créatrice, celles de l'intuition ou de la clairvoyance, en même temps qu'elle puise dans l'expertise professionnelle les fondements de sa démarche.

Puisqu'en fin de compte le véritable travail scientifique n'est réductible ni à son instrumentation ni à son opérationnalité, surgit la nécessité d'une rupture avec le mode empiriste de la recherche. Le dataisme, ou ce que Sorokin (1959) nommait ironiquement la quantophrénie, se présente comme une inclination réductrice qu'il faut à tout prix bannir dans toute entreprise scientifique. À l'opposé, la recherche qui se résume à une réthorique séductrice, et dont les élans discursifs ne sont trop souvent que des interprétations arbitraires de la vie sociale, constitue un autre travers à éviter.

En d'autres termes, cet ouvrage souligne avec force la dialectique de réciprocité qu'il apparaît souhaitable de promouvoir entre la sphère de la connaissance fondamentale et celle de la connaissance appliquée. Nous réclamant de l'approche constructiviste, nous accordons dans notre pratique pédagogique un large espace à l'expérience professionnelle ou personnelle auprès des personnes âgées et valorisons l'applicabilité sociale et la transférabilité des produits scientifiques.

Il faut enfin remarquer qu'en tant que pratique et discours sur le social, le champ de la recherche gérontologique n'échappe pas non plus aux contraintes et pressions émanant de la vie sociale. Comme nous l'avons exposé ailleurs (Lefrançois & Soulet, 1983), la recherche sociale se situe forcément à l'interstice des champs scientifique, professionnel et politique. Les conceptions classiques et empiristes d'objectivité et de neutralité en souffrent nécessairement. Il s'ensuit que le chercheur doit constamment prendre conscience que sa production scientifique est multifinalisée et qu'elle s'inscrit dans un rapport de force dont les enjeux peuvent lui échapper. Une vigilance critique lors de l'élaboration, de la diffusion et du transfert des connaissances doit donc faire l'objet de sa plus grande préoccupation. Ici comme ailleurs, un regard critique et éclairé sur ce qui se déroule dans la vie sociale et politique s'impose.

Dans l'optique d'induire à un travail scientifique authentique, cet ouvrage souhaite ainsi faire naître chez le lecteur la curiosité intellectuelle, aiguiser son sens critique, valoriser l'intuition créatrice en insistant sur le besoin d'acquérir des connaissances et de développer un savoir-faire qui soit autre chose qu'une mise en application servile de techniques éprouvées, mais qui l'engage dans toutes ses potentialités humaines.

La spécificité et l'originalité du présent ouvrage tiennent aux éléments suivants:

— Il propose une nouvelle taxinomie des dispositifs de recherche;
— Il aborde l'étude des stratégies et des méthodes de recherche en général, mais aussi sous l'angle spécifique à la fois de la pensée et de l'intervention gérontologiques;
— Il propose des cheminements de recherche qui tiennent compte du caractère interdisciplinaire de la gérontologie, reconnaissant du coup les apports déterminants des sciences de la santé, de la sociologie et de la psychologie plus particulièrement;
— Il présente le processus de recherche non pas comme une séquence linéaire d'opérations fixes et immuables, mais comme une boucle composée d'activités stratégiques et de retours en arrière évaluatifs;
— Il conçoit la recherche comme une pratique scientifique poursuivant des finalités multiples, vu sa position de pivot au carrefour des champs scientifique, politique et professionnel;
— Il utilise plusieurs moyens pour favoriser l'apprentissage et l'intégration des connaissances méthodologiques: exemples en gérontologie, schémas, tableaux comparant les avantages et les inconvénients des méthodes, illustration d'erreurs courantes;
— Il cherche à combler certaines lacunes constatées dans les ouvrages de méthodologie actuellement sur le marché, notamment dans l'explication des étapes pour construire une problématique, dans l'exposé des stratégies de recherche, dans l'opérationnalisation des concepts et sur le plan de l'analyse des données.

NOTE:

(1) À notre connaissance, il n'existe pas non plus d'équivalent en langue anglaise. Il faut toutefois souligner la parution récente d'un ouvrage consacré à la méthodologie gérontologique (Lawton & Herzog, 1989).

SOMMAIRE

PARTIE II: LES STRATÉGIES D'ACQUISITION

PARTIE I

INTRODUCTION À LA MÉTHODOLOGIE DE LA RECHERCHE

CHAPITRE 1

L'INTERVENTION SCIENTIFIQUE EN GÉRONTOLOGIE

1.1 L'ÉMERGENCE DE LA RECHERCHE GÉRONTOLOGIQUE

Dans l'histoire des sciences sociales, la gérontologie sociale fait sans doute figure de cadette. Son émergence comme science s'explique par une prise de conscience élargie des conséquences sociales de l'accélération du vieillissement démographique, mutation dont l'impact se mesure sur tous les plans: social, politique et économique. De notre point de vue, les jalons pour une approche scientifique du vieillissement sont donc d'ores et déjà posés.

En guise d'introduction à cet ouvrage, nous convions le lecteur à prendre connaissance des principaux moments historiques qui ont marqué le parcours de la recherche gérontologique.

Les précurseurs de la science gérontologique ont été des méthodologues préoccupés essentiellement par la biologie et la démographie du vieillissement. Rompant avec les schèmes d'explication traditionnels, le développement de la méthode scientifique au 17e siècle introduisit le principe de l'observation scientifique des phénomènes reliés à la vieillesse. De l'avis de certains auteurs (Comfort, 1964; Gruman, 1966), Francis Bacon (1561-1626) fut le premier à proposer une démarche véritablement scientifique dans l'étude du vieillissement *(Historia vitae et mortis*, 1623). Sa méthode d'observation l'amena à mieux comprendre le phénomène de la longévité à la lumière des pratiques d'hygiène.

Mais, comme l'a signalé Birren (1961), le statisticien belge Quételet (1796-1874) peut être considéré comme le pionnier de la gérontologie. Dans l'ouvrage qu'il publie en 1835 intitulé *Sur l'homme et le développement de ses facultés*, Quételet s'intéresse lui aussi à la longévité, mais cette fois d'un point de vue scientifique et démographique. Il s'attarde notamment à mesurer les variations du taux de naissance et de mortalité, phénomènes jusque-là étudiés uniquement suivant un schème d'explication théologique. D'autres historiens soutiennent cependant que c'est le statisticien sir Francis Galton (1822-1911) qui contribua le plus au développement de la gérontologie. On rapporte qu'il accumula une impressionnante banque de données en audiométrie: l'analyse de certaines données révéla que la perception des hautes fréquences diminue progressivement avec l'âge.

Puis au début de ce millénaire, les biologistes commencèrent à publier d'importants ouvrages sur le vieillissement, en l'occurrence Minot (*The Problems of Age, Growth and Death*, 1908), Metchnikoff (*The Prolongation of Life*, 1908), Child (*Senescence and Rejuvenescence*, 1915) et Pearl (*Biology of Death*, 1922)[1].

La réflexion gérontologique s'est d'abord développée dans une optique monodisciplinaire, autour par exemple des concepts de croissance et de déclin (Freeman, 1960). Tel fut le cas de la gériatrie (la notion fut proposée en 1909 par Ignatz L. Nascher) comme nouveau champ d'investigation et de pratique médicale et de la psychologie du vieillissement, avec Stanley Hall (1923) en particulier, à qui l'on doit une étude sur les changements qu'entraîne le vieillissement sur le plan de la psychomotricité et des capacités fonctionnelles.

La paternité de l'expression même de *gérontologie sociale*, concept datant de la fin des années 1940, appartient semble-t-il à l'américain Steiglitz; ce terme fut popularisé plus tard par Havighurst et Albrecht. Il faut par ailleurs signaler la parution du *Handbook of Social Gerontology*, édité par les sociologues Tibbits et Burgess en 1960. Cet ouvrage est considéré (Strieb & Orbach, 1967) comme un point tournant dans l'édification des théories du vieillissement, et conséquemment, dans l'essor de la recherche gérontologique.

Mais c'est du côté anglo-saxon qu'est né le souci d'arrimer la réflexion et l'action gérontologiques aux procédures de l'investigation scientifique. Philibert (1965: 6) rapporte que le lord anglais Nuffield a été l'instigateur de la recherche sur le vieillissement. En 1939, des scientifiques britanniques, dont Korenchevsky, créaient *l'International Club for Research on Aging*, lequel inspira la fondation de *l'American Research Club on Ageing* aux États-Unis au cours de la même année (Decker, 1980). Toujours selon Michel Philibert, il faut se diriger du côté des États-Unis et remonter dans les années 1920, pour retracer les premiers efforts systématiques de recherche gérontologique. Il faut signaler que cette période coïncide d'ailleurs avec la fondation des premières associations scientifiques. Ainsi en 1928 fut créée l'*American Association for Old Age Security*. Puis en 1935, le *Townsend Movement* et le *Security Act* firent leur apparition pour contrer les effets de la Grande Dépression. Mentionnons également que le premier département de gérontologie fut inauguré, au cours de cette période, à l'Université du Michigan aux États-Unis.

Toujours en Amérique, c'est véritablement après la Seconde Guerre mondiale que furent lancées les premières activités de recherche en gérontologie, grâce notamment à l'appui financier de la Josiah Macy Jr. Foundation. En 1945, *l'American Research Club on Aging* devient la *Gerontological Society*, association qui fit sa marque en publiant le *Journal of Gerontology* puis le *The Gerontologist*. Ces deux revues, l'une scientifique, l'autre professionnelle, devaient jouer un rôle déterminant dans l'édification de la gérontologie comme science.

Au Québec, la naissance de la recherche gérontologique revient au père Guillemette qui créa en 1966 l'*Institut de gérontologie de l'Université de Montréal*. Sous l'impulsion de Nicolas Zay[2], l'Université Laval assurait en quelque sorte le relais en fondant en 1975 le *Laboratoire de gérontologie sociale*. Depuis, d'autres instituts de recherche gérontologique se sont développés partout au Québec (Université McGill notamment). Il faut ici souligner l'inauguration en 1991 d'un Institut de recherche en gériatrie et en gérontologie sociale à l'Université de Sherbrooke (Hôpital d'Youville), auquel se rattachent des équipes de chercheurs appartenant à différentes unités de formation. Cette université est d'ailleurs la seule institution d'enseignement supérieur québécoise à offrir un programme de deuxième cycle en gérontologie.

Bien qu'il se trouve un peu partout des groupes ou des collectifs de recherche dont l'objet spécifique d'étude sont les phénomènes associés au vieillissement, plusieurs admettent que le Québec accuse un retard important sur les autres provinces canadiennes sur le plan du développement de la recherche. L'*Association québécoise de gérontologie* (AQG), fondée en 1978, assure à l'heure actuelle un certain encadrement de la recherche, par le biais des publications qu'elle gère et des colloques qu'elle organise.

1.2 L'ÉTAT ACTUEL DE LA RECHERCHE GÉRONTOLOGIQUE

Dans un effort pour résumer l'évolution de la recherche gérontologique, Binstock et Shanas (1985:28) soutiennent que l'histoire de la recherche sur le vieillissement a été marquée par une bipolarité caractérisée par une tension continuelle entre le besoin d'expliquer le processus même du vieillissement, et parallèlement, par le besoin de comprendre les problèmes qui s'y rattachent, surtout ceux reliés à la santé, à l'exclusion sociale et à la précarité des conditions de vie des personnes âgées.

Toutefois, notent-ils, on assiste depuis une dizaine d'années à un revirement qui se traduit par une unification des perspectives de recherche. On s'attache peu à mesurer les phénomènes reliés aux stades du développement de l'individu, ou à étudier l'incidence des cycles de vie dans l'explication des pertes que subit l'individu au cours du vieillissement. Les chercheurs paraissent au contraire de plus en plus soucieux d'expliquer les mécanismes d'adaptation des personnes âgées et de comprendre les processus du vieillissement réussi (Leclerc, Lefrançois & Poulin, 1992), à la lumière des ressources dont celles-ci disposent et aussi à partir des contraintes de l'environnement.

Pareillement, s'impose la nécessité de constituer des banques de données longitudinales, de centrer l'analyse sur des cohortes d'individus et d'intensifier les programmes de recherche transculturels. Tous ces efforts témoignent de la nécessité de dépasser le palier des analyses régionales et monodisciplinaires ou de celles marquées du sceau des idéologies et des représentations propres à une culture donnée.

Mais une lecture plus critique des développements en cours ne doit pas épargner la gérontologie, comme d'ailleurs tout autre jeune champ disciplinaire. Prenant la recherche sociale pour cadre d'analyse des pratiques sociales, nous avons déjà développé (Lefrançois & Soulet, 1983) la thèse que l'appel en direction des analyses centrées sur les problèmes sociaux coïncide avec la montée de l'État-providence, du moins au Québec et en France.

Mission en partie idéologique, la vogue actuelle pour la gérontologie participerait elle aussi de ce virage interventionniste ayant cette fois pour cible les personnes âgées. Au nom du changement planifié et des exigences de la social-démocratie, le contrôle social n'est-il pas l'expression d'une nécessité, celle d'arrimer tout le corps social aux ambitions parfois démesurées de l'État ? L'État-providence s'est ainsi appliqué à élargir à cet autre champ le principe déjà institué de la prise en charge. Et que l'on ne se méprenne point, le courant actuel de la désinstitutionnalisation s'inscrit tout autant, comme l'a d'ailleurs relevé Carette (1986), dans cette philosophie sociale.

Comparée à la situation américaine ou à celle des autres provinces canadiennes, la recherche gérontologique au Québec accuse manifestement un retard qu'elle s'attache toutefois à rattraper depuis quelques années. Nombreux d'ailleurs sont les auteurs (Murray, 1980; De Ravinel, 1980; Zay, 1984; Béland, 1988) à avoir relevé, chacun à leur manière, ce statut d'indigence de la recherche gérontologique.

Parallèlement, il n'échappe pas non plus à beaucoup de gérontologues contemporains que les problématiques de recherche doivent s'articuler à des programmes visant le mieux-être des aînés.

Dans l'optique de simplement situer le lecteur en regard de telles thématiques, il a paru utile de résumer dans cette introduction les principales conclusions de deux études-bilans portant sur la gérontologie sociale, celle de l'AQG, présidée par Zay, et celle plus récente de Béland. Ces deux comptes rendus permettent de dégager un portrait à la fois descriptif et critique sur l'état d'avancement de la recherche québécoise en gérontologie.

Selon l'étude publiée en 1984 par l'*Association québécoise de gérontologie*, la recherche sur le vieillissement occupait déjà une place importante dans l'ensemble de la production québécoise en recherche sociale. Pourtant les chiffres que nous publiions à peu près à la même période (Lahaye & Lefrançois, 1982) indiquaient que la recherche en gérontologie ne représentait que 8,8 % de la totalité des travaux en recherche sociale, et ce en dépit d'une nette progression enregistrée depuis 1975.

Mais suivant les auteurs du rapport, la vitalité de ce champ se mesure tout autant par la diversité des thématiques de recherche et l'accent sur la recherche sociale appliquée que par le volume des activités. D'emblée, ce sont les problématiques s'intéressant à la santé et aux aspects psychosociaux du vieillissement qui sont nettement apparues comme les éléments majeurs de préoccupation. Cependant, on a constaté que la recherche en gérontologie n'était qu'au stade de l'émergence, comme en témoignait la nature essentiellement descriptive ou exploratoire des stratégies de recherche utilisées.

Le profil de la recherche gérontologique que dégage Béland (1988) rejoint en substance celui esquissé par l'AQG, mais ce dernier insiste sur des lacunes qui expliqueraient son état de sous-développement. Soulignant le volume des activités de recherche, Béland soutient que la gérontologie possède les caractéristiques maîtresses d'une activité scientifique institutionnalisée.

Cependant, note-t-il, son développement est sérieusement compromis, vu l'incidence des principaux facteurs suivants: 1) la faiblesse des structures organisationnelles, surtout celles servant d'appui à la production scientifique; 2) l'absence d'une revue scientifique avec comité de lecture; 3) l'insuffisance du financement des activités de recherche scientifique sur une base récurrente; 4) l'absence de rayonnement scientifique hors-frontière.

Dans sa recension de 345 études et recherches en gérontologie sociale réalisées au Québec entre 1975 et 1986, Béland conclut que trois champs ont dominé la scène de la gérontologie sociale: 1) la démographie de la vieillesse; 2) les aspects psychosociaux de la vieillesse; 3) l'évaluation des programmes destinés aux personnes âgées, en particulier les services de maintien à domicile. Il attire cependant notre attention sur le diagnostic suivant: la majorité des chercheurs ont opté pour une perspective ethnographique dans l'étude des phénomènes du vieillissement, ce qui les a conduits à privilégier les méthodes qualitatives au détriment des approches statistiques, entraînant du coup une attitude visant davantage à comprendre qu'à véritablement expliquer les phénomènes.

1.3 SUR LA NÉCESSITÉ DE CONSOLIDER LES BASES DE LA RECHERCHE GÉRONTOLOGIQUE

De ces inévitables erreurs de croissance, et à travers ces cheminements tortueux, se profile le contour d'une jeune discipline appelée à connaître un essor phénoménal. Les déploiements à venir résulteront fort probablement de l'effet d'entraînement que les changements associés au vieillissement de la population vont occasionner. Ainsi, sur le plan que nous qualifions de strictement académique, la recherche gérontologique se justifie d'elle-même, la réalité objective du vieillissement étant indiscutablement admise comme objet d'étude. Pareillement, la construction de théories gérontologiques demeure une tâche éminemment légitime, vu la nécessité d'accroître nos connaissances, de mieux percevoir et expliquer la réalité qui nous entoure.

Il est par ailleurs évident que l'accroissement du nombre de personnes âgées et les conséquences bio-psycho-sociales de l'allongement de l'espérance de vie nécessiteront la mise en place d'un réseau de mesures et de programmes, curatifs, palliatifs ou préventifs, visant la satisfaction des besoins des personnes âgées. La prolifération de mécanismes et de structures d'assistance, formelles ou informelles, l'extension des services s'adressant aux personnes âgées, et en même temps l'élargissement de la notion de besoin, convergent déjà vers une mise à contribution de la recherche sociale. Qu'il s'agisse d'évaluer les services dispensés en institution ou à domicile, de mettre en place des mécanismes d'entraide, d'articuler des réseaux d'assistance destinés aux intervenants, d'expérimenter de nouveaux programmes sociaux ou d'ébaucher de nouvelles politiques sociales, la recherche est réclamée de toute part et son utilité se fait de plus en plus impérative. L'impact social des nouvelles technologies sur la vie quotidienne des personnes âgées devra aussi être évalué (Labillois, 1990).

Par ailleurs, comme de nombreux enjeux modèlent les interventions et les modes de gestion de la vieillesse, s'est développée au cours des années une mosaïque complexe de schémas de représentations de l'avancement en âge, représentations constituées de valeurs, de discours et de préjugés reliés notamment à l'action professionnelle (Champagne, Lenoir, Merllié & Pinto, 1989). Ainsi, l'idée suivant laquelle la personne âgée peut continuer à se développer jusqu'à un âge avancé permet de prévoir des approches nouvelles pour alléger le poids de la dépendance. Par exemple, certains estiment que la mise sur pied de programmes éducatifs, sociaux et de prévention aideront les personnes âgées à atteindre leur plein épanouissement, favorisant du coup leur intégration et leur autonomie. D'autres au contraire prétendent qu'à plus ou moins longue échéance, les personnes âgées sont condamnées en général à cumuler pertes et déficits de toutes sortes, ce qui obligera la société à se préparer pour faire face à l'inévitable choc économique et social de la dépendance des personnes âgées, surtout dans la perspective du gonflement des effectifs du troisième âge.

Ici encore la recherche trouve sa place dans l'optique de débroussailler les problématiques, de démystifier les perceptions négatives qui se cristallisent dans les préjugés sociaux, de repérer et de localiser les clientèles-cibles, d'éclairer les décisions politiques ou administratives et de faciliter la détermination d'objectifs conformes aux espoirs des clientèles et aux attentes des praticiens sociaux.

Enfin, le développement de programmes de formation universitaire et collégiale axés sur le vieillissement s'accélère actuellement au Québec, de sorte que la recherche est destinée à jouer un rôle prépondérant pour consolider les assises scientifiques et professionnelles de l'intervention gérontologique. À ce propos, la nature pluridisciplinaire de la gérontologie campe la recherche dans une posture pédagogique idéale pour stimuler l'apprentissage et approfondir les connaissances sur le troisième âge. En effet, le langage méthodologique de la recherche étant commun aux différentes disciplines du vieillissement (biologie, médecine, psychologie et sociologie plus particulièrement), il s'ensuit que les possibilités d'échange, de dialogue et de collaboration entre étudiants formés initialement à ces divers domaines peuvent mieux se concrétiser et rendre la formation en gérontologie plus riche et significative.

La recherche peut ainsi exercer un rôle de premier plan dans l'édification d'un savoir épuré non seulement des préjugés du sens commun, mais aussi des représentations pointues, voire trop englobantes de chacune des disciplines s'intéressant au vieillissement. Le présent ouvrage se propose non seulement d'outiller plus adéquatement le praticien de la recherche gérontologique sur le plan des méthodes et des techniques, mais il se propose aussi de jeter les passerelles susceptibles de favoriser le décloisonnement des spécialités et des approches, en permettant que s'établisse un dialogue entre chercheurs et intervenants d'allégeance ou de formation disciplinaire différentes.

NOTES:

(1) Voir Woodruff et Birren, 1983.

(2) N. Zay a aussi publié un *Dictionnaire-manuel de la gérontologie.*

CHAPITRE 2

LE PARADIGME DE LA RECHERCHE EMPIRIQUE

2.1 LES FONDEMENTS SCIENTIFIQUES DE LA RECHERCHE

L'exposé liminaire qui va suivre est une tentative pour porter au clair le langage méthodologique qui fonde notre taxinomie des stratégies de recherche et en même temps structure notre conception scientifique. En complément, sont présentés les préceptes à la base de tout travail de recherche, éléments au programme de ce projet de méthodologie et qu'on retrouve dans chaque chapitre de cet ouvrage.

Nous avons voulu ici tracer un portrait de l'activité scientifique qui, bien qu'incomplet, devrait néanmoins permettre au lecteur de mieux intégrer les notions et processus présentés dans chaque chapitre. Ce choix didactique commande en quelque sorte une lecture élargie de la fonction «recherche». Nous proposons donc au lecteur une grille systémique qui dégage les différents pôles de l'activité scientifique. La figure 2-1 montre que le champ scientifique est traversé par quatre sous-champs principaux:

1. Les paradigmes méthodologiques;
2. L'instrumentation scientifique;
3. Les produits scientifiques;
4. L'institution scientifique.

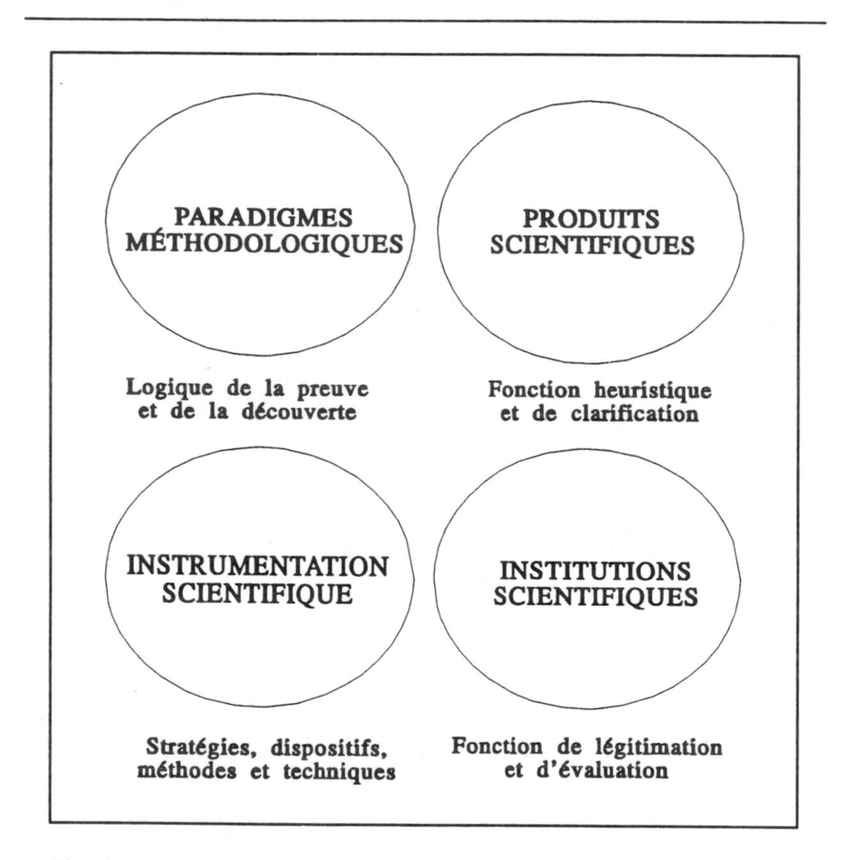

Fig. 2-1. Les champs de la science.

2.1.1 LES PARADIGMES MÉTHODOLOGIQUES

Les paradigmes étant au coeur des enjeux actuels de la recherche en sciences humaines, il a paru important d'y consacrer une section pour mieux étayer les critères de scientificité de la gérontologie. Rappelons cependant que l'objectif est davantage de sensibiliser à ces questions que d'apporter des réponses aux débats méthodologiques actuels sur la science (on lira à ce propos: Popper, 1978; Feyerabend, 1975, 1989; Kuhn, 1972; Lakatos & Musgrave, 1974; Chalmers, 1991).

Pour aider à mieux nous représenter cette notion, penchons-nous d'abord sur quelques définitions clefs. La *méthodologie de recherche* couvre la démarche générale du processus scientifique; elle veille à ce que le scénario de recherche et les opérations techniques devant conduire à la conquête d'un savoir nouveau s'articulent de manière cohérente. La méthodologie met donc le chercheur en face de choix à poser, de décisions à assumer dans la suite des phases qui participent de sa démarche de recherche. Certes, chaque option comporte ses exigences et aussi ses écueils, mais le méthodologue vigilant se souciera surtout d'établir la nécessaire jonction entre la *logique de la découverte* (rapport entre les connaissances théoriques antérieures et le nouveau savoir proposé) — d'où son rôle d'agent critique —, la *logique de la preuve* (le rapport entre l'hypothèse et les faits de l'observation)[1] et la *logique de l'erreur* (le rapport entre l'instrumentation et les données analysées).

La *recherche scientifique* quant à elle se réfère à tout travail systématique et rigoureux conjuguant la méthodologie à une problématique d'étude. Elle est le lieu concret de confrontation entre les présuppositions théoriques et la réalité telle qu'appréhendée.

Par *travail scientifique* nous entendons l'étude planifiée et systématique de phénomènes observables au sujet desquels on peut formuler des propositions vérifiables. Il s'agit donc de l'organisation des étapes conduisant à l'observation, à l'expérimentation et à la mesure des faits étudiés. Dans son ouvrage sur la nature et la portée de la méthode scientifique, Simard (1956:17) propose l'explication suivante:

> Chez les modernes, le terme *scientifique* désigne généralement des connaissances discursives non philosophiques, comme la physique et l'astronomie; ou bien des faits contrôlés avec méthode; ou bien encore des oeuvres construites selon les règles établies par ces sciences. Celles-ci ne procèdent plus de prémisses premières et vraies. Elles partent de phénomènes qu'elles mesurent; elles cherchent ensuite à établir leurs lois et à les expliquer par des théories. Ces mesures, ces lois et ces théories se modifient et se précisent à mesure que l'expérience s'accroît[2].

Passons maintenant à la notion de paradigme. Élément vital dans le développement des théories scientifiques, le paradigme renvoie habituellement aux *cadres de référence* fondamentaux sur lesquels s'appuient les chercheurs d'un courant disciplinaire donné pour structurer et orienter leurs programmes ou activités de recherche. En simplifiant, on peut dire que le paradigme propose les problématiques à privilégier et les voies de recherche à emprunter, pour ensuite indiquer les hypothèses à soumettre aux faits de l'expérience et la manière d'interpréter les résultats de recherche. En sociologie par exemple, nous distinguons les paradigmes positiviste, phénoménologique, structuraliste, interactionniste et culturaliste, pour ne mentionner que les principaux.

Or, le discours scientifique (*logos*) se construisant autour de traditions ou d'*habitus* méthodologiques, n'est-il pas justifié de concevoir les grandes approches de la recherche scientifique comme étant des *paradigmes méthodologiques* ? C'est du moins la thèse que nous défendons. En quelque sorte, le paradigme méthodologique est à la «logique de la preuve» ce que le paradigme théorique est à la «logique de la découverte». En effet, si les cadres de référence s'inspirent de modèles, de «mises en forme de raisonnement» pour reprendre l'idée de Lazarsfeld (1970:242), ils reposent en même temps sur des convictions méthodologiques.

Sorte de guide et d'éclaireur des pratiques scientifiques, le paradigme méthodologique se présente ainsi comme une combinaison de protocoles et de traditions relativement explicites qui définissent et réglementent les conduites scientifiques. Ces protocoles et traditions renvoient aux règles procédurales et aux fondements philosophiques qui assurent la qualité du travail scientifique, en lui indiquant les manières de mener les opérations de recherche et en cautionnant les méthodes et les techniques à utiliser (cf. infra). Concrètement, les paradigmes méthodologiques s'incarnent dans les dispositifs (le dispositif de la démarche expérimentale ou celui de l'enquête sociale par exemple), les méthodes d'observation, d'analyse et d'interprétation. Les paradigmes méthodologiques définissent ainsi les conduites scientifiques et exposent la logique et les critères d'administration de la preuve.

Mais comprendre le rôle de la science exige aussi qu'on la situe dans le champ du savoir, bref que soient définis les différents cadres dans lesquels elle évolue et qui en même temps la constituent. Le champ scientifique comporte ainsi quatre cadres étroitement interreliés: 1) le cadre philosophique; 2) le cadre cognitif; 3) le cadre méthodologique; 4) le cadre social.

2.1.1.1 Le cadre philosophique

Par cadre philosophique de la science, il faut entendre l'ensemble des fondements et principes constitutifs de la démarche scientifique. Essentiellement, la pensée scientifique repose sur une *gnoséologie*[3], c'est-à-dire des présupposés ou des postulats qui lui servent de points d'appui et légitiment ses finalités.

Un premier postulat est celui de la *récurrence* qu'implique le caractère répétitif des relations. La science considère que les phénomènes de la nature et de la société obéissent à un principe d'uniformité et à des règles structurales. On suppose qu'il existe un ordre, une régularité, une continuité et un enchaînement quelconques dans l'organisation et l'évolution des phénomènes. En d'autres termes, les faits singuliers[4] qui surviennent ne sont pas le fruit du hasard (contingence) ou de pures coïncidences, mais résultent de conditions préalables qui présentent une certaine régularité. La méthode de la science a précisément pour tâche de dépister ces relations répétitives et, à travers elles, de désigner les êtres scientifiques qui deviendront les objets d'investigation.

Un deuxième principe est celui du *raisonnement hypothético-déductif.* S'agissant du raisonnement, on distingue habituellement entre la logique inductive et la logique déductive. La logique inductive que proposait Bacon (1561-1626; rééd., 1961) procède d'un mouvement de la pensée qui va du particulier au général, donc du fait observé aux généralisations que contiennent les théories. Tel est le propre de la *recherche empirique* qui, s'appuyant sur les règles de la concordance, des différences et des variations concomitantes, cherche à établir des liens de cause à effet entre les phénomènes (p. ex. recherche ethnographique). Des *hypothèses de travail* structurent le plus souvent le travail d'exploration.

À l'opposé, le raisonnement déductif, que développa Aristote, procède à partir de prémisses universelles pour déboucher sur des conclusions impliquant des faits individuels. Le raisonnement déductif, dit axiomatique, est donc un mouvement de la pensée allant du général au particulier et qui tente d'appliquer une théorie quelconque à un fait spécifique.

De nos jours, la science utilise un mode de raisonnement cyclique, dit hypothético-déductif: c'est un système d'explication qui s'appuie sur des propositions hypothétiques pour en déduire des conséquences logiques. Dans un premier temps, une théorie propose des hypothèses en vue de leur vérification. Cette hypothèse est d'abord transposée sous une forme statistiquement testable (p. ex. hypothèse nulle), avant d'être confrontée aux faits de l'observation. Dans un troisième temps, la mise à l'épreuve de l'hypothèse statistique conduit soit à réfuter la théorie principale (ce qui vient renforcer une quelconque théorie rivale), soit à la confirmer (ce qui débouche sur de nouvelles hypothèses) pour permettre au cycle de la recherche de s'enclencher à nouveau.

Un troisième principe est celui de la *généralisation*. L'intérêt pour la connaissance générale et universelle est un projet de la science que l'on doit aussi à Aristote. Par exemple, le scientifique se préoccupera moins d'expliquer la marginalisation d'un aîné en particulier que de comprendre les mécanismes et les facteurs pouvant être associés à l'isolement social des personnes âgées en général. Mais la généralisation débouche sur une autre propriété scientifique: la science est non seulement en mesure de fournir un schéma d'explication valable pour une collectivité d'individus, mais elle est également capable de prédire des conduites ou des événements ultérieurs sur la base des faits observables.

Un quatrième principe est celui de la *réfutabilité*. Popper (1978) a évoqué cette notion (dite aussi *falsification)*[5] pour qualifier la procédure de rejet des théories scientifiques établies qui se verraient contredites par de nouveaux faits d'observation allant à l'encontre des présupposés antérieurs. En philosophie des sciences, le postulat mieux connu sous l'appellation de *principe du plus ample informé* signifie que l'on accepte ou considère comme provisoirement vraie (ou mieux: non fausse...) toute théorie capable de résister aux tentatives visant à la falsifier, donc à contester ses bases ou ses contenus. S'objectant à cette règle stricte, Bohr (1885-1962; rééd., 1985) estime que la science est mue par un principe d'intégration ou de correspondance grâce auquel les savoirs antérieurs d'une théorie abandonnée sont amalgamés ou intégrés à la nouvelle théorie proposée. S'opposant aussi à cette règle de la réfutabilité, Lakatos (1974) soutient de son côté que lors de la mise à l'épreuve d'un programme de recherche, des *anomalies* peuvent certes affaiblir une théorie, mais elles ne peuvent la déclasser ou la révoquer pour autant (Chalmers, 1991). Pour revendiquer légitimement le titre de théorie nouvelle, il faut qu'une théorie rivale puisse non seulement expliquer ces anomalies mais se révéler aussi féconde que la théorie établie. Enfin, alléguant que le but de la science est de proposer des paradigmes — sorte de métathéories réunissant l'ensemble des connaissances universelles établies, c'est-à-dire supportées empiriquement —, Kuhn (1972) a soutenu l'idée que la science se construit de façon cyclique. Avec le temps, le pouvoir explicatif du paradigme s'épuise à mesure que s'accumulent les expérimentations et les faits qui contribuent à réfuter la théorie. Des théories compétitives sont alors proposées qui viennent ensuite remplacer le paradigme initial, avant d'être remplacées à leur tour.

La théorie gérontologique de la transaction avec l'environnement illustre bien la thèse de Kuhn, en ce sens qu'elle resitue dans une perspective dynamique la rhétorique épuisée du désengagement. Cette théorie nouvelle retient l'idée initiale que le vieillissement est caractérisé par des pertes qui induisent au retrait social des personnes âgées. Toutefois, elle nous rappelle que l'individu possède une capacité d'adaptation aux changements qu'il subit et dispose d'un potentiel de croissance, même lorsqu'il a atteint un âge avancé. Soutenue par des compensations appropriées et en négociant adéquatement avec son milieu, la personne âgée peut, malgré ces pertes physiques, psychologiques ou sociales, continuer à fonctionner normalement, à se développer et à connaître une satisfaction de vie élevée.

Un cinquième principe est celui du *caractère probabiliste* des relations. La science défend ce postulat, ses déclarations ayant rarement un caractère absolu et incontestable (déterminisme absolu). Les affirmations de la science sont par conséquent *stochastiques*, c'est-à-dire qu'elles renferment une part d'incertitude ou d'indétermination qui peut s'exprimer quantitativement sous forme de probabilité. Même si la science s'attache à l'étude de phénomènes qui se manifestent avec une certaine régularité et récurrence, elle admet donc qu'il existe des cas aberrants, des éléments qui échappent toujours à l'analyse et que par conséquent les lois régissant les phénomènes n'ont pas un caractère immuable.

Dans sa tâche visant à assigner des causes ou à prédire des phénomènes, la démarche scientifique se propose donc d'identifier des facteurs explicatifs et aussi de découvrir les artefacts, pour enfin relever les facteurs qui explicitement n'interviennent pas dans le processus étiologique.

Ainsi, dans une étude sur les facteurs prédictifs du décès dans une population rurale en France, Bocket *et al.* (1985) ont pu établir que la consommation médicale (consultation médicale et usage de médicaments) a beaucoup moins de valeur prédictive que l'auto-appréciation de la santé ou que les ressources psychologiques de l'individu, alors qu'elle est censée refléter une morbidité réelle. L'absence de lien significatif entre la mortalité — telle qu'observée sur une période de quatre ans — et le nombre de maladies déclarées constitue par ailleurs une donnée scientifique de premier plan, tout aussi importante que le repérage des facteurs entrant fortement en corrélation avec le fait étudié.

Un sixième principe est celui de *l'objectivité*. Cette notion couvre en fait deux dimensions du travail scientifique. D'une part, elle consiste à soumettre à un examen critique les implications d'une découverte par une observation ou une expérimentation rigoureuse (Hempel, 1972:24). D'autre part, l'objectivité est une attitude prédisposant le chercheur à saisir le réel dans son intégralité et son unicité, l'exhortant à ne pas filtrer les données de l'observation ni à introduire ses idées préconçues. Cette propension à la neutralité suppose un rapport d'extériorité, un détachement face à l'objet observé, bref une coupure psychique et intellectuelle.

Mais il ne faut pas croire pour autant qu'une telle distanciation critique doive s'accompagner d'un retranchement de l'observateur du cadre d'observation. Ainsi, nous rappelle Piaget (1970:62), «l'objectivité ne consiste pas à demeurer étranger ou extérieur au phénomène, mais à le provoquer en agissant sur l'objet, l'«observable» n'étant jamais qu'un effet d'interaction entre l'action expérimentale et la réalité». L'objet est donc «examiné du dehors» afin que n'interfère point la propre subjectivité du chercheur dans le travail d'analyse. Or, cette thèse préconisant le détachement de l'observateur vis-à-vis le sujet observé, soutenue par le principe orthodoxe de la «soumission aveugle aux faits» de l'expérience, est actuellement fortement contestée dans la communauté scientifique, notamment dans les sciences sociales. Le courant de philosophie sociale (positivisme) qui a imprégné et dominé la sociologie avant Auguste Comte (1798-1857) et Émile Durkheim (1858-1917) illustre bien la difficulté qu'ont connue les sciences sociales de se départir d'une conception idéaliste et normative de la société.

Encore aujourd'hui, il n'est guère facile pour le chercheur consciencieux, même le plus aguerri, d'échapper aux préjugés sociaux et surtout aux idéologies qui, presqu'à chaque étape de son travail, risquent de contaminer son analyse. Il est à se demander par exemple si la théorie gérontologique de l'activité a été développée à partir de l'observation méthodique des faits ou si, au contraire, elle a été (ou est encore) le pur produit d'une conception humaniste idéalisée.

Un dernier principe clef est celui de la *construction de l'objet*, principe érigé non pas au profit d'un nominalisme scientifique, mais bien d'une nécessité épistémique. C'est par un effort soutenu d'objectivation et d'élaboration conceptuelle, que le chercheur parvient à construire son objet en le détachant d'abord de son cadre normatif et subjectif, pour l'arrimer ensuite au palier de l'analyse scientifique. La *rupture épistémologique* (cf.

Bachelard, 1965; Bourdieu *et al.*, 1968) désigne la coupure ou la prise de distance que le chercheur s'efforce de réaliser pour éviter que son objet d'étude, et partant son langage, ne soient contaminés par des perceptions premières, des préjugés, des idéologies ou des explications du sens commun[6]. Construire son objet signifie aussi que «les objets de l'expérience ne sont donc jamais donnés en soi, mais seulement dans l'expérience, et ils n'ont aucune existence en dehors d'elle».(Kant, rééd. 1976:415)

Le discours scientifique est souvent parsemé de notions qui, en elles-mêmes, sont sujettes à contenir de fausses explications. En gérontologie par exemple, la notion de perte du conjoint contient potentiellement cette difficulté. En raison des représentations du sens commun (ou pré-scientifiques), le chercheur sera parfois tenté de conclure prématurément, en alléguant que la perte du conjoint puisse être un déterminant majeur de solitude ou de détresse psychologique chez l'endeuillé. Or, le veuvage peut signifier, du moins chez certaines personnes âgées, la fin d'une longue souffrance psychologique et représenter même une forme de libération.

La leçon qu'il faut tirer de cette discussion se résume dans ce propos d'un célèbre philosophe. La science, nous livre Ullmo, «recherche ses objets, elle les construit, elle les élabore; elle ne les trouve pas «tout faits», tout donnés dans la perception ou l'expérience immédiate» (Ullmo, 1969:23). Voilà une raison supplémentaire d'effectuer le repérage et l'observation scientifiques des phénomènes à partir d'un système adéquat de références, grâce notamment à un cadre conceptuel approprié. Ce schéma conceptuel s'appuiera concrètement sur un modèle ou une théorie qui est en fait un système d'interprétations et une structure analogique, une construction d'images.

Somme toute, s'il est un principe à retenir, c'est qu'«il n'y a pas de réalité préalable que l'on mesure; il y a une réalité qui naît du moment où elle est mesurée» (Ullmo, 1969: 44). L'instrument de mesure et la réalité mesurée se trouvent en quelque sorte soudés dans une relation de mutuelle réciprocité. Car la relativité établit qu'il n'existe pas d'un côté les phénomènes mesurés et de l'autre les instruments de mesure, mais bien qu'il y a détermination réciproque.

2.1.1.2 Le cadre cognitif

Les connaissances produites par la science gravitent autour de son objectif ultime, celui de l'explication. Pour y parvenir, la science recourt à des définitions, établit des liens entre des concepts, développe des argumentations, expose une quelconque interprétation. La gérontologie véhicule par exemple un langage qui lui est propre, défend un discours qui se veut en lien direct avec des problématiques spécifiques et des théories.

Ceci étant, le niveau de généralité optimal qu'une science peut espérer atteindre se mesure par sa capacité de dégager des lois, du moins si on s'appuie sur le modèle des sciences de la nature. D'une manière générale, nous livre Loubet Del Bayle, «on peut dire qu'une loi scientifique est constituée par une *relation constante* établie entre deux ou plusieurs phénomènes» (1989:198).

Le débat sur le déterminisme dans les sciences humaines a conduit à une certaine souplesse à propos de l'existence des lois. En pratique, l'expression de «loi scientifique» a presque complètement disparu du vocabulaire scientifique en sciences sociales. On lui préfère l'expression de *proposition*, qui est en fait une hypothèse formelle ayant acquis un statut privilégié du fait de sa confirmation empirique par *réitération* (ou réplication). En gérontologie, on peut considérer comme une loi, ou comme un fait biologique indéniable, l'accumulation progressive des déficits (vieillissement) associés à l'avancement en âge. En revanche, il est difficile de considérer comme loi les pertes ou la diminution de l'adaptabilité sociale des sujets âgés, ce phénomène étant susceptible de varier d'une culture à l'autre ou d'une catégorie sociale (cohorte ou classe sociale par exemple) à l'autre à l'intérieur d'une société, ou encore d'une époque à l'autre.

Le discours scientifique se structure également grâce à des postulats ou des prémisses, sorte d'affirmations globalisantes ayant le plus souvent un caractère universel, transcendant même les frontières du temps. Un troisième élément propre au discours scientifique tient au langage. Les concepts de la science sont des constructions, le plus souvent définies opérationnellement, qui comportent des référents empiriques, c'est-à-dire des attributs observables et mesurables. La science englobe également des théories et des modèles qui sont des systèmes fournissant un cadre pour l'appréhension, l'explication et la prédiction des phénomènes. Le rôle de la théorie consiste en outre à fournir des hypothèses susceptibles d'être soumises au processus de la vérification. Par conséquent, la théorie est non seulement une synthèse des connaissances produites, une économie de pensée en quelque sorte, c'est aussi un puissant instrument permettant à la science de s'interroger puis de se développer.

2.1.1.3 Le cadre méthodologique

Le mouvement par lequel la science s'élabore n'est pas linéaire ni même circulaire. Certains prétendent qu'il est cyclique, d'autres soutiennent qu'il est constitué de spirales (Cattle, 1971). L'image du mouvement pendulaire est aussi évoquée. Quoi qu'il en soit, il faut surtout se rappeler que les connaissances scientifiques ne sont jamais définitives, que le rôle de la recherche n'est pas ultimement de confirmer ou d'infirmer des théories, ni même de les falsifier, mais bien de conquérir la vérité en réduisant l'erreur sous toutes ses formes. La méthodologie se définirait donc, en partie du moins, comme la *science de la réduction de l'erreur*, idée que nous avons suggérée plus haut.

Pour atteindre cet objectif, la science dispose d'un moyen privilégié, d'une démarche qu'incarne le travail de recherche. Si en tant qu'activité scientifique par excellence la recherche est un creuset dans lequel sont fusionnées les connaissances, elle est aussi l'atelier où sont forgés les outils permettant de développer ces mêmes connaissances. Or ces outils sont l'ensemble des dispositifs qu'utilise la science pour produire la connaissance. On conçoit donc que le rôle de la méthodologie puisse être déterminant dans l'évaluation du discours scientifique, c'est-à-dire dans l'appréciation et la validation des connaissances produites.

Nous qualifions de *plan méthodologique* l'ensemble des méthodes (p. ex. la comparaison, le contrôle, la réitération, l'expérimentation), des stratégies (p. ex. la validation de tests, l'enquête longitudinale, le sondage d'exploration, l'échantillonnage stratifié) et des techniques (p. ex. les échelles de mesure, l'analyse factorielle) qui interviennent dans le travail scientifique. Saisie sous cet angle, la méthodologie réunit, comme l'avançait Martindale (1960), les procédures systématiques dans l'administration de la preuve. Mais cette définition semble un peu étroite: la méthodologie renvoie surtout aux principes régissant le recours aux procédures, aux critères de sélection des instruments et enfin aux conditions d'application des outils méthodologiques.

Parallèlement, la méthodologie se définit aussi par des attitudes, des prescriptions de rôle et comme un discours critique sur l'emploi des techniques de la science et sur leur usage. Cette interprétation est soutenue par le sociologue Paul Lazarsfeld (1970) qui conçoit la méthodologie comme une critique positive du langage scientifique. Émile Simard rejoint d'ailleurs ce point de vue lorsqu'il affirme que la méthodologie nous aide à mieux saisir les conclusions que produit le travail scientifique. Selon lui, «il est impossible d'interpréter correctement ces conclusions sans connaître quelque peu la manière dont elles sont obtenues» (Simard, 1956:20).

2.1.1.4 Le cadre social

À titre de produit socioculturel et comme toute autre activité humaine collectivement engagée, la science (c.-à-d. sa démarche et ses oeuvres) n'échappe pas aux tensions et aux pressions du milieu dans lequel elle évolue. Au premier abord, l'interdépendance entre la science et la société peut surprendre, voire choquer ceux — dont nous sommes — qui tiennent en haute estime le travail scientifique, parce qu'on aspire à ce qu'il transcende les autres formes de savoir, en demeurant neutre et libre de toute attache politique ou sociale. Pourtant la réalité est tout autre. Le chercheur ou le savant, en tant que participant dans une culture et une société à une époque donnée, réfléchit, au sens optique du terme, les valeurs et les préoccupations de son milieu, en même temps qu'il réfléchit sur les problèmes que lui confie sa société.

Depuis quelques années, le rapport entre la science et la société intéresse les sociologues et les philosophes et fait l'objet de nombreux débats (Salomon, 1970; Andreski, 1975; Joubert & Lévy-Leblond, 1973; Chalmers, 1991). Or, il y a trois principaux domaines où la science et la société entretiennent des liens étroits: l'idéologique, l'économique et le politique.

Voyons d'abord la fonction idéologique de la science. La science se présente elle-même comme une solution valable devant l'incertitude du destin de l'homme et l'avenir de notre civilisation. Elle est une invention de l'homme pour combler le vide provoqué par la désacralisation du monde. Source d'espoir, arbitraire culturel, pour reprendre l'expression consacrée de Bourdieu et Passeron (1970), elle répand ainsi le mythe du savant tout-puissant, du progrès éternel, celui du bonheur émanant de l'extérieur de soi en réduisant les sources d'indétermination.

Le discours gérontologique abonde de ces mythes et croyances que diffuse l'idéologie scientifique. Le fait par exemple que notre société adule la jeunesse n'est pas sans entraîner des répercussions touchant les personnes âgées, même sur le plan des pratiques scientifiques. Le refoulement des personnes âgées vers la marge en résulte, comme en témoignent certains préjugés concernant l'improductivité des aînés ou les pratiques visant leur réclusion en milieu institutionnel. À l'inverse mais s'inscrivant dans la même veine idéologique, la théorie de l'activité exprime d'une certaine manière le refus d'admettre la normalité du processus du vieillissement, en endossant l'idée projetée qu'il faille donner un air de jeunesse aux personnes âgées. En second lieu, comme les progrès de la médecine permettent de nos jours de prolonger la vie, il est à se demander si l'acharnement thérapeutique et le cadre institutionnel dans lequel la vie prend fin ont fini par enlever à l'expérience de la mort tout son sens humain et spirituel.

La fonction économique est également importante. La science s'est vite imposée comme le nécessaire levier de l'innovation technologique, devenue la clef de voûte du progrès économique. Eu égard aux personnes âgées, on admettra sans peine que certaines activités de recherche puissent être récupérées par le pouvoir économique. Ainsi les études sur les comportements de loisir ou de consommation des personnes âgées peuvent servir à développer des activités économiques lucratives (éthiquement douteuses parfois) spécifiquement orientées vers cette clientèle. Par exemple, des voyages «organisés» à l'intention des personnes âgées seront offerts à rabais en période creuse ou en basse saison, permettant ainsi à ce secteur d'accroître sa rentabilité.

Finalement, la fonction politique joue un rôle déterminant. L'organisation et le fonctionnement de la société influencent considérablement l'organisation et le fonctionnement de la science. Comme l'État possède plus que toute autre instance les crédits permettant à la recherche d'exister et de se développer, le risque est énorme qu'il tende à financer la recherche en fonction de ses besoins ou de ses priorités partisanes. Bien que l'État reconnaisse et subventionne les activités de recherche libre, on assiste présentement, du moins dans le domaine de la recherche sociale, à une accentuation de la recherche orientée. Dans ce contexte, le pouvoir politique peut tendre à maquiller les contradictions sociales et à supporter financièrement les travaux dont la problématique obéit à la logique du discours officiel du parti au pouvoir, ou encore à la logique techno-bureaucratique. De cette manière s'opère une sorte de conditionnement psychologique des masses par le biais du travail scientifique. Le pouvoir de la science est-il en train de se transformer en science du pouvoir ?

Il suffit de s'imaginer à quel point le fractionnement du savoir et la spécialisation des disciplines sont devenus des nécessités (Lefrançois, 1985). Il est extrêmement difficile, dans un contexte de compétition scientifique reflet de la compétition économique, d'envisager une unification de la science et des actions interdisciplinaires. Jusqu'à un certain point, la division sociale et technique du travail scientifique a fait perdre à la science son unité qui pouvait fonder son sens humanisant. Il s'ensuit que la communauté scientifique est devenue un champ de lutte mettant aux prises les chercheurs, et dont l'enjeu consiste à s'accaparer le plus de prestige et de pouvoir (décrocher des subventions, publier pour «paraître», obtenir des titres honorifiques, etc.). L'élitisme scientifique se traduit aussi par une réification du savant: même dans les découvertes collectives, les récompenses sont le plus souvent individuelles, comme le montre le prix Nobel.

Nous terminerons cette section en distinguant les quatre champs d'influence sociale de la recherche, tels que décrits dans l'ouvrage de De Bruyne *et al.*(1974) sur la *Dynamique de la recherche en sciences sociales*:

- Le champ de la demande sociale quant au financement de la recherche;
- Le champ axiologique ou des valeurs qui propose au chercheur des thèmes et des problématiques de recherche;
- Le champ doxologique[7] qui est celui de la contamination du discours scientifique par le langage de sens commun;
- Le champ épistémique, celui de la science elle-même qui suggère ses cadres d'analyse, ses théories et ses techniques.

2.1.2 L'INSTRUMENTATION SCIENTIFIQUE

Le recours à l'instrumentation scientifique repose sur le principe de la démonstration. Cette instrumentation réunit les outils qui servent au processus d'acquisition des connaissances, à l'observation et à l'analyse des données. Nous distinguerons tout au long de cet ouvrage les stratégies de recherche (acquisition, observation et analyse), les dispositifs de recherche (p. ex. plans expérimentaux, enquête sociale, monographies, etc.), les méthodes de recherche (p. ex. méthode d'échantillonnage stratifié, analyse de contenu, etc.) ainsi que les techniques de recherche (p. ex. pondération d'échantillonnage, représentation graphique, tests statistiques).

2.1.3 LES CONNAISSANCES

En outre, la science se définit par *les connaissances*, c'est-à-dire par ses oeuvres, fruits des découvertes qu'elle divulgue sous une forme discursive et démonstrative. Elles englobent tout le savoir constitué en théories ou en modèles, en innovations technologiques, en découvertes et en révélations, mais aussi en apports critiques visant à évaluer ou à réarticuler les savoirs construits. La connaissance scientifique a en quelque sorte une fonction heuristique, démystificatrice et de clarification.

2.1.4 LES INSTITUTIONS SCIENTIFIQUES

Enfin, le champ scientifique renvoie aux *institutions scientifiques* dont la fonction essentielle est de légitimer le travail scientifique. L'institution scientifique se donne aussi pour tâche d'authentifier les produits scientifiques, d'évaluer les travaux, d'assigner les titres et de conférer un statut aux chercheurs par le biais notamment des politiques et programmes de subvention, des bourses et des titres honorifiques. L'institution scientifique s'incarne dans des organisations politiques (programmes d'attributions des subventions, politiques de commandites de recherche, etc.), et dans des organisations scientifiques (centres de recherche, organes de diffusion, cercles intellectuels constituant la communauté scientifique, etc.).

Cette mise en scène de l'activité et de l'éthos scientifiques révèle donc toute l'importance pour un chercheur de connaître les multiples réseaux de la recherche aussi bien que les règles qui régissent son fonctionnement. Il s'ensuit que le recherchiste qui entreprend une étude quelconque est forcément investi d'une pluralité de rôles: concepteur et soumissionnaire de projet, planificateur et gestionnaire de projet, enquêteur et analyste, rédacteur et communicateur, pour ne mentionner que les plus essentiels.

2.2 LES COMPOSANTES DU PROCESSUS DE LA RECHERCHE

Nous avons vu jusqu'ici comment la science s'édifie suivant une impulsion dynamique, grâce à deux axes étroitement interdépendants: la réflexion théorique et la pratique méthodologique. L'un et l'autre se fécondent mutuellement pour l'avancement des connaissances. La science progresse ainsi par bonds en avant, remaniements et retours en arrière, dans un processus itératif continuel de mise à l'épreuve ou de réfutation d'hypothèses, de reformulation théorique et de déduction d'hypothèses nouvelles.

En raison de la fragilité de ses postulats, de l'imprécision de ses instruments et de la fluidité des phénomènes observés, la connaissance scientifique ne peut donc progresser que par approximation constante. Mais chaque effort que déploie la recherche ouvre une brèche dans l'inconnu, repousse les frontières de l'incertitude. L'activité scientifique fonctionne donc à la façon d'un mouvement pendulaire, oscillant entre l'univers concret de l'observation des faits et l'univers abstrait de l'élaboration théorique. De cette pulsion résultent de constants ajustements qui marquent le progrès scientifique. On retiendra de cette discussion que la méthodologie de recherche doive s'intéresser tout autant au travail ou à l'élaboration théorique qu'aux procédures et techniques d'enquête.

Tout travail de recherche suppose ainsi une planification minutieuse de toutes ses opérations. La recherche est une entreprise qui ne saurait laisser au hasard le cours de son fonctionnement. Bien qu'elle comporte un enchaînement d'étapes reproduisant le cycle de la connaissance scientifique, il n'existe pas comme tel une séquence linéaire d'activités explicites. Dans la pratique, le chercheur peut tout aussi bien, en raison de contraintes ou de motifs liés au contexte de l'étude, esquisser la planification du déroulement de la collecte des données en même temps que s'effectue sa recension des écrits. Il peut également amorcer d'abord sa recension des écrits pour l'aider à déterminer son objet d'étude ou, à l'inverse, choisir en premier lieu son objet pour le documenter ensuite à partir d'une recension des écrits.

À défaut de règles strictes quant à l'ordonnancement des étapes de recherche, la planification d'une recherche est souvent affaire d'expérience et de jugement, selon le contexte particulier de l'étude. Pour les fins didactiques cependant, nous proposons un ordre de présentation des étapes qui correspond *grosso modo* au cheminement le plus usuel.

Voyons dans un premier temps la structure générale d'une recherche empirique, telle qu'illustrée à la figure 2-2.

2.2.1 LES RÉFÉRENTS THÉORIQUES ET EMPIRIQUES

Le premier mode d'opération est celui de la *clarification des référents*, en l'occurrence l'identification et la définition des cadres théoriques et empiriques de l'étude. Par *cadre théorique*, il faut entendre le système de représentation abstrait du ou des phénomène(s) qu'utilise le chercheur dans la poursuite de son activité de recherche. Mue par une finalité la conduisant à interpréter l'univers, la science se dote de systèmes de représentation, qu'il s'agisse d'assomptions, de théories ou de modèles, qu'elle cherche à faire valider grâce à la recherche. Toute recherche comporte ainsi un énoncé de problème, des définitions, des interrogations à transposer sous forme d'hypothèses à tester ou d'observations et de mesures à réaliser. Parfois, le chercheur recourt à une théorie ou à un modèle pour encadrer sa réflexion ou engendrer ses hypothèses. Dans un cas comme dans l'autre, il appuie sa problématique de recherche sur un système de référence théorique capable de rendre compte des phénomènes à observer.

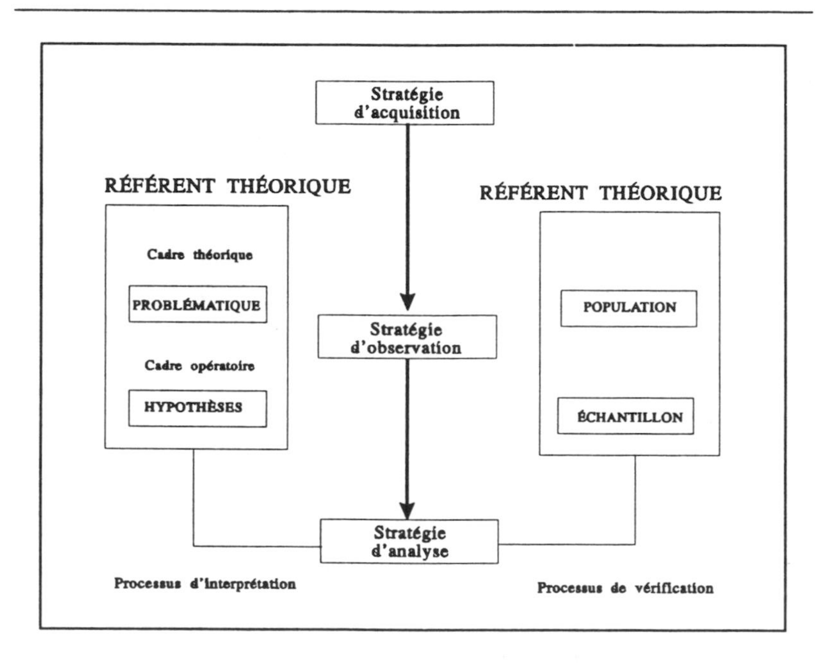

Fig. 2-2. Structure générale d'une recherche.

Le *cadre ou le référent empirique* renvoie aux sujets et aux faits sociaux composant la réalité observable. Une théorie n'est validée qu'à partir du moment où ses définitions et ses explications sur l'origine des phénomènes paraissent conformes à la réalité. Plus le cadre de référence théorique coïncide avec le cadre de référence empirique, plus la théorie est valide, donc vraie.

2.2.2 LES STRATÉGIES

Le second mode d'opération du cheminement d'une recherche se situe au niveau des *stratégies* qui ont pour rôle de définir les lignes directrices de l'étude en fonction des priorités retenues (axes d'investigation) et des décisions prises au sujet des orientations (options) méthodologiques. Ces stratégies de recherche se composent de l'ensemble des dispositifs méthodologiques sélectionnés dans une optique d'efficacité et d'efficience eu égard aux objectifs de la recherche. Nous distinguons trois paliers de développement stratégique dans une recherche.

Le premier, qualifié de *stratégie d'acquisition*, est en ligne directe avec les objectifs de l'étude. La stratégie d'acquisition fonde le plan général de l'étude ou, si l'on préfère, l'échafaudage sur lequel s'emboîtent toutes les autres opérations de recherche. C'est au moment du choix d'une stratégie d'acquisition qu'est prise la décision quant à la finalité de recherche et à l'objectif de connaissance ou d'action devant être atteint. Cette précision permet de distinguer entre les recherches descriptives, classificatoires, exploratoires, interprétatives ou explicatives et enfin prédictives. La stratégie d'acquisition spécifie également le type de procédure ou de dispositif méthodologique à utiliser: étude transversale ou longitudinale, expérimentale ou corrélationnelle, etc.

Le deuxième niveau de stratégie réunit les décisions et la planification des opérations quant aux champs à étudier et aux méthodes d'observation à utiliser. Essentiellement, les *stratégies d'observation* regroupent la planification des opérations ayant trait à la définition et à la sélection des unités d'investigation, telle l'identification des composantes du groupe cible ou la procédure et les techniques d'échantillonnage, de même que le choix et la mise au point des méthodes et outils d'observation.

Enfin, les *stratégies d'analyse* comprennent les méthodes et les techniques d'analyse des données d'enquête ou d'expérimentation. Ces procédures englobent les méthodes qualitatives et quantitatives qui permettent, suivant le cas, de tester les hypothèses, de déterminer les causes d'un phénomène ou d'interpréter les liaisons prédites entre facteurs. Mentionnons que les stratégies d'analyse font habituellement appel aux techniques statistiques exploratoires dans l'analyse descriptive et aux techniques confirmatoires dans le cas de l'analyse vérificationnelle.

NOTES:

(1) Berthelot (1985) a distingué la logique de la preuve (exigence de production d'un effet *X*, tel que si *X* alors *P* est vrai), et technique de la preuve (procédure réglée et codifiée d'établissement de la preuve, c.-à-d. l'inférence).

(2) À propos des lois, Ullmo abonde dans le même sens: «Il est ainsi bien clair que les lois *sont tirées* des phénomènes, que c'est une expression vicieuse que de dire: les faits sont soumis à des lois, qu'il faut dire: les faits comportent des lois. La loi est constative et non normative.» (Ullmo, 1969:53).

(3) *Gnoséologie*: théorie des sources et des formes de la connaissance.

(4) L'expression «fait singulier» est à distinguer de celle «d'événement», qui selon Granger est un modèle qui échappe à la science, à la raison.

(5) La notion de falsification chez Popper renvoie aussi au problème de la démarcation entre science et non-science (Chalmers, 1991).

(6) Pour Granger (1960), l'épistémologie c'est la pratique de la science dans son *processus de création et de mise en oeuvre*. Pour Bourdieu *et al.* (1968), c'est la *science qui découvre le processus de connaissance par l'identification des processus de l'erreur*.

(7) La doxologie a précisément pour rôle de mesurer l'impact du savoir vulgaire dans le discours scientifique tandis que la nosographie a pour tâche de purger le langage de la science des prénotions et des représentations du sens commun (De Bruyne *et al.*, 1974:32). Lire à ce propos les textes pertinents de Foucault, Wittgenstein, Deleuze, Bourdieu.

PARTIE II

LES STRATÉGIES D'ACQUISITION

CHAPITRE 3

LES FINALITÉS ET LES OBJECTIFS DE RECHERCHE

3.1 LES REPÈRES TERMINOLOGIQUES

La classification des «scénarios» de recherche soulève toujours des problèmes de sémantique et de représentation de l'activité scientifique. Nous essaierons ici de mettre un peu d'ordre dans le fouillis notionnel caractérisant cette question. Nous entamerons donc ce chapitre en présentant quelques repères terminologiques qui aideront à comprendre notre système de dénomination des scénarios de recherche les plus courants.

Il existe de fait plusieurs taxinomies de scénarios de recherche (Hemptinne, 1960; Campbell & Stanley, 1967; Tripodi, 1985; Ouellet, 1990) mais toutes étant plus ou moins spécialisées, peu d'entre elles sont aptes à décrire l'extrême diversité des situations de recherche. On retrouve par exemple des classifications de «devis» appropriées à des champs d'étude spécifiques, tels que la recherche socio-économique, la recherche sociale appliquée, la recherche épidémiologique, aucune n'ayant été conçue pour englober la vaste diversité des situations de recherche en gérontologie. C'est avant tout pour combler cette lacune que les pages qui suivent proposent un système de classification pouvant être généralisé à la plupart des stratégies méthodologiques.

Notre expérience d'évaluateur de rapports de recherche, d'enseignant et de chercheur nous autorise à conclure que l'absence d'une représentation claire des stratégies de recherche en usage constitue un grave handicap dans l'élaboration d'une démarche scientifique authentique. Ainsi, la difficulté à cerner les implications d'une stratégie donnée, en regard de ses avantages, de ses inconvénients ou de ses contraintes, engendre trop souvent de la confusion dès qu'il s'agit de décrire l'ensemble du cheminement d'un projet. L'étudiant non initié à la recherche optera pour une stratégie sans pouvoir justifier véritablement son choix, ni comprendre les fondements méthodologiques inhérents à la démarche retenue. Ainsi il se demandera s'il lui incombe de vérifier une hypothèse ou non, si la description est un objectif de recherche légitime, si la démarche expérimentale est la seule stratégie qui soit valable dans telle ou telle circonstance. Dès lors, on comprend l'embarras dans lequel se trouve l'étudiant ayant à défendre son projet de thèse lorsqu'il doit démontrer la pertinence de son scénario de recherche. Le problème véritable n'est pas tant lié à des déficiences sur les connaissances méthodologiques qu'à des carences en matière de culture scientifique.

La *stratégie de recherche*, avons-nous dit précédemment, décrit la démarche générale d'une recherche d'après ses finalités, ses objectifs et le dispositif qu'elle emploie. Réunissant les conditions de réalisation de l'observation et de l'analyse, la stratégie de recherche propose en quelque sorte une vue d'ensemble articulée sur le projet de recherche, en même temps qu'elle fixe les objectifs à atteindre et expose le cheminement méthodologique à suivre.

Par exemple, une étude non expérimentale sur l'efficacité d'un réseau d'aide informel dans le maintien à domicile des personnes âgées pourrait comporter le descriptif suivant: recherche fondamentale (finalité) et explicative (objectif) utilisant une approche transversale du type enquête sociale (dispositif). Tels sont les points d'ancrage du processus de désignation d'une stratégie d'acquisition. Cependant, il ne se limite pas à identifier les repères terminologiques appropriés. L'entreprise de qualification d'une recherche est un processus réflexif et démonstratif. Elle exige une analyse appréciative des options méthodologiques dans l'atteinte de buts spécifiques pour des conditions d'observation données, en tenant compte des contraintes liées à la problématique et d'autres impératifs à caractère logistique. Le processus de désignation d'une recherche n'est pas qu'une simple opération d'étiquetage: il est un discours cohérent et argumenté, une discussion éclairante sur les choix méthodologiques et sur les motifs ayant présidé à ces choix.

Dans la littérature scientifique, on rencontre fréquemment l'expression *protocole de recherche*. Appellation consacrée dans certains milieux (sciences naturelles, médicales et psychologie behavioriste notamment), le protocole de recherche désigne en fait les sous-types de la recherche expérimentale. Les divers plans expérimentaux et quasi-expérimentaux feront d'ailleurs l'objet d'un exposé dans le prochain chapitre.

Notre système de classification des stratégies d'acquisition repose sur trois modalités: 1) les *finalités* envisagées; 2) les *objectifs de connaissance et d'action*; 3) les *dispositifs méthodologiques* comme tels.

L'analyse du cheminement d'un rapport de recherche aidera maintenant à mieux distinguer les appellations couramment employées pour désigner les documents que doit produire le chercheur (cf. figure 3-1).

DOCU-MENTS	PROBLÉ-MATIQUE	APPAREIL MÉTHO-DOLOGI-QUE	ÉCHÉAN-CIER ET RESSOUR-CES	RÉSUL-TATS	ÉVALUA-TION
Proposi-tion de recherche	X				Pertinence
Projet de recherche	X	X			Pertinence Excellence
Plan de recherche		X	X		Faisabilité
Devis de recherche	X	X	X		Pertinence Faisabilité Excellence
Rapport de recherche	X	X	X	X	Apport scientifi-que ou pratique

Fig. 3-1. Cheminement dans la production d'un rapport de recherche.

La figure 3-1 montre qu'une *proposition de recherche* est un dossier de travail pour signifier des intentions de recherche et clarifier une problématique. La proposition de recherche contient habituellement un exposé succinct du cadre opératoire devant être évalué suivant des critères de pertinence, au regard de l'état actuel des connaissances, d'après l'actualité du problème ou encore suivant des nécessités de la pratique sociale.

Le *projet de recherche* réfère à la proposition, mais aussi à l'exposé sur l'appareil méthodologique. Il décrit donc la stratégie d'acquisition à mettre en place pour atteindre les objectifs. Le projet de recherche est en quelque sorte l'itinéraire «sur papier» des opérations méthodologiques. L'évaluation d'un projet de recherche comportera une appréciation sur la pertinence de l'étude mais surtout sur l'excellence méthodologique des dispositifs proposés.

Le *plan de recherche* consiste dans l'articulation structurée des étapes de la recherche, selon les modalités méthodologiques ou techniques favorisant le mieux l'atteinte des objectifs.

Supposons qu'une équipe de recherche, alertée par un problème de logement dans un quartier défavorisé, tente d'identifier les préférences de logement des personnes âgées de ce milieu. Le plan de recherche regroupera dans un premier temps toutes les décisions se rapportant aux différentes étapes de l'étude. Mais sur un point précis, par exemple la durée de l'opération de collecte de données, l'équipe pourra déclencher l'opération d'interview à un moment précis et l'étaler sur une courte période. On procédera ainsi pour éviter par exemple que les résultats de l'observation soient faussés par un quelconque *effet de contagion* ou de rumeur sur le but de l'enquête. Voilà donc une modalité technique particulière devant figurer dans le plan de recherche.

Autre scénario. S'agissant par exemple d'un projet portant sur les facteurs d'adaptation au stress chez les personnes âgées, on optera éventuellement pour deux séances d'interview plutôt qu'une, afin de contrecarrer l'*effet de la fatigue*, augmentant ainsi la validité des informations recueillies.

Hormis cette particularité technique, le plan de recherche expose également l'arrangement des activités dans le temps, à l'aide d'un calendrier de travail ou d'un échéancier préétabli (p. ex. un Gantt ou un Pert). Ici le chercheur construit son plan de travail en tenant compte de la disponibilité des personnes, aussi bien celles interrogées (si tel est le cas) que celles affectées à la réalisation de l'étude, en identifiant les périodes les plus favorables pour enclencher telle ou telle opération. Enfin, le plan de recherche fournit les précisions sur les ressources (humaines, financières, matérielles) à mettre en place pour réaliser la recherche.

Une fois le plan de recherche choisi, l'investigateur se consacre normalement à la préparation du *devis de recherche*[1]. Le devis de recherche sert habituellement de document de présentation à l'intention des commanditaires, en l'occurrence aux fins de demande de subvention. Il s'agit essentiellement d'un dossier de présentation complet incluant le *projet de recherche* (donc une proposition de recherche, des objectifs et une procédure méthodologique) ainsi que le *plan de recherche*, c'est-à-dire un calendrier de réalisation et un aperçu des ressources à mobiliser (un budget détaillé: coûts afférents à l'ensemble des postes budgétaires), la liste du personnel ou des membres de l'équipe de recherche (les responsables, les assistants de recherche, le secrétariat, etc.) accompagnée des curriculum vitae.

Le devis de recherche incorpore la plupart du temps une recension sommaire des écrits servant à démontrer que les postulants connaissent bien leur sujet et sont au courant des derniers développements dans le champ étudié. Les chercheurs incluront, si nécessaire, certaines pièces justificatives (p. ex. formule-type de consentement, avis d'un comité d'éthique, lettres officielles d'institutions, etc.) les autorisant à effectuer l'étude.

Pour compléter cette énumération, distinguons les trois dénominations suivantes couramment utilisées dans le langage de la recherche: le travail de recherche, le rapport de recherche et le programme de recherche.

Le *travail de recherche* définit toute activité de recherche en «effectuation». Il s'agit donc de la mise en chantier du projet de recherche d'après les étapes menant à sa réalisation.

Par contre, le *rapport de recherche* désigne le produit fini, soit le document narratif réunissant les composantes de l'étude. Il regroupe toutes les informations pertinentes permettant d'apprécier le travail accompli. Le rapport de recherche peut prendre la forme soit d'un compte rendu soit d'un document élaboré faisant état du problème de départ, des objectifs, de la méthodologie et des résultats obtenus. On pourra joindre à ce dossier un rapport technique colligeant différents documents d'appoint destinés à compléter le texte principal ou le compte rendu, évitant ainsi de l'alourdir. Le rapport technique de recherche contiendra par exemple le détaillé de certaines procédures statistiques, des tableaux ou des graphiques additionnels, des lettres, des analyses complémentaires ou partielles sur des tranches de l'échantillon, des ajouts ou des remarques méthodologiques. Le rapport technique sera annexé au rapport principal ou constituera un dossier complémentaire d'accompagnement.

Finalement, le *programme de recherche* renvoie à une séquence de projets (ou de devis de recherche apparentés et interreliés) à réaliser sur une période de temps prédéterminée, par exemple quinquennale. Un programme de recherche évaluative complet en gérontologie, par exemple sur la dépression chez les personnes âgées, pourrait comporter l'enchaînement de projets suivants: 1) une étude d'évaluation diagnostique répertoriant les sujets traités pour troubles dépressifs dans un milieu donné; 2) une étude de faisabilité axée sur l'identification d'un scénario de projet d'action susceptible d'apporter une aide aux personnes âgées souffrant de troubles dépressifs; 3) une fois la ressource implantée, une étude expérimentale visant à attester l'efficacité du programme; 4) enfin, une étude d'impact se proposant d'obtenir un indice de satisfaction des usagers et d'allégement du fardeau des intervenants.

Outre le modèle de recherche classique, dont l'objectif consiste à éprouver des hypothèses, se dresse une gamme très vaste de finalités de recherche, d'angles d'approche et de dispositifs méthodologiques. Dans un domaine comme la gérontologie, on conçoit aisément qu'il faille se familiariser avec des dispositifs de recherche qui prennent leur racine et trouvent leur justification dans la pratique sociale.

Plusieurs classifications omettent cependant deux catégories d'objectifs de recherche importantes: celle touchant l'action et celle concernant la prise de décision. Il en sera donc question un peu plus loin.

Cette section propose une classification des stratégies d'acquisition, dans un effort pour systématiser ce qui, dans les écrits contemporains en méthodologie de recherche, apparaît comme étant parfois nébuleux et, à maints égards, incomplet d'un point de vue didactique. En effet, dès qu'il s'agit de qualifier sa recherche, le chercheur se heurte habituellement à la difficulté de traduire de manière cohérente et complète l'ensemble de sa démarche.

Or, mentionnons-le à nouveau, la désignation d'une recherche est une opération à réaliser avec grand soin puisqu'elle trace les lignes directrices d'un projet et engage l'ensemble de ses opérations. Pour utiliser une métaphore, on considérera que désigner une recherche est à la pratique scientifique ce que la clef est à la partition musicale.

Les trois niveaux d'une stratégie d'acquisition sont

a) les finalités premières;
b) les objectifs de connaissance et d'action;
c) les dispositifs méthodologiques.

3.2 LES FINALITÉS DE RECHERCHE

Une caractéristique distinctive de la recherche sociale tient au mandat double dont elle est investie. Qu'elle s'accomplisse en gérontologie, en travail social ou dans d'autres champs sillonnés par l'intervention individuelle ou sociale, la recherche sociale poursuit une *finalité épistémique*, vu sa responsabilité scientifique orientée vers la quête de connaissance. Elle vise également une *finalité praxéologique* de par sa contribution à la solution des problèmes psychosociaux, soit son implication dans l'univers de la gestion et des pratiques concernant par exemple le vieillissement. Enfin, certaines recherches s'orientent vers la mise au point d'outils de recherche destinés, soit à mieux doter les chercheurs, soit à faciliter le travail des cliniciens ou des intervenants sur le terrain. Il s'agit alors d'une *finalité instrumentale ou méthodologique*.

3.2.1 LA RECHERCHE FONDAMENTALE

Une recherche est dite *fondamentale* lorsqu'elle se tourne prioritairement vers des objectifs de connaissance, sans égard immédiat ou explicite à la pratique sociale ou aux conditions de vie concrètes des personnes âgées[2]. Par souci de se conformer aux exigences de la communauté scientifique, elle se donne pour principe de demeurer indépendante de toute attache politique, idéologique, sociale ou autre, en tentant de cheminer en toute liberté d'action et de pensée.

Lorsqu'elle relève entièrement de l'initiative du chercheur, sans considération autre que la découverte de nouvelles connaissances, elle se définit comme *recherche libre*. Si au contraire elle se mobilise dans l'optique des préoccupations ou des priorités de l'organisme qui la patronne, elle est une *recherche orientée*.

On admet de nos jours que la quête d'objectivation totale, que défendent les fondamentalistes, est un mythe fortement enraciné dans la pensée scientifique. L'approche fondamentaliste a toutefois le mérite de nous sensibiliser à la nécessité de l'objectivité scientifique. En ce sens, elle est davantage une attitude intellectuelle qu'une volte-face en regard des phénomènes relevant du domaine de la subjectivité.

Pour saisir une réalité en toute objectivité, le chercheur veillera à ne pas être assujetti par cette réalité. L'objet sera saisi en tant que *phénomène social*. Ainsi, quand la recherche interroge la réalité dans l'intention de produire un savoir nouveau, d'éprouver des hypothèses découlant d'une théorie quelconque, son utilité première relève du cognitif, de la connaissance pour la connaissance.

Dans une étude sur l'observance du régime médicamenteux chez les bénéficiaires d'un centre de jour, Guimond et Barbeau (1986) émettent l'hypothèse suivante: les sujets ayant reçu de l'information verbale et écrite sur les maladies importantes frappant les gens du troisième âge seront plus portés à observer leur régime médicamenteux que ceux n'ayant reçu aucune information. On constate ici que l'optique de recherche est fondamentale, puisque aucune mesure visant à aider les personnes âgées à suivre fidèlement leur régime médicamenteux n'est prescrite. En revanche, cette recherche permet d'accroître nos connaissances des facteurs susceptibles d'influer positivement ou négativement sur l'attitude des personnes âgées.

Cependant, il serait erroné de croire que la recherche fondamentale ne peut apporter aucune contribution significative à l'intervention ou à l'action. Elle représente au contraire un excellent outil de réflexion critique sur le sens et la portée des pratiques; elle permet de mieux connaître l'origine et les répercussions possibles des problématiques sociales, en même temps qu'elle peut déboucher sur des applications, par exemple la conception de modèles et de stratégies d'intervention nouveaux. Des progrès énormes ont été accomplis depuis vingt ans en gérontologie, grâce à la recherche fondamentale.

Cette fonction de la recherche sociale doit être soutenue si l'on souhaite un jour développer un champ pluridisciplinaire du vieillissement qui puisse répondre véritablement aux exigences de la science et de l'intervention.

3.2.2 LA RECHERCHE APPLIQUÉE

Quand elle braque son regard sur ce qui pose problème dans la réalité, sur ce qui requiert une action corrective et préventive ou sur ce qui nécessite la mise en place d'une nouvelle ressource, la recherche est dite *appliquée*. Sa raison d'être première est son utilité immédiate pour la pratique ou la décision. La nécessité de recourir à des recherches de type appliqué surgit à maints égards: que ce soit par exemple pour évaluer des interventions gérontologiques, étudier la faisabilité d'un nouveau programme ou envisager la mise sur pied d'un soutien technique en vue d'implanter une nouvelle structure d'assistance.

En recherche sociale appliquée, l'objet d'étude est d'abord saisi dans sa dimension de *problème social*. La préoccupation du chercheur s'inscrit essentiellement dans l'optique d'un transfert des connaissances dans la pratique. Aussi, la recherche sociale appliquée débouche-t-elle la plupart du temps sur des recommandations visant l'introduction de changements ou sur des réflexions susceptibles d'alimenter la réflexion sur l'intervention.

Voyons un exemple: dans une étude sur le comportement confusionnel chez les personnes âgées résidant en milieu institutionnel, Angers (1989:27) entreprend une étude exploratoire de type recherche-action qui l'amène à proposer certaines recommandations touchant le ressourcement et la formation du personnel, l'amélioration de l'aménagement physique des lieux dans les unités de soins de longue durée, la protection de la clientèle non confuse des établissements ainsi que l'implication de la famille.

Le modèle de la recherche sociale appliquée convient bien pour ce type de problématique, puisqu'il s'agit d'imaginer des solutions à un problème relatif aux services dispensés à une clientèle âgée. Le but visé est d'améliorer les procédés préconisées jusque-là ou d'explorer des solutions de remplacement aux moyens actuels.

3.2.3 LA RECHERCHE INSTRUMENTALE

Bien qu'accessoirement concernées par la connaissance ou l'action, les recherches instrumentales (dites également méthodologiques) jouent un rôle clé dans l'élaboration de l'instrumentation scientifique. Le champ de la recherche instrumentale embrasse de fait une pluralité de domaines d'étude: l'élaboration de stratégies méthodologiques novatrices, la validation des instruments de mesure, le développement de nouvelles techniques d'observation et d'analyse, tant quantitatives que qualitatives, et l'analyse critique des méthodes.

S'ajoutent à cette liste les efforts visant à concevoir des grilles d'évaluation ou des tests de mesure destinés aux intervenants ou aux gestionnaires.

3.3 LES OBJECTIFS DE CONNAISSANCE

Qu'elle soit fondamentale, appliquée ou instrumentale, toute recherche sociale poursuit nécessairement des objectifs de connaissance. Or, on a parfois tendance à sous-estimer l'apport de la recherche sociale appliquée dans l'élaboration des savoirs. Inversement, on tend à minimiser la contribution de la recherche fondamentale dans l'évolution de la pratique sociale. Il ne faudrait pas oublier que la *connaissance pratique* est précieuse au même titre que la *connaissance théorique*, chacune ayant sa légitimité propre. D'un côté, les connaissances pratiques seront utiles pour l'élaboration théorique, de l'autre, elles viendront alimenter l'action.

Eu égard à sa finalité, la recherche sociale appliquée est investie d'un double mandat. D'une part, on la sollicite pour élaborer des connaissances sur la pratique, de l'autre, elle est appelée à participer, directement ou indirectement, à la solution de problèmes. On conçoit donc aisément que la recherche sociale appliquée soit doublement exigeante: on attend d'elle qu'elle soit excellente scientifiquement et en même temps pertinente socialement. On se rend compte qu'elle obéit aux principes de toute démarche scientifique et qu'elle utilise les mêmes dispositifs et procédures méthodologiques que la recherche fondamentale.

La finalité de recherche étant établie, on détermine ensuite le niveau de connaissance devant être produit. Par niveau de connaissance, il faut entendre la profondeur d'analyse avec laquelle l'objet d'étude sera considéré. Or, il existe une hiérarchie dans cette «puissance d'élaboration», suivant l'état des connaissances du domaine étudié et les difficultés méthodologiques qui s'y rattachent. Nous distinguons cinq niveaux ou paliers d'analyse correspondant aux objectifs suivants:

1. La description (BUT: repérage d'éléments et recherche des attributs distinctifs);
2. La classification (BUT: définitions opératoires de concepts et construction de taxinomies);
3. L'exploration (BUT: clarification de la problématique, découverte de liaisons statistiques et identification de facteurs lourds);
4. La prévision (BUT: extrapolation);
5. L'explication (BUT: assignation des causes et généralisation).

3.3.1 LES CRITÈRES DE SÉLECTION

Le choix du niveau d'objectif correspondant au degré d'élaboration de l'objet est guidé par quatre critères:

1. L'état d'avancement des connaissances;
2. L'existence et la nature du mandat extérieur;

3. L'intérêt du chercheur;
4. L'expertise en recherche.

Le premier critère dépend de la connaissance préalable du sujet. Normalement, la connaissance se construit par étapes successives: on commence par identifier, repérer puis décrire les faits pour en dégager un portrait général (portrait: au sens d'image de l'enveloppe extérieure ou visible); ensuite on tente de montrer les recoupements, les similitudes et les différences en comparant les observations de manière à définir les propriétés distinctives et à classifier les éléments. À une étape ultérieure, on s'efforce de découvrir des liens statistiques ou fonctionnels entre les faits étudiés, dans l'espoir de construire un profil plus articulé révélant la structure (interne ou cachée) du phénomène. Il s'agit en quelque sorte d'une radiographie (au sens d'image de l'aspect caché ou latent); à l'étape suivante, on peut envisager de prédire les événements à l'aide des informations disponibles sur une longue période; enfin, on tente de tester des hypothèses causales en vue de proposer des explications et de soutenir (ou falsifier) une théorie.

On s'aperçoit donc qu'il y a une trajectoire à emprunter, un ordre hiérarchique à respecter dans tout travail scientifique. Le processus de construction de la connaissance est à la fois progressif, cumulatif et itératif. Souvent, c'est seulement lorsque la recension des écrits théoriques ou la recension des travaux de recherche est complétée que le chercheur peut, avec assurance, fixer son niveau d'objectif à atteindre. Certains organismes de subvention insistent tellement sur l'importance de la recension des écrits qu'ils accordent des financements uniquement sur cette étape spécifique de la recherche ou encore recommandent un financement strictement pour l'élaboration d'un projet.

S'agissant de la recherche fondamentale, il est moins opportun, certains diront même qu'il est futile, d'entreprendre une étude descriptive sur des thèmes relativement épuisés, comme l'effet de la retraite sur l'intégration des personnes âgées ou l'étude de la pauvreté en regard de la solitude. Pourtant, les études de besoin des personnes âgées foisonnent encore: il est à se demander ce qu'elles peuvent bien apporter de neuf. Par exemple, on a maintes fois examiné la relation entre l'adaptation au vieillissement et la satisfaction de vie (Nydegger, 1977). Par contre, on a peu étudié l'effet d'une diminution de la participation sociale chez les personnes âgées et sur leur capacité de maintenir une satisfaction de vie élevée (Neugarten, 1964, 1977)[3]. Bref, quand la documentation sur un sujet est abondante, le chercheur a tout intérêt à dépasser le seuil du descriptif pour se pencher sur des problématiques orientées vers l'exploration ou l'explication. Inversement, il est vain de s'investir à l'aveuglette dans une étude explicative, voire exploratoire, lorsqu'on ne dispose pas des connaissances descriptives et classificatoires de base sur le sujet. Il est suggéré dans ce cas de débuter sa recherche par une étude descriptive et documentaire.

Le second critère dans le choix de l'objectif de connaissance est celui du mandat externe. Si le commanditaire exige que les causes d'un problème soient identifiées, le chercheur devra soumettre un devis comportant des hypothèses ou une analyse qualitative très structurée, ce qui suppose que le travail de description ait préalablement été effectué. Par exemple, l'identification des facteurs de mobilité occupationnelle du personnel soignant d'une unité de soins en psychogériatrie exigera une description préalable du contexte de l'étude. On s'efforcera en second lieu de bien cerner les variables en jeu avant de mettre au point une stratégie de vérification comportant un système intégré d'hypothèses interreliées.

Un troisième critère concerne le champ d'intérêt du chercheur. Ses préférences, ou encore les obligations qu'il a à rencontrer, comptent en effet pour beaucoup dans le choix du niveau d'objectif de connaissance.

Le degré d'expertise du chercheur est aussi à soupeser. Hélas, l'étudiant ou le jeune chercheur préfère trop souvent entreprendre une recherche descriptive, soit parce que cette stratégie de recherche requiert moins d'habiletés et de connaissances méthodologiques, soit parce qu'elle consomme moins de temps pour parvenir à des résultats. Or, il a tôt fait de constater que la recherche descriptive comporte aussi ses exigences, qu'il ne peut sans péril esquiver la construction de sa problématique — qui s'avère l'étape la plus difficile d'une recherche — , ni passer outre la recension des écrits, voire l'analyse statistique.

3.3.2 LA RECHERCHE DESCRIPTIVE

La recherche descriptive est faussement perçue comme bénéficiant d'un statut moindre dans la hiérarchie scientifique. Pourtant, elle se révèle une étape absolument indispensable dans toute entreprise de recherche. En effet, la compréhension et l'explication des phénomènes ou des problèmes sociaux requièrent un portrait juste et fidèle de la réalité étudiée, pour en jauger l'importance ou la pertinence et vérifier la disponibilité de données de base. Dans le domaine des sciences sociales, la recherche descriptive tire son importance des éléments suivants:

Primo, la réalité sociale étant très hétérogène et très particularisée, chaque nouvelle situation de recherche commande en quelque sorte une analyse descriptive nouvelle, une lecture attentive et signifiante de la réalité concrète, telle que vécue. Qui s'est déjà penché sur le phénomène du suicide chez les personnes âgées du quatrième âge ? Qui a déjà étudié le rôle de l'Église dans l'intégration sociale des personnes âgées immigrantes ? Voilà autant de problématiques de recherche qui méritent un effort de mise en forme au moyen de la description.

Dans la recherche épidémiologique, les études descriptives sont utiles surtout si les connaissances sur un sujet donné sont minces, comme c'est le cas dans l'établissement de données de prévalence, des études de tendance ou pour mieux construire une cartographie de certaines maladies. Par exemple, on s'accorde à dire que nos connaissances des troubles dépressifs affectant les personnes âgées sont peu développées. Nous pourrions entreprendre une étude de prévalence des désordres mentaux touchant les sujets âgés dans un milieu afin d'établir les principales composantes liées à la maladie.

Secundo, la réalité sociale étant marquée par le changement, il s'ensuit que les indicateurs et les descripteurs utilisés pour décrire et comparer les faits doivent constamment être revus, renouvelés ou mis à jour. Par exemple, on a accumulé beaucoup d'indices factuels mettant en évidence qu'une situation de crise brusque (mortalité du conjoint, retraite, divorce, déménagement, diminution du revenu) s'accompagne d'une forte diminution du moral chez la personne âgée, précipitant même l'apparition de certaines maladies (Holmes & Holmes, 1970). Or, il y a lieu de se demander si cette situation est appelée à changer, considérant l'existence de programmes de préparation à la retraite, les nouvelles dispositions concernant le divorce (aspect sociologique, psychologique, légal) et la mise en place, au Canada par exemple, de programmes plus diversifiés et généreux de sécurité du revenu. On le réalise donc sans peine, la recherche descriptive se justifie précisément là où se présente le besoin de revoir la conceptualisation sur une problématique donnée, et lorsque s'impose l'exigence de réexaminer les critères d'opérationnalisation utilisés jusque-là.

Tertio, la description est la première démarche de recherche susceptible de consolider les assises d'un nouveau champ disciplinaire. C'est en complétant des recensements de population, en révélant les caractéristiques d'une clientèle, en ratissant un milieu pour mettre à jour ses particularités, en mettant en relief les similitudes et les différences sur le plan des traits observés, que s'édifie une nouvelle science. Telle est précisément la situation de la gérontologie. L'importance de la description est d'autant plus capitale que la gérontologie s'affiche comme l'étude pluridisciplinaire du vieillissement, ce qui commande un élargissement de son faisceau d'éclairage. Aussi n'est-il pas étonnant de constater avec quel engouement se déploie la recherche en gérontologie, mais surtout de constater cette prédilection pour les travaux descriptifs.

Passons maintenant aux fonctions de la recherche descriptive. Un premier rôle tient à l'*analyse systématique* de la réalité, phase préparatoire à la vérification des hypothèses par exemple. En vue d'entamer les étapes ultérieures (ou de second niveau) d'une recherche empirique, la description se donne pour tâche d'identifier les éléments factuels pertinents pour l'analyse, de regrouper et de résumer les informations dispersées dans la masse des données recueillies, et de fournir le profil le plus exhaustif et le plus fidèle possible du groupe ou du sujet à l'étude. Pour parvenir à cette fin, elle recourt naturellement aux techniques du dénombrement, à la catégorisation et à la représentation graphique.

Le travail descriptif se justifie donc en soi, c'est-à-dire par la nécessité d'établir les catégories et les particularités de l'observation (p. ex. les artefacts, les cas aberrants) devant être retenues dans la suite des opérations de recherche. La description sert en quelque sorte à fixer les attributs empiriques du phénomène observé, en même temps qu'elle essaie de jeter les balises du champ à explorer.

Également, la recherche descriptive a pour rôle d'identifier les facteurs pouvant contribuer à l'efficacité des programmes d'intervention. Ainsi, dans une étude américaine évaluant l'efficacité de programmes s'adressant aux personnes âgées appartenant à différentes minorités ethniques, Cuellar (1980) rapporte que les sujets utilisent les services surtout lorsqu'ils sont offerts directement dans leur milieu de vie, lorsqu'ils sont dispensés de manière informelle, personnalisée et dans la langue d'origine de leur destinataire. On voit donc immédiatement l'utilité de cet objectif de recherche, dans l'optique de mettre sur pied une ressource à l'intention d'une catégorie particulière de personnes âgées.

Par ailleurs, la recherche descriptive trouve sa raison d'être lorsque, par exemple, des décideurs ou des professionnels de l'intervention gérontologique ont besoin d'une connaissance préliminaire solide sur la clientèle d'un milieu (étude de clientèle). Le second rôle de la recherche descriptive consiste alors à produire une *analyse constitutive* du groupe d'étude. Il s'agit dans la majorité des cas de brosser un portrait sociodémographique du groupe d'étude, en effectuant en quelque sorte une radiographie sociologique de la population faisant l'objet de l'enquête sociale. On s'attend dès lors à ce que la recherche descriptive aide au repérage des populations cibles, bref qu'elle fournisse un tableau représentatif du groupe étudié. Parallèlement, la recherche descriptive permettra de signaler l'existence de cas aberrants, soit des particularités ou des idiosyncrasies relevées lors des observations, et de rapporter les faits inattendus ou les artefacts.

Quelles sont les qualités d'une bonne description ? Elles se résument aux éléments suivants. En premier lieu, la description doit être *explicite*, en indiquant de manière transparente les frontières du champ de l'observation. Concrètement, une description explicite s'attachera à montrer le cadre et les délimitations du référent empirique (les unités ou les sujets inclus et exclus), en le justifiant et en relevant les points d'ancrage conceptuels avec le référent théorique.

Par exemple, dans une recherche portant sur les conditions de vie et la satisfaction des personnes âgées en milieu urbain, Couture et Erpicum (1989) ont étudié 11 femmes très âgées de la région de Montréal, au coeur de la Petite Patrie. Les auteurs fournissent une présentation minutieuse, même dans le cadre d'un article de revue, des sujets étudiés (faibles revenus, vivant seuls, très âgés, provenant d'un milieu défavorisé, célibataires, incapacités élevées, recevant des services de maintien à domicile, etc.). Ils concluent que ce n'est pas de services supplémentaires dont ces femmes ont besoin, mais de relations sociales significatives. On a donc tenu compte de cette exigence de clarté et d'encadrement de l'observation, à défaut de quoi le risque eût été énorme que l'analyse descriptive se soit résumée à une accumulation désordonnée des faits les plus disparates.

Ensuite, les données de la description doivent être *complètes* ou du moins le plus exhaustives possible; elles seront non filtrées et devront se révéler conformes à la stratégie de recherche. Autrement dit, le chercheur évitera de camoufler des données d'observations qui viendraient à l'encontre des prétentions de l'étude ou des hypothèses énoncées.

Par ailleurs, les données décrites seront *valides*, c'est-à-dire le plus près possible de la réalité, épurées donc de toute interprétation et représentation à connotation subjective.

En outre, la description doit être *opératoire* (Loubet Del Bayle, 1989), c'est-à-dire qu'elle doit faciliter l'atteinte des étapes ultérieures de la recherche.

Finalement, les données de la description seront présentées sous une forme *synthétique*, de manière à faciliter leur compréhension et leur exploitation ultérieure.

3.3.3 LA RECHERCHE CLASSIFICATOIRE

La recherche classificatoire est un autre objectif de connaissance qui accompagne souvent l'étape de la description. Toutes les sciences naturelles (p. ex. biologie, botanique, géologie, etc.) proposent des systèmes de classification (taxinomie) qui regroupent les phénomènes dans des ensembles cohérents et compréhensibles. En sciences sociales, l'un des obstacles majeurs affectant le développement des classifications tient au nombreux cadres de référence théoriques existants et à la difficulté d'établir des conventions sur le plan conceptuel. En fait, on peut dire qu'il y a autant de systèmes de classification en sciences humaines qu'il y a de grilles d'observation et de cadres théoriques. Malgré ce foisonnement de taxinomies, le rôle de la classification et la construction des nomenclatures n'en demeure pas moins déterminant pour la construction théorique et la systématisation des travaux de recherche. Elle est même, selon Volle (1980:38), l'opération fondamentale de la méthode statistique.

Le principe derrière la classification est de regrouper en catégories étanches les unités d'observation recueillies lors de la description, de manière à les représenter sous forme de types ayant un caractère distinctif ou hiérarchique. La partition s'établira de manière à ce que chaque élément puisse se retrouver dans une classe seulement. Or, on se heurte le plus souvent à la difficulté de construire des classes mutuellement exclusives et capables en même temps de s'appliquer à tous les objets (exhaustivité). Bien que certains auteurs (De Bruyne *et al.*, 1974:169; Matalon, 1988:110) aient exposé les «conditions formelles de construction» des classifications, comme les typologies, on ignore encore la véritable démarche méthodologique à suivre. La classification comporte cependant un ensemble d'opérations connues:

1. L'identification du concept-objet;
2. La construction et la désignation des catégories (exhaustives et mutuellement exclusives);
3. La systématisation des faits (traitement des cas aberrants, etc.);
4. La mise en relation des catégories (hiérarchisation, opposition, etc.).

En gérontologie, plusieurs systèmes de classification ont vu le jour au cours des dernières années. À titre illustratif, mentionnons le système de classification de l'invalidité. L'Organisation mondiale de la santé (OMS, 1980; Albarède & Vellas, 1991) a en effet proposé une classification de l'incapacité où on distingue trois concepts fondamentaux permettant d'en décrire les différents stades. Ainsi, la *déficience* représente la perte ou l'altération d'une structure anatomique, physiologique ou psychique. Elle est une anomalie de la structure ou de la fonction d'un organe. *L'invalidité* correspond à toute diminution dans la capacité d'accomplir une activité quelconque, d'après des normes générales du fonctionnement humain. Ainsi définie, l'incapacité renvoie aux conséquences de la déficience sur la performance fonctionnelle de l'individu. Enfin, le *handicap* ou le désavantage social désigne les conséquences réelles de la déficience et de l'invalidité sur l'activité du sujet. Il représente l'écart entre la performance de l'individu et les attentes du milieu social auquel il appartient.

Dans l'optique de créer une taxinomie à indice de validité élevé, l'objectif à poursuivre dans la classification est double: 1) découvrir les catégories discrètes ou mutuellement exclusives (classes disjointes) capables de rendre compte de l'extrême diversité des faits ou des situations d'observation (principe de la généralisation); 2) construire une classification à forte capacité de réduction, c'est-à-dire comportant une série de dénominations restreintes tout en permettant d'inclure le maximum de cas. On retrouve plusieurs systèmes de classification en sciences sociales: le treillis, l'arborescence, l'idéal-type de Weber (1965), la typologie concrète de Lazarsfeld (1970)[4] ou la typologie fonctionnelle de Merton (1965). Signalons enfin qu'il est difficile d'établir une classification préalable à toute recherche, alors même que les données recueillies risquent d'altérer le modèle initialement adopté. Jacques Maitre (1972:49-50) s'est préoccupé de ce problème et il nous livre la réflexion suivante:

> Dans la recherche sociologique, la classification n'est jamais entièrement *a priori*: même l'idéal type prend son départ sur la base de données observées; elle n'est jamais non plus entièrement

a posteriori, dans la mesure où aucune observation systématique ne serait possible sans catégorisation préalable.

3.3.4 LA RECHERCHE EXPLORATOIRE

La gérontologie est une jeune science. Par conséquent, de nombreux champs d'étude ont à peine été explorés ou requièrent une élaboration plus systématique. Or, la préoccupation majeure des chercheurs menant une étude exploratoire est d'articuler le cadre conceptuel qui se rattache à une problématique donnée. C'est la raison pour laquelle nous situons la recherche exploratoire en amont de la recherche classificatoire: elle représente un pas de plus dans le processus visant à constituer une connaissance théorique plus valable de la réalité.

L'apparence de généralité et l'impression d'errance méthodologique que dégage la recherche exploratoire expliquent sans doute pourquoi les néophytes de la recherche paraissent plongés dans la plus grande confusion lorsqu'il s'agit d'identifier ou de qualifier ce genre d'étude. On doit être indulgent à leur égard, car les chercheurs expérimentés qui envisagent d'explorer un sujet jouissent d'une grande flexibilité dans le choix des approches, ce qui contribue hélas à opacifier la méthodologie et à rendre moins transparents les objectifs poursuivis. En outre, il est parfois extrêmement difficile de distinguer entre une étude descriptive et une étude exploratoire. Il y a donc certains problèmes à résoudre pour aider à clarifier le sens et la portée des études d'exploration.

Ce qui mobilise la recherche exploratoire tient initialement à une représentation inadéquate ou insuffisante d'un problème quelconque de recherche. Règle générale, le rôle de la recherche exploratoire consiste à clarifier une problématique de recherche, à dégager une structure conceptuelle suffisamment large pour que puisse être envisagé un début d'élaboration théorique, et à fournir les repères méthodologiques pour systématiser le champ de connaissance étudié. Examinons chaque aspect de ce rôle.

En premier lieu, la recherche exploratoire se donne pour tâche d'examiner sous plusieurs angles le problème à l'étude, en vue de mieux le comprendre, de le démarquer des autres champs d'étude et de cerner les interrogations les plus pertinentes dans un effort de mise en problème du thème examiné. Or, ce rôle d'éclaireur des situations et de révélateur des problématiques investit la recherche exploratoire d'une fonction de légitimation scientifique ou sociale, d'où son importance majeure. S'il s'agit d'une recherche fondamentale, l'exploration s'attachera à développer une argumentation en faveur d'une thématique d'étude donnée qu'elle s'efforcera de bien circonscrire en posant scientifiquement le problème. S'il s'agit d'une recherche sociale appliquée, la démarche exploratoire tentera de soulever les interrogations pertinentes, situer les enjeux et les conséquences anticipées de telle action ou même de l'inaction.

En recherche sociale, l'abord d'une nouvelle problématique s'effectue le plus souvent contre un savoir préexistant et dans un territoire déjà occupé. En effet, toute thématique s'inscrit déjà dans des cadres sociaux structurés, en partie du moins, par les discours et les pratiques de la vie quotidienne. Ce fait exige de la part du chercheur une grande vigilance dans l'élaboration de ses concepts, la problématique devant être reconstruite en l'épurant des interprétations parfois fausses de l'imagerie populaire.

L'exploration fournit donc une première élaboration du champ d'étude en proposant un cadre conceptuel capable de bien le refléter. Elle s'attache ainsi à recenser de manière très large la réflexion et les travaux scientifiques sur un sujet ou ceux qui gravitent dans l'orbite du découpage du thème choisi. Elle élague les fausses représentations, procède aux regroupements de concepts, montre les liaisons inter-variables les plus significatives sur le plan statistique et tente d'éliminer les facteurs dont le pouvoir de résolution (dit de variation) paraît faible.

Contrairement aux études explicatives, la recherche exploratoire ne procède pas à partir d'un ensemble d'hypothèses théoriques à vérifier. Elle conduit plutôt, en fin de parcours, à suggérer des pistes d'hypothèses à formuler et à vérifier. Toutefois, ceci n'exclut pas que le chercheur ait recours à des *hypothèses de travail* pour mieux organiser son travail d'exploration et d'analyse des données. C'est d'ailleurs la présence de ces hypothèses de travail qui crée une certaine confusion lorsqu'il s'agit de qualifier ce type de recherche. Il faut en effet ne pas confondre ces hypothèses de travail avec les *hypothèses théoriques* découlant d'un cadre ou d'un modèle conceptuel ou théorique.

Parfois, on retrouve en filigrane, dans le corps du texte plutôt qu'en conclusion, des hypothèses plus ou moins clairement énoncées (aussi bien celles que l'auteur se propose de vérifier ou qu'il suggère), ce qui ajoute à la difficulté de qualifier ces recherches. Vu cette pluralité d'approches, on peut avancer que la recherche exploratoire se situe à mi-chemin sur le continuum séparant la recherche descriptive et classificatoire de la recherche prédictive et explicative. En définitive, précisons que la recherche exploratoire contribue à

a) clarifier une problématique;
b) mieux documenter un sujet;
c) élaborer la conceptualisation;
d) identifier des facteurs lourds;
e) proposer des hypothèses à éprouver.

Pour illustrer ce type de recherche, considérons l'étude de Françoise Cribier (1979) sur l'estimation de l'état de santé et des pratiques médicales des nouveaux retraités parisiens. Cette recherche s'intéresse au phénomène de l'inégalité devant la maladie et la détérioration de la santé et étudie la diversité des pratiques et des attitudes face à la maladie. L'enquête tente donc d'identifier et de mesurer les sources de variation de l'appréciation subjective que déclarent se faire les personnes âgées à propos de leur santé. Ainsi, l'observation des caractéristiques des populations pouvant être reliées aux différences d'état de santé constitue un premier trait de la recherche exploratoire. Dans cette étude, Cribier constate que les différences les plus importantes sont liées aux conditions socio-économiques de l'ensemble de la vie et au sexe. Ainsi les gens ayant une plus grande scolarité, ayant exercé les métiers ou les professions les mieux rémunérés et les plus intéressants sont aussi ceux qui affirment se porter le mieux, une fois atteint l'âge de la retraite.

3.3.5 LA RECHERCHE PRÉVISIONNELLE

La prévision et l'explication appartiennent au même cadre de la logique scientifique et sont comme les faces de Janus d'une même réalité. Comme nous le verrons plus loin, pour expliquer un phénomène il est nécessaire de le rattacher à une loi connue, tandis que pour le prévoir il faut affirmer qu'il va se produire étant donnée l'existence de certaines conditions et d'une loi particulière. Dans un sens ou dans l'autre, la démarche scientifique classique procède à partir de prédictions. L'hypothèse est ainsi une prédiction concernant la relation entre deux ou plusieurs variables, prédiction qu'autorisent la théorie sous-jacente et les lois ou théorèmes qu'elle contient. Malgré cette parenté morphologique, il importe de ne pas confondre prédiction et explication, du moins dans la pratique de la recherche empirique.

Prévoir un événement c'est fournir une indication de l'évolution probable d'un objet, d'un individu ou d'un phénomène à partir de constatations présentes ou passées. C'est donc préciser d'une certaine manière les conséquences ou les effets «anticipés» résultant de l'action de facteurs. Pour bien comprendre ce type d'objectif de recherche, clarifions en premier lieu les termes de cette définition.

Dans les sciences naturelles, l'incertitude quant à l'issue d'un phénomène, à la suite d'une intervention ou d'une modification quelconque, est habituellement inexistante. En physique par exemple, l'action de la chaleur sur un objet provoque immanquablement une dilatation. Dans une telle situation c'est la loi qui s'applique; il n'y a pas lieu de faire des prévisions puisque l'on a une idée certaine des conséquences. Par contre, dans les sciences marquées par l'indétermination, situation qui s'applique aux sciences humaines, un changement donné n'occasionnera pas nécessairement un effet précis. Ainsi le fait de prendre sa retraite ne signifie pas chez tous les sujets une amélioration de la qualité de vie. Certains vivront leur retraite comme une rupture entraînant une diminution de la satisfaction de vie. Chez d'autres, la retraite mettra fin à des années de travail épuisant, monotone ou peu actualisant, et marquera une amélioration significative du degré de bien-être.

Autre exemple: si l'espérance de vie humaine était un invariant, c'est-à-dire un facteur fixe et constant — ce qui n'est pas le cas de la longévité (Hayflick, 1988) —, la prévision deviendrait forcément inutile. La prévision se justifie donc lorsque subsistent des doutes quant à l'occurrence d'un événement ou que l'incertitude est élevée.

Heureusement, il n'existe pas de lien direct entre la capacité prédictive et la capacité explicative. Par exemple, la théorie de Lamark (1744-1829) à l'effet que le besoin crée l'organe (théorie de l'hérédité des caractères acquis) a pu être démontrée sans que l'on puisse pour autant prédire la morphologie animale des espèces à venir. Il y a donc des situations où l'on obtient des prévisions fort acceptables, même quand le potentiel explicatif de la théorie demeure faible. Matalon (1988) donne l'exemple du lien entre le tabac et le cancer. Ainsi, nous pouvons prédire qu'un fumeur court le risque de contracter le cancer du poumon, avec une marge d'erreur assez précise, sans pour autant pouvoir expliquer le phénomène du cancer. Nous pouvons aussi prédire avec un degré d'exactitude satisfaisant une espérance de vie accrue chez la femme, comparativement à l'homme, sans pour autant connaître parfaitement les mécanismes bio-psycho-sociaux à la base de cette espérance de vie différentielle. Inversement, les facteurs déclenchant habituellement le comportement suicidaire peuvent être connus, sans qu'il soit possible de prédire un tel comportement chez un individu donné. Il y a enfin les situations où l'impossibilité de prédire se conjugue à l'incapacité d'expliquer, comme dans la maladie d'Alzheimer par exemple (malgré certaines percées récentes invoquant un facteur génétique). Donc, même lorsque la validité interne des relations observées s'avère faible, en particulier quand on comprend mal les mécanismes causant le phénomène, il demeure possible de prédire de manière fort acceptable la probabilité que survienne un événement ou qu'évolue d'une manière donnée un phénomène quelconque.

Cette discussion conduit à un autre élément inhérent à notre définition, soit le caractère probabiliste de la prévision. En effet, comme la prévision est du ressort de l'incertitude, elle appartient du même coup à l'univers des conjectures. La théorie des probabilités justifie par exemple des prévisions, pour autant que soient respectées certaines règles statistiques (p. ex. normalité de la distribution, homogénéité de la variance, hétéroscédasticité, etc.).

Toute prévision est en quelque sorte une projection probabiliste. Il existe néanmoins deux types de prévision. D'un côté, on a la *prévision stochastique* qui extrapole les données de l'observation, la plupart du temps des tendances ou des séries temporelles. On parvient à prédire un phénomène avec un degré de précision étonnamment élevé lorsqu'on a observé un échantillon représentatif sur une longue période, sans qu'il soit nécessaire de connaître les mécanismes causant le phénomène. Par exemple, le risque de mortalité à un certain âge peut être calculé de façon précise et s'appliquer aux individus appartenant à une population donnée.

Une voie complémentaire est celle de la *prévision factorielle* où sont spécifiées les conditions d'apparition d'un phénomène, et en même temps, les indications sur les probabilités d'erreur. Nous pouvons aussi calculer de manière précise le risque de mortalité en tenant compte d'un ensemble complexe de facteurs précipitants ou atténuateurs. Les études de type *épidémiologique* ont justement pour tâche de déterminer les facteurs d'incidence de la maladie, leurs conditions d'apparition et les éléments déclencheurs, les aspects socio-environnementaux et aussi les populations à risques. Dans une large mesure donc, les études épidémiologiques ont un caractère *prospectif* propre aux études prévisionnelles.

Le laboratoire d'épidémiologie de la Faculté de médecine de Toulouse s'est penché sur les avantages des études prédictives ou prospectives en gérontologie. L'intérêt de ces études serait double. D'un côté, elles enrichissent nos connaissances en introduisant dans l'analyse l'aspect dynamique d'un phénomène, tels les signes d'évolution du vieillissement, les phases de développement des maladies, les facteurs transitoires.

Dans une étude sur les trajectoires de vieillissement d'une population rurale en France, Pous *et al.*(1988:25) nous livrent l'observation suivante: d'un côté, les études prospectives, par opposition aux enquêtes de prévalence, permettent de vérifier si la détérioration de la santé est un phénomène réversible, s'il existe des incapacités transitoires, des phases d'amélioration ou de récupération à la suite d'un accident morbide.

D'un autre côté, les études prospectives aident à isoler les facteurs de risque et les facteurs accidentels qui souvent mettent en jeu les capacités de défense ou d'adaptation à la maladie.

En résumé, lorsque les conditions de la recherche n'autorisent que l'observation des relations statistiques, sans qu'il soit possible de les analyser en profondeur, la déduction d'un phénomène demeure tout de même réalisable, tant dans les études longitudinales (p. ex. études épidémiologiques de type prospectif) que dans les études transversales (p. ex. études de prévalence). De telles déductions sont dès lors utiles pour faire des prédictions ou apporter des précisions à la description.

3.3.6 LA RECHERCHE EXPLICATIVE

Dans le langage de tous les jours, expliquer c'est montrer d'où provient un phénomène. Donc c'est indiquer son origine dans le but d'accroître notre compréhension du monde qui nous entoure. Les *études étiologiques* ont précisément pour rôle non seulement d'identifier les sources d'un phénomène, mais aussi de mettre en évidence les mécanismes grâce auxquels il se produit. Il s'agit la plupart du temps de démontrer qu'un lien de cause à effet existe entre deux phénomènes, et que ce lien subsiste même lorsque soumis au contrôle de tierces variables. En fait, l'explication recouvre une réalité analytique beaucoup plus complexe. Nous ne nous y attarderons pas dans cet ouvrage (p. ex. modélisation impliquant l'enchaînement complexe de plusieurs facteurs: des agents précipitants ou atténuateurs, des déterminants, l'étude de la contribution de différentes variables endogènes et exogènes, à savoir des *variables médiatrices et inhibitrices*, la détection de *variables confondantes* (ou variable de confusion), la reconnaissance de liaisons nécessaires ou suffisantes, etc.).

On sait que l'explication représente le point culminant de la démarche scientifique: c'est en suivant la voie de l'explication qu'ont été forgées les théories scientifiques grâce auxquelles nous pouvons rendre compte de la réalité. Cependant, nombreux sont ceux qui estiment que l'explication véritable est hors de portée du chercheur en sciences humaines. Plusieurs raisons sont évoquées pour appuyer cette affirmation: 1) la «constance» du changement; 2) la multicausalité; 3) les différences culturelles; 4) le caractère valoriel et normatif du social.

Malgré ces difficultés inhérentes au travail scientifique en sciences sociales, il est légitime de recourir à des approches et à des techniques qui tendent vers l'explication, toutes nuances devant bien entendu entourer une telle démarche. Mentionnons à ce propos qu'on fait la distinction entre l'*explication forte* (études expérimentales) et l'*explication faible* (études dites «corrélationnelles»). Certains diront même qu'il est préférable d'utiliser le terme d'«interprétation» pour désigner la démarche d'explication en sciences humaines.

D'un point de vue méthodologique, la problématique de l'explication recouvre une pluralité de situations d'analyse, d'objectifs de recherche, et il convient de le dire, de points de vue quant aux démarches conduisant à une compréhension suffisante d'un phénomène. Étant donné l'importance de l'explication dans la méthodologie de la recherche sociale, il importe d'y accorder une attention plus particulière en examinant deux thématiques rattachées à l'explication: 1) les exigences et les étapes conduisant à l'explication; 2) les processus discursifs et les modes d'analyse.

3.3.6.1 Les exigences et les étapes de l'explication

D'après Hempel (1972), un phénomène est expliqué lorsqu'on est en mesure de le déduire de lois générales appartenant à une théorie éprouvée, et quand on peut démontrer dans quelles circonstances et conditions précises il apparaît. Cette définition recouvre en effet le principe même de la démarche scientifique. À l'étape empirique, la recherche scientifique accumule les faits de l'observation, les décrit, les compare, en s'efforçant de généraliser les tendances et les liens observés. C'est le principe *inductif* menant à la découverte des lois.

Puis dans une deuxième phase, la recherche scientifique déduit de nouvelles propositions à partir des lois constituées pour tenter ensuite de les confronter aux faits observés. C'est la phase dite *déductive* de la science. Mais cette représentation classique du mouvement de la démarche scientifique est aujourd'hui presque totalement abandonnée, au sens où on cherche à intégrer les deux démarches (système *hypothético-déductif*), et aussi dans la mesure où on s'applique à définir les conditions et les critères de l'explication scientifique.

De ce qui précède, on conçoit donc aisément que le niveau d'explication pouvant être atteint soit largement tributaire de l'état d'avancement d'une discipline, donc du degré de formalisation et de théorisation des connaissances. En psychologie et dans les sciences de la santé par exemple, la démarche hypothético-déductive (protocoles expérimentaux surtout) convient mieux qu'en sociologie, la problématique du changement et de l'historicité des faits sociaux se posant avec moins d'acuité. De la sorte, on peut envisager les généralisations scientifiques.

En sociologie par contre, l'explication est une *analyse interprétative* puisqu'il s'agit d'attribuer un sens à des faits historiquement situés et marqués par des processus de différenciation socioculturelle. L'extrême hétérogénéité des faits sociaux rend donc délicate toute tentative de généralisation et presque impossible la découverte de lois.

Mais au delà de ces différences globales, il faut bien mettre en évidence les éléments constitutifs d'une véritable démarche explicative et indiquer les voies possibles conduisant à l'explication. À cet égard, on retrouve toute une série d'exigences qui, bien que difficiles à satisfaire globalement dans la pratique, serviront de base pour évaluer chaque approche explicative.

— Prouver l'existence d'une relation

La première exigence de l'explication consiste à *prouver l'existence d'un lien statistique* (lien de concomitance) quelconque entre deux facteurs ou variables. Par exemple, on mettra en évidence que de faibles capacités physiques diminuent les rôles sociaux (p. ex. la participation sociale) chez les personnes âgées. Ainsi en observant un échantillon représentatif de personnes âgées, on conclura qu'il existe une relation significative entre ces deux phénomènes, ce qui en principe autorisera à généraliser cette constatation.

En d'autre termes, pour affirmer l'existence d'une relation entre deux phénomènes, on doit pouvoir constater empiriquement une *covariation* substantielle et non aléatoire entre les deux variables sous-jacentes. Par variable sous-jacente, il faut entendre les éléments d'observation et de mesure considérés comme étant ceux qui caractérisent le mieux le phénomène. La réplication est le procédé méthodologique par excellence qui nous permet d'affirmer (ou de prouver) l'existence de cette relation. La réplication, souligne Hempel (1972), est beaucoup plus puissante lorsqu'elle porte sur une grande variété de cas que lorsqu'elle se résume à des tests répétés sur des échantillons semblables.

Mais revenons à notre exemple: les sujets de l'échantillon exerçant le moins de rôles sociaux seront en même temps ceux qui enregistreront les plus faibles capacités physiques. Mais avons-nous expliqué le phénomène pour autant ? Non, bien entendu. Rien dans cette relation ne nous permet de conclure de façon absolue sur la nature et le sens de cette liaison. Établir l'existence d'un lien statistique ne présume aucunement de l'existence d'un lien causal. En termes opérationnels, il convient toutefois de bien définir les critères de la participation sociale (c'est souvent la qualité de la participation et non le nombre de rôles qui importe) et des incapacités.

Le fait de ne pas observer de relation statistique entre *X* (capacités physiques) et *Y* (rôles sociaux) n'exclut cependant pas la possibilité que l'une des deux variables influence tout de même l'autre, sous l'action d'une tierce variable. Car subsiste toujours la possibilité qu'une variable inconnue contamine la relation, en masquant le lien véritable entre ces deux variables. Par exemple, il se pourrait qu'initialement on n'observe pas de relation significative entre *X* et *Y*. Mais en contrôlant cette relation avec le sexe (c.-à-d. en constituant deux sous-groupes afin d'analyser à nouveau l'effet de *X* sur *Y*), la relation entre *X* et *Y* pourrait apparaître forte et significative. La tierce variable aide donc à spécifier la relation première $X \longrightarrow Y$. Enfin, on doit mentionner que si *X* et *Y* varient de façon concomitante, on doit encore rechercher d'autres explications possibles de l'influence de *X* sur *Y* ou de *Y* sur *X*, à travers la présence d'épiphénomènes. On réalise, même à ce stade, l'ampleur de l'analyse explicative.

— Déterminer le sens de la relation

Il importe dans un deuxième temps, de *déterminer le sens de la relation* entre les deux phénomènes, afin d'apporter une réponse à la question: est-ce une altération des capacités physiques qui provoque un faible niveau d'exercice des rôles sociaux ou l'inverse ? Cependant, on n'écartera pas la possibilité d'une *causalité réciproque*, où les deux schémas d'explication seraient vrais (*X* influence *Y* et *Y* influence *X*) et opéreraient en même temps. On s'aperçoit intuitivement que le fait de fixer le sens de la relation nous rapproche de l'explication causale recherchée.

Matalon (1988) soutient à cet égard que de nouvelles explorations impliquant des tierces variables risquent de se révéler futiles si au départ le chercheur s'est leurré sur le sens de la relation initiale. Par exemple, rien ne servirait de pousser plus loin l'analyse des processus par lesquels le tabac peut provoquer le cancer si, en réalité, c'était le cancer qui suscitait l'envie de fumer. Déterminer le sens de la relation consiste donc à préciser la nature de l'action entre les deux variables.

Il est utile de préciser que, la plupart du temps, seules les études de type longitudinal (y compris les dispositifs expérimentaux) permettent de vérifier le sens d'une relation entre facteurs, puisqu'on peut contrôler la situation d'observation de diverses manières et surveiller l'évolution des covariations dans le temps. L'approche longitudinale est donc un mode d'investigation privilégié se caractérisant par l'observation «provoquée» et la mesure de la variation dans le temps.

Les dispositifs prospectifs tels les recherches de «follow-up», les études de type «panel» (cf. le prochain chapitre), et les protocoles expérimentaux (c.-à-d. impliquant une manipulation de la variable indépendante et des comparaisons avec un groupe témoin) appartiennent aussi à cette catégorie, bien que le contrôle soit plus restreint. Dans l'exemple sur le cancer, il s'agirait, chez un même groupe d'individus, de mesurer répétitivement l'effet de *X* (tabac) sur *Y* (maladie), sur une période de dix ans par exemple, afin d'établir la causalité.

— Démontrer la validité interne

La troisième exigence de l'analyse explicative touche à *la validité interne* de l'expérimentation. Une relation est conforme à l'exigence de la validité interne quand toutes les précautions sont prises en vue de fournir une conclusion satisfaisante quant à la véritable nature de la relation entre deux variables. Ainsi, le rôle de l'analyse ne consiste pas uniquement à établir l'existence d'une relation et à préciser le sens de cette relation. Elle doit aussi veiller à éliminer, autant que possible, les variables parasites ou les hypothèses concurrentes pouvant fausser la lecture du sens et du contenu de la relation initiale.

Nous verrons plus loin que les principales sources d'invalidité qui font obstacle à l'explication sont: 1) les événements non contrôlés qui surviennent entre les situations de mesure; 2) la maturation des sujets; 3) les effets de la mesure et de l'expérimentation comme tels (apprentissage, effet de l'expérimentateur, etc.); 4) les modifications apportées à l'instrumentation de mesure; 5) la perte ou «mortalité» expérimentale; 6) la régression statistique.

En appliquant diverses stratégies, on parvient à contrôler et à isoler l'effet d'une variable sur une autre (blindage expérimental). On manipulera notamment la variable indépendante (c.-à-d. celle qui influence ou «*X*»), par exemple en ajoutant un groupe témoin et un groupe expérimental, en recourant à la technique du placebo, ou en réduisant au minimum les sources de variation indésirables et non contrôlées (p. ex. technique du double insu).

— Montrer les processus constitutifs

La quatrième exigence de l'explication consiste à démonter les mécanismes déclencheurs de l'effet observé et à élucider les processus qui interviennent dans l'apparition du phénomène. Plusieurs modalités d'explication sont possibles à ce chapitre: il peut s'agir de montrer l'action et le rôle de certaines variables (facteurs précipitants, facteurs atténuateurs, variables inhibitrices), de montrer un enchaînement causal ou bien de procéder à une analyse du fait étudié «de l'intérieur», suivant une démarche plus «qualitative». Lazarsfeld (1970) a bien porté au clair cette exigence en insistant sur le rôle des *variables intermédiaires*.

À ce stade de l'analyse, le chercheur s'efforcera de dépasser la compréhension immédiate du phénomène, en s'éloignant des régularités empiriques pour se consacrer à une véritable interprétation faisant appel à son imagination créatrice. On voit par l'exemple précédent qu'il faudrait s'interroger sur les motivations profondes des sujets, les contextes ou les circonstances qui conduisent un individu en perte d'autonomie à se retrancher progressivement ou subitement de la vie sociale. La connaissance de ces éléments conduirait à cerner l'ensemble de la problématique des capacités physiques et de la participation sociale, ouvrant ainsi la voie à une explication plus globale. En même temps, la compréhension de ces éléments contextuels et motivationnels permettrait d'évaluer le caractère probabiliste des relations observées.

Ce rapide tour d'horizon du travail d'explication n'épuise pas les variantes multiples de l'analyse, ni ne résout tous les problèmes inhérents à l'explication scientifique. Notre tâche s'est voulue plus modeste et pédagogique, dans l'optique de faire prendre conscience des nombreuses exigences de ce mode d'intervention scientifique.

Examinons maintenant brièvement les principales démarches utilisées pour expliquer les faits sociaux et le type d'analyse propre à chacun. Signalons que ces démarches seront étudiées plus à fond dans le prochain chapitre. Leur place ici ne vise qu'à illustrer les différentes démarches du processus de l'explication scientifique.

3.3.6.2 Les démarches d'explication

Autant il existe des cadres de références théoriques pour aborder l'étude des faits sociaux, autant il existe des démarches méthodologiques pour tendre vers l'explication scientifique. Mais c'est à cette étape du processus scientifique que les cadres de référence (paradigmes surtout) et les modes d'investigation (démarches méthodologiques) convergent, donc se confondent.

Ainsi la problématique du *positivisme* (cf. Durkheim, 1963; Comte, 1966, 1974) rejoint le type d'*explication holiste*, tandis que le cadre de la *compréhension* (cf. Weber, 1965; Bertaux, 1976) appartient au champ de l'*individualisme méthodologique* (*atomisme*). De crainte de nous éloigner de notre propos, identifions simplement les trois grandes démarches méthodologiques auxquelles recourent les chercheurs dans leur effort pour expliquer les faits sociaux.

— La démarche expérimentale

La démarche expérimentale (dont nous étudierons un peu plus loin les différents protocoles) est le propre de la méthode hypothético-déductive dont nous avons parlé précédemment. Elle vise à fournir une démonstration la moins équivoque possible de l'effet d'un stimulus sur la réaction du sujet. Pour fournir une preuve dénudée de toute ambiguïté, le chercheur provoque une situation d'observation précise, créant ainsi les conditions idéales de réalisation de l'expérience: blocage, choix, appariement ou affectation aléatoire des sujets au groupe témoin et au groupe expérimental (randomisation), uniformisation des procédures d'exposition aux stimuli et à la mesure, répétition des observations, blindage expérimental, et ainsi de suite.

Cette méthode repose donc sur deux principes: la manipulation de la variable expérimentale (une intervention de la part du chercheur) et la planification de l'expérimentation (l'observation systématique et organisée, la randomisation, etc.).

La méthode d'analyse privilégiée dans la recherche expérimentale est donc *l'analyse comparative* (entre les situations d'observation, soit avant et après l'exposition au traitement, et particulièrement entre les groupes), celle-ci se prêtant tout à fait à la vérification des hypothèses. Contrairement aux hypothèses de travail propres aux études exploratoires, l'hypothèse à tester dans le schéma explicatif est fournie par la théorie.

— La démarche corrélationnelle

Nous avons tenté de démontrer précédemment que le recours aux techniques statistiques, telle la corrélation, est la plupart du temps utile et indiquée dans les études d'exploration et de prévision. Or, il existe des techniques statistiques capables d'apporter certaines lumières quant au sens de la relation entre deux variables tout en autorisant la construction d'un modèle approximatif de causalité.

Le principe consiste à introduire des tierces variables dans un plan d'analyse de corrélation simple, donc de contrôler statistiquement (et non expérimentalement) la situation *ex post*, afin d'observer les variations que celles-ci font subir à la relation initiale.

La méthode de l'analyse multivariée, celle du cheminement de la causalité (*path analysis*) et d'autres techniques similaires sont utilisées dans cette perspective d'interprétation.

— La démarche compréhensive

La démarche compréhensive propose une lecture intra-subjective et qualitative des faits sociaux (*approche émique*), en rupture avec le schéma positiviste (*approche étique*). Nous employons le terme compréhensif, dans le sens webérien de *verstehen*, pour désigner une démarche consistant à analyser de l'intérieur les phénomènes pour en saisir le sens dans leur effectuation même. Nous utilisons aussi ce terme pour nous démarquer des épithètes parfois réductrices comme l'ethnométhodologie (cf. Coulon, *Ethnométhodologie*, 1987) ou l'approche qualitative ou naturaliste.

Il existe de nos jours un débat opposant les tenants de l'approche qualitative et ceux privilégiant les méthodes quantitatives. Il s'agit là selon nous d'un faux contentieux qui ne sera pas discuté dans le cadre de cet ouvrage. Nous renvoyons le lecteur aux ouvrages suivants pour en savoir davantage sur le sujet: 1) Hammersley, 1989, *The Dilemma of Qualitative Method*; 2) Cook & Reichardt, (1979), *Qualitative and Quantitative Methods in Evaluation Research*; 3) Deslauriers (éd.), (1987), *Méthodes de la recherche qualitative*; 4) Deslauriers, (1991), *Recherche qualitative, guide pratique*; 5) Bruyn, (1966), *The Human Perspective in Sociology;* 6) Reinharz & Rowles, (éd.), (1988), *Qualitative Gerontology*.

3.4 LES OBJECTIFS D'ACTION

La recherche appliquée exige la mise en oeuvre d'une procédure essentiellement tournée vers l'atteinte d'objectifs intelligibles pour l'action ou la décision. Trouvant la plupart du temps sa raison d'être au sein des activités d'intervention — dont celles s'adressant aux personnes âgées — elle joue un rôle de soutien plus ou moins direct à l'amélioration des pratiques ou à l'introduction de changements susceptibles de modifier l'exercice professionnel. Dès lors, son objet est saisi en tant que *problème à résoudre* plutôt que *phénomène à interpréter*. Bien que les situations où elle est appelée à intervenir soient extrêmement variées, elles se résument aux principales activités suivantes:

1) Expérimenter de nouvelles structures, programmes ou services à mettre en oeuvre;
2) Évaluer des programmes;
3) Provoquer des changements (de mentalités, d'attitudes, etc.);
4) Améliorer des pratiques (de gestion, d'intervention);
5) Améliorer les conditions de vie et de travail dans les milieux d'intervention;
6) Favoriser une prise de conscience.

La poursuite de finalités d'application paraît d'autant plus justifiée en gérontologie qu'il faut constamment développer de nouveaux programmes, mettre au point des ressources mieux adaptées aux clientèles, dresser des bilans des expériences passées, inventer de nouvelles formules d'aide et concevoir des approches aptes à faciliter la tâche des intervenants professionnels, des bénévoles ou des aidants naturels. La prolifération des travaux sur le troisième âge est, à notre avis, un indice hautement révélateur du dynamisme qui caractérise ce domaine de la recherche sociale appliquée. Dans une certaine mesure donc, la recherche sociale est sollicitée de toutes parts pour participer au développement des conditions pouvant favoriser le mieux-être des aidants et des personnes âgées.

Nous consacrerons cette section à l'étude des trois principales stratégies de recherche appliquée, à savoir la recherche-action, la recherche clinique et la recherche évaluative. Nous excluons délibérément un quatrième type, soit la recherche opérationnelle, cette stratégie relevant davantage du champ de la science administrative que de celui de la recherche sociale dont il est question dans cet ouvrage.

3.4.1 LA RECHERCHE-ACTION

La plupart des auteurs (Barbier, 1977; Hess, 1981; Goyette & Lessard-Hébert, 1987) s'accordent pour attribuer au sociologue américain Kurt Lewin (1951) la paternité de la recherche-action. Introduite d'abord aux États-Unis par des psychosociologues après la Seconde Guerre mondiale, elle s'est étendue par la suite à d'autres champs d'intervention, dont celui du travail social, de l'aménagement rural et urbain, et tout récemment de la gérontologie.

En raison du caractère plus ou moins orthodoxe des méthodologies qu'elle utilise parfois, de son parti pris sinon de son appui aux milieux populaires, de son analyse critique, voire radicale et, aussi, de son attitude de non distanciation de l'objet, la recherche-action n'a hélas pas véritablement obtenu ses lettres de créance, du moins aux yeux de *l'establishment scientifique*. L'idée même d'un rapprochement entre la science et l'action rebute à plusieurs, faisant violence à ceux qui se réclament de la science objective, et pour qui la neutralité axiologique et l'objectivité sont des dispositions scientifiques inviolables. S'opposant aux traditionalistes de la science, les tenants de la recherche-action estiment au contraire que l'incorporation de la recherche dans une démarche d'intervention conduit à aider à résoudre des problèmes concrets, tout en permettant d'obtenir des éclairages beaucoup plus pénétrants sur ce qui tisse la vie quotidienne et prend un sens chez ceux qui en sont les acteurs. Bref, la nature utilitaire de la démarche de la recherche-action n'invaliderait en rien le potentiel heuristique de cette stratégie, c'est-à-dire sa capacité de faire avancer la réflexion théorique sur le sujet.

Nous sommes d'avis qu'il existe de fait une relation dialectique fondamentale entre l'action et la recherche, les deux étant non pas deux moments consécutifs d'une opération de réflexion/intervention, mais une inclination duelle et complémentaire où action et recherche s'alimentent et se pénètrent mutuellement. Malheureusement, on a trop souvent tendance à justifier faussement l'existence de la recherche-action. Ainsi la référence aux démarches tourainiennes, celles centrées en particulier sur l'étude des mouvements sociaux, au paradigme de l'ethnométhodologie, dans la foulée par exemple des travaux de Garfinkel (1967) et de Cicourel (1964), ou à celui du théâtralisme sociologique de Goffman (1974), n'éclairent pas véritablement sur le sens et la portée réelle de la recherche-action.

Même si derrière ces pratiques de recherche, «l'écart positionnel», voire idéologique, entre le chercheur et le sujet demeure mince, on n'assiste pas vraiment à des transferts de rôles entre chercheurs, intervenants et usagers des services, à des mises en commun des expériences, à une participation des chercheurs dans l'action, à un retour de l'analyse dans la praxis. Si, par de telles approches du social, il y a rupture avec les cadres classiques de l'interprétation sociologique, celle-ci réside surtout dans la manière de voir les choses. Il ne faut pas non plus englober dans l'univers de la recherche-action les études qui prennent pour objet la pratique professionnelle. Chez l'étudiant peu familier avec ces nuances, la tentation sera forte de qualifier comme recherche-action toute situation de recherche impliquant des milieux ou des pratiques professionnelles.

Une fois écartés ces simulacres de la recherche-action, l'espace se rétrécit dans lequel se meut l'investigation véritablement engagée dans l'action. La question qui se pose pour le méthodologue est de savoir comment articuler un type de recherche qui puisse engendrer des retombées pratiques, tout en étant fécond en matière d'acquisition des connaissances. Militants et progressistes, utilisant ou s'inspirant de la démarche de la recherche-action, ne souffrent pas d'insomnie avec les débats épistémologiques, préoccupés qu'ils sont à affiner leurs outils pour mieux servir les intérêts des plus démunis, des exclus économiquement et socialement. En gérontologie, même si une vaste clientèle ou un large bassin de population compte parmi les plus socialement et économiquement démunis, il existe peu de réflexion critique sur cet important thème de recherche, au Québec du moins, à l'exception peut-être de certaines études sur la désinstitutionnalisation (Carette, 1986). Nous sommes donc loin du courant de la gérontologie radicale que préconisent certains (Moody, 1988).

On le réalise donc sans peine, la réflexion sur le statut de la recherche-action déborde le cadre de l'analyse méthodologique et débouche sur une analyse sociopolitique, sur le rôle et les finalités de la recherche, débat qui dépasse le but de cet ouvrage (Lefrançois & Soulet, 1982).

3.4.1.1 Les caractéristiques essentielles

Avant de passer en revue les principaux outils utilisés dans la recherche-action, résumons les principales caractéristiques de cette stratégie de recherche, en empruntant la liste des traits et dispositions relevés par Mayer et Pirson (1986:109-111):

1. Le processus de recherche-action doit être réalisé par toutes les personnes impliquées dans la problématique; ainsi se trouve abolie la relation sujet/objet entre les chercheurs et la population;
2. Le processus de recherche-action fait essentiellement référence à une «expérience concrète» à l'intérieur de laquelle on retrouve à la fois des activités d'analyse et d'intervention;
3. La sélection ou l'identification du (ou des) problème(s), sur lequel (lesquels) doit porter le projet de recherche-action doit trouver sa justification dans un besoin socialement reconnu plutôt qu'à partir des hypothèses et/ou des «intérêts» personnels et professionnels des chercheurs;
4. Dans le but d'obtenir une efficacité maximale, le processus de recherche-action comporte généralement un caractère multidisciplinaire;
5. Tout en étant habituellement engagé sur une échelle restreinte, le processus de recherche-action est souvent conçu pour permettre de dégager des enseignements susceptibles de généralisation et de changement social;
6. Les chercheurs ne travaillent pas habituellement avec des groupes «artificiels», composés d'individus socialement isolés, mais plutôt avec des groupes «réels» insérés dans leur contexte habituel de vie et de travail;
7. Le processus de recherche-action est un travail exigeant d'intervention, d'évaluation et d'auto-analyse qui nécessite une certaine durée et qui ne peut se réduire à des interventions ponctuelles;
8. Le processus de recherche-action doit également être source d'une «connaissance nouvelle» tant par rapport à la solution du problème visé que par rapport à l'intervenant dans la mesure ou [sic] devenant lui-même objet de recherche, son statut et son savoir risquent de s'en trouver modifiés;
9. Le chercheur n'a pas à se situer dans un rapport d'extériorité ou de neutralité par rapport à son objet d'étude; il doit abandonner, au moins provisoirement, le rôle d'observateur neutre, l'attitude de distance qui le sépare traditionnellement des personnes constituant son objet de recherche. Il remplace cette position par une attitude participative pouvant aller de l'observation emphatique à l'action ou l'intervention directe;
10. Dans cette perspective, le chercheur-praticien est habituellement impliqué personnellement et socialement par sa recherche-action, cela veut dire concrètement qu'à cause du caractère même de son intervention il est souvent «interpellé» aussi bien au niveau de son histoire individuelle et familiale

que par rapport à sa position de classe ou à son projet sociopolitique;

11. Le processus de recherche-action a une intervention plus efficace par une meilleure connaissance des fondements de la dynamique de l'action et par une évaluation des résultats toujours provisoires de l'action entreprise. Et pour ce faire, elle a recours, au besoin, aux méthodes tant quantitatives que qualitatives de la recherche «classique».

3.4.1.2 L'instrumentation

Vu l'extrême diversité des buts à atteindre et des schèmes d'analyse employés, il n'existe pas d'instrumentation qui soit propre à la recherche-action, bien que certaines démarches méthodologiques aient tendance à «s'instituer». Elle emprunte en effet ses outils d'observation et d'analyse aux sciences sociales traditionnelles. S'il semble en être ainsi au chapitre des stratégies et des méthodes, les techniques spécifiques diffèrent cependant. Pour certains (Amegan, 1981; Shelton & Larocque, 1981), le modèle systémique représente l'une des approches qui convient le mieux à la recherche-action. En gérontologie par exemple, ce modèle paraît bien adapté aux différentes situations de recherche, dans la mesure où l'on préfère habituellement la pluridisciplinarité à toute autre démarche monofocalisée.

Un autre élément distinctif de la recherche-action renvoie à la flexibilité des moyens qu'elle met à notre disposition, notamment sous la forme du langage et des procédures de vérification. La présence d'acteurs souvent peu familiers avec le vocabulaire scientifique et la nature même des objectifs qu'elle se fixe convergent vers la prédilection pour une méthodologie souple.

Goyette et Lessard-Hébert (1987:158) adoptent une position catégorique sur ce point en déclarant ceci: «Nous dirons, en termes plus positifs, que l'ensemble des méthodes utilisées en recherche-action se caractérise par une *souplesse méthodologique* consentie par le chercheur, souplesse ou «marge de non-contrôle» qui varie selon les *a priori* et les finalités du chercheur.» Selon ces auteurs, la souplesse méthodologique s'observe surtout dans l'emploi des techniques de collecte de données, qu'il s'agisse de l'enquête feed-back (Landry *et al.*, 1984; Rhéaume, 1982; Mercier, Tremblay & Milstein, 1978), de l'enquête participation ou conscientisante (Grell & Wery, 1981; Lamoureux, Mayer & Panet-Raymond, 1984), de l'observation participante (Angers & Bouchard, 1978; Morin, 1979), de la méthode du changement planifié (Thirion, 1981) ou de l'observation multicas (Glaser & Strauss, 1967).

Comme la recherche-action évolue dans un contexte naturel, certains protocoles de recherche expérimentale lui conviennent également, ceux par exemple axés sur la résolution de problème (Goyette, 1987) et ceux utilisés dans le cas des projets de démonstration. L'expérimentation sur le terrain comporte certes des lacunes et des contraintes dues aux difficultés de constituer des groupes équivalents et de manipuler les variables, comme c'est le cas en laboratoire. La validité en souffre donc. Cependant, ces handicaps méthodologiques sont compensés par une plus grande transparence dans les observations et, dans bien des cas, par la qualité des matériaux d'analyse. De toute manière, force est d'admettre que les stratégies quasi-expérimentales sur le terrain, comme nous le verrons plus loin, constituent pour les praticiens de la recherche-action une voie hautement valable pour acquérir des connaissances qui soient de calibre scientifique et en même temps utiles pour l'action.

À cette première liste de dispositifs d'observation, s'ajoutent l'enquête militante (Mayer & Pirson, 1986) destinée à soutenir les projets des milieux populaires et certaines expériences en alphabétisation, dans la foulée notamment des interventions éducatives et sociales de Paulo Freire (1974).

Un autre point sur lequel porter l'attention concerne le recours aux méthodes qualitatives (méthode autobiographique, enquête informative, analyse de contenu, etc.). À ce propos, Bogdan et Biklen (1982), tel que le rapporte Goyette (1987), estiment que la recherche-action représente une forme de recherche qualitative appliquée permettant d'appréhender les différents éléments qui interviennent dans un processus de changement.

Finalement, remarquons que cette pratique de recherche s'accommode, comme le précise Montmigny (1986), de l'évaluation mais non du contrôle. Celui-ci identifie trois moments d'évaluation dans la recherche-action: 1) une évaluation-processus; 2) une évaluation-repérage et 3) une évaluation-bilan. Signalons que ces trois paliers d'évaluation correspondent aux types suivants examinés plus loin: 1) évaluation diagnostique; 2) évaluation formative et 3) évaluation sommative. Toutefois, ce que Montigny ne mentionne pas, c'est que la recherche-action combine la plupart du temps ces trois niveaux d'évaluation dans un même projet, les intégrant dans un cheminement cyclique.

En ce qui a trait au déroulement de la recherche-action, plusieurs (Susman & Evered, 1978; Goyette & Lessard-Hébert, 1987) le résument en cinq étapes:

1. Le diagnostic;
2. L'action;
3. La planification;
4. L'intervention (*action taking*);
5. L'évaluation de l'apprentissage.

3.4.1.3 Illustration en gérontologie

Pour illustrer la méthodologie de la recherche-action en gérontologie, voici un résumé de l'étude réalisée par Darveau-Fournier (1985) sur l'amélioration de la qualité de vie en milieu de soins prolongés. Cette recherche-action a été réalisée de 1982 à 1984 par une équipe interdisciplinaire de l'Université Laval.

Divers intervenants de l'Hôpital général de Québec, des bénéficiaires des soins prolongés ainsi que des membres de leur famille, se sont associés pour participer à une recherche visant à implanter dans leur milieu de vie un programme de formation continue, géré par les pairs, dans l'optique d'améliorer la qualité de vie dans le milieu institutionnel.

À l'étape du diagnostic, on a relevé certaines insatisfactions et difficultés inhérentes à ce type de milieu: clientèle de plus en plus âgée, détérioration de l'état de santé des bénéficiaires, perte d'autonomie et dépendance accrue. Sur le plan institutionnel, on a identifié une baisse de ressources due aux compressions budgétaires, ce qui eut pour effet d'accroître le fardeau des intervenants et d'élever leur degré d'insatisfaction face à leurs conditions de travail.

Pour contribuer au ressourcement des intervenants oeuvrant dans le milieu, la chercheuse eut recours à la formation continue par les pairs en milieu de travail, par opposition à la méthode traditionnelle qui préconise la transmission des connaissances. L'objectif visé était d'améliorer la qualité de vie des bénéficiaires et la satisfaction au travail des intervenants, en stimulant le développement d'attitudes orientées vers une «approche globale du bénéficiaire» et de «valoriser la contribution particulière des intervenants et des bénéficiaires au sein de l'équipe multidisciplinaire» (Darveau-Fournier, 1985:33). L'auteure définit l'approche globale comme étant une méthode qui privilégie une conception unifiée de l'individu, prenant en considération la multiplicité de ses besoins physiologiques, psychosociaux et spirituels, et qui mise sur une participation active du bénéficiaire dans les décisions qui le concerne et dans une prise en charge de ses besoins (Darveau-Fournier, 1985:32-33). Le projet s'est déroulé en plusieurs étapes:

a) Consultation sur les critères de qualité d'intervention

Un questionnaire comprenant 143 énoncés fut utilisé auprès des participants pour identifier les critères regroupés autour de thèmes tels que: philosophie des soins prolongés, environnement, activités de la vie quotidienne, dimensions psychosociales, et d'autres questions relatives à la mort, la confusion, l'incontinence et le fonctionnement en équipe multidisciplinaire. Les sujets étaient donc considérés comme des «experts», selon la technique Delphi, et leur évaluation a servi à dresser une liste de critères de qualité d'intervention afin d'alimenter la seconde étape.

b) Confrontation des critères avec la pratique quotidienne

À partir des conclusions de l'enquête ou de la consultation sur les critères de qualité, on a privilégié la méthode de la discussion en groupes interdisciplinaires pour tenter de dégager des actions à entreprendre pour provoquer des changements dans les attitudes, les conduites, la réglementation et l'aménagement du milieu. Neuf critères ont été sélectionnés en s'inspirant de la technique du groupe nominal. Ces critères ont fait l'objet des discussions en groupe.

c) Évaluation

L'évaluation se proposait d'identifier les effets du programme de formation continue sur les participants. Trois échelles d'attitudes ont été utilisées à cet effet: 1) une échelle d'attitude du personnel soignant envers le potentiel de réadaptation des personnes âgées (D'Amour, 1978); 2) une échelle de satisfaction au travail (Brayfield & Rothe, 1951); et 3) une échelle sur la qualité de l'environnement en milieu de soins prolongés (Moos, 1977). Les animatrices devaient également soumettre des rapports faisant état des discussions en groupe.

Les résultats de l'étude montrent que les intervenants ont modifié plusieurs de leurs attitudes face aux bénéficiaires, qu'ils se sont montrés plus critiques et qu'ils ont transmis des recommandations pratiques quant à la formation des nouveaux membres, sur l'approche au mourant et sur la formation continue par les pairs.

3.4.2 LA RECHERCHE CLINIQUE

Dans le contexte de l'intervention gériatrique proprement dite, le rôle de la recherche clinique n'est plus à démontrer, celle-ci étant solidement implantée dans les différentes sphères de la santé. Au regard de la psychologie du vieillissement, l'horizon de la recherche clinique s'étend aux domaines de la psychopathologie, de la psychologie développementale, de la psychologie des relations humaines et de la psychologie sociale. En travail social et en andragogie, la recherche clinique est aussi appelée à contribuer à l'élaboration de systèmes de relation d'aide beaucoup mieux aptes à favoriser le mieux-être et l'épanouissement de la personne âgée.

Mais quelle est la spécificité de la recherche clinique ? Selon le psychologue Watson (1963), la méthode clinique en psychologie se conçoit comme une mise en application des principes et des techniques psychologiques dans la solution des problèmes de l'individu. Déjà en 1949, Lagache proposait une définition plus dynamique, alléguant que l'objet de la recherche clinique réside dans l'étude de l'homme total en situation, c'est-à-dire tel que pris au sens de son évolution globale.

Plus empiristes, les psychologues cliniciens modernes (Bellack & Hersen, 1984), les Américains surtout, exploitent plus à fond les possibilités qu'offre la recherche expérimentale.

Malgré l'essor de la recherche clinique dans les nombreux sous-champs de la psychologie, la tendance actuelle se caractérise par la recherche d'un équilibre entre les élaborations théoriques, les observations cliniques et les données qu'apporte la recherche empirique. De plus, les efforts se concentrent sur le développement d'une approche programmatique englobant les différentes contributions de la recherche clinique.

Comme la gérontologie se définit de plus en plus comme un domaine d'étude multiréférencé, la recherche clinique trouve dans le cadre relationnel et développemental de la personne âgée les ingrédients nécessaires de son rapport avec la connaissance scientifique et l'intervention.

En matière de recherche appliquée, il faut donc situer la recherche clinique au carrefour de la connaissance scientifique et de l'intervention professionnelle. Vue sous cet angle, elle se manifeste doublement: 1) comme soutien technique aux actions professionnelles; 2) comme mode de développement des interventions thérapeutiques.

3.4.2.1 Le soutien technique

Au chapitre du soutien technique, la recherche clinique trouve sa raison d'être dans la mise au point, l'expérimentation et la validation des tests et des procédures pouvant faciliter le repérage, le diagnostic, le traitement et le suivi des bénéficiaires de services de soin ou d'aide psychosociale. Elle entre de la sorte dans un rapport d'extériorité avec son objet, c'est-à-dire la pratique professionnelle elle-même, qu'elle cherche à rendre plus performante.

Traduit dans le quotidien, cela signifie que les intervenants auprès des personnes âgées recourent de plus en plus à des instruments scientifiques pour évaluer la condition physique, psychique et sociale des patients âgés.

Le rôle du chercheur clinicien est donc déterminant lorsqu'il s'agit par exemple de construire des systèmes de mesure de l'autonomie fonctionnelle des personnes âgées (p. ex. le SMAF, le CTMSP), des tests de motricité en ergothérapie, des grilles de réhabilitation pour fracturés de la hanche en physiothérapie ou des échelles d'aptitude cognitive pour personnes démentes. Les approches utilisées sont multiples: recherche instrumentale, étude expérimentale, expérimentation de terrain et projet de démonstration.

3.4.2.2 Le développement des modes d'intervention

Le second registre de mise à contribution de la recherche clinique sied au coeur même de l'intervention thérapeutique ou de la relation d'aide. Ici l'intervenant clinicien s'investit d'un double rôle: celui de chercheur et celui de praticien. La démarche clinique, nous livrent Revault d'Allonnes *et al.* (1989:45), «se construit progressivement dans une succession de moments d'élaborations scientifiques et de moments de relation avec les acteurs». La recherche clinique opère donc à la manière d'un mouvement en spirale, alternant entre le travail de recueil systématique des données, lors des entretiens cliniques par exemple, et le processus même de l'intervention thérapeutique.

Contrairement à la démarche expérimentale où les données d'observation servent, une fois l'opération terminée, à éprouver l'hypothèse, la démarche clinique rend possible la reformulation des hypothèses et leur recadrage. Le travail clinique contribue ainsi à enrichir les hypothèses de recherche (Revault d'Allonnes *et al.*, 1989:47).

Les méthodes privilégiées par la recherche clinique sont: 1) l'analyse documentaire; 2) les observations à cas unique ou les études de cas multiples; 3) les tests projectifs; 4) l'analyse du matériel d'entretien; 5) les expérimentations terrain.

Les différents dispositifs et stratégies qui s'appliquent à la recherche clinique font l'objet d'exposés dans le prochain chapitre et dans celui traitant des stratégies d'observation. Pour clore cette section, nous citerons l'exemple d'une étude de validation d'instrument s'appliquant aux personnes atteintes de la maladie d'Alzheimer.

Fischer, Visintainer et Schulz (1989) se sont demandés si l'administration du test de Folstein (*Folstein Mini-Mental State Examination*) par le soignant naturel corroborait celle effectuée par le personnel soignant professionnel. Le test de Folstein est un instrument d'évaluation de la déficience cognitive qui peut être administré en quelques minutes et qui fournit une indication utile sur l'évolution de la maladie d'Alzheimer chez un patient. Or le principal défaut des tests sur les fonctions cognitives réside dans leur sensibilité à la situation de mesure. Des résultats tronqués peuvent donc être obtenus lorsque le sujet se prête difficilement à l'exercice, refusant même de coopérer.

Un environnement non familier — qu'il s'agisse des personnes ou du milieu ambiant — peut provoquer diverses réactions chez le patient, suivant le stade de la maladie, et entraîner de fausses lectures d'instrument. Il convenait donc de s'assurer que le MMSE pouvait être administré convenablement et de manière sûre et valide par différents soignants naturels. C'est ce que tentent de démontrer les chercheurs.

On a dans un premier temps identifié 158 dyades de patients/soignants dans le territoire étudié. De ce nombre, 53 acceptèrent de participer à l'expérience. On expédia à la résidence de chaque participant le test de Folstein ainsi que les consignes sur son mode d'emploi. Une fois complétés, les formulaires furent confiés à des cliniciens qui eurent pour tâche d'attribuer les scores aux fins de la mesure. Les précautions nécessaires furent prises afin que ces derniers ne puissent identifier les noms des patients et les scores du test obtenus préalablement à partir des plus récents dossiers médicaux.

La comparaison des scores des soignants avec ceux des évaluateurs confirma l'hypothèse que l'administration du Folstein par les soignants naturels produit des résultats que l'on peut juger fidèles. Le niveau de concordance sur l'ensemble de l'échantillon s'établit à $r = 0{,}74$ ($p < 0{,}001$) et, dans le cas du plus court intervalle de temps entre les deux situations de mesure, il est de $r = 0{,}91$ ($p < 0{,}001$). Toutefois, les auteurs n'ont pas été en mesure de démontrer si effectivement l'évaluation de la déficience cognitive par les soignants naturels était meilleure que celle effectuée par les cliniciens, dans les situations où les sujets ont tendance à «réagir» au phénomène de la mesure. Il est donc difficile d'établir quelle fluctuation est responsable de la différence de concordance des scores, si mince soit-elle: 1) la réaction du patient au nouveau contexte de la mesure; 2) l'administration du Folstein par le soignant naturel; 3) l'intervalle de temps entre les situations de mesure, suivant le stade de la maladie; 4) une combinaison de ces principaux facteurs.

3.4.3 LA RECHERCHE ÉVALUATIVE

Selon Lecomte et Rutman (1982:24), la «recherche évaluative est, en tout premier lieu, un processus d'application de méthodes scientifiques visant à rassembler des données fiables et valides pour savoir comment et à quel degré des activités particulières produisent des effets ou des résultats particuliers».

Nous avons distingué ailleurs les quatre principales approches évaluatives en recherche sociale (Beaudoin *et al.*, 1986):

1. L'évaluation diagnostique;
2. L'étude de faisabilité;
3. L'évaluation formative;
4. L'évaluation sommative.

À cette liste s'ajoutent d'autres approches méthodologiques particulières: 1) l'évaluation de programme (cf. Smith & Glass, 1987:40-46); 2) les méta-évaluations (Gauthier, 1982); 3) l'évaluation de cas.

Résumons brièvement chacun de ces sous-types.

L'évaluation diagnostique a pour fonction de recenser les besoins et de dépister les problèmes ou les difficultés de fonctionnement d'un milieu. Elle constitue la première étape dans toute entreprise d'évaluation. L'étude des besoins est déjà une méthodologie en soi: repérage des besoins, inventaire des besoins, hiérarchisation des besoins, analyse des besoins. Le lecteur trouvera un excellent résumé de cette démarche dans *Méthodologie de recherche pour intervenants sociaux* (Mayer & Ouellet, 1991).

L'étude de faisabilité, pour sa part, évalue les potentialités d'un milieu, ses ressources et la volonté politique nécessaire à la mise en oeuvre d'un nouveau programme ou service à offrir aux bénéficiaires. Elle est en quelque sorte une analyse objective des moyens et des méthodes visant à estimer les chances de réussite d'un programme, en cherchant à en éliminer les éventuelles incohérences.

L'évaluation formative est un outil que se donne un milieu d'intervention pour suivre le développement d'un programme en cours d'implantation, ou lors de son opération, afin d'améliorer les méthodes d'intervention, de corriger les erreurs de parcours et de roder le processus administratif. Pour reprendre l'idée de Abrecht (1991:14), elle est interrogation d'un processus, moins une méthode qu'une attitude. L'intérêt de l'approche formative est qu'elle engage les différents acteurs dans le processus même de l'évaluation. Elle est donc à la fois un puissant levier d'éducation et de formation.

Enfin, *l'évaluation sommative* est une étude bilan visant à déterminer *ex post* les résultats définitifs du programme. Il s'agit donc d'estimer si les objectifs (officiels, latents, anticipés, redéfinis, etc.) ont été atteints et si le programme peut être considéré performant du point de vue de l'efficacité et de l'efficience. *L'étude d'impact* constitue un sous-type particulier (étude des retombées d'un programme dans le milieu, étude de satisfaction des usagers, etc.).

Mentionnons par ailleurs que *l'auto-évaluation assistée* est une méthode qui conjugue les efforts des participants à un programme à l'aide d'un chercheur-expert recruté à l'extérieur de l'organisme ou du programme faisant l'objet de l'évaluation. Tous ceux qui participent au programme sont donc conviés à réfléchir aux causes possibles des succès ou des échecs, en même temps qu'ils établissent le bilan de leurs activités et décident des mesures à adopter pour rendre les énergies investies plus efficaces.

Au fur et à mesure que s'est développée l'intervention auprès des aînés, est apparue la nécessité de planifier et d'évaluer les politiques sociales et les programmes d'aide s'adressant à cette clientèle. Comme le rapportent Rossi et Wright (1984), les années 1960 et le début des années 1970 furent des périodes d'activité intense en matière d'*évaluation de programme* (*Golden Age*). La plupart des travaux d'évaluation — qui empruntèrent le modèle expérimental — ont débouché cependant sur un constat d'échec, du moins aux États-Unis, quant à l'efficacité des programmes sociaux en général. Depuis, on assiste à l'émergence d'approches plus diversifiées et mieux orientées:

> One important consequence of this experience has been the development of so-called comprehensive evaluations, studies aimed at discerning non only *if* programs have effects, but also *why*. A second consequence has been the recognition of the importance of implementation research in overall evaluations (Rossi & Wright, 1984:331).

Patton (1980, 1986) compte parmi ceux qui incarnent le mieux ce nouveau courant. Essentiellement, il préconise l'emploi de méthodologies souples, une plus grande flexibilité dans l'exercice des rôles des évaluateurs, un lien plus étroit avec le milieu faisant l'objet de l'évaluation et un esprit plus créatif.

Il existe certes une abondante littérature sur les méthodes générales de la recherche évaluative (Cook & Reichardt, 1979; Guba & Lincoln, 1981; Rossi & Freeman, 1982). L'évaluation de programme est par ailleurs un secteur de recherche ultraspécialisé où l'on distingue une multitude d'approches. En gérontologie toutefois, il n'existe pas, du moins à notre connaissance, d'ouvrages ayant fait le point sur les travaux d'évaluation touchant le troisième âge, ou sur les méthodologies utilisées dans ce champ d'intervention. Les travaux d'évaluation paraissent plutôt dirigés vers des aspects particuliers relatifs à des programmes spécifiques. Le gérontologue intéressé par ce champ de recherche consultera avec intérêt les travaux de Wan (1986) et Wan *et al.* (1982).

NOTES:

(1) La notion de plan et devis est d'ailleurs utilisée dans d'autres domaines pour désigner la liste des activités à effectuer ainsi que le coût des travaux.

(2) La distinction entre recherche fondamentale et recherche appliquée ne fait pas l'unanimité dans la communauté scientifique. Dans les sciences de la santé par exemple, une recherche est appliquée dès que des humains font l'objet de l'observation. Donc, la recherche fondamentale renvoie aux expérimentations en laboratoire.

(3) Le «Kansas Study» (étude longitudinale sur 10 ans) a révélé une grande stabilité dans l'adaptation sociale des individus après 40 ans. Neugarten a démontré que le style de vie, la satisfaction de vie et les comportements associés à la poursuite des buts demeurent consistants de l'âge moyen jusqu'à un âge avancé (Woodruff & Birren, 1983:121).

(4) Le lecteur consultera avec intérêt le texte de Lazarsfeld traitant des notions de «typologie préliminaire (ou formelle)» et de «susbstruction d'espaces d'attributs» (Lazarsfeld, 1970:318-338).

CHAPITRE 4

LES DISPOSITIFS DE RECHERCHE

4.1 INTRODUCTION

Le dispositif de recherche est une procédure méthodologique attachée aux faits particuliers de l'observation à réaliser, que l'on choisit pour optimiser l'atteinte des objectifs. Sera privilégié celui qui paraît le mieux apte à refléter la démarche générale de la recherche, c'est-à-dire ses impératifs et ses limites, le contexte temporel et les critères de l'observation, et finalement les caractéristiques des sujets faisant l'objet de l'étude. Nous ne saurions par ailleurs trop insister sur la nécessité de justifier un tel choix et de commenter les opérations visant à sa mise en oeuvre. Plusieurs options sont offertes quant aux dispositifs à sélectionner, comme l'indique la figure 4-1 à laquelle nous nous référerons au fur et à mesure des exposés qui vont suivre.

Rappelons que la lecture ou l'observation de la réalité s'effectue toujours suivant une coupe à trois niveaux:
1. Celui de la saisie des données en fonction des sujets;
2. Celui de la saisie des données en fonction de l'objet;
3. Celui de la saisie des données en fonction du temps.

À l'exception des recensements ou des descriptions de populations captives, les recherches sont la plupart du temps menées auprès d'échantillons d'individus (ou de groupes ou d'établissements, etc.). Également, elles se penchent très souvent sur des aspects pointus ou des dimensions partielles du champ d'observation. Comme ces deux premières caractéristiques de la recherche concernent principalement l'étape de la spécification de la problématique et celle de la stratégie d'observation, nous nous intéresserons plutôt au troisième élément, le facteur temps, à cette étape-ci de notre réflexion.

<table>
<tr><th>TYPES</th><th>LONGITUDINAUX</th><th>TRANSVERSAUX</th></tr>
<tr><td rowspan="4">RÉTROSPECTIF</td><td>Étude rétrospective de cohorte</td><td rowspan="3">Étude de cas</td></tr>
<tr><td>Étude rétrogressive</td></tr>
<tr><td>Étude de tendance</td></tr>
<tr><td>Étude de cas témoins</td><td rowspan="3">Étude monographique</td></tr>
<tr><td rowspan="2">AMBISPECTIF</td><td>Plan hybride</td></tr>
<tr><td>Plan combiné</td></tr>
<tr><td rowspan="3">PROSPECTIF</td><td>Étude de follow-up</td><td rowspan="3">Étude ethnographique</td></tr>
<tr><td>Étude prospective de cohorte</td></tr>
<tr><td>Étude de «panel»</td></tr>
<tr><td rowspan="3">EXPÉRIMENTATION CONTRÔLÉE</td><td>Pseudo expérimentale</td><td rowspan="2">Enquête simple</td></tr>
<tr><td>Quasi expérimentale</td></tr>
<tr><td>Expérimentale</td><td>Enquête répétée</td></tr>
</table>

Fig. 4-1. Taxinomie des dispositifs de recherche.

Si l'observation a lieu à un temps fixe, planifiée donc sur une tranche de temps déterminée dite synchronique ou à coupe instantanée, la procédure est qualifiée de *transversale* (ou à coupe transversale). Lorsqu'elle s'étale dans le temps, à savoir diachroniquement, elle est dite *longitudinale*. Comme les procédures longitudinales et transversales comportent chacune leurs avantages et leurs inconvénients, on prendra soin de bien jauger les conséquences découlant du choix effectué. Or, la préférence pour une approche ou pour une autre dépend d'une foule de facteurs dont

a) les *exigences scientifiques* de l'étude, telles que définies dans le mandat, à la lumière des objectifs de connaissance poursuivis ou encore au regard des finalités d'action recherchées;
b) le *délai*. Les études longitudinales par exemple requièrent plus de temps que les études transversales, surtout lorsqu'il s'agit de suivre l'évolution d'un échantillon sur une longue période. Souvent elles conviennent moins à certaines recherches appliquées;
c) les *ressources disponibles*. Les études de *follow-up* exigent que les observations soient répétées, ce qui nécessite des investissements en ressources humaines et financières plus considérables que les études transversales de moyenne ou de petite envergure.

Bref, suivant l'angle de l'étude, les objectifs ou le cadre de l'observation, l'une ou l'autre des procédures peut se révéler inapplicable ou du moins difficilement opératoire. La connaissance des dispositifs, de leurs avantages et de leurs inconvénients, permettra d'assister le chercheur dans la décision qu'il doit prendre et qu'il devra assumer par la suite. Une fois la procédure retenue (transversale ou longitudinale), plusieurs dispositifs méthodologiques s'offrent au chercheur. Il convient donc d'examiner plus à fond ces dispositifs et d'illustrer chacun d'eux à l'aide d'exemples.

4.2 LES ÉTUDES LONGITUDINALES

Les études longitudinales ont cette particularité de pouvoir suivre (prospectivement) ou retracer (rétrospectivement) dans le temps «l'évolution» d'un échantillon de sujets d'après certains traits. Dans l'espoir d'enregistrer des fluctuations sur les variables à mesurer, elles nécessitent au moins deux moments d'observation, à intervalle plus ou moins espacé. C'est ce qui leur confère une grande puissance d'explication.

Mais, comme l'a fait remarquer Rakowski (1984), tout procédé faisant appel à une répétition de l'observation ou de la mesure ne doit pas être considéré comme une panacée universelle aux nombreux problèmes de recherche gérontologique. Il est vrai que le dispositif longitudinal contrôle mieux les sources d'invalidité que l'approche transversale, mais il ne disqualifie pas pour autant cette dernière. Les circonstances sont fréquentes où l'approche transversale s'avère supérieure au dispositif longitudinal, ou du moins davantage appropriée au cheminement impliquant la prise en compte de l'élément temps (p. ex. situations de réaction à la mesure, *effet Floyd Mann*, obstacle touchant à l'innocuité, au code d'éthique, etc.).

Les recherches longitudinales sont particulièrement efficaces pour évaluer l'effet à long terme d'un médicament, apprécier l'impact d'un programme s'adressant aux personnes âgées ou encore pour mesurer les retombées d'une démarche de soin. Elles offrent la possibilité d'enregistrer tout changement dans les attitudes, d'éprouver des hypothèses sur la persistance d'un apprentissage ou encore de tracer l'itinéraire de santé d'un groupe. Certaines recherches longitudinales permettent également de neutraliser l'effet de tierces variables alors que d'autres rendent plausibles la découverte de causes. Elles assisteront à l'occasion le chercheur dans ses efforts pour démontrer si par exemple un programme de conditionnement physique à l'intention des personnes âgées est efficace ou non, s'il contribue à développer chez les participants des habitudes de vie saines qui auront tendance soit à se stabiliser avec le temps, soit à diminuer ou au contraire à s'intensifier. Voilà autant de problématiques où la recherche longitudinale trouve des applications.

Globalement parlant, les études longitudinales jouissent du net avantage de pouvoir préciser les caractéristiques d'un groupe, à partir des données évolutives obtenues lors d'observations répétées, dites par «vagues» successives, c'est-à-dire effectuées sur différentes tranches de temps. Quand l'observation est bien contrôlée et que la composition des groupes est prédéterminée, elle possède un pouvoir explicatif ou de résolution de problème supérieur à la plupart des autres dispositifs de recherche. Enfin, les méthodes d'analyse statistique (ANOVA, ANCOVA, MANOVA, mesures répétées, etc.) s'appliquant aux études longitudinales sont nombreuses et variées. Elles ne seront cependant pas étudiées dans ce manuel de méthodologie générale (cf. Campbell, Mutran & Parker, 1986 et d'autres références plus loin).

Les plans de recherche longitudinaux ne sont toutefois pas exempts de faiblesses telles la mortalité d'échantillonnage, la difficulté de surveiller chaque groupe selon une procédure strictement standardisée, la difficulté de contrôler certaines sources d'invalidité (maturation, histoire) et le problème du remplacement des observateurs (non consistance). Enfin, remarquons que les études longitudinales se prêtent parfois difficilement à des réplications.

Prenons le cas de la mortalité d'échantillonnage. En gérontologie, le taux d'*attrition* (mortalité, abandon, départ, etc.) est sensiblement supérieur à celui rapporté dans d'autres domaines d'étude, étant donné l'âge avancé des sujets participants. L'approche longitudinale en souffre donc. Ainsi, l'étude longitudinale ontarienne (Hirdes *et al.*, 1986) sur le vieillissement (amorcée en 1959 auprès de 2 000 sujets âgés de 45 ans et échelonnée sur 20 ans) a connu un taux de défection de 48 % (de 1959 à 1979).

Même si les risques d'une perte d'échantillonnage sont élevés, il demeure possible de «gérer» cette difficulté (sur le plan statistique par exemple). Signalons par ailleurs que cet obstacle méthodologique n'est pas exclusif aux études longitudinales. Ainsi, les études transversales sont souvent assujetties à des contraintes plus inquiétantes, étant confrontées à l'épineux problème des faibles taux de participation ou à celui du nombre élevé de non réponses (taux de réponse).

Les études longitudinales se ramifient en quatre branches principales: 1) les *études rétrospectives*, parfois qualifiées d'études *ex post facto*; 2) les *études prospectives*; 3) les *études ambispectives* et les *dispositifs hybrides*; et 4) les *études à expérimentation contrôlée*.

4.2.1 LES ÉTUDES RÉTROSPECTIVES

Préconisées par Chapin (1947), les études rétrospectives examinent et comparent les traits d'un ou de plusieurs groupes d'observation sur la base de conduites ou de caractéristiques passées, d'incidences, d'événements survenus ou d'actions déjà accomplies. Faute de ne pouvoir exercer un contrôle sur ces données, leur pouvoir explicatif est conséquemment inférieur (explication faible) aux études prospectives (et évidemment aux études expérimentales). En effet, le chercheur ne peut directement manipuler une variable comme dans les expérimentations (*ex post facto*), ni être présent ou participer aux situations d'observation. Il ne sélectionne pas non plus ses sujets et ses indicateurs, pas plus qu'il ne construit son instrument de mesure. L'observation s'effectue donc à rebours, la variable indépendante étant *invoquée* et non *provoquée* comme c'est le cas dans l'expérimentation. Le chercheur ne procède pas non plus à un *follow-up*, au sens d'un suivi contrôlé des sujets de l'échantillon, comme c'est le cas dans les études prospectives. En revanche, il obtient son matériau d'analyse à partir de sources habituellement sûres, comme les données gouvernementales du recensement ou les *enquêtes* réalisées à grande échelle, ce qui offre la possibilité de comparer sur de longues périodes l'état ou l'évolution d'un groupe, d'une cohorte ou d'une catégorie sociale désignée. Par ailleurs, le dispositif rétrospectif autorise les analyses secondaires longitudinales. L'étude de Bulcroft *et al.* (1989) sur les conséquences du remariage en est un bel exemple, leur base de données ayant été empruntée à la *Social Security Administration's Retirement History Study* réalisée de 1969 à 1979.

Une mise en garde ici s'impose. Il ne faut pas se méprendre lorsqu'il s'agit de qualifier un type de recherche qui explore les souvenirs des répondants dans une démarche à rebours. Dans ce cas, le dispositif n'est pas véritablement rétrospectif (certains chercheurs sont toutefois d'avis contraire), puisque la collecte des données s'effectue «au moment même où le sujet est interrogé» (Russel *et al.*, 1984). D'ailleurs de telles recherches comportent de nombreuses failles, dont celle de la validité des renseignements obtenus en raison d'un *biais de mémoire*. Chez des sujets âgés, la reconstruction *a posteriori* des souvenirs passés soulève encore plus de difficultés, étant peu probable qu'ils puissent se remémorer des événements au delà d'une limite de temps relativement courte. À cet égard, Russel *et al.* (1984) rapportent que la moitié seulement des informations obtenues rétrospectivement sur la foi des sujets interrogés s'avère exacte.

Pour contourner cette difficulté, une solution intéressante consiste à exploiter le matériel de recherche existant, en procédant d'abord à des *analyses secondaires* (cf. Stewart, 1984, Kiecolt & Nathan, 1985), puis en interrogeant à nouveau les sujets plus tard. Dans ce type de *dispositif ambispectif*, le chercheur peut encore intervenir, du moins partiellement, à l'étape de la collecte des données. Toutefois, son appareil de recherche étant tributaire de la méthodologie adoptée dans les études-sources (p. ex. l'échantillonnage, les variables étudiées, les conditions d'observation), l'essentiel de son analyse ne s'appuiera finalement que sur le type de données antérieurement recueillies. De l'avis de certains experts (Featherman, 1977), les études rétrospectives recourant à ce type de matériau représentent, comparativement aux stratégies expérimentales ou prospectives, une solution de remplacement fort intéressante, parce que moins coûteuses et relativement efficaces.

Examinons maintenant les différents dispositifs de la recherche longitudinale rétrospective. Ils se subdivisent en quatre branches principales: 1) les *études de cohorte*; 2) les *études de cas témoins*; 3) Les *études de tendance*; 4) les *études rétrogressives (time-lag)*.

4.2.1.1 Les études rétrospectives de cohorte

Dans la foulée de Birren (1959, 1977), puis de Riley (1973), la recherche gérontologique a raffiné notre perception du rôle de l'âge dans l'explication des phénomènes. Trop d'études accordent à l'âge chronologique des sujets des vertus interprétatives élevées, alors que les notions de période, de génération et de cohorte sont beaucoup plus fécondes théoriquement parlant. La cohorte définit un groupe d'individus possédant un ou des traits en commun: les sujets peuvent être sélectionnés soit d'après leur date de naissance (p. ex. tous les individus nés en 1915), soit parce qu'ils sont nés à une même époque (p. ex. les individus nés entre 1910 et 1920) ou soit parce qu'ils partagent un modèle de vie commun (p. ex. les religieux) ou des expériences particulières (p. ex. les vétérans). Les études rétrospectives de cohorte s'appliquent aussi à des *groupes contrastes* (étude des dossiers des patients traités), par exemple pour comparer l'efficacité de programmes de réadaptation dans différents centres hospitaliers. Bref, la notion de cohorte désigne tout groupe d'individus ayant un quelconque cursus apparenté (cohortes d'âge, cohortes de patients dans différentes unités de soin, etc.). Dans ce type de dispositif, la cohorte tient lieu de procédure d'analyse dont la particularité est de maintenir constante une dimension de l'observation.

Prenons l'exemple le plus fréquent, celui des cohortes d'âge. Dans les dispositifs transversaux, il est toujours délicat d'attribuer à l'âge une fonction interprétative ou explicative véritable, celui-ci se confondant avec l'effet de la date de naissance. Or l'âge reflète davantage des contextes expérienciels ou des contenus d'apprentissage différenciés qu'un simple processus de vieillissement. En gérontologie sociale, on s'intéresse à l'âge parce qu'il exprime justement ces différences, sociohistoriquement situées, et non parce qu'il traduit un état physiologique quelconque. Le problème méthodologique de l'âge se pose avec d'autant plus d'acuité que le chercheur se préoccupe du changement, ce qui est fréquemment le cas en gérontologie.

Par exemple, il serait erroné de conclure que les personnes âgées sont plus favorables à la peine de mort que tout autre groupe d'âge, même après avoir constaté la constance de l'attitude auprès d'échantillons de sujets âgés sur une longue période. On doit comparer l'évolution différentielle des attitudes sur la base d'une *analyse de cohorte*, pour établir un tel constat. Au demeurant, trois facteurs de fluctuation étroitement interreliés risquent de se confondre dans une étude longitudinale: l'effet de l'âge, l'effet de période et l'effet de cohorte, ou même celui de génération. La figure 4-2 indique le rapport de temporalité d'un modèle type d'analyse de cohorte.

E_a...........................			01	02	03	
	E_b..................		01	02	03	
		E_c..........	01	02	03	
1920[1]	1940[1]	1960[1]	1975[2]	1980[2]	1985[2]	1990[3]

Fig. 4-2. Étude de cohortes.

NOTES: (1) Années : 1) de naissance des cohortes; 2) de l'observation; 3) de l'étude. (2) Ea, Eb, Ec = trois échantillons constitués de cohortes d'individus d'âge différent. (3) La comparaison s'effectue sur des cohortes du même âge mais pas nécessairement auprès des mêmes individus.

Blanchard, Bunker et Wachs (1977) ont bien mis en relief ces trois effets dans l'évaluation de données longitudinales. Reportons-nous aux diagrammes suivants (fig. 4-3), adaptés de ceux qu'ont présentés ces auteurs, afin de percevoir les effets de chacun d'eux.

Un *effet de cohorte* s'observe pour une variable donnée lorsqu'elle varie systématiquement dans le temps, d'une cohorte à l'autre, une fois éliminés les effets dus à l'âge. Par exemple, si les individus nés entre 1910 et 1920 sont plus nombreux à contracter tel type de maladie que toute autre cohorte (tel qu'observé pour des intervalles de temps identiques), et ce indépendamment de leur âge, on aura un effet de cohorte. Le diagramme A de la figure 4-3 montre que chaque cohorte apparaît bien différenciée en regard des valeurs *Y*, l'écart demeurant constant pour chaque groupe d'âge.

Un *effet d'âge* se manifeste lorsque le trait observé est une fonction de l'âge chronologique, quelle que soit la catégorie d'âge atteinte par l'une ou l'autre des cohortes à un moment donné. Par exemple, on sait qu'une diminution des revenus s'observe après la retraite, toutes cohortes considérées. La baisse des revenus est donc directement imputable à l'âge, celui-ci étant fonction du moment de la retraite. Le diagramme B montre un tel effet, pour toutes les cohortes étudiées.

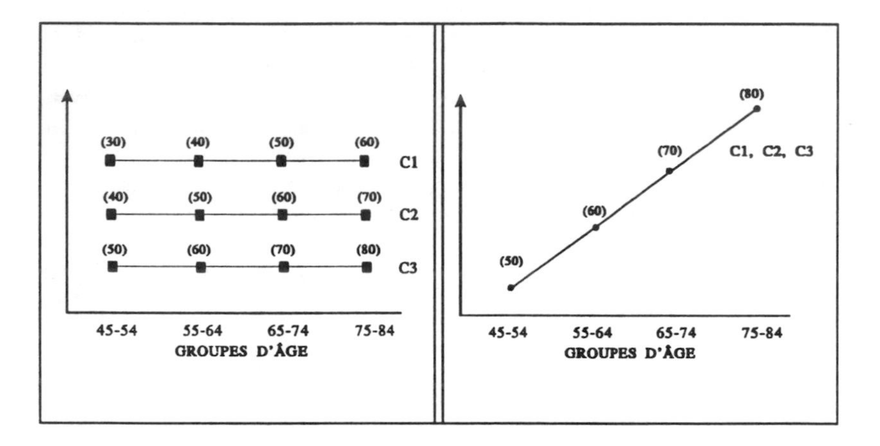

Diagramme A

Diagramme B

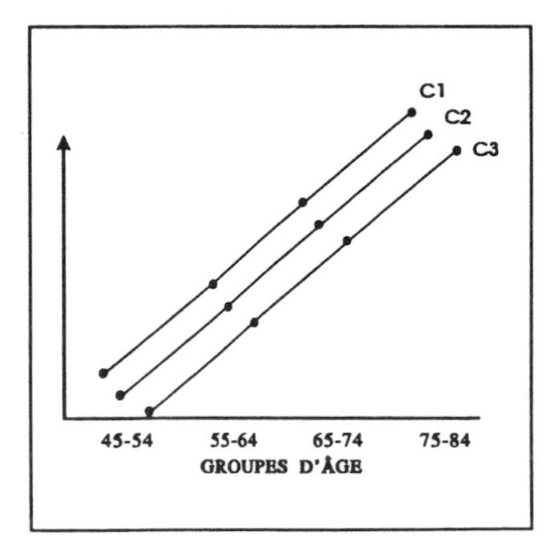

Diagramme C

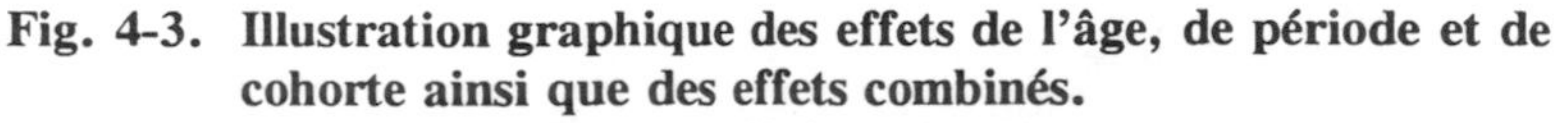
Fig. 4-3. Illustration graphique des effets de l'âge, de période et de cohorte ainsi que des effets combinés.

Source: adapté de Blanchard, Bunker et Wachs (1977:139).

Enfin, un *effet de période* caractérise tout changement touchant plus ou moins uniformément chaque classe d'âge et chaque cohorte d'âge. Par exemple, une récession économique affectera l'indice global de l'emploi et se répercutera sur l'ensemble des travailleurs quel que soit leur âge. Donc de par ce lien à une conjoncture économique, l'effet de période n'entretient aucun rapport avec une cohorte en particulier, ni même avec le processus du vieillissement. Le diagramme C nous fait voir la présence d'un tel effet qui se combine à un effet de cohorte.

Attardons-nous maintenant au cas plus fréquent de l'effet de cohorte. Dans les études longitudinales, le risque est toujours élevé de confondre l'influence apparente de l'âge sur une variable dépendante avec d'autres variables elle-mêmes reliées à l'âge. Tel est le cas de la scolarité, des expériences de vie ou des valeurs qui diffèrent d'une époque à l'autre. Dans une étude de cohorte, l'observation se réalise auprès d'une tranche spécifique d'individus, habituellement définie en gérontologie, comme nous l'avons mentionné, en fonction de l'année de naissance ou d'une classe d'âge. Les données seront ainsi recueillies longitudinalement, par tranche d'âge à différents intervalles, de manière à neutraliser ces effets. Les individus composant chaque cohorte peuvent cependant différer d'une situation de mesure à l'autre. Par exemple, un chercheur pourra étudier l'impact de la retraite sur le revenu, à partir des données provenant de sources officielles (p. ex. un sondage), chez un échantillon de sujets nés en 1927 (donc ayant 65 ans en 1992). Cinq ans plus tard, il comparera le niveau de revenu auprès d'un autre échantillon d'individus nés la même année (mais ayant maintenant 70 ans). Mais si le chercheur décide d'observer un autre groupe d'individus de 65 ans, cinq ans plus tard, son dispositif sera qualifié d'étude de tendance comme nous le verrons plus loin.

Afin de mieux saisir l'effet de cohorte dans l'analyse des données, prenons l'exemple hypothétique suivant. Un chercheur essaie d'établir le niveau de tolérance, en fonction de l'âge et des cohortes d'âge, d'après les attitudes sur la peine de mort. Pour mesurer le phénomène, il exploite les données de sondages antérieurs, soit celui de 1980 et celui de 1990. Il examine et compare les réponses des personnes interrogées en les regroupant selon trois classes d'âge. Il obtient les résultats qui apparaissent dans le tableau qui suit.

TABLEAU 4-1. Pourcentages de personnes favorables à la peine de mort par classe d'âge en 1980 et en 1990.

ANNÉE DE L'ENQUÊTE	CLASSES D'ÂGE		
	55-64 ANS	65-74 ANS	75 ANS ET PLUS
1980	60 %	70 %	90 %
1990	55 %	60 %	70 %

Une lecture *transversale* (lecture horizontale) des données pour chaque vague d'observation (1980 ou 1990) révèle ceci. Plus les gens sont âgés, moins ils sont tolérants vis-à-vis la peine de mort. On note également que pour chaque période d'enquête, l'écart absolu s'accroît à mesure que les sujets avancent en âge (de 10 % à 20 % en 1980 et de 5 % à 10 % en 1990). Une seconde lecture, de type longitudinale à tendance (lecture verticale) confirme toutefois, pour toutes les catégories d'âge, une tendance à une ouverture d'esprit plus grande face à la question de la peine de mort (diminution des pourcentages exprimant une attitude favorable à la peine de mort dans chaque groupe d'âge). Mais on note aussi une moindre progression procentuelle en 1990 comparativement à 1980, en fonction de l'âge. L'écart d'attitude s'accentue même, dès qu'on compare les catégories d'âge plus élevées. On s'aperçoit ainsi que sur une période de dix ans, ce sont les gens les plus âgés qui enregistrent la plus forte amélioration sur le plan de la tolérance. Par contre, vu sous cet angle, il n'est toujours pas possible de vérifier si les individus deviennent plus tolérants à mesure qu'ils avancent en âge. Or l'analyse des données du tableau en fonction des cohortes d'âge (lecture diagonale) permet de constater que le niveau de tolérance paraît cristallisé, que les gens n'ont pas tendance à modifier leur attitude à mesure qu'ils vieillissent. Celle-ci se maintient respectivement à 60 % et à 70 % pour les deux cohortes que le tableau permet de comparer.

Voyons maintenant quelques exemples concrets tirés de la littérature gérontologique. Cutler *et al.* (1980) se sont penchés sur la relation entre l'âge et le conservatisme américain. Or, la plupart des études antérieures (Glenn, 1974; Riley & Foner, 1968) soutiennent que plus l'individu avance en âge, plus il tend à adopter des attitudes conservatrices sur différentes questions à caractère politique, économique ou social. Mais les auteurs sont d'avis que ces changements d'attitudes ne peuvent être inférés directement à partir des différences d'âge. Les attitudes plus conservatrices des personnes âgées peuvent refléter des variations découlant d'apprentissages ou de conditionnements qu'exprime le changement culturel, puisque l'on sait que toutes les cohortes d'individus sont socialisées différemment suivant les normes et les valeurs prévalant à leur époque.

Pour vérifier l'effet de cohorte, Cutler *et al.* (1980) entreprennent donc une étude rétrospective pour mesurer l'effet de cohorte sur l'attitude vis-à-vis l'avortement. Sur la base de matériel secondaire (sept enquêtes américaines), les auteurs parviennent à démontrer que l'opinion publique concernant l'avortement a certes évolué de 1965 à 1977 (période étudiée), mais que la courbe du changement ne fluctue pas de façon significative d'une cohorte à l'autre. Pour illustrer concrètement ces résultats, nous reproduisons ci-contre un schéma partiel adapté de l'étude afin de mettre en évidence ce phénomène.

L'analyse de cohorte se prête aussi à des interprétations de type exploratoire et qualitatif, comme le montre la recherche de Borland (1982).

En examinant soigneusement certains faits historiques (démographiques: l'espérance de vie, les taux de fécondité, l'immigration; sociopolitiques: guerre au Vietnam, mouvement des droits civils; économiques: accès des femmes à l'emploi, mesures sociales), Borland tente de construire un modèle devant servir à expliquer l'apparition du syndrome du «nid vide». Il s'intéresse donc à l'incidence de ce syndrome, c'est-à-dire aux états psychologiques postparentaux consécutifs au départ du dernier enfant du foyer. Afin de vérifier si cette période dans la vie adulte engendre des comportements dépressifs ou provoque une crise d'identité, Borland entreprend une étude documentaire auprès de cohortes de femmes de races blanche et noire, en plus d'un groupe de souche mexicaine. L'auteur cherche à savoir, en termes prédictifs, si l'appartenance à une cohorte d'âge et la disponibilité de rôles postparentaux alternatifs (p. ex. emploi) augmentent les probabilités d'apparition du syndrome. Tout le modèle se construit donc autour d'une analyse de facteurs historiques reliés à différentes cohortes, pour chaque groupe racial en regard du changement dans les rôles féminins. En comparant différentes cohortes d'âge et en localisant ces cohortes dans des tranches historiques, Borland tente de prédire l'incidence de ce syndrome dans différentes couches sociales, notamment dans la classe moyenne.

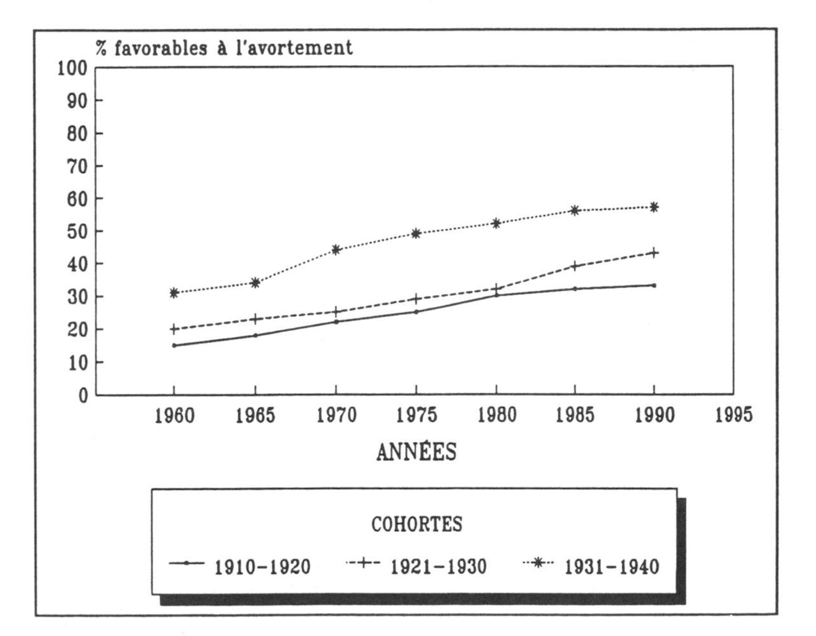

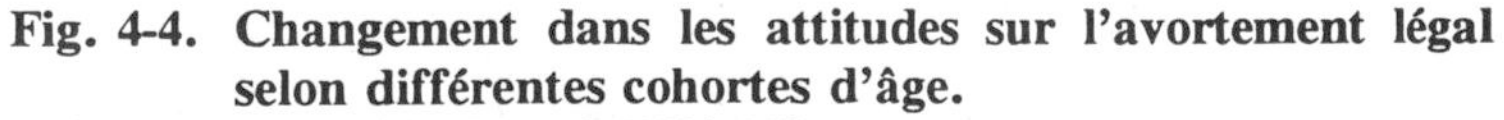

Fig. 4-4. Changement dans les attitudes sur l'avortement légal selon différentes cohortes d'âge.

Source: adapté de Cutler J. *et al.* (1980:119).

Hyman, Wright et Reed (1975) se sont penchés sur le phénomène de la persistance des effets de l'éducation aux États-Unis. Leur question de recherche peut se formuler ainsi: dans quelle mesure les acquis éducationnels se maintiennent-ils jusqu'à un âge avancé ? À défaut de pouvoir utiliser une procédure longitudinale comportant un suivi, Hyman et son équipe ont procédé à l'analyse secondaire de données recueillies lors de grandes enquêtes américaines. À partir des données de 54 enquêtes s'échelonnant de 1949 à 1970, ils ont pu colliger des informations pertinentes sur le statut scolaire de 80 000 sujets.

La problématique portait sur l'état des connaissances en regard du niveau d'étude complété. C'est à partir de cohortes d'individus regroupés en quatre classes d'âge (25-36 ans, 37-48 ans, 49-60 ans et 61-72 ans) que les auteurs effectuèrent leurs observations. Les résultats de l'étude ont permis d'avancer que le degré de scolarisation exerce un impact sur les connaissances et la persistance des acquis, cet impact étant plus manifeste chez les plus scolarisés.

Grâce à cette stratégie longitudinale avec cohortes, les auteurs ont pu vérifier que l'effet de l'éducation ne fluctue ni selon les époques, ni selon les cohortes d'âge, et que de plus, l'intelligence ne constitue aucunement un facteur explicatif de l'effet de persistance de l'éducation.

Les dispositifs avec cohorte peuvent aussi s'appliquer aux études prospectives ou ambispectives, bien que le plus souvent on préfère, comme nous le verrons plus loin, la démarche de type «panel». Les études de cohorte nous évitent donc l'induction de conclusions à partir de différences observées selon l'âge chronologique, en recadrant les données dans une rétrospective qui tienne compte du contexte sociohistorique propre à chaque génération. À ce propos Shanas (1985:6) nous livre cette réflexion:

> And the shared understanding by all scholars of the methodological implications of the intersection of age, period of measurement, and cohort will reduce if not obviate in the future inadequate time-bound, culture-bound, and cohort-bound propositions about human aging.

4.2.1.2 Les études de cas témoins

Les études de cas témoins ont des applications surtout en gériatrique ou en épidémiologie. Pour cette raison, nous nous y attarderons peu (note: les études de cas témoins peuvent aussi être de type transversal). Leur rôle est de comparer et de suivre rétrospectivement deux groupes d'individus présentant un trait quelconque (p. ex. la maladie de Parkinson). Le «groupe cas» se compose de sujets possédant une caractéristique donnée (p. ex. ayant contracté la maladie *X*, ou décédés des suites de cette même maladie), tandis que le «groupe témoin» réunit des individus chez qui le diagnostic démontre une caractéristique différente (p. ex. l'absence de la maladie *X*, la présence d'un facteur de risque de la maladie *X*). Les deux groupes sont ensuite comparés sur la base de traits communs, par exemple des habitudes de vie, des troubles de comportement, des troubles de la parole, ou le degré d'exposition aux facteurs de risque.

Il existe également des dispositifs ambispectifs combinant les observations à rebours et les observations en temps réel. Nous suggérons au lecteur de consulter les deux ouvrages suivants pour en connaître davantage sur ce dispositif: 1) Bernard et Lapointe (1987); et 2) Kleinbaum, Kupper et Morgenstern (1982).

E_a........................	01 ====	02 ====	03	
E_b........................	01 ====	02 ====	03	
	1975[1]	1980[1]	1985[1]	1990[2]

Fig. 4-5. Étude avec cas témoins.

NOTES: (1) Années: 1) de l'observation; 2) de l'étude. (2) Ea, Eb = deux échantillons différenciés selon un ou plusieurs traits; (3) Les doubles traits indiquent que les mêmes sujets sont observés à rebours à différentes reprises.

4.2.1.3 Les études de tendance

Les études de tendance se penchent sur l'évolution de phénomènes rétrospectivement, sans toutefois faire appel aux procédures de contrôle sélectif comme dans l'analyse de cohortes, bien qu'elles autorisent les comparaisons intervariables. Il s'agit par exemple d'observer à différents intervalles (selon le mois du calendrier, selon les années, etc.) l'incidence d'un trait ou des comportements chez une population composite (parfois une strate en comparaison avec la population à laquelle elle appartient), dans une optique exploratoire et évaluative la plupart du temps, et ce grâce à l'analyse de matériaux secondaires. Les comparaisons se réalisent chronologiquement d'après les observations tirées d'effectifs distincts (pour chaque tranche de temps considérée), ceux-ci étant toutefois équivalents sur le plan des traits étudiés. Le grand nombre d'observations effectuées la plupart du temps à intervalles fixes distinguent en fait ce dispositif des autres approches.

Plusieurs scénarios de recherche sont possibles: les études de tendance retracent le plus souvent des sources de fluctuation à l'intérieur par exemple d'un groupe de sujets ayant participé à une expérience, à un programme de réhabilitation ou à une quelconque activité. Ou encore elles étudient l'évolution d'un phénomène à partir de données de registres se rapportant à différents échantillons représentatifs de la population lors de chaque mesure. La figure 4-6 ci-contre montre un agencement-type de l'observation en rapport avec le temps.

P_a..........	01	02	03	04	05	
P_b..........	01	02	03	04	05	
	1965[1]	1970[1]	1975[1]	1980[1]	1985[1]	1990[2]

Fig. 4-6. Étude de tendance.

NOTES: (1) Années : 1) de l'observation; 2) de l'étude. (2) Pa, Pb = deux sous-populations.

Les études de tendance n'ont pas qu'un but descriptif. Elles autorisent l'analyse de tout changement différentiel à partir des variables (p. ex. âge, sexe, scolarité, profession, etc.) pertinentes à une étude. Pour illustrer cette approche, examinons brièvement l'étude rétrospective de Covey et Menard (1988) sur les crimes à l'endroit des personnes âgées aux États-Unis. Les chercheurs tentent de répondre à trois questions principales: 1) dans quelle mesure l'évolution de la criminalité vis-à-vis les personnes âgées est-elle significative ? 2) peut-on observer différentes tendances selon les types de délit ? 3) la tendance criminelle ayant les personnes âgées comme victimes diffère-t-elle de celle touchant la population en général ?

Covey et Menard examinent les statistiques officielles émanant de plusieurs sources, de façon à couvrir la période s'étendant de 1973 à 1984. Mais pour éviter de relever des différences pouvant être attribuées au facteur chance — comme cela risque souvent de se produire lorsque l'on compare les données polaires d'une période — les chercheurs scrutent les données se rapportant à chaque année de l'étude grâce à la technique de la régression bivariée.

Au terme de l'analyse, les investigateurs constatent que les personnes âgées ont connu un taux de victimisation inférieur à la moyenne générale (population globale), particulièrement au chapitre des offenses les plus graves, à l'exception toutefois des enlèvements et des homicides où la différence n'est pas statistiquement significative lorsque comparée à la population en général. Les auteurs n'indiquent toutefois pas s'ils ont tenu compte de certaines sources de variation, telle la proportion croissante de personnes âgées vivant en milieu «protégé» (hôpitaux, centres d'accueil et d'hébergement, etc.), phénomène dû à l'élévation moyenne de l'âge dans la population, ou encore d'autres facteurs non contrôlés, reliés aux nouvelles conditions de vie des personnes âgées.

Les études de tendance peuvent fournir des renseignements extrêmement précieux, surtout dans une optique exploratoire. Elles aideront l'investigateur à trouver des pistes de recherche éclairantes dans maintes sphères de la vie des sujets âgés. Les sources documentaires inexplorées sont presque inépuisables: données du recensement, données gouvernementales ou des organismes publics ou privés, etc. L'intérêt immédiat des études de tendance est qu'elles autorisent la saisie d'éléments de l'évolution sociale sans qu'il soit nécessaire d'engager des fonds de recherche importants.

Quand l'observation porte sur des faits à faible incidence, certains types de crime ou des maladies rares par exemple, les études de tendance constituent sans doute l'un des seuls moyens d'enquêter, les autres dispositifs requérant des échantillons de trop grande taille.

4.2.1.4 Les études rétrogressives

Le dispositif longitudinal rétrogressif compare des groupes de sujets présentant un trait temporel commun (p. ex. moment de la retraite, âge d'entrée en institution), chaque groupe étant recruté à différents moments d'observation.

L'étude rétrogressive peut être menée rétrospectivement. Il s'agit en fait de maintenir constante la variable élective (p. ex. l'âge, la retraite, la maladie, l'endeuillement) de façon à mesurer l'effet d'un facteur lié au temps (p. ex. nouvelle politique de placement, nouveau médicament, etc.) sur la variable observée.

Par exemple, un chercheur retracera rétrogressivement différents échantillons de sujets ayant pris leur retraite à 65 ans, par exemple en 1965, en 1975 et en 1985, afin d'observer l'impact différentiel de certains événements touchant les politiques de placement en maison d'hébergement sur l'adaptabilité de la clientèle institutionnalisée. La figure 4-7 indique le rapport de temporalité de ce dispositif.

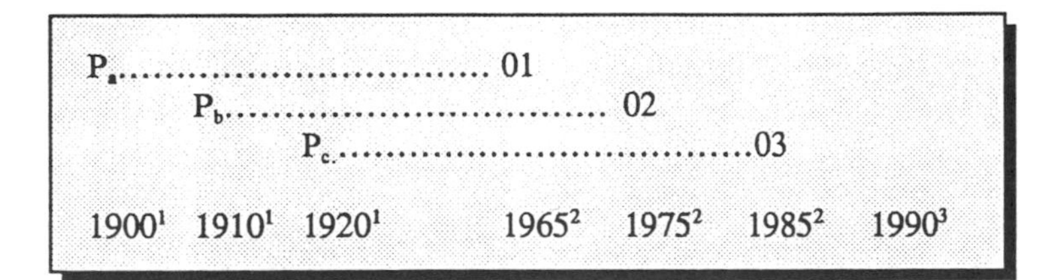

Fig. 4-7. Étude rétrogressive.

NOTES: (1) Années: 1) années de naissance; 2) années d'observation; 3) année de l'étude. (2) Pa, Pb, Pc = par exemple, trois sous-populations différenciées par l'âge de naissance. Tous les sujets ont 65 ans à O1, O2 et O3.

L'étude de Wenger (1985) sur l'évolution de la dépendance des personnes âgées vis-à-vis un programme de soins communautaires servira d'illustration.

Wenger s'est penché sur la problématique de la qualité et de la fréquence des soins dispensés aux personnes âgées de 80 ans et plus. Il a ainsi comparé deux périodes de distribution de soins en recueillant des données pour la période de 1979 (n = 705 personnes de 80 ans et plus) et celle de 1983 (n = 108 personnes de 80 ans et plus).

L'analyse l'a amené à constater qu'en dépit d'une augmentation de la dépendance dans cette tranche d'âge, les services à domicile en 1983 se sont maintenus au niveau de ceux de 1979. En fait, tout semblait indiquer que l'accent serait mis par la suite sur la clientèle de plus de 85 ans, en raison de coupures budgétaires affectant les services à domicile, ce qui contribua à réduire le soutien offert dans la catégorie des sujets moins âgés.

4.2.2 LES ÉTUDES PROSPECTIVES

Les stratégies prospectives bénéficient généralement d'un potentiel explicatif supérieur aux études rétrospectives, essentiellement parce que le chercheur intervient dès le départ dans la définition des traits de population étudiés et dans le choix des instruments et des conditions d'observation. Les sujets qui répondent à ces traits sont mesurés (O1) initialement puis «traqués» lors d'observations subséquentes (O2, O3, etc.). L'étude prospective permet donc de recueillir des faits «de première main» et de contrôler certains autres facteurs de façon à neutraliser leur action sur la variable mesurée.

Selltiz *et al.* (1974) rapportent l'étude prospective de Jenkins (1971) portant sur le mode de comportement de type «A»[1] et la prédisposition aux troubles coronariens. Dans une étude rétrospective antérieure, on a observé que le syndrome de type A était beaucoup plus fréquent chez le groupe coronarien. Cependant plusieurs explications étaient possibles, mais les données disponibles ne permettaient pas d'en mesurer les effets. On entreprit donc une étude prospective auprès de 3 400 hommes qui au départ n'étaient pas affectés par la maladie. L'étude permit de démontrer que, même en neutralisant les autres facteurs de risque, les individus présentant le syndrome de type A étaient toujours ceux qui développaient le plus de troubles coronariens.

L'avantage de l'étude prospective sur les dispositifs rétrospectifs est double: 1) le chercheur contrôle sa source d'information (choix des sujets, choix du matériel d'observation); 2) il intervient directement dans le processus de collecte de données (choix des variables, sélection des instruments et de l'opération de mesure).

Il existe quelques stratégies de recherche longitudinale prospective. On peut les regrouper en trois classes: 1) les *études de follow-up*; 2) les *études de cohorte prospectives*; 3) les *études avec «panel»*. Nous verrons aussi à la fin de cette section un cas plus particulier, soit un exemple de recherche rétrogressive de type prospectif, combinée à une étude de cas témoin (qualifiée cependant de follow-up dans l'article recensé), démontrant ainsi qu'il est possible de combiner plusieurs dispositifs.

4.2.2.1 Les études de follow-up

Ce qui distingue l'étude de follow-up de l'étude de «panel» et de l'étude de cohorte prospective se résume à un élément méthodologique essentiel: les comparaisons entre les moments d'observation *A*, *B*, *C* ou plus s'effectuent sur un même échantillon global (mêmes sujets, sauf éventuellement quelques défections), sans qu'il soit possible toutefois de faire appel à des techniques statistiques capables de mesurer les variations (ou si l'on préfère l'évolution) sujet par sujet.

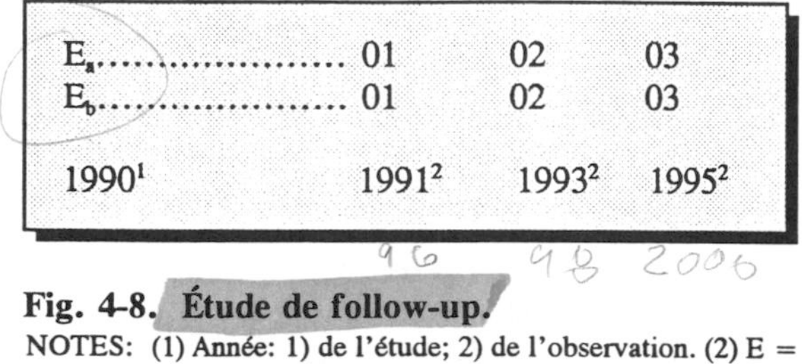

Fig. 4-8. Étude de follow-up.

NOTES: (1) Année: 1) de l'étude; 2) de l'observation. (2) E = un même échantillon (ou dans l'illustration ci-dessus deux sous-populations) est étudié globalement à trois reprises, sans égard aux parcours individuels.

On suppose donc ici que les informations sont obtenues dans l'anonymat lors de chaque mesure, ce qui explique que seul le profil du groupe peut être suivi dans le temps. Autrement dit, on dégage un profil global du groupe sur la base de plusieurs variables à la phase *A*, profil que l'on compare ensuite avec un ou d'autres profils aux phases *B*, *C* ou plus. Le plus souvent, ce type de dispositif mène à l'identification de facteurs de risque, de sorte qu'il convient particulièrement bien aux recherches prédictives.

Mais, contrairement aux enquêtes répétées (dans les études transversales), on n'admet pas de nouveaux sujets lors de la deuxième observation (ou des observations subséquentes s'il y a lieu). Il s'agit donc de suivre une même population dans le temps et non de comparer deux populations (ou échantillons) équivalentes à intervalles donnés.

Par exemple, on relèvera les événements survenus pendant la période d'enquête, comme dans l'étude de Pous *et al.* (1988) revue ci-dessous, en différenciant entre les hommes et les femmes de façon à tirer certaines interprétations. On comparera également des courbes d'incidence de maladie ou de niveau d'autonomie fonctionnelle sur une base globale, sans tenir compte des changements survenus entre les individus. En revanche, il est intéressant de suivre et de comparer l'évolution de sous-groupes, en maintenant constantes certaines variables, ce qui rend ce dispositif supérieur à la plupart des études transversales.

Même si les études de follow-up apportent un élément dynamique à la description de l'échantillon, elles autorisent difficilement des explications de type causal.

Notre première illustration sera une étude longitudinale réalisée sur quatre ans en Midi-Pyrénées (Pous *et al.*, 1988) et portant sur les trajectoires de vieillissement dans une population rurale. L'enquête a été menée auprès de 645 personnes âgées de plus de 60 ans et vivant à domicile. Le questionnaire portait sur la morbidité, la capacité fonctionnelle, l'environnement, les conditions de vie socio-économiques et le «vécu» de la vieillesse. Deux recueils de données furent complétés à quatre années d'intervalle, en vue d'étudier l'impact de facteurs susceptibles d'influer sur les trajectoires des individus.

Malgré ce court laps de temps, les auteurs estiment avoir assisté à un certain nombre de changements au sein de cette population. «Les séquences du vieillissement passent par des incapacités progressives avant d'aboutir au décès. Il semble que les événements extérieurs, et en particulier les deuils, interviennent peu dans ce processus d'involution, alors qu'une attitude plus optimiste et active paraît en limiter les conséquences et garantir une meilleure survie» (Pous *et al.*, 1988:34).

Dans une étude sur les relations entre la famille et les personnes âgées prises en charge, Stolar *et al.*(1986) ont examiné les changements survenus dans les domaines de la santé, de la relation de soutien, du stress et de la qualité de vie des soignants naturels et des patients âgés référés pour fins d'évaluation médicale. Les sujets avaient été référés à la suite d'une situation de crise consécutive à une détérioration rapide de leur état de santé. Évalués d'abord en 1981, les patients furent à nouveau interviewés un an plus tard pour déterminer si des changements étaient apparus sur le plan de leur condition générale. Puis ils furent interrogés une dernière fois en 1984 afin d'obtenir un portrait longitudinal plus complet de la situation. L'observation s'est donc déroulée en trois temps auprès de 35 personnes initialement sélectionnées, pour se terminer avec 27 sujets seulement en 1984. Les résultats ont révélé que les membres de la famille nucléaire conservent une meilleure qualité relationnelle avec le parent âgé.

4.2.2.2 Les études prospectives de cohorte

L'étude prospective de cohorte est une variante du dispositif précédent. Elle se distingue de l'étude de follow-up du fait qu'elle analyse, lors des différentes mesures, les variations de chaque groupe, cohorte ou échantillon constitué comme équivalent. Chaque opération de mesure n'a donc pas lieu auprès des mêmes sujets, en principe du moins.

Cependant, comme il s'agit de groupes équivalents en fonction des variables étudiées (ou contrôlées), la comparaison peut s'effectuer sur une base chronologique, sans qu'il soit possible toutefois de mesurer la progression des individus un à un.

4.2.2.3 Les études de «panel»

Les études de «panel» ont été conçues pour suivre la progression du changement chez un même échantillon de sujets, l'évolution de chaque sujet étant mesurée. On recourt souvent à la technique des tableaux croisés séquentiels (*turnover table*) qui consiste à répartir les sujets d'après leurs réponses initiales, puis à rescinder les répartitions successivement, selon le nombre de mesures. Le processus de fractionnement de l'échantillon en fonction des séries de réponses nécessite cependant une taille d'échantillon supérieure aux autres dispositifs.

En raison du degré de sophistication élevé des procédures analytiques et des plans d'échantillonnage qu'elle utilise, l'étude de «panel» demeure un dispositif qui se rapproche le plus des recherches à expérimentation contrôlée et qui permet donc d'envisager l'explication de certains phénomènes.

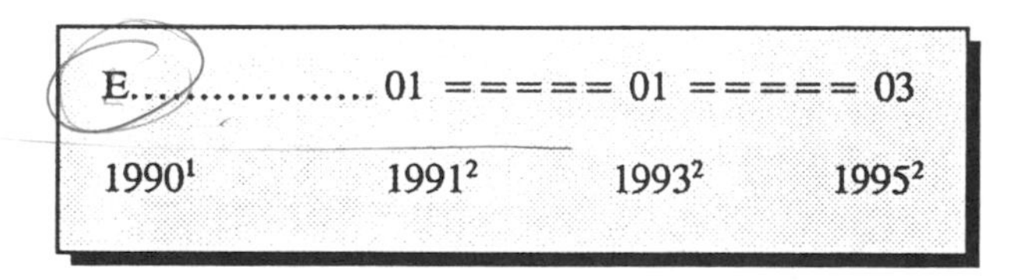

Fig. 4-9. Étude de panel.
NOTES: (1) Année: 1) de l'étude; 2) de l'observation.
(2) Les doubles traits indiquent que les mêmes sujets de l'échantillon sont observés à différentes reprises.

L'exemple suivant est une étude où les chercheurs s'intéressent aux rôles des aidants naturels dans le soin apporté aux personnes âgées. Le but de l'étude consistait essentiellement à explorer les effets d'une relation d'aide soutenue, mais ne visait pas à attester la validité d'un modèle décrivant l'impact de cette relation de soutien sur le sujet recevant l'aide. Stoller et Pugliesi (1989) ont examiné les expériences d'un échantillon de sujets durant la période de transition où la personne âgée prise en charge requérait peu d'attention et le moment où sa condition exigeait une attention constante. Mentionnons que la plupart des personnes aidantes sélectionnées dans le «panel» procuraient de l'aide depuis au moins sept ans. Les données de l'étude furent recueillies au moyen d'entretiens en profondeur auprès d'un échantillon initial de 364 personnes en 1979, 173 sujets étant interviewés à nouveau en 1986.

Les auteurs de l'article rapportent avoir utilisé deux instruments de mesure: 1) une échelle de comportement dépressif (Radloff, 1977) et 2) une mesure du fardeau (sous-échelle du *Langer Index of Psychological Distress*). Précisons que ces instruments ne furent pas utilisés lors de la première interview, ce qui constitue de notre point de vue une limite de l'étude. Plusieurs informations utiles ont été recueillies au cours des entrevues: des indices descriptifs sur le volume d'aide (p. ex. nombre d'heures de soin), des mesures sur la mobilité des soignants et sur la réduction des activités en raison de problèmes de santé. La technique des cheminements de la causalité (*path analysis*), utilisée pour développer un modèle de covariance, a révélé que l'aide et le statut fonctionnel de l'aidant se sont maintenus avec le temps.

Cette étude révéla deux difficultés inhérentes au dispositif par «panel». En premier lieu, la perte d'échantillon est souvent très élevée, ce qui restreint considérablement la validité des résultats. En effet, l'absence d'informations sur les personnes aidantes qui se sont retirées de l'étude, quels qu'en soient les motifs, créa une situation où seuls les aidants les mieux outillés physiquement et psychologiquement pour exercer leur rôle purent être étudiés. Ce mécanisme d'autosélection contamina les résultats, ce qui enleva forcément du poids aux conclusions.

D'autre part, l'étude s'est limitée à deux moments d'observation seulement. Par conséquent, ceci n'a pas permis d'estimer certains phénomènes cycliques ou des états transitoires qui ont pu survenir dans le rôle d'aidant. La connaissance des processus reliés à la relation d'aide leur a donc échappé.

4.3 LES ÉTUDES AMBISPECTIVES ET HYBRIDES

Quand l'exploration rétrospective est combinée à celle de type prospectif (p. ex. une étude de follow-up), on a un *dispositif longitudinal ambispectif.* Par ailleurs, un plan de recherche jumelant des dispositifs propres à l'une ou l'autre démarche rétrospective ou prospective (p. ex. une étude de «panel» combinée à un dispositif avec cohortes) est qualifié de *dispositif hybride.* La figure suivante montre un modèle de recherche hybride combinant le dispositif avec cohorte d'individus et le dispositif en «panel».

La recherche de Tesch *et al.* (1989) servira d'illustration. L'étude en question porte sur les relations sociales et l'adaptation psychosociale d'hommes âgés ayant vécu une relocalisation intra-institutionnelle, c'est-à-dire une réaffectation dans une autre unité de soin du même milieu. Les chercheurs ont dans un premier temps effectué une enquête auprès de la clientèle, deux ans et demi avant que se produise la relocalisation inattendue de certains bénéficiaires. Globalement, 70 hommes ont fait l'objet de l'étude, 40 d'entre eux ayant été observés avant la relocalisation, puis quelques mois après la relocalisation. Signalons que dans cette étude la relocalisation était attribuable à la construction, sur le site résidentiel même des sujets observés, de nouvelles sections destinées à accueillir la clientèle hébergée. Les chercheurs craignaient que cette réaffectation occasionne un stress chez les bénéficiaires et engendre une rupture des liens sociaux. Les deux phases de collecte de données se sont donc échelonnées sur trois ans, les comparaisons s'effectuant suivant un dispositif rétrogressif (différents échantillons d'individus identiques du point de vue de l'âge ont été étudiés à deux moments différents) et un dispositif de follow-up . Dans les deux types de comparaison, on a enregistré chez les individus relocalisés une diminution du moral (*PGC Morale Scale*, Lawton, 1975), une baisse du nombre d'amis, mais une amélioration générale des communications comparativement aux sujets non relocalisés.

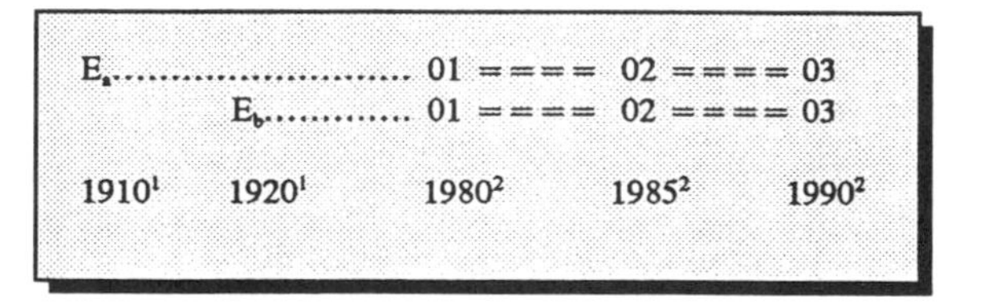

Fig. 4-10. Un dispositif hybride.

NOTES: (1) Année: 1) de naissance; 2) de l'observation et d'étude. (2) L'étude démarre en 1980 auprès de deux cohortes.

4.4 LES EXPÉRIMENTATIONS CONTRÔLÉES

On attribue à la recherche expérimentale des vertus méthodologiques qui la démarquent nettement des autres stratégies de recherche et qui l'élèvent au rang de méthode par excellence d'administration de la preuve et d'explication causale. La recherche expérimentale sert en quelque sorte d'étalon de mesure pour estimer la valeur scientifique des autres dispositifs. Cette réputation dont peut s'affubler cette stratégie n'est pas surfaite; l'expérimentateur peut en effet exercer un contrôle rigoureux sur plusieurs aspects de l'observation et de la mesure, à savoir la composition des groupes ou des sujets participants ainsi que les variables introduites dans l'analyse.

Cependant, cette procédure de recherche n'est pas pour autant à l'abri des multiples facteurs parasites susceptibles de conduire à de fausses interprétations. Certes, diverses techniques ont été mises au point pour contourner les difficultés dues à l'intrusion perturbatrice de variables contaminatrices dans les plans expérimentaux, mais il n'est pas toujours possible d'y faire appel. C'est pourquoi ont été développés divers protocoles expérimentaux pouvant répondre aux besoins spécifiques à chaque situation de recherche.

Mais quand des sources de variabilité indésirables demeurent incontrôlables, dans les expérimentations terrain par exemple, on n'a d'autre choix que de se rabattre sur des dispositifs quasi expérimentaux qui présentent l'inconvénient majeur d'interdire toute conclusion définitive quant à la valeur explicative de la variable mesurée.

L'approche que nous proposons dans les pages qui vont suivre se veut avant tout pédagogique. Elle vise à introduire le lecteur aux principes et au contenu même de la démarche expérimentale. Délibérément, nous ne traiterons pas certains aspects plus complexes de la recherche expérimentale: les procédures d'analyses statistiques (ANOVA à modèles fixes, aléatoires ou mixtes, les mesures répétées, etc.) et les approches plus sophistiquées ou moins usuelles tels les plans dits de «série chronologiques», les processus réversifs (p. ex. plans ABAB, ABCAC, etc.), les plans croisés, nichés (p. ex. carrés latins) ou combinés, les plans factoriels, les expérimentations contrebalancées. Le lecteur intéressé à approfondir ces procédés consultera des ouvrages spécialisés, ceux recommandés étant: Campbell et Stanley (1967), Glass *et al.* (1975), Kirk (1982), Barlow & Hersen, 1984, Drew & Hardman (1985), Bausell (1986).

4.4.1 PRINCIPES ET CONTENU DE LA DÉMARCHE EXPÉRIMENTALE

Plusieurs caractéristiques propres à la démarche expérimentale doivent être examinées afin de bien s'approprier la logique dont elle s'inspire. L'intérêt est d'aider à mieux discerner les différents protocoles d'une part, et à évaluer celui qui paraît le mieux convenir à une situation de recherche donnée, d'autre part. Étudions donc les étapes de ce qu'il est convenu d'appeler le *cycle expérimental* qui doit conduire à la mise en plan d'une étude contrôlée.

4.4.2 LA MISE EN EXPÉRIENCE D'UN PROBLÈME

La première tâche du chercheur consiste dans une mise en forme préalable du champ étudié. Il s'agit de bien circonscrire le problème à étudier puis de définir les variables devant être mises en relation. La plupart du temps c'est une théorie qui guide le chercheur dans le choix des postulats, des variables et dans la construction des hypothèses. À défaut d'une théorie ou d'un modèle d'où déduire une hypothèse pertinente, la voie inductive ou purement empiriste sera envisagée de manière à ce que l'on puisse pour le moins énoncer une hypothèse de travail. Par exemple, l'investigateur intéressé par le problème de l'isolement des personnes âgées pourra considérer la théorie du désengagement, ou bien celle de la sous-culture, ou encore celle de la transaction environnementale, afin d'appuyer sa proposition de recherche. Dans le premier cas, il s'attardera par exemple à étudier la perception de la compétence instrumentale ou expressive dans l'exercice de certains rôles sociaux. Dans le deuxième, il se penchera sur l'intériorisation des valeurs et des nouvelles normes véhiculées par les sujets âgés, tandis que dans le troisième cas, il retiendra la dynamique des déficits ou des potentialités dans le processus d'échange avec l'environnement.

Supposons qu'il sélectionne le dernier modèle. Par exemple, il se donnera comme tâche d'étudier l'impact d'un programme de sensibilisation et de renforcement misant sur la connaissance des potentialités des personnes âgées, afin d'en mesurer l'impact sur la participation sociale. L'hypothèse serait éventuellement la suivante: «Les personnes âgées plus conscientes ou mieux informées sur leurs potentialités seront davantage portées à participer socialement que celles qui ignorent ou connaissent moins leurs potentialités.» Dans cette formulation, on a deux variables à mesurer, en plus de l'indication du rapport d'antériorité (causalité) entre ces deux variables: 1) une variable indépendante (présumée être la cause), soit «la connaissance des potentialités» et 2) une variable dépendante (effet), soit «la participation sociale».

Schématiquement, cela donne la représentation symbolique suivante, où on a le statut des variables *X* et *Y*, le rapport d'antériorité présumé ou de «causalité» tel qu'indiqué par le vecteur, et le sens de la variation symbolisé par le + (une connaissance + provoque une participation qui augmente ↑).

$$X+ \longrightarrow Y\uparrow$$

Rappelons que la variable indépendante ou expérimentale se définit comme facteur présumé explicatif, donc pouvant rendre compte de l'apparition du phénomène (la variable dépendante) ou du changement dans le phénomène en question.

Une autre façon de procéder (souvent préférable ou cadrant mieux avec le postulat de la neutralité scientifique) consiste à tester l'hypothèse nulle, ou hypothèse de non différence, schématisée comme suit:

$$X \qquad Y$$

Ici l'absence de vecteurs et de spécification des valeurs des variables évoque que *X* n'a pas d'effet sur *Y* et qu'en conséquence aucun changement ne survient.

4.4.3 LA MANIPULATION DE LA VARIABLE EXPÉRIMENTALE

Une fois précisé le cadre théorique de l'étude, la procédure de manipulation de la variable expérimentale peut s'enclencher. En effet, ce qui distingue la recherche expérimentale des autres dispositifs longitudinaux tient à ce que le chercheur intervient directement dans le déroulement des phénomènes, bien qu'il n'y participe pas en tant qu'acteur. Une expérimentation est en quelque sorte une mise en situation planifiée d'acteurs et de facteurs, c'est-à-dire une *observation provoquée* de la part du chercheur aux fins de l'exercice d'un meilleur contrôle sur son déroulement. L'introduction artificielle de la variable expérimentale conduit donc à maîtriser plus facilement ses effets. Cette dernière étant explicitement objet de manipulation expérimentale, et en sa qualité de phénomène explicatif, elle tiendra lieu de variable indépendante.

La manipulation implique également l'établissement de critères d'exposition au stimulus. Ainsi, dans une étude pilote sur l'efficacité des jeux vidéo sur l'attention, Vézina et St-Arnaud (1989) s'efforcent de standardiser le temps d'exposition au traitement expérimental (jeu vidéo), de jauger le degré de difficulté ou sa progression en fonction de la motivation à persévérer, à tenir compte du renforcement, de l'apprentissage, de la détente et ainsi de suite. Cela dit, signalons que la variable expérimentale peut elle-même faire l'objet de mesures.

Mais revenons à notre premier exemple. Ici la variable «connaissance des potentialités» est hypothétiquement «explicative» de la participation sociale. Elle constitue donc la variable expérimentale. Mais pour manipuler directement cette variable, le chercheur doit créer les conditions susceptibles de provoquer un impact dans le groupe étudié. Il doit par conséquent introduire un stimulus dans le but de susciter chez les sujets participants la connaissance de leurs potentialités. Il concevra par exemple une activité ou un programme destiné à sensibiliser les sujets sur leurs ressources. Par conséquent, le but de l'expérience consistera à mesurer l'effet de ces connaissances, inculquées grâce au programme, sur la participation sociale. Concrètement donc, le chercheur tentera de mesurer l'effet de la connaissance des potentialités sur la participation sociale. Indirectement, et cela soulève souvent des difficultés, l'expérimentateur ne se rend pas toujours compte qu'il risque d'évaluer l'efficacité de son programme et non l'effet de la connaissance des potentialités. Nous examinerons un peu plus loin comment cet obstacle potentiel peut être contourné.

4.4.4 LA CONSTITUTION D'UN GROUPE D'OBSERVATION

Ayant défini ses variables et mis au point son programme, le chercheur sélectionne ensuite les sujets appelés à participer à l'expérience. L'expérimentation sera menée de préférence auprès de plusieurs sujets, de façon à ce que les résultats ne puissent être attribués au hasard ou à une performance exceptionnelle de la part d'un individu en particulier. Également, les sujets devront être recrutés en fonction du but de l'étude (c.-à-d. des personnes âgées) et être représentatifs de la population étudiée.

Par contre, dans certains cas (p. ex. dispositifs quasi expérimentaux) l'expérimentateur ne pourra pas créer ses groupes d'observation mais devra utiliser ceux déjà constitués (p. ex. les membres d'un club de l'âge d'or, les résidants d'un centre d'accueil). Il est exclu, dans pareille situation, que l'on puisse garantir l'équivalence des groupes, donc prétendre à une expérimentation contrôlée. Cependant, l'expérimentateur dispose encore de moyens pour réaliser certaines observations suivant une stratégie qui se rapproche des conditions idéales de la recherche expérimentale.

4.4.5 L'OBSERVATION OU LA MESURE

Revenons à notre exemple. Dans l'espoir de déterminer si la connaissance qu'a l'individu de ses potentialités stimule sa participation sociale — et si le programme visant à accroître cette connaissance des potentialités à un impact sur la participation sociale —, on doit pouvoir disposer d'un instrument de mesure approprié capable de situer les sujets sur une échelle de participation sociale. On écartera, cela va de soi, l'idée de modifier l'instrument d'une situation de mesure à l'autre ou d'un sujet à l'autre afin de s'assurer la plus grande validité des résultats. Mais pour véritablement être en mesure d'affirmer l'existence d'un changement de la participation sociale, et si possible d'attribuer cette variation au stimulus, c'est-à-dire au programme, il est nécessaire d'effectuer deux mesures, l'une avant l'expérience, l'autre après l'expérience.

Pour schématiser ce que nous avons vu jusqu'ici, reportons-nous à la figure 4-11 qui correspond à un type de protocole qualifié de pseudo-expérimental.

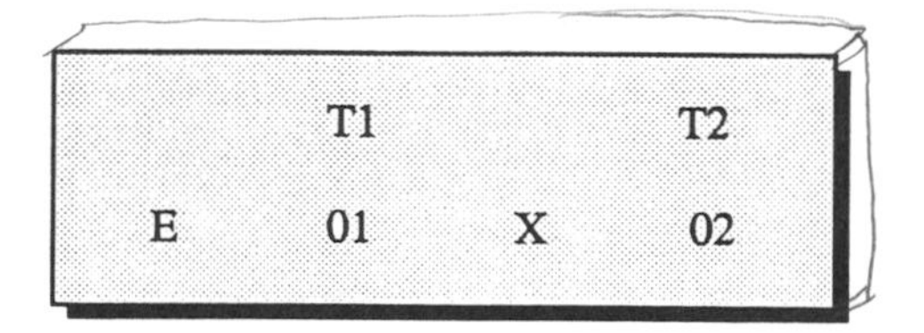

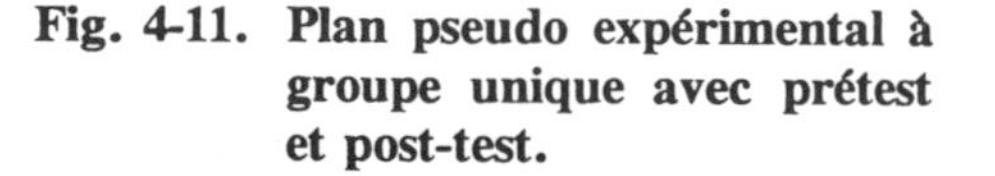

Fig. 4-11. Plan pseudo expérimental à groupe unique avec prétest et post-test.

On aura par exemple un échantillon de 60 sujets (E) observés au temps 1 (T1), c'est-à-dire au prétest avant l'expérience (O1), un stimulus (*X*) ou le programme, puis, une fois l'expérience terminée, une réédition de l'observation (O2) des mêmes sujets au temps 2 (T2) avec le même instrument, soit au post-test. La variable dépendante *Y* (la participation sociale) est donc mesurée aux temps T1 et T2.

Prenons un exemple hypothétique. Supposons une échelle comportant un score maximum de 10 points. La mesure de la participation sociale lors du prétest (T1) donne un score moyen de 4,2 pour les 60 sujets et un score moyen de 6,8 au T2 pour les mêmes participants. Un test de signification statistique révélera que la différence observée est significative au seuil *alpha* de 0,05, donc qu'elle ne peut être attribuée à l'élément chance.

Or, peut-on conclure que le programme soit le seul facteur responsable de cet écart, et par conséquent qu'une meilleure ou plus grande connaissance des potentialités entraîne une augmentation de la participation sociale des personnes âgées ? La réponse est évidemment négative puisque l'expérimentateur n'est pas en mesure de certifier, hors de tout doute, que le programme soit le seul facteur responsable de cette participation accrue. Il subsiste en effet trop de sources de variation inconnues (dites de bruit) pouvant se confondre avec la variable *X* et rendre crédibles des hypothèses alternatives ou rivales.

Il est par conséquent impératif de concevoir une stratégie apte à contrôler, voire éliminer, l'effet de ces sources externes afin d'imputer à la variable expérimentale la variation. Nous étudierons comment un peu plus loin.

Il est utile de mentionner que le prétest n'est pas toujours requis, sachant qu'il peut occasionner des biais de mesure au post-test (p. ex. effet de mémorisation, effet d'apprentissage). Par contre, ces effets sont vite neutralisés à la faveur d'un groupe témoin apparié, ceux-ci se distribuant aléatoirement (en principe) dans les deux groupes d'observation. En revanche, le prétest peut tenir lieu de moyen pour équilibrer les groupes et, partant, limiter la taille des effectifs sans que la puissance des tests statistiques s'en trouve affaiblie.

Il faut toutefois garder présent à l'esprit que l'expérimentation en laboratoire, par comparaison à celle sur le terrain, comporte des avantages du point de vue du *blindage expérimental* (Rijsman & Lemaine, 1969), mais aussi des désavantages tels que l'*artificialité* des situations créées.

Faisons remarquer par ailleurs que plusieurs variables dépendantes peuvent faire l'objet de la mesure. On peut évaluer l'impact d'un programme ou d'un traitement sur les attitudes des sujets, leur niveau de connaissance, leur état de santé, leur degré d'anxiété, en plus du niveau de participation sociale.

Plusieurs tests ou des batteries de tests, dont la fidélité et la validité est attestée, seront donc utilisés. Au terme de l'expérience, le programme pourra être déclaré efficace sur certains plans (variables) et non sur d'autres. Le terme d'*insensibilité* désigne, mentionnons-le, un résultat où des indicateurs se révèlent non significatifs malgré un programme efficace (Smith & Glass, 1987:112).

De la même façon peuvent être inclues d'autres variables indépendantes dans le plan d'observation, notamment des facteurs décrivant certaines caractéristiques des sujets (variables sociodémographiques, expériences passées, etc.).

Dans notre exemple, il s'agirait de mesurer simplement la connaissance initiale des potentialités. Mais comme le lecteur le constatera plus loin, la mesure au prétest de la variable «connaissance des potentialités» n'est pas strictement nécessaire, puisque les sujets sont, en principe, répartis au hasard dans les deux groupes.

En d'autres termes, les deux groupes devraient être équivalents d'après les niveaux de connaissance. Malgré tout, la vérification du niveau de connaissance des potentialités pourra se révéler utile, ne fut-ce que pour attester cette équivalence et s'assurer qu'il n'y ait pas d'effet de plafonnement.

Il importe enfin d'ajouter que l'instrument de mesure peut, sous certaines conditions (p. ex. phénomène de forte réaction à la mesure), être modifié d'une situation de mesure à l'autre (prétest c. post-test, groupe A c. groupe B, individu X c. individu Y), changement qui ne doit cependant pas entraver le cours prévu de l'expérimentation. Cette altération du plan de mesure comporte parfois des avantages, pourvu que des précautions soient prises pour assurer la plus grande validité de la démarche.

En résumé, on peut faire appel à deux stratégies d'observation au post-test: 1) le test répété, c'est-à-dire l'utilisation du même instrument qu'au prétest, ou 2) un test en forme parallèle, c'est-à-dire un test établi comme équivalent ou identique à celui employé au prétest.

4.4.6 LE CONTRÔLE DE L'EXPÉRIMENTATION.

Supposons maintenant que le chercheur soupçonne que le sexe intervienne comme élément parasite, risquant en quelque sorte de perturber les résultats. Il se pourrait par exemple que les hommes se révèlent insensibles au stimulus; par conséquent, en les écartant délibérément de l'échantillon, on obtiendrait un écart encore plus élevé entre le T1 et le T2 chez les femmes.

La réaction spontanée de l'expérimentateur consisterait à réaliser deux plans parallèles pour s'en assurer (contrôler l'effet du sexe), ce qui conduirait à bâtir le plan d'observation expérimental hypothétique que voici (figure 4-12).

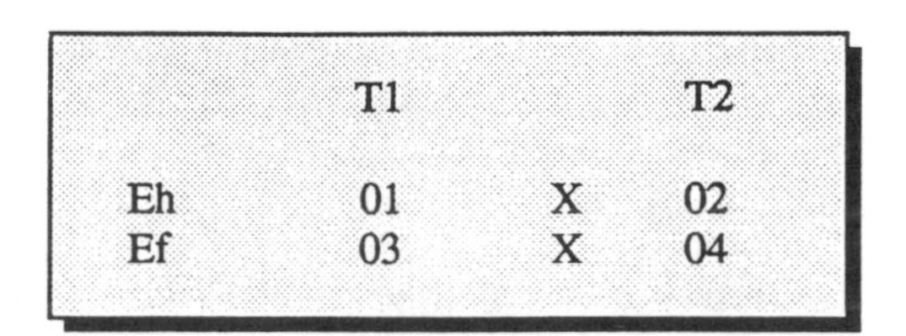

	T1		T2
Eh	01	X	02
Ef	03	X	04

Fig. 4-12. Protocole pseudo-expérimental à deux groupes expérimentaux avec prétest et post-test.

NOTE: Eh = échantillon d'hommes;
Ef = échantillon de femmes.

Certes, cet arrangement à deux groupes expérimentaux présente, comparativement au protocole précédent, l'indéniable avantage d'isoler l'action du sexe et de porter un jugement plus éclairé sur l'effet de la variable expérimentale. Toutefois, on se rend compte aisément qu'il faudrait multiplier de beaucoup le nombre de groupes, simplement pour isoler l'effet de plusieurs tierces variables (p. ex. scolarité, revenu, groupe d'âge, traits de personnalité, santé, etc.) et encore davantage pour tenir compte des effets combinés de ces variables (un groupe constitué d'hommes de 65-75 ans, d'hommes de 76 ans et plus, de femmes de 65-75 ans, etc.). Une telle procédure ne résoudrait pas le problème des variables inconnues susceptibles d'exercer une action sur l'une ou l'autre des variables introduites dans le plan. Il faut donc emprunter une autre voie dans l'espoir d'exercer un contrôle plus rigoureux et efficace sur l'effet des tierces variables, dans un effort pour isoler véritablement l'influence de la variable expérimentale.

La stratégie classique consiste à créer un groupe témoin à partir d'un échantillon d'individus, de préférence équivalent au groupe expérimental, *et* de ne pas soumettre les sujets de ce groupe au stimulus ou à la variable expérimentale. Cette procédure est avantageuse en ce qu'elle assure une plus grande validité interne, les variables parasites endogènes et exogènes étant gardées sous contrôle. Le scénario correspondant à la figure 4-13 décrit un protocole quasi expérimental qualifié de «prétest, post-test avec un groupe témoin non randomisé», avec groupes non équivalents.

Ici, une source importante de variation demeure, vu la nature des groupes. Pour contourner cette difficulté, on fera en sorte que les individus recrutés dans le groupe témoin présentent des caractéristiques identiques à ceux du groupe expérimental. On aurait donc un second scénario, celui du protocole expérimental classique de la figure 4-14.

Grâce à cette procédure, il est permis d'attribuer, pourvu que soient respectées certaines conditions qui feront l'objet d'un exposé plus loin, la paternité des variations à la variable expérimentale, ou plus exactement de mesurer sa contribution à la variation observée. Cet arrangement révèle deux éléments importants du processus de la manipulation expérimentale.

GROUPES	T1		T2
E	01	X	02
T	03		04

Fig. 4-13 Protocole quasi expérimental prétest, post-test avec groupe témoin non randomisé.

NOTE : La ligne brisée signifie que les deux groupes ne sont pas équivalents (non randomisés).

GROUPES	T1		T2
E	01	X	02
T	03		04

Fig. 4-14. Protocole expérimental prétest, post-test avec groupe témoin.

D'une part, on crée les conditions où le facteur (*X*) est présent dans un groupe, soit le groupe expérimental (E), et absent dans l'autre, soit le groupe témoin (T). Cet appareil expérimental élimine vraisemblablement la plupart, sinon tous les effets indésirables qui autrement contamineraient les résultats (la maturation des sujets ou des événements extérieurs qui surviennent durant l'expérience). On suppose ici bien entendu que les deux groupes sont observés à partir des mêmes instruments à deux reprises, au même moment, bref dans des conditions identiques. Précisons enfin qu'il n'est pas absolument nécessaire de créer des groupes comportant le même nombre de sujets. Ce sont les moyennes et les variances des groupes qui font l'objet des analyses et non pas la somme des évaluations individuelles.

À propos du dispositif précédent, il faut mentionner que le chercheur ne contrôle pas directement les événements extérieurs qui surviennent entre le temps de mesure T1 et le temps T2. À titre hypothétique, il suffirait que les sujets soient exposés, entre les deux situations de mesure, à l'influence d'un événement local, tel la création d'un centre communautaire propice à stimuler la participation sociale, pour que cet événement extérieur fausse les résultats. La hausse de la participation enregistrée chez les sujets pourrait alors davantage résulter de l'implantation de cette ressource communautaire que de l'action du programme comme tel. Or, la présence du groupe témoin vise précisément à neutraliser l'effet de cette variable exogène, les deux groupes étant en théorie censés être exposés aux mêmes facteurs extérieurs. Autrement dit, si la ressource communautaire stimule la participation des sujets âgés de l'étude, on doit pouvoir le constater dans les deux groupes et dans une proportion identique. La technique du groupe témoin est une neutralisation au hasard des facteurs incontrôlés.

Pour faciliter la compréhension de l'interprétation des résultats, servons-nous d'une méthode de calcul simple. Cette méthode, précisons-le, ne tient pas compte des variations intragroupes (variance) et ne donne pas le seuil d'acceptabilité alpha, comme le test *t* de Student par exemple. Dans l'optique donc de mesurer ces effets, on calculera (O4-O3), puis le résultat sera soustrait de (O2-O1) afin de connaître la proportion de la variation attribuable uniquement à la variable expérimentale. La figure 4-15 montre ce que nous obtiendrions à l'aide des données fictives se rapportant à notre exemple.

GROUPES	T1		T2
E	4,2	X	6,8
T	4,4		5,3

Fig. 4-15. Résultats au prétest et au post-test pour le groupe témoin et le groupe expérimental (scores moyens).

Afin d'identifier l'effet de l'ensemble des variables externes, on applique la mesure (O4-O3) sur le groupe témoin, ce qui donne (5,3 - 4,4) ou 0,9 en chiffre absolu, c'est-à-dire une augmentation de la participation. En termes relatifs, on a une augmentation procentuelle moyenne de:

$$\frac{(5,3 - 4,4)}{4,4} \text{ X } 100, \text{ soit } 20,45\ \%.$$

Donc, dans le groupe témoin on note une amélioration moyenne de 20,5 % de la participation sociale, cette amélioration n'étant bien sûr pas imputable au programme mais à l'ensemble des influences étrangères.

Dans le groupe expérimental, l'effet combiné du stimulus (le programme) *et* de l'ensemble des variables parasites (O2 - O1) donne (6,8 - 4,2) ou 2,6.

En pourcentage, l'accroissement relatif s'établit à:

$$\frac{(6{,}8 - 4{,}2)}{4{,}2} \text{ X } 100, \text{ soit } 61{,}9\ \%.$$

Il s'ensuit que l'effet isolé de la variable expérimentale indique une augmentation de la participation de :

{(O2 - O1) - (O4- O3)}, soit 41,45 en pourcentage relatif.

(Remarque: cette procédure de calcul n'est valable que sous certaines conditions. Il faut parfois tenir compte du gain en fonction du degré de difficulté de l'épreuve.)

On se rend compte effectivement que la hausse nette (gain) est réduite dans le groupe expérimental, puisqu'il faut tenir compte des effets attribuables à l'ensemble des facteurs inconnus. C'est-à-dire qu'on doit soustraire les effets constatés dans le groupe témoin de ceux relevés dans le groupe expérimental. En même temps, nous sommes fondé de conclure que la variable expérimentale à elle seule, ici le programme, a permis de hausser de 41 % le niveau de participation des sujets.

Il existe bien des solutions de remplacement au modèle classique (expérimentation prétest/post-test avec groupe témoin randomisé), solutions qui ne sacrifient pas à la puissance des tests statistiques. Le premier modèle suppose que le chercheur choisisse d'abord son échantillon de sujets puis procède au prétest.

Or, des *prémesures* peuvent être effectuées sur un grand nombre de sujets avant de constituer les groupes. Identiquement, les groupes peuvent être formés à partir des résultats de prémesures existantes. Ce second scénario correspond au plan expérimental post-test avec covariable (ou deux ou trois covariables ou prémesures) et groupes randomisés. L'analyse de covariance est utilisée pour établir les résultats.

4.4.7 L'ORTHOGONALISATION

Jusqu'ici, nous nous sommes contenté d'introduire un seul facteur à la fois dans le plan d'expérience. Mais le chercheur aurait pu étudier simultanément, avons-nous dit plus tôt, l'influence de plusieurs facteurs. Il aurait pu par exemple faire en sorte que toutes les combinaisons d'analyse soient réalisées, dans l'hypothèse où les effets seraient *additifs*. Mais dans la pratique, il arrive souvent que les facteurs soient plutôt en *interaction*. L'orthogonalisation consiste dès lors à rendre indépendants les facteurs en question, afin de s'assurer que la variation de l'un ne s'accompagne pas de la variation de l'autre (Matalon, 1988; Spector, 1981, Hoc, 1983).

À cet égard, le *plan factoriel* est à maints égards le dispositif expérimental le plus intéressant, puisqu'il représente toutes les modalités de tous les facteurs et assigne le même nombre de sujets à chaque modalité.

4.4.8 L'ÉQUIVALENCE DES GROUPES

Les résultats de l'exemple précédent suggèrent que la variable expérimentale contribue bel et bien à un accroissement de la participation chez les personnes âgées. Mais comment s'assurer que les participants ont été exposés également aux mêmes événements externes (p. ex. le centre communautaire) ou à d'autres facteurs ? Afin de distribuer les sources de variation (variables parasites endogènes et exogènes) uniformément, l'approche la plus sûre consistait à former deux groupes équivalents en répartissant au hasard les sujets dans chaque groupe. Cette méthode, dite de *randomisation*, élimine les possibilités de biais et contribue à mieux contrôler les sources indésirables de variation. Dans les diagrammes relatifs aux protocoles de recherche expérimentale, on fait précéder de la lettre R (randomisation) les groupes ainsi répartis. Dans notre exemple, on aurait pu constituer un premier échantillon représentatif de 120 sujets âgés puis affecter au hasard 60 individus dans le groupe expérimental et les 60 autres dans le groupe témoin.

L'intérêt de la répartition au hasard réside dans le fait qu'aucune intervention ou décision de la part du chercheur ne vient fausser le processus d'assignation des sujets aux groupes, et que la loi des probabilités fait que l'on a autant de chances de retrouver des individus présentant différentes caractéristiques dans un groupe comme dans l'autre. Du coup, on élimine le problème des sources de variation pouvant affecter davantage un groupe qu'un autre. Quand le nombre de sujets est suffisamment élevé dans les deux groupes, on peut constater l'efficacité de cette procédure en comparant les résultats de la mesure de la variable dépendante au prétest (T1), comme dans l'exemple précédent, la valeur moyenne de la mesure dans un groupe étant souvent proche de celle de l'autre (cf. 4,2 c. 4,4 au prétest).

Cependant, si le chercheur souhaite effectuer des comparaisons entre des sous-groupes — lorsque le nombre de cas observés est faible ou pour tout autre motif justifié —, il optera avantageusement pour la technique de l'*appariement* des sujets (on dit aussi appareillement, de l'anglais *assortment*). On s'assure ainsi de retrouver dans chaque groupe la même proportion d'individus à comparer selon le trait étudié.

L'*assortiment par paire* ou *jumelage* (en anglais *matching*) est une autre procédure couramment utilisée. Par exemple, on s'assurera qu'un individu dans un groupe ayant une combinaison de traits jugés pertinents pour les fins de l'étude aura son équivalent (c.-à-d. mêmes caractéristiques) dans l'autre groupe. Nous proposons d'adjoindre aux groupes ainsi constitués la lettre J (schéma) pour bien les identifier. Signalons qu'il est la plupart du temps indiqué de combiner l'appariement à la répartition au hasard (RJ) pour une meilleure distribution des sujets dans les deux groupes. Cette procédure dite de *blocage* (*randomized-matched-block model*) est considérée par certains (Bausell, 1986:96) comme étant supérieure à toutes les autres.

4.4.9 LA RÉPARTITION DES EFFECTIFS ET LA TAILLE DES GROUPES

Arrêtons-nous d'abord sur la répartition des effectifs dans les groupes d'observation. Dans l'intérêt d'obtenir une meilleure sensibilité statistique lors de l'analyse, on recommande de constituer autant que faire se peut des groupes équilibrés, c'est-à-dire comportant le même nombre de sujets. Ces conditions sont plus facilement réalisables dans les expérimentations en laboratoire, alors que dans les études de terrain le chercheur doit se contenter le plus souvent d'observer les sujets appartenant à des groupes déjà constitués. Cependant, le problème de la mortalité d'échantillon au post-test (ou aux post-tests) se pose, même dans l'expérimentation contrôlée en laboratoire, ce qui contribue à déséquilibrer les groupes. Quelques défections ne créent pas de difficultés particulières du point de vue de l'analyse statistique, pour autant que les individus qui abandonnent l'expérimentation aient un profil relativement semblable à ceux qui demeurent présents tout au long de l'étude.

Le second point a trait à la taille des groupes. Selon le problème à l'étude, on optera soit pour des échantillons représentatifs, soit pour des échantillons non représentatifs. L'idéal est de former des groupes d'individus suffisamment représentatifs pour que les résultats de l'expérience puissent être inférés à la population mère. Tel est le principe de la généralisation à la base de l'inférence statistique. Renoncer à appliquer ce principe contribue à réduire la validité externe, même si des tests non paramétriques peuvent encore être utilisés pour «sauver» l'expérimentation. Mentionnons que souvent la recherche expérimentale se réalise avec moins de sujets, comparativement aux dispositifs de type transversal où l'on a la possibilité d'observer des échantillons plus représentatifs de la population.

4.4.10 L'INDÉPENDANCE DES GROUPES

Une autre précaution importante à prendre dans les études expérimentales, surtout les expériences-terrain, consiste à s'assurer que les deux groupes soient indépendants. Le cas typique de dépendance des groupes est lorsque les sujets des deux groupes sont en interaction ou du moins susceptibles de l'être. Un exemple aidera à illustrer le problème de la «dépendance» des groupes. Un professeur de mathématiques a la responsabilité de deux classes d'élèves âgés dans le cadre d'un programme de formation de l'université du troisième âge. Constatant que dans les deux classes les élèves éprouvent certaines difficultés à assimiler la matière, il tente une expérience. Dans la classe A il introduit une activité pédagogique destinée à aider les élèves (par exemple un logiciel de statistique tournant sur ordinateur) en plus du cours habituel, tandis que dans la classe B il n'offre pas cette formule dite d'enseignement assisté par ordinateur. Dans cette situation, deux difficultés risquent d'affecter les résultats: 1) les deux groupes sont naturels, donc déjà constitués, de sorte qu'on n'a pas la certitude absolue qu'ils soient véritablement équivalents. Par exemple, le groupe du vendredi soir peut être composé d'individus ayant des obligations moindres que ceux du mardi soir; cette particularité risque de se refléter dans des différences du point de vue de l'âge, de l'intérêt au cours, de la scolarité antérieure, etc.; 2) l'indépendance «physique» entre les deux groupes n'est pas assurée. Il est possible par exemple que certains sujets de la classe A fréquentent des étudiants de la classe B ou encore qu'une semaine donnée certains étudiants du groupe A se présentent plutôt à la session du groupe B.

Plusieurs conséquences de ces interactions sont à appréhender. Il s'agit en fait des *contaminations par compensation* qui se traduisent par quatre biais principaux: a) l'effet de diffusion; b) l'effet de compétition; c) les «traitements externes»; d) l'effet de rejet ou de cobaye.

En transmettant le message à propos de l'activité pédagogique dans la classe B, les informateurs risquent de provoquer une réaction dans l'un des deux groupes, voire dans les deux groupes. Les élèves de la classe B pourraient entrer en compétition avec ceux de la classe A en dépit du fait qu'ils ne profitent pas de l'avantage offert à ceux de la classe A et ainsi de suite. C'est l'*effet Henry*. L'expérience souffre donc d'un biais systématique dès le départ. Dans l'exemple ci-dessus, il est difficile de contourner cet obstacle, à moins de réaliser parallèlement l'expérience dans deux établissements d'enseignement physiquement éloignés — dans deux villes par exemple —, de manière à contrer ou du moins à minimiser l'effet de dépendance ou d'interaction entre les sujets.

Que nous apprend cet exemple ? Ce problème déborde en fait sur une autre question importante: celle de la réaction à la mesure. La plupart du temps, l'expérience comme telle comporte un effet psychologique que l'on se doit de contrôler. La principale technique pour y parvenir consiste à inclure un *placebo* dans le plan expérimental. Un placebo, dans une expérimentation clinique par exemple, est un outil de contrôle, tel un médicament, dont l'efficacité pharmacologique ou thérapeutique est nulle. On l'administre aux sujets du groupe témoin (ou d'un groupe témoin) de façon à mesurer certains effets, dont celui de la réaction psychologique au traitement, de manière à tenter d'apprécier l'efficacité réelle du médicament, par exemple, prescrit dans le groupe expérimental. Cette technique offre l'avantage d'évaluer assez précisément l'effet de réaction psychologique à l'expérience. Pour estimer ce phénomène de réaction psychologique à l'expérience, le chercheur pourrait constituer deux groupes témoin, l'un avec placebo et l'autre sans placebo, comme l'illustre la figure suivante.

GROUPES		T1		T2
E	(R)	O1	X	O2
C1	(R)	O3	p	O4
C2	(R)	O5		O6

Fig. 4-16. Protocole expérimental prétest, post-test avec deux groupes témoins dont un avec effet placebo (p).

4.4.11 LES SOURCES D'INVALIDITÉ

Nous allons maintenant aborder plus systématiquement la question des sources d'invalidité, afin de mieux comprendre les difficultés inhérentes à l'approche expérimentale. Rappelons que les facteurs parasites englobent tous les artefacts ou les variables non concernées dans la manipulation et dans la mesure, variables que le chercheur tente de contrôler en les répartissant également dans les groupes constitués, ou mieux, en s'efforçant de les éliminer (à l'étape de la sélection des sujets). Bien que non impliquées directement dans l'hypothèse, ces variables doivent être traitées et elles peuvent même intervenir dans le processus de l'explication. En effet, l'élimination de certains facteurs peut aider à clarifier le processus de l'inférence causale, en rejetant certaines hypothèses rivales.

Voyons d'abord les sources d'invalidité interne. On distinguera ici les source *endogènes* et *exogènes* d'invalidité interne.

4.4.12 LES SOURCES ENDOGÈNES D'INVALIDITÉ INTERNE

a) La réaction à la mesure

Le phénomène de la réaction à la mesure embrasse toutes les réactions psychologiques qui réduisent la validité dans le cadre même de l'expérimentation. Une première forme de réaction à la mesure est l'*effet d'apprentissage* et, sa variante, l'*accoutumance au test* que les chercheurs ont pu observer expérimentalement lorsque des sujets sont évalués à deux ou plusieurs reprises à l'aide du même test ou du même instrument. On a constaté, par exemple dans le cas des tests d'intelligence, que la moyenne des scores est supérieure au post-test qu'au prétest. Dirons-nous que l'intelligence s'est développée en un si court laps de temps ? Si les sujets donnent une meilleure performance au second test, c'est sans doute parce qu'ils ont «appris» à mieux décrypter certains aspects du test ou encore à mieux comprendre sa logique.

Le chercheur a intérêt à être particulièrement vigilant lorsque l'expérimentation s'adresse à des sujets âgés dont le temps de réaction est habituellement plus lent que les autres catégories d'adultes. L'effet d'apprentissage risque donc de se manifester avec cette catégorie de sujets. Or, la présence d'un groupe témoin permet de contrôler efficacement cet effet indésirable.

Une autre façon de contourner cette difficulté est de soumettre les sujets des deux groupes à un test de forme parallèle lors du post-test. On s'expose à un *effet de rétroaction* (*feed-back*) quand l'instrument d'observation ou le contexte de l'expérimentation prend de l'intérêt vis-à-vis le sujet et risque de devenir en soi une source de modification du comportement plus importante que le stimulus comme tel.

On distinguera ainsi les mesures réactives des mesures non-réactives (Campbell, 1957), les premières correspondant au type d'instrument sujet à entraîner des effets d'apprentissage ou des effets de mesure. Comme cet effet s'observe au post-test, certains expérimentateurs préféreront éliminer le prétest en s'assurant que le groupe témoin est équivalent au groupe expérimental, d'où le protocole avec post-test seulement et groupe témoin (figure 4-17).

GROUPES			T2
E	(R)	X	O1
T	(R)		O2

Fig. 4-17. Protocole expérimental avec post-test et un groupe témoin.

Il ne faut toutefois pas confondre ce plan avec le protocole pseudo-expérimental que l'on qualifie de «comparaison statique entre deux groupes» où il n'y a pas de randomisation avant l'expérience.

b) La réaction à l'expérience

La réaction à l'expérience définit le comportement des sujets observés au fait même de l'expérience. Toute expérimentation — dans le cas d'une *instrumentation invasive* ou en sciences humaines lors d'une *mise en situation* — est un phénomène social, avec tout ce que cela signifie sur le plan des attitudes, des interactions, voire des activités intrapsychiques qui se déroulent. Il s'ensuit une distorsion appelée «*réactivité*» de la variable (Contandriopoulos, 1990). Il existe deux formes de réaction: l'une individuelle, l'autre de groupe. La réaction individuelle est une réponse psychologique de la part du sujet, qui se traduit par un comportement soit favorable soit défavorable à l'expérience. L'*effet de cobaye* et l'*effet de rejet* sont des comportements négatifs (au sens expérimental bien sûr) qui risquent de fausser les résultats, tandis qu'au contraire l'*effet de Hawthorne* est une réponse susceptible d'amplifier la performance du sujet, celui-ci étant conscient d'avoir été sélectionné pour participer à l'expérience. Il faut également se méfier de l'*effet Rosenthal*, c'est-à-dire la tendance qu'ont certains sujets à afficher un comportement ou une attitude conforme à celle qu'on leur prédit, ce qui peut entacher la validité des résultats. L'*effet de nouveauté* (*novelty effect*) peut aussi trompeusement expliquer le succès d'un nouveau programme, effet qui souvent se résorbe aussitôt que s'éteint l'enthousiasme.

Chez des sujets âgés par exemple, des précautions sont à prendre pour éviter que certains développent des attentes que l'expérimentateur ne pourra satisfaire. Nous qualifions d'*effet de transfert* ce type de situation expérimentale. On se rend donc compte une fois de plus de la nécessité d'inclure un groupe témoin dans les protocoles expérimentaux afin de neutraliser ces effets. Comme il a été suggéré plus tôt, l'administration d'un placebo à un deuxième groupe témoin peut aider à identifier la présence de tels effets parasites.

L'*effet de groupe* caractérise les changements susceptibles d'affecter la réaction des sujets sur le plan de la mesure, et qui sont imputables à la dynamique du groupe comme telle. Ainsi, dans une expérimentation comportant un programme (stimulus) réalisé en groupe, dont l'objectif serait le développement de nouvelles habiletés dans le rôle d'aidant auprès de personnes démentes, peuvent se créer des liens d'amitié chez certains aidants. Ces rapports amicaux peuvent se transformer en relations de soutien et occasionner une diminution du sentiment de fardeau chez les aidants. En suscitant cet effet non anticipé dans le programme, par le biais de la vie de groupe, l'expérience crée un élément parasite qu'il est difficile d'isoler.

L'*effet de contagion* est une autre forme de biais susceptible de contaminer l'expérience. Il s'agit en fait de la propagation dans un groupe des réactions émotives (négatives ou positives) dégagées par un petit nombre de sujets.

Or, l'effet de groupe et l'effet de contagion peuvent se manifester particulièrement chez des gens âgés aux prises avec un problème d'isolement ou de solitude, certains saisissant l'occasion de la situation expérimentale pour nouer des liens sociaux d'amitié. Ces biais risquent notamment de se refléter au moment de la mesure au post-test. Ici encore, la présence du groupe témoin trouve son utilité.

c) Les fluctuations instrumentales

Une troisième source de variation endogène englobe les fluctuations instrumentales. Il peut s'agir de l'*usure de l'instrument*, tels les changements dans le calibrage ou le contenu (p. ex. reformulation de termes) de l'instrument au post-test, dans les consignes et dans le lieu ou le contexte de passation des instruments.

Ce biais renvoie aussi à la fatigue des observateurs, aux déformations imputables à l'expérience qu'ils ont acquise d'une situation d'observation à l'autre ou d'un groupe à l'autre, ou encore à la tendance à réagir distinctement avec certains sujets, voire à l'expérience elle-même s'ils parviennent à en saisir le but (*effet d'anticipation*).

Ladouceur et Bégin (1980:30) signalent également l'*effet de plafonnement*:

> L'effet de plafond (sic) implique que tous les sujets se situent aux points extrêmes de la variable dépendante. Pour contourner cet obstacle, le chercheur peut habituellement améliorer la sensibilité de l'instrument de mesure, en le rendant plus discriminant ou encore augmenter le champ de la variation expérimentale.

Autre exemple. Il est possible que l'expérimentateur ait tendance à faciliter le processus de confirmation de l'hypothèse, sachant qu'il peut obtenir une gratification quelconque. Enfin, avec des sujets âgés, certains expérimentateurs seront plus portés à manifester une attitude empathique avec les uns, ou au contraire à montrer plus de froideur envers d'autres plus lents à réagir ou moins collaborateurs.

Rosenthal (1967) a longuement étudié les *effets de l'expérimentateur*, qu'il s'agisse de l'*effet d'approbation sociale*, de l'*effet de halo* ou de l'*effet de modelage*. On dit «qu'il y a modelage quand la performance du sujet est prévisible à partir de la performance de l'expérimentateur dans la même tâche» (Rosenthal, 1967:295). L'effet de halo caractérise la tendance d'un juge à se forger une idée générale d'un sujet à partir d'un caractère qui lui est propre. Selltiz *et al.* (1977:404) mentionnent également l'*erreur de générosité* comme étant la «[...] tendance [d'un juge] à surestimer les bonnes qualités des sujets qu'il aime».

Il existe une multitude de variantes à ce chapitre. Il peut s'agir des biais liés à l'interprétation des observations par les expérimentateurs. Pour éviter cet écueil, on prendra soin de comparer la «performance» des évaluateurs de test afin de détecter des fluctuations.

Une façon de résoudre en partie ce problème de fluctuation expérimentale consiste à déléguer la responsabilité de l'expérimentation à des animateurs plus ou moins informés des objectifs poursuivis. Également, on confiera l'observation ou l'appréciation de la performance des sujets à un ou à des évaluateurs, eux aussi non informés de l'appartenance des individus aux groupes. La procédure en *simple insu* ou en *double insu* (*double blind*) est une stratégie particulièrement efficace. Le simple insu signifie que les sujets ignorent s'ils font partie du groupe expérimental ou du groupe témoin. Le double insu ajoute une autre précaution: l'expérimentateur/évaluateur (et même le chercheur principal non affecté aux tâches d'observation) ignore quels sujets se retrouvent dans l'un ou l'autre groupe (voire aussi la manière dont est menée l'expérience).

Un autre travers a trait aux *traitements en séries*, c'est-à-dire lorsqu'un programme comporte plusieurs séances d'exposition. Quel nombre minimum de sessions un sujet doit-il suivre pour être jugé admissible au post-test ? Nous avons en tête l'exemple d'une étudiante, dont nous dirigions le mémoire de fin d'étude, qui se demandait si elle devait mettre fin prématurément à son expérimentation en effectuant le post-test au terme de quelques sessions de formation seulement (le programme comportait une dizaine de sessions), constatant que les sujets semblaient ne pas répondre de façon enthousiaste ou adéquate aux activités de formation. On a là une situation d'anticipation qui constitue un accroc sérieux à la démarche expérimentale. De surcroît, l'étudiante en question paraissait mésestimer le fait que le programme n'était efficace qu'à la condition d'avoir suivi l'ensemble des sessions.

Cet exemple illustre l'importance de bien définir la variable expérimentale. S'il s'agit d'un programme comportant des sessions d'information suivies de sessions de techniques de soutien, il importe de bien évaluer l'impact du programme au regard de l'un et l'autre aspects du programme en question (rem: ancre = stimulus de référence). Dans le cas des programmes comportant plusieurs sessions, on s'assurera de ne pas atteindre un *effet de saturation* avant la fin du traitement.

d) La régression statistique

On a un effet de régression statistique lorsque les sujets sont choisis en fonction d'une caractéristique qui les situe aux extrémités de l'échelle de mesure. Par exemple, au post-test il se produira un *effet de retour vers la moyenne*, étant donné des imperfections instrumentales, vu l'appartenance des sujets à un groupe sélectionné (c.-à-d. très performant par exemple), ou encore vu les changements aléatoires qui surviennent dans deux sous-groupes de sujets. Selon Matalon (1988), «cette régression vers la moyenne se produit chaque fois qu'on fait deux mesures successives d'une même variable qui {fluctue} naturellement; la seconde mesure peut alors être considérée comme la somme de la première et d'une variable aléatoire ayant la même moyenne». Campbell (1957) soutient toutefois que l'effet de régression est habituellement faible lorsque l'intervalle de temps entre T1 et T2 est court.

Prenons un exemple hypothétique. Dans une étude mesurant le stress des personnes âgées, on observe que les individus ayant reçu une cote relativement élevée au prétest cotent faiblement au post-test. Inversement, ceux ayant obtenu une cote faible au prétest cotent plus fortement au post-test. Pourtant, les scores moyens ainsi que la variance demeurent les mêmes d'une situation de mesure à l'autre, indiquant qu'il n'y a pas eu de changement important entre le prétest et le post-test, les différences s'annulant en quelque sorte.

Le phénomène de la régression statistique débouche sur une autre réflexion: celle de l'importance de choisir les temps d'observation en fonction de l'incidence. Par exemple, on sait que le taux de chute chez les personnes âgées varie selon les saisons. L'absentéisme du personnel soignant fluctue également selon les saisons, les quarts de travail, les unités de soins notamment.

e) La sélection des sujets

Malgré toutes les précautions prises dans le choix des sujets et dans la composition des groupes, le risque demeure de sélectionner par inadvertance des participants dans un groupe ayant un profil différent de celui de l'autre groupe (*biais de sélection*). Le profil peut fluctuer selon la classe sociale, le revenu, les expériences passées ou tout autre facteur susceptible d'intervenir dans le processus de l'expérimentation. Bien qu'en principe la répartition au hasard permette de contourner cet obstacle, l'éventualité d'une distorsion subsiste, notamment dans les protocoles avec petits échantillons. Une façon d'éviter le problème consiste à interroger préalablement les sujets sur des caractéristiques potentiellement parasites, puis à les sélectionner en fonction des réponses obtenues. Il s'agit somme toute de s'assurer que des distorsions de toute nature (composantes sociodémographiques ou «existentielles») n'interféreront pas dans le protocole d'analyse.

f) La perte des sujets

La perte de sujets en cours d'expérience, dite «*mortalité expérimentale* (ou d'échantillon)», est une source importante d'invalidité interne, en particulier si le phénomène du démembrement est plus aigu dans l'un des deux groupes. Le danger est en fait le même que dans les études transversales: les sujets abandonnant l'expérimentation ont peut-être des caractéristiques distinctes de ceux qui demeurent, l'une de ces caractéristiques ayant sans doute un lien avec l'expérience en cours (p. ex. la motivation, la santé, la nervosité). Comment corriger cette situation ? En menant une mini-enquête auprès des sujets s'étant désistés afin de s'enquérir sur les causes possibles de leur défection. Lorsque l'expérience porte sur des gens âgés, un écart important entre le prétest et le post-test est à craindre, étant donné

Restriction : en épidémio
Critères d'inclusion : en sociologie.

les risques accrus de perte d'échantillon (décès, maladie, incapacités diverses). Le choix du moment approprié pour effectuer le post-test mérite donc une prudente attention, l'objectif étant toujours de ne pas invalider la stratégie de mesure.

Plusieurs situations se prêtent à la perte des sujets en cours d'expérimentation, les principales étant la défection des participants durant le traitement et le refus de subir le post-test (*auto-exclusion*). L'expérimentateur préférera également, dans une circonstance particulière, ne pas soumettre au post-test (*exclusion*) les sujets qui n'auraient pas respecté les consignes ou qui auraient dérogé des normes fixées (p. ex. 1. des consignes telles que: suivre toutes les sessions ou un nombre minimum de sessions d'un programme, ne pas manifester d'hostilité; 2. une norme telle que: répondre de façon cohérente lors des tests).

g) Les observations non simultanées

Les observations non simultanées, c'est-à-dire le fait d'effectuer les observations à des moments différents pour le groupe témoin et le groupe expérimental, ou à des moments différents pour les individus d'un même groupe, est une autre forme de biais à éviter. En plus d'accroître les risques de contamination (dépendance des groupes), par diffusion par exemple, le défaut d'observer la règle des mesures en simultané peut faire en sorte que des sources incontrôlées de variation d'origines externes viennent se glisser dans l'étude. Mais pour éviter de perdre des sujets, certains choisiront tout de même de leur administrer le prétest avant l'échéance prévue. Cette décision se justifiera à la condition qu'en soient bien évaluées les conséquences et que l'on soit en mesure de démontrer qu'un tel choix n'entravera en rien la qualité de la mesure.

4.4.13 LES SOURCES EXOGÈNES D'INVALIDITÉ INTERNE

Les sources exogènes d'invalidité englobent les variations parasites qui surviennent en dehors du cadre expérimental et qui deviennent, par le fait même, des facteurs d'explication plausibles des différences observées. Il en existe trois principales.

a) L'histoire individuelle

Lorsque l'intervalle de temps entre le prétest et le post-test s'étire sur quelques semaines ou quelques mois, plusieurs événements extérieurs risquent de contaminer l'observation, donc de se refléter dans les résultats de la mesure. Le décès d'un ami, l'apparition d'une maladie chez le conjoint du sujet ou chez le sujet lui-même, ou tout autre événement perturbateur caractérisant l'histoire individuelle. Ici encore, la présence d'un groupe témoin s'avère la meilleure prévention. Mieux encore, on tentera d'identifier ces éléments perturbateurs, en entrevue ou par le truchement d'un questionnaire notamment, et on décidera par la suite s'il est souhaitable d'écarter de l'étude les sujets ayant vécu des situations ou des expériences jugées troublantes, donc potentiellement nuisibles au succès de l'expérimentation.

b) La mutation des sujets

Entre le prétest et le post-test les sujets peuvent avoir changé, avoir évolué en regard du thème même de l'observation. Il peut s'agir de modifications dans les attitudes, dans la manière de voir les choses, ce qui est peut-être moins probable chez des sujets âgés. Par contre, l'*effet de fatigue*, des modifications dans la condition physique ou psychologique, sont des facteurs auxquels les sujets âgés sont plus fréquemment exposés et dont il faut tenir compte dans la mise en plan de l'expérience.

c) L'interaction des facteurs

Finalement, des sources endogènes d'invalidité peuvent résulter de l'interaction entre les différents facteurs énumérés plus haut, combinés aux sources exogènes d'invalidité.

4.4.14 LES SOURCES D'INVALIDITÉ EXTERNE

La validité externe a trait au degré de généralisation des résultats à l'ensemble de la population que l'échantillon est censé représenter. Or, c'est dans les expérimentations-terrain en particulier que ce type de problème risque de se poser avec le plus d'acuité. Matalon (1988) distingue trois directions de la généralisation: *a*) la généralisation à d'autres individus; *b*) la généralisation à d'autres situations; *c*) la généralisation à d'autres moments.

a) La généralisation à d'autres individus

La question qui se pose est celle-ci. Dans quelle mesure les résultats de l'expérience reflètent-ils ce qui se serait produit si elle avait été réalisée auprès de l'ensemble de la population ? En d'autres termes, pouvons-nous inférer les résultats à l'ensemble de la population ? Pour répondre affirmativement et sans équivoque à cette question, il est impératif que l'échantillon observé soit représentatif de la population. Or cette représentativité n'est pas toujours acquise dans les situations d'expérimentation suivantes: 1) celles où les effectifs sont restreints; 2) celles s'adressant à une population très hétérogène; ou 3) celles où l'observation est réalisée artificiellement, par exemple en laboratoire. La voie à emprunter pour tenter de vaincre cet obstacle consiste à répéter les expérimentations auprès de différents sous-groupes de sujets (*contre-validation*). C'est d'ailleurs à la faveur de ce processus réitératif de mise à l'épreuve des hypothèses que les théories scientifiques atteignent une plus grande validité.

b) La généralisation à d'autres situations

Les recherches expérimentales en gérontologie sont la plupart du temps réalisées dans des milieux bien circonscrits (p. ex. centres d'accueil, hôpitaux, résidences privées, etc.). Or, lorsqu'une expérimentation s'adresse à une population captive, dans un milieu d'hébergement par exemple, il est difficile d'inférer les conclusions obtenues à l'ensemble des milieux de vie dans lesquels évoluent les personnes âgées. C'est pourquoi les expérimentations qui requièrent une forte validité externe (ce qui n'est pas toujours le cas des études évaluatives ou de celles centrées uniquement sur un milieu) doivent être menées dans différents établissements ou milieux de vie, afin d'établir la *validité écologique*. Également, le problème de la généralisation concerne d'autres groupes culturels et sociaux, d'où l'expression de *validité culturelle*.

On voit immédiatement l'intérêt de rééditer ce type de recherches auprès de divers groupes sociaux (ethniques par exemple), dans plusieurs régions ou nations afin de mieux attester la validité externe en général. On pourra également concevoir des protocoles expérimentaux à plusieurs groupes, ceux-ci étant constitués de sujets recrutés dans différents milieux.

c) La généralisation à d'autres moments

Un dernier point très important concerne la *validité temporelle* qui renvoie à deux réalités : 1) la persistance d'un changement individuel dans le temps; 2) la durabilité d'un phénomène selon les époques. La première source d'invalidité mérite ici notre attention, la seconde étant plus évidente. En fait cette question renvoie au problème de la stabilité ou de la non stabilité des changements introduits dans l'expérimentation. Par exemple, on doit envisager l'éventualité où le sujet réagit favorablement à l'expérience en obtenant un score supérieur au post-test comparativement au prétest, mais que ce gain diminue ou s'estompe après un certain laps de temps. Pour obvier à cet inconvénient et mesurer l'effet de persistance dans le temps, il est indiqué de prévoir deux ou plusieurs post-tests, comme le suggère la figure 4-18.

Il est également avantageux de modifier ce protocole, grâce à la méthode de l'inversion des groupes (cf. figure 4-19), c'est-à-dire qu'après un certain temps c'est le groupe témoin qui reçoit le traitement.

GROUPES		T1		T2	T3	T4
E	(R)	O1	X	O2	O3	O4
T	(R)	O5		O6	O7	O8

Fig. 4-18. Protocole expérimental avec prétest et trois post-tests avec un groupe témoin.

Une autre approche est celle des protocoles à séquences temporelles simples ou à séquences temporelles multiples (cf. figure 4-20). De tels dispositifs aident à contrôler avec plus d'efficacité l'effet de persistance du traitement, en même temps qu'ils facilitent la mesure du phénomène de la mutation des sujets de même que l'effet d'apprentissage (R).

Le lecteur intéressé à examiner plus à fond ce protocole consultera l'article de Wan (1986) sur l'évaluation des programmes de soin à long terme, étude qui constitue un bel exemple de ce protocole à séquences temporelles.

GROUPES		T1		T2		T3	T4
E	(R)	O1	X	O2		O3	O4
T	(R)	O5		O6	X	O7	O8

Fig. 4-19. Protocole expérimental avec prétest et trois post-tests avec groupes inversés.

GROUPES	T1		T2	T3	T4	T5	T6
E	01	X	02	03	04	05	06
C	07		08	09	010	011	012

Fig. 4-20. Protocole quasi expérimental à séquences temporelles multiples.

On retrouve également les tentatives visant à neutraliser l'effet de la pré-mesure ou l'interaction de l'opération de mesure avec le stimulus expérimental, comme dans ce plan à quatre groupes dit de Solomon.

GROUPES		T1		T2
E	(RJ)	O1	X	O2
T	(RJ)	O3		O4
E	(RJ)		X	O5
C	(RJ)			O6

Fig. 4-21. Protocole expérimental à quatre groupes appariés, dit de Solomon.

NOTE : Les quatres groupes sont randomisés (R) et appariés (J), d'où le symbole (RJ).

4.4.15 LA VÉRIFICATION DE L'HYPOTHÈSE

La vérification de l'hypothèse (ou des hypothèses) s'inscrit normalement comme une dernière étape du cycle expérimental. Les données recueillies (aux différentes phases de l'observation) sont soumises à un traitement statistique approprié, dans l'espoir de déterminer si l'expérimentation confirme ou, au contraire, si elle infirme l'hypothèse.

Les techniques d'analyse de la variance et de la covariance (ANOVA, ANCOVA) sont les plus souvent utilisées à cette fin. Dans le cas d'un protocole avec groupe témoin, une approche consiste à apprécier l'efficacité d'un programme sur la base du *gain* (différence entre le post-test et le prétest) à l'aide d'un test approprié (t, Mann-Whitney ou Wilcoxon, par exemple). Signalons enfin que l'évaluation des résultats exige, dans certains cas, de comparer les cotes de différents évaluateurs pour établir des indices de fidélité inter-évaluateurs et intra-évaluateurs.

Avant de clore cette section, remarquons qu'il est parfois utile d'obtenir, une fois l'expérimentation terminée, d'autres renseignements auprès des sujets (y compris les cas de désistement), notamment dans le cas des dispositifs servant des objectifs d'exploration.

Voici une liste sommaire de certaines informations complémentaires qu'il est utile de recueillir: l'attitude générale face au programme ou au traitement, des événements extérieurs qui ont pu se produire, la réaction à l'expérience ou au groupe de participants, les motivations qui ont pu surgir en cours d'expérimentation, les attentes non satisfaites, la relation avec l'expérimentateur ou avec d'autres participants, ou tout autre indice susceptible d'éclairer sur la conduite, la réaction ou le statut de participant.

En résumé, bien qu'elle soit parsemée d'écueils, la recherche expérimentale offre de nombreux moyens pour donner de la robustesse à l'analyse et contourner les biais tant internes qu'externes. Le lecteur intéressé à approfondir les quelques dispositifs étudiés ou à en explorer d'autres (p. ex. plans factoriels, plans à deux ou plusieurs variables expérimentales, plans contrebalancés, plans compensés, plans nichés, dispositifs réversifs, etc.) consultera les nombreux ouvrages spécialisés en la matière[2].

Pour illustrer concrètement des situations types de recherche expérimentale en gérontologie, reportons-nous aux deux exemples suivants qui démontrent les différentes étapes du processus. Notre premier exemple est une recherche quasi expérimentale comportant deux groupes expérimentaux et un groupe témoin.

Bogat et Jason (1983) proposent d'évaluer l'efficacité de deux programmes de visite pour personnes âgées dans le but de stimuler la participation des bénéficiaires dans la communauté. Au départ, les auteurs sont d'avis que chez les personnes âgées souffrant de solitude ou socialement isolées, une meilleure participation sociale est susceptible d'améliorer considérablement leur niveau de bien-être.

Pour stimuler la participation, deux programmes sont mis sur pied, chacun s'adressant à un groupe expérimental. Le premier (E1) met l'accent sur le développement d'un réseau de relations sociales au moyen de visites et de techniques de renforcement, afin d'encourager les participants à s'engager davantage socialement. Le deuxième (E2) propose des visites dans une optique de sollicitude et d'empathie à l'égard des personnes visitées. Enfin, le groupe témoin (T) ne reçoit pas de visiteurs.

Signalons que les participants à ce projet ont été recrutés dans la région de Chicago. L'échantillon final s'établit à 11 participants dans le groupe E1, 12 dans le groupe expérimental E2 et 12 autres dans le groupe témoin. Par ailleurs, 13 personnes, recrutées parmi les étudiants de l'Université DePaul, ont accepté d'agir en tant que personnes-ressources pour effectuer les visites à domicile.

Chaque étudiant avait la responsabilité de deux personnes âgées, une dans chaque groupe expérimental, et était chargé de la collecte des données au prétest (à l'exception du groupe témoin où une religieuse s'est acquittée de cette tâche). L'observation au post-test a été confiée à des évaluateurs externes afin de contrer les effets éventuels d'anticipation et de désirabilité sociale de la part des individus chargés des visites.

Le programme de visite s'est échelonné sur une période de trois mois à raison d'une visite d'une heure par semaine. Les techniques utilisées variaient selon le groupe expérimental. Dans le groupe E1 on misait sur des techniques de renforcement, tandis que dans le groupe E2 il s'agissait d'une relation d'aide ou d'écoute.

Plusieurs instruments de mesure furent utilisés au prétest et au post-test pour évaluer l'impact du programme: le *Life Satisfaction Index*, le *Rotter Internal-External Locus of Control Scale*, un instrument sur la santé subjective, le *Depression Adjective Check List*, une échelle de mesure de la participation (*Network Survey*), la fréquence des appels téléphoniques et des visites informelles, les activités communautaires et une échelle de qualité de vie.

Au terme de l'étude, les auteurs constatent que les participants au groupe E1 ont, sur l'ensemble des échelles de mesure, obtenu des scores moyens supérieurs à ceux des groupes E2 et T, mais que les différences ne sont pas statistiquement significatives. Les chercheurs attribuent ce résultat à la petite taille des échantillons et à la non-équivalence des groupes. Enfin ils postulent que les variables sélectionnées ne reflétaient peut-être pas les changements véritables qu'ont pu vivre les personnes âgées dans chaque groupe expérimental.

Transportons-nous maintenant dans le domaine de la recherche clinique pour prendre connaissance d'une étude visant à tester l'effet d'un traitement sur des sujets atteints de la maladie d'Alzheimer. Summers *et al.* (1985) ont traité par voie orale (tétrahydroaminoacridine) 17 patients atteints de la maladie d'Alzheimer (modérément ou gravement) dans le cadre d'une recherche qui s'est déroulée en trois étapes.

Dans un premier temps, ils ont administré le médicament à tous les sujets: ils ont constaté une amélioration significative sur la base d'une évaluation globale du stade de la maladie (échelle de déficit), d'un test d'orientation et d'un test d'apprentissage des noms.

Au cours de la deuxième phase, qui s'est déroulée en double insu, ils ont administré le médicament à un groupe de sujets choisis au hasard, puis un placebo à l'autre groupe. La performance des sujets dans le groupe E (traitement) s'est révélée meilleure que dans le groupe T (placebo).

Enfin, 12 sujets ont participé à la troisième étape de l'étude afin de vérifier l'effet à long terme du médicament (12 mois).

Les chercheurs ne rapportent aucun effet secondaire grave et constatent même une amélioration significative sur le plan symptomatique chez la plupart des sujets.

4.5 LES ÉTUDES TRANSVERSALES

Les études transversales sont dites synchroniques parce qu'elles observent les traits d'un échantillon ou d'une population à un moment fixe, bref sans que l'on puisse tenir compte du changement ou de l'évolution des traits étudiés. L'observation est donc invoquée, au sens où les sujets sont préalablement exposés aux événements ou aux facteurs à l'étude. L'investigateur tire donc l'essentiel de son analyse de la comparaison des sous-groupes qui constituent son échantillon. Lors d'une enquête par exemple, un chercheur tentera d'identifier des facteurs susceptibles de rendre compte de l'absentéisme du personnel soignant dans une unité de soins gériatriques, tandis qu'un autre pourra évaluer l'impact d'un tel absentéisme sur la qualité des soins. Dans un cas comme dans l'autre, les données servant de matériel analytique ne seront recueillies qu'à une seule occasion.

La documentation scientifique abonde en situations de recherche mettant à profit cette stratégie. Par exemple, on s'est penché sur la santé dentaire des personnes âgées vivant en centre d'accueil (Boisvert, 1989), sur le profil d'actualisation de soi des personnes âgées (Leclerc, Lefrançois & Poulin, 1992), sur l'effet de la fréquentation d'un centre de jour sur la relation avec le réseau de soutien naturel (Brissette, 1985). On le conçoit donc aisément, les situations de recherche gérontologique utilisant le dispositif transversal sont presque illimitées.

Pour rendre compte des phénomènes du passé et, lorsque possible, remonter aux déterminants ou aux causes de ces phénomènes, la stratégie méthodologique utilisée dans les études transversales diffère cependant de celle que l'on déploie dans les dispositifs longitudinaux. Ici le chercheur s'emploie à décrire puis à comparer plusieurs sous-groupes sur la base des différentes variables impliquées dans l'étude.

Une technique maintenant classique consiste par exemple à mesurer l'association entre deux variables décrites comme pertinentes — ou spécifiées dans l'hypothèse — puis à introduire des tierces variables afin de vérifier si la relation initiale se maintient. L'introduction successive de facteurs-tests dans un plan d'analyse covariée devient ainsi l'une des procédures privilégiées de vérification des hypothèses. Toutefois, cette technique n'est pas à l'abri des multiples sources de biais qui contaminent potentiellement le processus de la vérification. Le chercheur peut toujours tenter de garder sous contrôle ces biais, mais au prix d'interminables interventions ou manipulations statistiques.

Même si le *path analysis* ou les formes dérivées de l'analyse multivariée (p. ex. analyse des correspondances, analyse en composantes principales, analyse discriminante) représentent des solutions intéressantes sur le plan de l'analyse étiologique, elles comportent néanmoins de sérieuses restrictions (p. ex. postulat de la linéarité du modèle, limitation «mathématique» du nombre de variables, difficulté de mesurer adéquatement les effets d'interaction) et n'offrent pas les avantages des études longitudinales (p. ex. mesure du sens de la relation entre *X* et *Y*).

Malgré ce lourd handicap, la recherche transversale demeure — en gérontologie comme dans la plupart des sciences humaines — le type de stratégie le plus utilisé, parce qu'il implique des coûts moindres, nécessite un temps de réalisation relativement court et est en mesure de répondre adéquatement à plusieurs objectifs concrets d'action ou de connaissance.

Une seconde limite des recherches transversales réside dans la faible validité des renseignements obtenus. En effet, la plupart du temps le chercheur enregistre les réponses des sujets sur la base de leur témoignage ou de leur opinion, et parfois à partir de sources documentaires qui comportent souvent des omissions importantes, ou encore qui ont été l'objet de filtrage. Lorsqu'on tente de retracer des phénomènes passés à partir des révélations des sujets, en entrevue par exemple ou d'après une lecture historique de données documentaires, il est difficile d'établir des liens de causalité entre les faits étudiés.

En revanche, nous considérons qu'il existe cinq éléments principaux qui militent en faveur des stratégies transversales. Premièrement, le facteur *descriptif et exploratoire* de la démarche permet d'accumuler une masse considérable de renseignements, à la fois riches et variés, sur la population étudiée. Le rôle des enquêtes par exemple est de fournir non seulement un portrait global d'un échantillon d'individus, mais aussi de comparer plusieurs traits à l'intérieur de différents sous-groupes. En ce sens, la recherche transversale est davantage en mesure d'examiner le rôle probable de facteurs dans l'apparition des phénomènes que les dispositifs longitudinaux ne peuvent le faire. Elle est donc particulièrement utile dans les *études de prévalence* ou dans les recherches évaluant l'impact d'une action ou d'une décision quelconque concernant certains individus.

Deuxièmement, les études transversales bénéficient de l'élément *rapidité*. En effet, elles sont souvent en position de fournir des réponses à certaines questions de recherche qui nécessitent une action immédiate, contrairement aux études longitudinales qui exigent plusieurs points de comparaison dans le temps.

Troisièmement, intervient l'élément *ressource*. Les stratégies transversales sont habituellement moins onéreuses, puisque le chercheur n'effectue qu'une seule opération d'observation et qu'il recourt à des techniques de collecte de données moins lourdes, tel l'entretien téléphonique ou le questionnaire administré par la poste. Aussi, il arrive que ce dispositif de recherche ne requière qu'un nombre restreint de sujets à interroger, ce qui accélère d'autant le travail de dépouillement et réduit les coûts d'opération.

Quatrièmement, les études de type transversal représentent, dans certains contextes de recherche délicats, le seul moyen d'obtenir des renseignements sur un problème particulier, là où les dispositifs longitudinaux s'avéreraient peu recommandables ou susceptibles d'échouer. Elles bénéficient donc de l'élément *exclusivité*. Par exemple, il est difficile, comme le rapportent Campbell et Hudson (1985), d'entreprendre une recherche longitudinale sur l'adaptation au veuvage à partir du moment où il survient, parce que ce phénomène, contrairement à la retraite par exemple, n'est pas chronologiquement situé dans le temps. Une étude longitudinale nécessiterait de suivre un très grand échantillon sur une longue période, dans l'espoir d'obtenir, en bout de ligne, suffisamment de cas pour que les objectifs visés soient atteints. Également, des considérations éthiques interdisent parfois le recours à des protocoles expérimentaux, dans des contextes où, par exemple, des patients seraient privés de traitements pour servir les fins de la recherche.

Enfin, la recherche transversale se distingue par sa capacité de s'immiscer dans les *milieux naturels*, de saisir les phénomènes dans leur déroulement, même en accordant une attention particulière au sens qu'attribuent les acteurs à leur conduite, à la valeur subjective des expériences du quotidien. La recherche transversale intervient là où le dispositif expérimental risque de brouiller un phénomène naturel, de détacher les sujets de leur environnement familier, de débusquer des acteurs dont le rôle ne prend tout son sens que dans le cadre de la réalité.

En gérontologie, cette dimension est particulièrement capitale, considérant que les personnes âgées vivent des situations qui les amènent souvent à s'isoler ou à se retrancher de la vie collective. On doit donc pouvoir disposer d'une instrumentation capable de recueillir des faits pertinents, tout en préservant l'authenticité des situations et la spontanéité des déclarations des sujets.

Passons maintenant brièvement en revue les sous-types de la recherche transversale qui sont au nombre de cinq.

4.5.1 LES MONOGRAPHIES

Le genre monographique a été développé vers la fin du 19e siècle par le sociologue français Frédéric Leplay (1806-1882) pour étudier les problèmes des familles ouvrières. Au Québec, le genre monographique a connu une grande vogue dans la tradition sociologique d'avant-guerre, notamment dans l'étude des caractéristiques villageoises (Gérin 1898; Miner, 1939).

La monographie est une étude descriptive qui cherche à dépeindre, de façon aussi complète que possible, un milieu restreint ayant toutes les propriétés d'un système social. Il peut aussi bien s'agir d'un village, d'un organisme, d'une communauté ou d'un centre d'accueil. L'intérêt de cette méthode est qu'elle fournit une lecture compréhensive d'un milieu en interreliant ses différentes composantes: administrative, socio-économique, démographique ou culturelle. On pourrait par exemple réaliser une généalogie des ressources régionales en loisir à l'intention des personnes âgées, en étudiant l'ensemble de la structure sociale (historique des organisations, modes de financement, évolution des activités, membership, réseau des relations sociales, etc.).

Il existe trop peu d'exemples de monographies gérontologiques dans la littérature, sans doute en raison du morcellement des problématiques dans le discours scientifique actuel. La perspective systémique, pourtant largement répandue, offrirait pourtant des éléments intéressants permettant aux chercheurs de recourir plus souvent à ce dispositif d'analyse.

4.5.2 LES ÉTUDES DE CAS

L'étude de cas envisagée ici est celle de type transversal, par opposition aux *expérimentations de cas,* propres aux dispositifs longitudinaux (remarque: ces dispositifs n'ont pas été présentés dans ce manuel: cf. Ladouceur & Bégin, 1980). L'*étude de cas* est une recherche intensive centrée soit sur l'analyse d'un cas particulier dans sa singularité, soit sur l'analyse d'un très petit nombre de sujets (*étude multicas*). Par sujet, il faut entendre aussi bien des individus, des établissements, des situations, des spécimens quelconques, voire des activités. L'étude de cas est une démarche de recherche empirique fréquemment utilisée dans la plupart des études cliniques: en psychanalyse, dans l'étude du matériel de cures analytiques; en sociologie, grâce à la méthode des histoires de vie; en psychologie, dans l'étude de dossiers d'entretien ou l'analyse de tests projectifs par exemple (Revault d'Allonnes *et al.*, 1989).

L'étude de cas s'attache à mettre à jour les propriétés jusque-là cachées d'un phénomène en dégageant les liens unissant certaines de ses propriétés. Vu son mince pouvoir explicatif, l'étude de cas ne peut toutefois aspirer à un haut niveau de scientificité, car il n'est pas possible de généraliser les observations à partir d'un cas unique. Cette idée est cependant rejetée par certains (Ferrarotti, 1983) qui vont jusqu'à prétendre que l'histoire de vie d'un seul sujet est révélatrice des phénomènes qui embrassent toute une collectivité.

En contrepartie, l'indéniable intérêt de cette méthode réside dans l'étendue et la profondeur des renseignements qu'elle procure. Lorsque l'étude de cas est rigoureuse, qu'elle explore des facettes de l'objet transposables dans des études confirmatoires, elle devient un puissant outil entre les mains du chercheur (bonne validité interne). Le lecteur intéressé par ce type de dispositif consultera l'ouvrage de Yin (1984) qui traite plus en détail ses composantes, ainsi que l'article de Ives (1986) qui fait le point sur les derniers développements en cette matière.

4.5.3 LES ÉTUDES ETHNOGRAPHIQUES

Les études ethnographiques se penchent sur un individu ou un petit groupe dans son rapport intime avec l'environnement. Il s'agira par exemple pour le chercheur d'identifier les motivations, les conduites ou les gestes alors même que les sujets sont en situation d'interaction, en tenant compte du milieu socioculturel ambiant. C'est pourquoi, dans ce genre d'étude descriptive, on privilégie souvent l'observation participante ou non participante dans un cadre d'analyse de type interactionniste. Cette méthode, s'inspirant de cette tradition de recherche américaine qu'est l'interaction symbolique et l'ethnométhodologie, utilise une stratégie qui tente de confronter la réalité empirique en partant de la lecture de ceux qui composent cette réalité.

L'*analyse qualitative* est le château fort de cette approche. Elle réunit plusieurs méthodes, surtout de type inductif (p. ex. *grounded theory method*), grâce auxquelles les données brutes sont réduites en classifications plus larges, transformées, puis interprétées à nouveau. Webb *et al.* (1966) ont proposé le terme de *triangulation* pour qualifier la multiplicité des angles d'observation nécessaires pour approcher la réalité sociale ou confirmer une hypothèse, à défaut de procédures de validation externe. Au cours des ans, estiment la plupart des méthodologues (Denzin, 1970; Miles & Huberman, 1984:234), la triangulation est devenue bien plus qu'une méthode: elle s'affirme comme une philosophie nouvelle (naturaliste) suivant laquelle la connaissance est une construction sociale permanente, une démarche collaborative, un mode d'interprétation et de réinterprétation des phénomènes sociaux dans leur contexte réel et dans leur déroulement même.

Le caractère pluridisciplinaire de la gérontologie offre donc d'innombrables possibilités pour le développement de la recherche ethnographique. Aussi n'est-il pas étonnant, comme nous le signale Béland (1989), que la gérontologie québécoise accorde une si grande place aux études dites «qualitatives» qui utilisent abondamment les techniques de l'enquête biographique empruntées à la démarche ethnographique.

Un exemple de recherche relativement récent utilisant l'approche ethnographique est l'étude de Corin *et al.* (1984) sur le fonctionnement des systèmes de soutien naturel des personnes âgées. L'enquête empirique, réalisée au Québec dans trois milieux géographiques différents, portait plus précisément sur les stratégies qu'utilisent les personnes âgées pour affronter les difficultés de tous les jours. Les auteurs proposent une ethnographie de la vie quotidienne des personnes âgées, privilégiant l'étude de l'histoire immédiate qu'ils tentent d'examiner sous l'angle des acteurs afin de découvrir les processus sociaux à l'oeuvre. Cette recherche s'inscrit d'emblée dans le cadre d'une sociologie *compréhensive* de la réalité sociale, en ce sens qu'elle emprunte le point de vue des acteurs, de leur pratique et de la culture qu'ils véhiculent, rejetant du même coup une lecture *positiviste* ou externe des conduites sociales. Cette recherche est en même temps une excellente illustration de la pertinence de recourir à l'instrumentation statistique dans les études qualitatives.

Les *recherches comparatives interculturelles* figurent aussi dans ce type de dispositif. Il s'agira surtout de travaux à caractère démographique, comme cet article de Robledo (1989) sur la situation du vieillissement en Amérique latine.

4.5.4 LES SONDAGES

Le sondage (comme démarche de recherche et non comme technique d'échantillonnage) est une méthode de mise en forme de l'information (*démoscopie*) fondée sur l'observation de réponses à un ensemble de questions posées à un échantillon d'individus. Contrairement à la recherche empirique de type enquête sociale (cf. plus loin dans cette section), le sondage ne nécessite pas véritablement un cadre théorique (bien que la conceptualisation soit importante), ni de recension exhaustive des écrits. Les *foro-sondages* (sondages réalisés lors des émissions télévisées) l'illustrent bien. L'utilisateur du sondage ne cherche pas non plus à construire une problématique de recherche élaborée, pas plus qu'il ne vise à la vérification d'hypothèses explicites. Il s'oriente prioritairement vers la connaissance descriptive et comparative des opinions.

L'engouement pour les sondages d'opinion est un fait bien connu en science politique, en psychologie et en marketing (les *sondages omnibus*) notamment (p. ex. les intentions de vote de l'électorat âgé ou les modèles de consommation du troisième âge). Mais du point de vue de la science gérontologique, le sondage revêt un intérêt moindre, sauf quant il s'agit de brosser un portrait très sommaire des opinions des aînés en regard d'un service à implanter par exemple, ou dans l'étude des stéréotypes touchant la population âgée.

On sait à ce propos que chez un individu la fonction du stéréotype est d'épargner un effort d'analyse, de compréhension et d'interprétation, permettant de classer les situations, les personnes et les événements en les adaptant à sa propre personnalité puis en les intégrant à un système général de représentations. L'opinion, de fait, constitue la forme expressive de l'attitude qui est une forme de disposition à l'action. Dans le contexte actuel du vieillissement des populations, il serait certes utile de sonder les opinions, les préjugés sociaux entourant l'âge, d'évaluer par exemple l'importance de réactions que Philibert (1988) appelle la *gérontophobie* (la peur des vieux) et la *gérascophobie* (la peur de vieillir). Mais l'étude scientifique des attitudes est une tâche beaucoup plus délicate qui déborde le cadre de la description. Pour décrypter le sens des attitudes, le chercheur doit tenir compte des modèles de socialisation et étudier les circonstances déterminantes d'un milieu donné.

Du point de vue de la méthodologie des sondages, on fait la distinction entre le *sondage scientifique* et le *sondage maison*. Le sondage scientifique par essence poursuit des fins désintéressées, tandis que le sondage maison (p. ex. sondage préélectoral) est la plupart du temps déclenché par des intentions partisanes. Cependant, lorsque les résultats des sondages sont rendus publics, un biais risque d'affecter la validité des sondages subséquents: c'est l'*effet Floyd Mann*. L'effet Floyd Mann se traduit par un renforcement des opinions majoritaires et un affaiblissement des opinions minoritaires.

Côté technique, il existe trois types principaux de sondage. Le *sondage ponctuel*, à coupe transversale, décrit et mesure les caractéristiques de l'opinion d'un groupe d'individus à un moment donné. Par conséquent, la perspective d'analyse est *synchronique*, c'est-à-dire statique, en ce sens qu'elle ne permet pas facilement l'analyse du changement des opinions. Le *sondage séquentiel*[3] par contre revêt un caractère à la fois longitudinal et transversal, puisqu'il est répété (à deux ou plusieurs reprises) afin de permettre de suivre les tendances de l'opinion et de comparer les changements d'opinions au sein de différents sous-groupes. Toutefois, l'optique visée est surtout descriptive. Par conséquent, il n'a pas la même valeur qu'une étude longitudinale de type prospectif ou expérimentale, puisqu'il est administré à différents échantillons non équivalents. Ce type de sondage reproduit donc sur une petite échelle la procédure utilisée dans les enquêtes répétées. Enfin, le *sondage par «panel»*[3], qui s'apparente à la démarche longitudinale, rend possible la mesure du changement d'opinion avec une plus grande précision, étant donné que ce sont les mêmes individus qui sont contactés à chaque période de cueillette de données. Lorsque le but poursuivi est autre que simplement descriptif, le sondage se transforme en une étude de «panel» de type longitudinal.

Il est utile enfin de rappeler que dans toutes les formes d'enquête par sondage, le sujet humain est l'indispensable chaînon par où transiter avant que puisse être reconstruite une quelconque réalité sociale, et que ce qui importe n'est pas tant son opinion en tant qu'individu que le phénomène collectif dont il est le porteur.

4.5.5 LES ENQUÊTES

Les enquêtes représentent l'une des formes les plus «sophistiquées» de recherche transversale. Comme le disait si bien C.W. Mills (1971:215) dans son ouvrage sur *l'Imagination sociologique*: «Le but de l'enquête empirique est de résoudre les désaccords et les incertitudes sur les faits, et de donner aux discussions un résultat plus fécond en essayant plus solidement les parties en présence.»

On distinguera en premier lieu entre l'*enquête exhaustive*, dite de *recensement*, qui s'adresse à une population, et l'*enquête simple*, dite *par sondage*, qui porte sur un ou des échantillons. L'enquête se donne pour objectif soit de décrire, d'explorer, de prédire ou d'interpréter les phénomènes. L'objectif d'explication est en principe écarté. Contrairement aux études monographiques par exemple, les enquêtes sociales incorporent des procédures standardisées qui autorisent plus facilement les réplications (*double validation*) et l'évaluation des résultats. En outre, elles offrent la plupart du temps la possibilité d'effectuer des *analyses secondaires* à partir des données recueillies.

Signalons qu'il existe quelques autres variantes de ce type de dispositif: a) les enquêtes pilotes; b) les études *ex post facto*; c) les enquêtes répétées.

L'*enquête pilote* est une étude miniature (faisant appel à peu de sujets) pour mettre à l'essai un projet de recherche dans son ensemble, ou du moins un plan méthodologique, et qui peut aussi prendre la forme d'une évaluation. Elle se distingue de l'*étude de prétest* dont le but est surtout de mettre au point une instrumentation. Par exemple, l'étude de Ritchie *et al.* (1990) sur le stress ressenti par les parents soignants principaux qui maintiennent des personnes âgées démentes à domicile, bien que ne portant que sur 41 sujets, a permis d'envisager de nouveaux mécanismes d'intégration des familles dans la quotidienneté des soins.

L'*étude ex post facto* réfère aux dispositifs qui s'appuient sur des données réunies après le fait (p. ex. la scolarité, le statut civil, les épreuves de vie subies antérieurement), vu l'impossibilité de modifier la composition des groupes ou des variables étudiées. Elle a un caractère rétrospectif «non longitudinal» (une seule vague d'observation) et se confond aux enquêtes.

L'*enquête répétée* consiste pour sa part à effectuer des mesures ou des observations à intervalle auprès de «différents échantillons» d'individus. Dans un excellent article, Caplow (1982) répertorie plusieurs sous-types de réitération d'enquête comme méthodes de recherche sociologique (répétitions de récusation, répétitions en série, répétitions non planifiées, répétitions par assortiment, etc.) (cf. Lefrançois, 1991).

Enfin, mentionnons que dans le dispositif de l'enquête, le contrôle s'exerce sur une base statistique et non grâce à la manipulation directe. La procédure d'analyse occupe donc une place prépondérante dans le processus de la vérification des hypothèses et dans la qualité des interprétations[4].
Krause (1986) s'est interrogé sur la capacité du réseau social d'atténuer les événements favorisant le stress auprès d'un échantillon de sujets âgés. Dans un premier temps, l'auteur prend soin d'effectuer une recension extensive des écrits qui lui révèle des résultats contradictoires en regard de cette problématique. Certains auteurs (Cohen *et al.*, 1985) ont signalé que l'existence d'un réseau de soutien modifie les effets du stress, tandis que d'autres (Norris & Murrell, 1984) ont rapporté que les personnes âgées recevant peu de soutien social ne sont pas plus vulnérables aux événements stressants qui surviennent dans la vie. L'auteur se propose donc de développer une argumentation plus générale sur l'efficacité du soutien

social, en tant que mécanisme régulateur ou atténuateur des tensions qui affectent le bien-être psychologique des personnes âgées.

Krause a identifié quatre sources de soutien social: 1) le soutien informatif; 2) l'aide tangible; 3) le soutien affectif; 4) l'intégration. En outre, il distingue quatre catégories spécifiques d'événements stressants:
1) le deuil (*bereavement*); 2) les agressions criminelles (*crime*); 3) les crises relationnelles (*network crises*); 4) les tensions d'origine financière (*financial stressors*). L'auteur a ensuite effectué son enquête auprès de 351 sujets au moyen d'entrevues. Les instruments de mesure utilisés furent: 1) l'*Inventory of Socially Supportive Behaviors* (Barrera *et al.*, 1981); 2) une batterie de 77 éléments («items») se rapportant aux événements stressants; 3) une échelle de symptômes dépressifs (*Center for Epidemiologic Studies Depression Scale* de Radloff (1975); 4) des variables contrôles telles que l'âge, le sexe, le statut civil, l'appartenance raciale, la scolarité et le revenu familial de l'année précédant l'étude.

Utilisant la méthode de la régression multiple, l'auteur a montré que les personnes âgées qui bénéficient d'un soutien social s'exposent à autant de situations stressantes que celles qui reçoivent moins de soutien. Toutefois, certains types de soutien ressortent comme étant plus efficaces pour contrer des événements stressants comme le deuil, le crime ou les crises relationnelles. Il faut déplorer dans cette étude l'absence du facteur santé comme tierce variable. L'auteur ne révèle pas non plus l'effet des variables sociodémographiques sur le stress et les symptômes dépressifs. Cette étude est certes en mesure d'identifier des éléments stressants, mais elle n'offre pas de schéma explicatif, ni ne met en lumière l'aspect dynamique des situations stressantes ainsi que les processus associés au développement de symptômes dépressifs.

NOTES:

(1) Le syndrome de type A est caractérisé par un esprit très compétitif, un besoin impératif de réussir, de l'impatience et un sentiment d'urgence.

(2) En particulier: Ladouceur et Bégin (1980), Lemaine et Lemaine (1969), Bertrand (1986), Kirk (1982), Cochran, W.G. & Cox, G.M. (1957) et Hicks (1973).

(3) Le sondage séquentiel et le sondage par «panel» appartiennent structurellement parlant aux stratégies longitudinales. Cependant, la plupart du temps ces dispositifs ont une portée beaucoup plus descriptive.

(4) Au chapitre des procédures, trois précautions doivent être prises pour assurer la plus grande validité des conclusions dans ces dispositifs de recherche:
1. Sélectionner des indicateurs pertinents pour représenter les variables;
2. Construire des instruments d'observation ou de collecte de données qui refléteront le plus fidèlement ces indicateurs et qui garantiront la meilleure qualité des informations de la part des répondants. Les principaux outils dont dispose le chercheur sont le questionnaire auto-administré, l'entretien de face à face, l'entretien téléphonique et la grille de dépouillement du matériel documentaire ou d'archive;
3. Constituer un échantillon aléatoire, idéalement représentatif de la population de référence, de manière à augmenter la puissance de généralisation des résultats.

PARTIE III

LES CADRES DE RÉFÉRENCE

CHAPITRE 5

LA SPÉCIFICATION DU PROBLÈME DE RECHERCHE

5.1 INTRODUCTION

L'appropriation ou la spécification d'un problème de recherche, étape cruciale tant sur le plan méthodologique que théorique, doit sa raison d'être à deux exigences du travail scientifique. Premièrement, elle vise à circonscrire ou délimiter clairement le domaine, l'aire et l'objet de l'étude en voie d'élaboration.

S'agissant par exemple de la solitude résultant de la détérioration de la santé chez des personnes âgées, on tentera de rattacher cette préoccupation de recherche à une problématique plus large, en démontrant la pertinence d'examiner cette question particulière, en indiquant les interrogations que le thème soulève, en spécifiant ensuite les concepts clefs pour finalement aboutir à une proposition de recherche clairement formulée. Mais la tâche du chercheur ne s'arrête pas là. Son projet sera arrimé à la «littérature» existante de manière telle que le lecteur puisse apprécier la valeur de sa contribution. Cette opération sera en même temps l'occasion pour le chercheur d'établir la jonction entre les connaissances antérieures et l'étude qu'il propose d'entreprendre.

On peut dire que la recension des écrits sert à

a) mieux cerner une problématique;

b) faire le point sur l'état des connaissances théoriques et empiriques;
c) sensibiliser le lecteur, et en même temps l'informer sur la pertinence d'examiner un champ d'étude;
d) justifier une question de recherche;
e) dégager de nouvelles hypothèses à mettre à l'épreuve (ou à confronter à nouveau aux faits) et relever les concepts pouvant être réutilisés ou ceux à écarter du cadre opératoire;
f) détecter les diverses failles méthodologiques caractérisant les travaux antérieurs.

Pourquoi faut-il se consacrer à une recension des écrits ? Parce que le savoir se construit à partir des connaissances antérieures qui deviennent le point de départ de toute nouvelle recherche. La science est en quelque sorte un immense chantier où s'affairent ingénieurs, ouvriers et artisans de la connaissance. L'échafaudage du savoir est fait de découvertes, de bilans synthèses, de définitions conceptuelles, de théories mais aussi de lignes directrices en matière d'hypothèses nouvelles à vérifier.

Or, les difficultés qui attendent le chercheur sont légion. En premier lieu, le travail de recension des écrits peut s'avérer long, fastidieux et délicat. En effet, au moment même où s'amorce sa réflexion, l'investigateur n'a pas toujours une idée suffisamment claire de la documentation à dépouiller, ni l'assurance totale de pouvoir répertorier tout ce qui existe et surtout ce qui est pertinent. En second lieu, l'énonciation du problème n'est jamais une tâche facile, étant donné la multiplicité et la complexité des variables en jeu.

Dans la plupart des ouvrages de méthodologie, l'importance d'une énonciation adéquate d'un problème de recherche est certes toujours soulignée, mais on parvient mal à expliquer clairement la procédure à suivre pour atteindre cet objectif (Quivy & Van Campenhoudt, 1988).

Certains (Cooper, 1989) sont d'avis qu'il existe peu d'outils conçus spécifiquement pour assister le chercheur dans cette phase primordiale du développement de sa recherche, ni de démarches véritablement orientées vers une exploitation systématique des écrits.

Aux États-Unis, des efforts dignes de mention sont déployés depuis une décennie afin de domestiquer cette étape importante de la recherche. Nous pensons ici aux techniques de recension intégrée des écrits (Cook & Leviton, 1981; Cooper, 1989) et à la méta-analyse orientée vers la construction théorique (Glass, McGaw & Smith, 1987; Guzzo, 1987; Hedges & Olkin, 1985; Rosenthal, 1984). Mais notre propos dans cet ouvrage se veut plus modeste. Il vise plutôt à mettre en relief les constituants essentiels d'une proposition de recherche, en suggérant un cheminement général adaptable à la majorité des situations.

Rappelons tout d'abord que c'est par l'entremise de la problématique que le chercheur dévoile ses schèmes référentiels et son appartenance idéologique, qu'il annonce ses préférences méthodologiques, et par le même biais, fait état du degré de connaissances qu'il a atteint, sans compter ses habiletés et sa manière de concevoir la réalité.

Ainsi celui qui envisage le vieillissement sous le signe de l'involution privilégiera une approche centrée sur le thème de la dépendance des personnes âgées et structurera son travail autour de notions telles que déficit, handicaps, pertes ou leurs conséquences, en enfermant les sujets dans le rôle passif de bénéficiaire. Ses valeurs, ses convictions et son expérience l'amèneront par exemple à étudier la vieillesse dans l'optique de la théorie du désengagement.

Par contre, celui qui défend l'idée que la personne âgée en perte d'autonomie ou en situation de crise est capable de se réajuster et de négocier la rupture, comme l'a souligné Veysset (1989), optera pour un cadre de référence plus dynamisant, comme la théorie de l'échange ou la théorie de l'activité. En reconnaissant que les personnes âgées montrent assez de souplesse pour accepter une marge d'incertitude tout au long du vieillissement, tout en capitalisant sur leurs potentialités, il choisira son objet de recherche de manière à mettre en évidence leurs ressources, en s'appliquant à en montrer le bien-fondé, tout en respectant les règles de l'administration de la preuve.

Tout travail de recherche s'inspire donc d'une première lecture de la réalité sociale, avec tout ce qu'elle recouvre en événements, en faits, en problèmes et en significations, mais aussi avec tout ce qu'elle véhicule comme valeurs, normes, sanctions et préjugés. Le chercheur, en tant qu'acteur immiscé dans la structure des rapports sociaux, n'échappe pas à l'influence des systèmes de codes ou de signes, aux interprétations préexistantes qui régissent la vie en société et l'aide à s'y adapter. Mais quelles que soient les problématiques envisagées, l'entreprise de recherche se donne toujours pour objectif ou bien de décrypter une zone obscure du social qui fait obstacle à notre compréhension, ou bien d'apporter un éclairage pouvant aider à résoudre un problème.

Dans un univers social où règnent la multiplicité et la complexité, où se nouent les problèmes au fil des transformations historiques et où les valeurs souvent s'entrechoquent, il est difficile d'ancrer une démarche scientifique épurée de tout discours idéologique, détachée des réseaux d'influence de toutes sortes et affranchie de toute vision idéaliste ou partisane. Pourtant c'est dans ce creuset que se forgent les problématiques de recherche les plus fécondes et que s'élaborent les stratégies d'action les plus pragmatiques: celles qui visent à corriger les erreurs de parcours, à niveler les différences, à humaniser les pratiques, à planifier le changement.

On se rend compte à quel point le chapitre d'un rapport de recherche consacré à la problématique peut prêter flanc à la critique. Mais il y a plus. Les problématiques de recherche plus solidement arrimées à des enjeux sociaux, en s'inscrivant résolument dans des luttes ou porteuses de valeurs conflictuelles, sont elles aussi éminemment sujettes à la controverse. Aussi n'est-il pas étonnant que ce soit au moment de la présentation de sa problématique que le chercheur risque d'être le plus vulnérable et, partant, qu'il s'expose le plus au jugement des évaluateurs.

Il suffit de se représenter un chercheur abordant le thème de l'universalité des programmes sociaux aux personnes âgées (p. ex. les prestations de sécurité de la vieillesse), plus particulièrement celui de la protection accordée aux femmes, pour s'en convaincre.

Hormis les considérations subjectives ou personnelles qui se glissent la plupart du temps, bon gré mal gré, dans l'énonciation d'un problème de recherche, une autre difficulté réside dans le découpage de l'objet et dans le choix d'un cadre analytique apte à rendre compte du sujet étudié. Il faut remarquer à ce propos que la dimension ternaire de la gérontologie rend délicate la prise en compte simultanée des aspects sociologiques, psychologiques et biomédicaux du vieillissement.

Bien souvent le jeune chercheur a tendance à articuler une problématique trop large ce qui l'empêche, la plupart du temps, de découper adéquatement son objet, voire de rendre son étude scientifiquement ou professionnellement crédible.

Mais, considérant la complexité des éléments en jeu, personne ne peut prétendre épuiser complètement un domaine ni rendre compte de façon définitive d'un phénomène, du moins dans sa mise en problème. Étant donné la somme des éléments qui interfèrent dans le processus d'élaboration de la problématique, et aussi vu le caractère souvent arbitraire des choix posés, force est d'admettre qu'il n'existe pas une seule et bonne manière de construire un objet d'étude. Car dans le processus, interviennent d'autres aspects, dont ceux ayant trait à la formation académique, à l'engagement professionnel ou scientifique du chercheur, aux expériences antérieures, voire au style d'écriture.

L'évaluateur de son côté ne dispose pas de règles immuables pour mesurer ou quantifier judicieusement cette opération de recherche. Il jugera donc la qualité de l'exposé sur la problématique d'après certaines conventions et certains principes admis en méthodologie et au regard de ses propres valeurs et convictions.

Là comme ailleurs l'expérience et la compétence du chercheur jouent un rôle considérable. Certains chercheurs, parmi les plus aguerris, prendront soin de mettre en relief tous les arguments en faveur de leur proposition de recherche, en évitant de s'étendre sur des points plus discutables ou compromettants afin de ne pas s'exposer inutilement à la critique. Même si l'idéal est de s'en tenir uniquement aux faits et de rapporter, dans un esprit d'impartialité, les éléments controversés dans la littérature, la tentation est toujours forte de déborder quelque peu en laissant croire que la recherche proposée apportera plus qu'en réalité.

À défaut d'une expertise en élaboration de problème, l'initié aura tout avantage à fournir l'effort nécessaire pour que l'exposé sur sa problématique soit pour le moins clair et cohérent, en s'assurant de respecter certaines règles de base inhérentes au cheminement scientifique. Aussi est-ce au débutant en recherche que s'adresse ce chapitre consacré à l'élaboration d'un problème de recherche.

Ce qui vient d'être dit aide à comprendre pourquoi la formulation d'un problème de recherche est parfois vécue comme une épreuve accablante chez de nombreux débutants qui s'investissent pour la première fois dans une recherche empirique. Il faut bien admettre, à leur décharge, que cette étape déterminante dans le processus de mise en forme d'un objet d'investigation comporte certaines zones grises qui sont le fruit de l'incessant fractionnement des problématiques auquel on assiste présentement — en gérontologie comme ailleurs — de la multiplicité des systèmes de références théoriques et des obscurités du langage.

Devant le fouillis des notions et le foisonnement des approches, le novice paraît quelquefois désemparé au point où il se demande comment parvenir à maîtriser cette phase première de son projet. Faute de connaissances théoriques et conceptuelles suffisantes, il aura donc tendance à décalquer machinalement une procédure, à reproduire un cheminement, à juxtaposer servilement des opérations sans véritablement saisir le but de l'exercice.

Or, il faut bien convenir qu'il n'est pas toujours possible à un chercheur, même chevronné, de formuler clairement, dès le début, une problématique de recherche qui soit impeccable, transparente et exempte de toute ambiguïté.

Dans les situations les moins enchevêtrées, il est tout à fait légitime et normal qu'un chercheur formule à plusieurs reprises sa problématique, à la lumière de nouvelles inspirations, au rythme de l'avancement des travaux et par suite d'une mise à jour de la littérature. Dans les contextes de recherche plus alambiqués, il pourra même consacrer plusieurs années avant de parvenir à articuler de manière transparente et appropriée un objet d'étude.

Pour accompagner le jeune chercheur dans sa démarche conduisant à une énonciation claire et adéquate de sa proposition de recherche, nous examinerons six étapes essentielles:

1. Le thème ou le sujet de l'étude;
2. La position du problème;
3. La recension des écrits;
4. La proposition de recherche;
5. La finalité et les objectifs poursuivis;
6. L'originalité et la portée de l'étude.

Mais avant de nous engager dans l'explication de ces différentes étapes, il est impératif de bien saisir le but de cette phase importante de la recherche, en distinguant deux fonctions principales du processus de mise en problème.

Nous estimons que la compréhension de ces deux fonctions aidera le chercheur à mieux se représenter le but de cette étape et lui facilitera la tâche lorsque viendra le temps de se consacrer à cette opération.

5.2 LES FONCTIONS DE LA PROBLÉMATIQUE DE RECHERCHE

5.2.1 LA FONCTION COMMUNICATIVE

La fonction communicative d'une problématique de recherche se résume à trois aspects fondamentaux.

Premièrement, la problématique est le lieu privilégié où faire état des connaissances antérieures en regard d'un sujet d'étude. C'est l'apport *informatif et pédagogique* de la démarche. Il importe en effet de *situer* le lecteur dans le champ d'investigation en lui résumant l'état d'avancement des travaux dans la discipline (ou les disciplines), les percées récentes et les découvertes, les failles méthodologiques identifiées par certains chercheurs, les secteurs d'étude laissés en friche et finalement les pistes de recherche suggérées dans la littérature. Pour réaliser pleinement cet objectif, le chercheur prendra soin de procéder à une recension minutieuse des écrits et parfois de recueillir des témoignages relatant des expériences, des interventions ou des observations relatives au secteur d'activité.

Deuxièmement, on trouve l'information transmise à propos des *intentions de recherche* faisant l'objet de l'étude. Par intention de recherche, il faut entendre d'un côté ce que le chercheur se propose de vérifier ou d'examiner dans le cadre de l'étude dont il fait le compte rendu ou dans le devis qu'il soumet. Par conséquent, la problématique est l'endroit tout désigné pour *annoncer ses objectifs* de recherche. Celui-ci pourra donc dès le départ juger si le projet paraît démesuré ou non, si son envergure dépasse ses capacités en tant que chercheur, bref si l'étude telle qu'esquissée paraît réaliste ou non. Par conséquent, l'intervention du directeur de mémoire ou du superviseur de travaux est capitale à ce chapitre, étant donné la somme des énergies qui risquent d'être vainement englouties si le travail est mal orienté ou qu'il est disproportionné.

Troisièmement, l'exposé sur la problématique a pour but de *communiquer les motifs* qui ont poussé le chercheur à entreprendre le projet. Ici le rédacteur veillera à ne pas laisser l'impression que des considérations subjectives, des préjugés ou des expériences marquantes, ont dominé. L'exposé sur le problème offre donc beaucoup de renseignements à l'évaluateur, tant sur le plan instrumental qu'expressif, sur la façon dont est orientée la suite du travail. Aussi importe-t-il de demeurer vigilant sur le plan de l'écriture et de rapporter les informations exactes et complètes, notamment celles utiles à la compréhension du sujet. Parallèlement, le chercheur évitera de laisser planer des doutes quant à sa neutralité en manifestant un souci de rigueur et d'objectivité.

5.2.2 LA FONCTION JUSTIFICATRICE

La problématique est une charnière à double volet. D'une part, elle est une passerelle que l'on jette entre les connaissances antérieures accumulées sur le thème choisi et le projet qu'on se propose de réaliser ou dont on produit le compte rendu. Ici le rôle de l'investigateur est de tenter d'établir la jonction nécessaire entre son étude et la littérature existante sur le sujet. Il fera valoir qu'un objet d'étude particulier, par exemple la rémission de la dépression chez le conjoint après une rupture (à la suite d'un divorce, à l'institutionnalisation d'une personne démente, au décès d'un conjoint alcoolique, etc.), n'a pas suscité d'intérêt jusqu'ici, malgré l'éclairage qu'il est susceptible d'offrir. Ou encore, il signalera l'existence d'un problème non résolu ou d'une difficulté nouvelle qui surgit dans la pratique gérontologique, par exemple le suicide après 65 ans ou l'appauvrissement des femmes très âgées. Par la même occasion, il s'efforcera de convaincre le lecteur de la pertinence de son projet et de l'originalité de son apport. Cette finalité transitive comporte donc un élément de justification essentiel destiné à montrer l'importance de consacrer un travail au thème ou à la problématique retenue.

D'un autre côté, l'élaboration de la problématique est une occasion d'annoncer les conséquences ou les retombées du projet, c'est-à-dire sa *portée scientifique ou épistémologique* et son *impact sur la pratique* gérontologique. Ici encore la fonction justificatrice sera mise en évidence.

5.3 LES ÉTAPES DANS L'ÉLABORATION DE LA PROBLÉMATIQUE

5.3.1 LA SÉLECTION DU SUJET

Le choix d'un thème ou d'un sujet d'étude est la première tâche qui attend le chercheur. Par thème ou sujet de recherche, nous entendons la catégorie de phénomènes ou de problèmes se rapportant à un domaine d'étude ou à un secteur d'intervention. Voici des exemples de thèmes: la qualité de vie des personnes âgées fréquentant un centre de jour, les préjugés vis-à-vis les gens à la retraite, le moral du personnel soignant dans des unités de soin gériatrique, la réhabilitation des fracturés de la hanche ou l'évolution de la criminalité à l'endroit des aînés. En fait, dans la littérature scientifique, on retrouve une gamme extrêmement diversifiée de thèmes de recherche. Toutefois, certains présentent plus d'intérêt que d'autres selon l'état d'avancement d'une discipline, ou à la lumière des trajectoires qu'empruntent les politiques sociales et suivant les besoins de la société. Par exemple, on attache actuellement beaucoup d'importance au problème de l'ostéoporose chez les sujets âgés, à la maladie d'Alzheimer, au maintien à domicile et à la qualité de vie des personnes âgées. Certains organismes de subvention accordent d'ailleurs la priorité à quelques thèmes de recherche à un moment ou à un autre, ce qui a un effet d'entraînement chez les chercheurs qui sollicitent des subventions dans ces axes privilégiés de recherche.

Par conséquent, quand vient le moment de sélectionner un thème de recherche, deux situations extrêmes peuvent se présenter: 1) soit que le choix du sujet relève entièrement de l'initiative du chercheur, sans donc qu'intervienne aucune demande ou contrainte extérieures. Tel est habituellement le cas de l'étudiant qui prépare un mémoire de fin d'étude ou du chercheur autonome qui se consacre à une activité libre; 2) soit que ce choix est dicté par une obligation, un mandat ou un contrat émanant de l'extérieur. Il s'agit le plus souvent des projets sur appels d'offres ou des commandites. Bien que dans le second scénario le chercheur ne soit pas assujetti au point où il ne puisse exprimer des réserves quant à la formulation définitive de la problématique, il est habituellement astreint à suivre le plus fidèlement possible les exigences du commanditaire. Nous nous attarderons plutôt à la première situation qui requiert que le chercheur arrête son choix sur un thème de recherche. Cinq considérations essentielles sont à examiner dans le processus de sélection d'un thème de recherche.

5.3.1.1 Le champ de compétence du chercheur

La notion de champ recouvre plusieurs réalités: 1) champ d'intérêt; 2) champ d'exercice professionnel; 3) champ de formation; 4) champ expérienciel. Voilà autant d'éléments qui interviennent dans la sélection du sujet. Le *champ d'intérêt* est le moteur principal de toute démarche de recherche, puisque c'est lui qui canalise les énergies et déclenche la motivation du chercheur. Le champ d'intérêt traduit aussi ses préférences d'après ses préoccupations, soit pour la connaissance, soit pour l'action ou les deux à la fois, en même temps qu'il est le fruit de ses expériences antérieures (recherches, interventions ou situations vécues). Il est toujours utile à ce propos de chercher à découvrir, par instrospection, quelles forces nous mobilisent dans l'adoption d'un thème d'étude.

Le second volet renvoie au *champ d'exercice professionnel*. C'est parce que nous sommes confrontés à des situations de la vie quotidienne que s'aiguise notre appétit de connaître ou de résoudre des problèmes avec lesquels nous sommes relativement familiers. Un chercheur peut par exemple se soucier de l'état dépressif de la clientèle d'une institution et tenter d'apporter les correctifs susceptibles de favoriser leur mieux-être, en s'interrogeant par exemple sur les services qui leur sont dispensés.

Par ailleurs, le *champ de formation* du chercheur compte pour beaucoup dans le processus de sélection d'un thème. Le sociologue sera naturellement enclin à fixer son choix sur des thèmes se rapportant à la vie en groupe ou appelant une analyse des valeurs, tandis que le psychologue tournera son attention sur la vie psychique intérieure ou sur les comportements révélant un déséquilibre ou un désordre sur le plan de l'adaptation.

Finalement, le choix d'un sujet peut s'inscrire dans le *champ expérienciel* du chercheur, c'est-à-dire résulter d'une préoccupation ou d'une intuition ayant trait à son vécu, à son expérience avec un événement ou une situation quelconque. Par exemple, celui qui a grandi dans un milieu défavorisé peut développer une sensibilité particulière aux conditions d'indigence des personnes âgées et s'intéresser à la situation du logement des personnes à faibles revenus.

En somme, il existe une foule de situations susceptibles de piquer la curiosité du chercheur. Vouloir en saisir les racines profondes constituerait un sujet de recherche en soi.

5.3.1.2 Le champ d'observation

Les thèmes de recherche peuvent se hiérarchiser en niveaux selon le découpage qu'opère la connaissance scientifique, mais aussi selon l'agencement des structures ou des activités caractéristiques de l'organisation sociale. Plusieurs grilles de regroupement ou de classement des thèmes de recherche sont de fait utilisées. Notre propos ici consiste uniquement, dans une optique pédagogique, à aider le chercheur à mieux se représenter le genre de situation de recherche qu'il est possible de considérer. En principe, chaque niveau possède ses exigences méthodologiques et comporte des difficultés qui lui sont propres.

Ainsi, nous distinguons trois perspectives dans l'approche des phénomènes. La première est de l'ordre des *macrosystèmes*, regroupant des sujets de recherche se rapportant aux suprastructures sociales, telles les valeurs, les idéologies, les institutions ou les appareils socio-politiques. Un sujet d'étude macrosystémique nécessitera la prise en compte de la trajectoire historique d'un phénomène et portera sur l'analyse de données de population globale. Par exemple, on étudiera l'évolution des politiques sociales s'adressant aux personnes âgées, les changements sociaux en regard de la discrimination affectant les aînés ou encore les représentations sociales du vieillissement à travers les âges.

Deuxièmement, on distingue les classes de sujets de type *méso-systémique*. Cette fois, le chercheur se penchera sur un phénomène plus particulier à un groupe ou à une organisation sociale. Des thèmes tels la violence familiale à l'endroit des personnes âgées, la toxicomanie chez les plus de 75 ans, l'absentéisme du personnel soignant dans un milieu psychogériatrique ou le mode de vie des gens âgés itinérants et des sans-abri appartiennent à ce registre de problème.

Finalement, le «focus» peut être mis sur la dimension *microsystémique* lorsqu'il s'agit par exemple d'étudier un problème touchant la conduite, les réactions psychologiques ou encore les interactions entre individus. Par exemple, la réaction psychosociale au veuvage, les composantes de l'actualisation de soi des personnes âgées ou les mécanismes d'adaptation à la maladie figurent au programme de cette classe d'objet de recherche.

5.3.1.3 La disponibilité des sources d'information

La pertinence d'un thème de recherche se mesure également d'après la capacité d'atteinte des objectifs. Il serait vain d'entreprendre une étude s'il s'avérait difficile, voire impossible, d'obtenir des faits valables ou en nombre suffisant. Par exemple, on sait combien il est difficile de mener des recherches sur la vie relationnelle des personnes confuses, sur les mécanismes d'adaptation consécutifs à une tentative de suicide ou sur l'activité sexuelle des personnes âgées vivant en milieu institutionnel.

Une seconde difficulté provient des situations de recherche sujettes à enfreindre les règles déontologiques de l'activité scientifique. Par exemple, on aura du mal à faire approuver une recherche expérimentale impliquant qu'un groupe témoin soit privé de services ou de traitements. Identiquement, il peut être délicat d'entreprendre une recherche qui risquerait d'être traumatisante pour certains sujets (principe d'*innocuité*) ou de leur causer un quelconque préjudice. Donc lorsque la situation l'exige, le chercheur s'assurera au préalable d'obtenir les autorisations nécessaires d'un comité d'éthique et le consentement éclairé des sujets appelés à participer à l'étude.

5.3.1.4 La disponibilité des instruments d'observation

La plupart des recherches empiriques requièrent l'emploi d'instruments d'observation ou de mesure. En gérontologie, on dispose à l'heure actuelle de plusieurs bons instruments, mais plusieurs n'ont pas été validés en français, tandis que d'autres sont à mettre au point. Par exemple, au Canada ou aux États-Unis, très peu d'études ont évalué, à l'aide d'instruments valables, l'efficacité d'un groupe de soutien en milieu gériatrique de longue durée. Une telle tâche commanderait certes un projet pilote dans le but de développer les connaissances susceptibles de déboucher sur l'adoption d'un protocole incluant les instruments appropriés.

5.3.1.5 Les contraintes logistiques

Bien que les contraintes logistiques soient liées à l'ensemble du processus de recherche, il est déjà possible, à l'étape du choix d'un sujet de recherche, d'entrevoir les implications matérielles, financières ou humaines d'un projet. Le choix d'un sujet s'exprime toujours dans un rapport spatio-temporel, qu'il s'agisse de déterminer la durée de l'expérimentation ou de fixer le nombre d'observations à effectuer. Par exemple, un projet de recherche portant sur l'évolution de la sociabilité chez les personnes âgées pourra nécessiter la constitution de plusieurs grands échantillons et l'emploi de mesures répétées à l'aide de grilles d'entrevues complexes touchant le réseau social familial, les amis et les liens qu'entretiennent les sujets avec la communauté. Le facteur coût constitue donc un élément extrêmement important dans la sélection d'un thème de recherche.

Une fois précisées ces modalités, le chercheur rédige l'exposé sommaire sur son sujet, soit deux ou trois pages. Il est insuffisant de consacrer un seul paragraphe à cette présentation. Il identifiera donc clairement le sujet en précisant les motifs à l'appui de son choix. Ensuite, il situera son sujet en regard du champ d'étude ou du domaine d'application, en indiquant clairement le cadre auquel il se rattache ou en rappelant les événements qui l'ont fait émerger. Une façon simple de procéder consiste par exemple à apporter des éléments justificatifs, tels un bref aperçu historique sur le sujet, quelques chiffres révélateurs, le rappel de faits marquants, une expérience ou un témoignage. Dans son discours sur le sujet, le chercheur veillera à montrer la pertinence de son thème en regard d'un enjeu d'actualité, d'une décision politique récente ou de tout autre constat indicatif.

5.3.2 LA POSITION DU PROBLÈME

La seconde étape vise d'une part à délimiter plus clairement le sujet, et d'autre part à identifier la problématique générale de l'étude en relation avec le sujet. Un thème de recherche, comme le suicide des personnes âgées, peut être rattaché à une problématique générale, telle l'inadaptation au vieillissement. L'idée est que la problématique de l'inadaptation au vieillissement peut donner lieu à une pluralité de thématiques de recherche: la dépression, la maladie, l'isolement, le sentiment de solitude. Chacun de ces thèmes peut être abordé dans l'optique de la problématique générale de l'inadaptation au vieillissement. En approfondissant son thème, le chercheur gardera présent à l'esprit le but à atteindre qui est de construire *sa* problématique, c'est-à-dire de traiter son sujet de manière à dégager de nouvelles interrogations à interpréter provisoirement à l'intérieur d'une problématique plus spécifique, par exemple le suicide chez les patients psychiatrisés.

Voyons d'abord la question de la délimitation du sujet. Un thème de recherche, comme l'absentéisme du personnel infirmier en milieu psychogériatrique, est plus pointu qu'un thème comme l'adaptation biopsycho-sociale du personnel soignant dans les institutions pour personnes âgées. Pourtant, dans un cas comme dans l'autre, plusieurs *objets* d'étude peuvent être découpés puis opérationnalisés. Par exemple, il peut s'agir d'étudier l'évolution de l'absentéisme dans un milieu, le rythme ou la fréquence de l'absentéisme selon diverses catégories de personnel, les causes du problème, l'impact de l'absentéisme sur la qualité des soins ou les répercussions de l'absentéisme sur la motivation au travail des intervenants. On peut par ailleurs examiner les moyens utilisés par la direction du personnel pour enrayer le problème ou encore évaluer l'efficacité de ces moyens.

Le lecteur se rend donc compte qu'un même sujet de recherche peut engendrer plusieurs objets de recherche différents. Or, la première étape de la position du problème consiste justement à préciser l'angle et la dimension sous lesquels le sujet sera examiné. En quelque sorte, le chercheur s'emploiera à mieux camper sa problématique en passant d'une thématique générale à une thématique particulière. Un tel processus de dégrossissement du sujet aura pour but d'orienter sa réflexion sur l'aspect plus particulier qu'il est intéressé d'étudier. Une façon de procéder consiste dans un premier temps à préciser le *rapport de causalité* entre les variables principales de l'étude, dans l'hypothèse où l'étude poursuit des fins non descriptives. Par exemple, si le chercheur choisit d'étudier l'impact de l'absentéisme sur la qualité des soins dispensés aux bénéficiaires, il mettra explicitement en relation deux variables, soit l'absentéisme et la qualité des soins. Ce faisant, il retiendra donc une problématique portant sur la *conséquence* de l'absentéisme. Par conséquent, l'absentéisme sera ici considéré comme la variable indépendante, tandis que la qualité des soins aura le statut de variable dépendante. Si par contre il opte pour la problématique sur les *causes* du problème, la variable absentéisme sera considérée cette fois comme la variable dépendante, soit celle qu'il cherchera à expliquer.

Le deuxième aspect à préciser concerne le *rapport de temporalité*. Ici le chercheur s'efforce de livrer un aperçu de ses intentions de recherche, soit en termes de points d'observation dans le temps, soit au chapitre de l'incidence de l'événement étudié. Dans l'exemple précédent, plusieurs situations de recherche impliquant un rapport temporel sont possibles. Ainsi, on peut s'interroger sur l'évolution de l'absentéisme dans un milieu donné, en regard des services offerts à la clientèle ou de la qualité des soins. Une étude longitudinale de type rétrospectif à partir de renseignements tirés des dossiers pourrait être réalisée, en envisageant trois moments d'observation ou de mesure. Vu sous l'angle de l'incidence, on étudiera par exemple l'effet à court, moyen ou long terme, de l'absentéisme sur le plan des services rendus. Une étude longitudinale prospective conviendrait à un tel objet de recherche.

Le troisième élément a trait au *rapport contexte-sujet* de l'étude. Concrètement, le rapport contexte signifie la spécification du, ou des milieux d'observation, c'est-à-dire l'espace géographiquement ou socialement défini caractérisant le, ou les lieux d'existence des sujets cibles et le lieu d'observation. Pour préciser davantage le dernier sujet de recherche mentionné précédemment, le chercheur identifiera par exemple les deux contextes suivants: 1) le centre hospitalier «Beauregard» et 2) trois unités de soins en psychogériatrie. Donc il précisera en ces termes son objet de recherche: étude sur l'effet à court, à moyen et à long termes de l'absentéisme dans trois unités de soin psychogériatrique sur les services à la clientèle au Centre hospitalier Beauregard.

Le rapport-sujet concerne enfin le(s) groupe(s) d'individus touché(s) par le projet. Dans notre exemple, on peut identifier deux cibles principales: 1) les intervenants ou le personnel soignant et 2) les bénéficiaires. Par exemple, un investigateur étudiera uniquement l'absentéisme des préposés aux soins et la qualité des soins touchant tous les bénéficiaires ou une seule catégorie d'usagers, comme les patients en phase terminale ou ceux dans les unités de soins prolongés.

Le second volet de la position du problème vise à esquisser plus explicitement ce qui fait obstacle à la compréhension du chercheur ou ce qui crée une difficulté du point de vue de l'intervention. Somme toute, l'investigateur décide d'entreprendre une recherche parce qu'il existe certaines lacunes dans nos connaissances ou parce qu'une situation mérite d'être corrigée. Il s'attardera donc à révéler l'existence ou l'envergure de ce problème ou de cette situation insatisfaisante («l'irritant») et à soulever le questionnement que cela éveille. Une procédure souvent utilisée consiste à dégager les interrogations pertinentes qu'évoque la situation et à fournir quelques explications justifiant ce questionnement. Ainsi dans notre exemple, le chercheur attirera l'attention du lecteur sur les interrogations suivantes: l'effet de l'absentéisme se manifeste-t-il surtout sur le plan de la réduction de la fréquence des soins apportés aux malades ou sur le plan de la qualité des soins ? L'absentéisme du personnel soignant reflète-t-il une diminution du moral ou résulte-t-il de l'épuisement professionnel qui à son tour se répercute sur la qualité des services ? Les bénéficiaires manifestent-ils des signes d'insatisfaction attribuables au manque de continuité dans les soins ? La réduction de la qualité des soins découle-t-elle du problème de la surcharge du personnel en poste, dans un contexte où l'absentéisme est relativement élevé ? Ce questionnement est utile à maints égards. Il informe le lecteur sur la nature et l'ampleur du problème, en même temps qu'il prépare la réflexion sur le type de variables à intégrer dans le plan d'analyse.

Un point sur lequel nous ne saurions trop insister est cette disposition intellectuelle selon laquelle un objet de recherche est construit et non simplement saisi. La conquête d'un objet d'étude impose au chercheur une vigilance qui se traduit idéalement par une réflexion critique sur les représentations courantes véhiculées à propos de l'objet étudié. Les représentations de sens commun, celles qui sont chargées d'illusions technicistes ou celles qui camouflent des velléités politiques partisanes, risquent trop souvent d'être confondues avec l'objet scientifique. Une coupure épistémologique doit permettre d'épurer le langage de recherche de ces représentations, de ces prénotions ou de ces objets socialement pointés. Comme nous l'avons montré à propos de la notion du divorce (Lefrançois, 1984), le risque est toujours grand pour le chercheur d'endosser plus ou moins consciemment des préjugés, de transposer dans son problème de recherche des croyances populaires qui la plupart du temps mènent à de fausses analyses[1]. Le langage gérontologique n'est pas à l'abri de tels préjugés ou métaphores ethnocentristes. La notion de handicap n'est-elle pas associée d'emblée à la dépendance ? L'âge chronologique n'est-il pas une variable utilisée sans discernement eu égard à l'âge psychologique, biologique ou social ?

5.3.3 LA RECENSION DES ÉCRITS

Jusqu'ici, la réflexion ou le travail de débroussaillage a normalement conduit à entrevoir des pistes à explorer, c'est-à-dire à donner des coups de projecteur sur plusieurs scénarios de recherche à la lumière de schèmes de référence explicatifs. Le chercheur ressent maintenant le besoin de vérifier comment, dans la documentation, on a approché la question et quels résultats ont été obtenus.

Or, le rôle de la recension des écrits est multiple: 1) elle vise à mieux préciser la question de recherche ou à identifier celle qui paraît la plus pertinente; 2) elle a pour objet de faire ressortir les méthodologies (stratégies d'acquisition et d'observation, sujets étudiés, milieu d'observation, etc.) utilisées pour traiter le sujet ou d'éliminer celles qui se sont révélées peu recommandables; 3) elle sert à prendre connaissance des résultats des recherches antérieures, aussi bien les études qui se sont avérées concluantes que celles qui n'ont pas rapporté d'éléments nouveaux; 4) elle est utile pour aider à repérer, à définir et à opérationnaliser les concepts principaux; 5) elle a pour but d'identifier de nouvelles hypothèses à mettre à l'épreuve; et enfin 6) elle aide à mieux documenter l'étude en faisant le point sur l'état des connaissances actuelles.

Mentionnons également que la recension des écrits peut s'effectuer à différents moments dans le processus de spécification de la problématique et tout au long de la recherche.

5.3.3.1 Le dépouillement primaire

Le *dépouillement primaire* est une lecture exploratoire qui vise à faire ressortir les grand axes de réflexion et qui permet de s'enquérir de l'état des recherches sur le domaine étudié. Il importe de s'attarder sur les éléments suivants:

1. L'exploration du thème ou du sujet (utiliser les dictionnaires généraux et les encyclopédies);
2. La position du problème (consulter les bibliographies, les répertoires, les index de périodiques, les «abstracts» ou un système de référence automatisé);
3. L'identification des concepts, des méthodologies, des conclusions de recherche (lecture interne des documents sélectionnés). Les rapports de recherche empirique ou les comptes rendus de recherche dans les périodiques sont les documents les plus pertinents;
4. Le repérage des théories, des axes de recherche (lecture d'ouvrages spécialisés se rapportant au sujet). On accordera une importance aux écrits plus théoriques.

La procédure à suivre est la suivante:

1. Recenser du général au particulier. Par exemple, il convient de consulter les ouvrages d'introduction (p. ex. les *handbooks*) avant les ouvrages spécialisés et les articles de revue de façon à se familiariser avec le sujet. Dans un premier temps, on cherchera donc à acquérir une vue d'ensemble de son sujet;
2. Identifier dans ces ouvrages généraux les champs d'exploration ou, si l'on préfère, les intérêts de recherche qui semblent le mieux se rattacher à la question qui nous préoccupe. On consultera par exemple la bibliographie à la fin de ces documents de base en vue de sélectionner les contributions susceptibles de faire avancer notre réflexion;
3. Inventorier le matériel le plus récent avant tout et celui qui semble le plus pertinent en regard des limites d'analyse qu'on s'est fixées. L'idéal est de mettre la main sur des écrits-synthèses, c'est-à-dire des revues de documentation déjà complétées, des études comparatives ou des évaluations bilans ou critiques de recherches antérieures;
4. Réaliser des entretiens avec des personnes-ressources pour mieux cerner les problèmes et les objectifs, identifier les enjeux et connaître la pratique professionnelle reliée à ce problème.

5.3.3.2 Le dépouillement secondaire

À cette étape, le chercheur est normalement prêt à entamer sa sélection du matériel. Techniquement, il existe plusieurs approches pour répertorier les documents les plus utiles.

La plus rapide — celle qui conviendrait à des études pilotes ou à des recherches exploratoires — est celle que nous qualifierions de *méthode en cascade*. Elle consiste à identifier dans une premier temps deux ou trois documents étroitement reliés au sujet, d'après la recherche menée lors du dépouillement primaire. En consultant la bibliographie à la fin de chaque document, on repère d'autres titres jugés pertinents qu'on essaie ensuite d'obtenir. Le processus de dépouillement s'effectue parallèlement au travail de repérage des titres. Puis, on répète cette opération à partir des nouveaux documents jusqu'à saturation. Grâce à ce repérage à rebours, on peut réaliser assez rapidement une recension adéquate et suffisante des écrits.

Toutefois, cette méthode en cascade n'est pas sans comporter des lacunes. La documentation obtenue peut réfléchir un seul courant de pensée, s'appliquer à une seule discipline, traduire les préoccupations d'un cercle ou d'un réseau plus ou moins fermé de chercheurs, voire refléter la politique de publication d'un type de revue.

Or, comme la recherche gérontologique se définit de plus en plus comme un champ pluridisciplinaire, il paraît souhaitable, pour contourner cette difficulté, de sélectionner au départ trois ou quatre titres représentatifs de disciplines et de courants divers.

La seconde méthode, dite de *recension systématique*, fait appel aux instruments de recherche bibliographique plus sophistiqués dont disposent la plupart des bibliothèques universitaires ou celles que l'on retrouve dans les ministères ou centres de recherche. On utilisera par exemple les thésaurus dans le but d'identifier les concepts clefs pour ensuite consulter les abstracts ou les systèmes d'indexation de la documentation (*Social Citation Index*, *Eric*, etc.).

Mieux encore, on interrogera une banque de données, à l'aide d'un système de références automatisé, afin de rassembler l'ensemble des titres se rapportant à un sujet. Comme il s'agit là d'un aspect technique qui déborde le cadre de cet ouvrage, le lecteur consultera les personnes-ressources appropriées qui l'aideront à recueillir sa documentation.

On comprendra aussi que lorsque l'étude s'échelonne sur plusieurs mois, voire plusieurs années, de nouveaux documents peuvent paraître, qui pourraient s'avérer pertinents pour les fins de la recherche. On s'emploiera donc à des mises à jour périodiques avant de mettre la touche finale au rapport de recherche.

Dans notre exemple sur l'absentéisme du personnel soignant, le chercheur sera sans doute tenté de répertorier des études qui mettent en cause le *contexte de travail* (horaire de travail, attitude de la direction, surcharge, rapports interpersonnels, etc.), les *intervenants* comme tels (préjugés, manque de formation en gériatrie, difficultés personnelles, difficulté à faire face à la réalité de la mort), l'*environnement externe* (problèmes familiaux, éloignement du milieu de travail, charge familiale) ou la *clientèle* (manque de communication, exigences élevées, faible coopération). Ce sont autant de situations de recherche riches en enseignements et transposables dans l'étude que l'on se propose d'entreprendre.

5.3.4 LA PROPOSITION DE RECHERCHE

La recension des écrits avait pour fonction de familiariser davantage le chercheur avec le champ d'investigation, mais aussi de l'aider à dégager la *question générale* de recherche. Celle-ci peut se définir comme étant la formulation d'une interrogation pertinente en regard de la problématique étudiée. Selon Gauthier (1984:52), la démarche de recherche s'assimile au processus de résolution de problème. Un problème se définit ainsi comme étant un écart ressenti ou observé que l'on s'efforce de réduire entre une situation actuelle et une situation souhaitée.

Un exemple aidera à mieux comprendre le raisonnement conduisant à l'énonciation d'un problème. S'agissant de la problématique des inégalités des personnes âgées, Borkowski (1985:65) signale que de nombreuses enquêtes ont mis en évidence l'existence d'inégalités dans les conditions de vie des Français. Or la question générale qu'il se pose est la suivante: dans quelle mesure peut-on affirmer que ce sont les mêmes personnes qui cumulent plusieurs inégalités ? L'interrogation porte donc sur un aspect particulier de la problématique générale, à savoir le cumul des inégalités chez les mêmes individus. Dans cette perspective, il s'agit non seulement de mettre en relief l'écart entre les conditions de vie des personnes âgées et le reste de la population, mais aussi de souligner l'écart entre les personnes âgées elle-mêmes du point de vue de ces mêmes conditions de vie.

Par conséquent, l'hypothèse du cumul des inégalités ouvre la voie à une relecture des inégalités, vues cette fois comme processus de différenciation sociale s'opérant au sein même de la cohorte des sujets âgés. L'auteur aurait pu tout aussi bien se poser la question: dans quelle mesure l'écart d'inégalité croît-il en fonction de l'âge chez des personnes âgées ? Autrement dit, le fossé des inégalités, chez les plus de 65 ans, s'élargit-il à mesure que les individus avancent en âge ?

Une fois la question générale de recherche énoncée, on s'applique ensuite à raffiner l'angle d'approche du problème, en formulant une *question spécifique de recherche*. Reprenons notre premier exemple. À partir des résultats de l'enquête réalisée en 1978-1979, l'INSEE s'était donné pour objectif de vérifier si un bas niveau de vie, un état de santé précaire et la solitude conjuguaient leurs effets chez les sujets de plus de 75 ans. On voit donc par cet exemple comment s'effectue le processus de rétrécissement du champ focal (Selltiz *et al.*, 1977) caractérisant l'énoncé du problème. L'auteur rattache d'abord la question générale (cumul des inégalités) à la problématique générale (inégalités des personnes âgées), puis dégage une question spécifique, à savoir le processus d'interférence de trois indicateurs clefs soit: le niveau de vie, l'état de santé et la solitude des personnes de plus de 75 ans.

L'exemple est simple mais il aide à comprendre le cheminement logique derrière tout processus d'énonciation de problème.

Dès lors sont réunies les conditions de base d'une *proposition de recherche*. Par proposition de recherche nous entendons la mise en forme d'une question spécifique de recherche pouvant faire l'objet d'une vérification, pour autant qu'elle s'articule avec un cadre théorique. La proposition de recherche est *nomothétique*, au sens où elle tend vers une loi ou du moins une explication générale. Par complémentarité, l'hypothèse est *idiographique* étant donné son rapport étroit avec les faits concrets de l'observation immédiate.

La proposition de recherche prend le plus souvent une forme déclaratoire si elle sous-tend une étude de vérification, ou une forme interrogative lorsqu'il s'agit d'une étude descriptive ou exploratoire. Dans l'exemple précédent, la proposition de recherche est exploratoire puisque l'auteur n'annonce pas son intention de mettre à l'épreuve une hypothèse. Il se demande simplement *si* les trois variables identifiées conjuguent leurs effets dans la genèse des inégalités.

Mais, il arrive souvent que la proposition de recherche conduise à l'élaboration d'une hypothèse scientifique, dans une optique *étiologique* par exemple, ou plus simplement qu'elle débouche sur une hypothèse de travail, dans le cas d'un dispositif exploratoire notamment. Dans un cas comme dans l'autre, il faut bien entendu que les concepts généraux de la proposition soient convenablement opérationnalisés. Nous reviendrons sur ce point dans le prochain chapitre.

Pour l'instant, il suffit de prendre acte que la question spécifique de recherche doit être, du moins à cette étape-ci, suffisamment opérante pour que puisse être «formalisée» une proposition de recherche susceptible d'orienter les phases ultérieures de la recherche. L'étape de la clarification des objectifs donnera justement l'occasion au chercheur d'évaluer les possibilités de traitement de cette proposition ou objet de recherche. Enfin, par souci de justification, il soulignera la valeur contributive de sa proposition de recherche en s'efforçant d'en montrer l'originalité.

5.3.5 LA FINALITÉ ET LES OBJECTIFS DE LA RECHERCHE

La finalité renvoie aux intentions de recherche exprimées sous forme de connaissance (recherche fondamentale) ou d'action (recherche appliquée). La première tire sa force d'un souci d'approfondir ou de développer des connaissances, sans qu'interviennent des préoccupations visant à transformer une situation ou à évaluer une expérimentation ou un programme quelconque. La seconde est provoquée par un besoin ou par une difficulté ressentie dans un milieu.

Par ailleurs, l'objectif désigne ce que le chercheur se propose d'accomplir dans le cadre de la proposition de recherche qu'il soumet. Or, il ne faut pas confondre l'objectif de recherche avec la proposition de recherche. Le premier est un énoncé d'intention général se rapportant à la contribution scientifique ou pratique de l'étude, en regard des modalités de l'objet, tandis que la proposition de recherche exprime un énoncé d'intention plus spécifique concernant une réalité à observer ou à mettre en relation avec un cadre théorique.

L'objectif de l'étude sur l'absentéisme consistera par exemple à déterminer si on peut imputer au contexte de travail l'incidence de l'absentéisme et, si tel est le cas, quels en sont les constituants.

La proposition de recherche indiquera de son côté quel est l'aspect des conditions de travail à mettre en lien avec l'absentéisme, et, idéalement, quel rapport de dépendance (c.-à-d. rapport intervariables) est à vérifier.

Par exemple, dans l'étude hypothétique mentionnée plus haut, le chercheur invoquera la possibilité qu'un taux d'absentéisme élevé puisse occasionner une détérioration dans la qualité des services offerts aux bénéficiaires. Dans un premier temps donc, l'étude poursuivra des finalités de connaissance en axant l'analyse sur les répercussions de l'absentéisme. En outre, le chercheur pourra envisager des finalités pratiques: identifier par exemple des pistes de solution pouvant améliorer les conditions de travail des intervenants en milieu hospitalier et, partant, pouvant réduire la fréquence de l'absentéisme.

Le second volet, celui de la clarification des objectifs, a trait cette fois au niveau d'approfondissement du sujet d'étude suivant le type de connaissance anticipé. Tel qu'expliqué dans le chapitre sur les stratégies d'acquisition, nous distinguons cinq paliers d'objectifs de connaissance: la description, la classification, l'exploration, la prédiction et l'explication.

Le rôle du chercheur est donc d'indiquer dans quel registre cognitif se situe son projet. Ambitionne-t-il de décrire les composantes d'un phénomène, de clarifier la problématique dans l'espoir d'appréhender les facteurs lourds pouvant mener à des pistes d'hypothèse, d'induire certaines conséquences à partir de relations observées ou de construire un modèle explicatif capable de rendre compte du phénomène ?

La formulation d'objectifs de recherche clairs implique le plus souvent que l'on fournisse un bref aperçu de la stratégie envisagée. Bien que l'exposé sur les stratégies de recherche soit habituellement détaillé dans le chapitre du compte rendu de la recherche réservé à la méthodologie, il y a intérêt dès le début à situer le lecteur en regard de son cheminement. Le lecteur pourra, grâce à cette information, apprécier la cohérence entre les objectifs et la méthodologie.

Enfin, il est utile de mentionner que l'objectif sert très souvent de critère dans l'évaluation d'un rapport de recherche: en fin de parcours, le lecteur est intuitivement tenté de juger s'il y a adéquation entre les objectifs de départ et les conclusions de recherche.

Jusqu'ici nous nous sommes limité à considérer le projet d'étude dans sa globalité, en soulignant la nécessité de dégager un seul objectif général de recherche. Cependant dans une finalité d'application, il est parfois nécessaire d'identifier des objectifs secondaires ou encore des objectifs d'action à court, à moyen ou à long terme. Cela peut se présenter dans la recherche-action ou dans la recherche évaluative. Là encore, le chercheur veillera à ne pas confondre objectif et retombées de l'étude comme nous le verrons plus loin.

L'investigateur saisira l'occasion de son exposé sur l'objectif pour rassurer le lecteur quant à la conformité de son projet au code déontologique. Il prendra soin à cet égard d'obtenir les approbations nécessaires de la part d'un comité d'éthique avant d'entreprendre son étude.

Les implications déontologiques de la recherche concernent les aspects suivants: 1) la *confidentialité* des renseignements obtenus (la divulgation de certaines informations est susceptible de nuire à la réputation, aux relations ou à l'exercice professionnel de certains sujets); 2) la *sécurité* (certaines recherches peuvent comporter des risques pour la santé physique ou psychologique des sujets); 3) l'*égalité d'accès aux services* (certaines études sont susceptibles de priver un groupe de sujets de certains services ou traitements); 4) la *liberté de participation* (certaines recherches peuvent se révéler trop insistantes et solliciter à outrance les sujets).

5.3.6 L'ORIGINALITÉ ET LA PORTÉE DE L'ÉTUDE

La dernière étape renvoie à la mise en valeur de l'originalité de l'étude et à l'exposé sur les retombées ou les répercussions anticipées. Dans le cas d'une étude fondamentale, le chercheur mettra en relief l'essentiel de sa contribution, l'originalité de son apport, en plus de souligner les implications scientifiques des conclusions de son étude. Cette contribution peut être d'attester la validité d'une théorie (une étude de réplication par exemple), de la mettre à l'épreuve en tentant de vérifier une hypothèse rivale, ou plus simplement de clarifier un problème.

Dans le cas d'une recherche appliquée, il est d'usage d'indiquer l'impact des résultats sur l'orientation de la pratique professionnelle, sur les politiques sociales ou encore sur la pertinence d'un programme.

Terminons sur cette idée maîtresse: la réflexion sur la portée de l'étude représente une façon non seulement d'ajouter d'autres éléments justificatifs au projet, mais aussi d'ouvrir la voie à d'autres recherches, grâce à l'analyse des conséquences de la recherche suivant les différentes éventualités anticipées.

5.3.7 CONCLUSION

Construire une problématique de recherche est une façon plus ou moins consciente de se situer dans le jeu des rapports sociaux et d'y participer jusqu'à un certain degré. Une distanciation de l'objet s'impose chez celui qui aspire à produire une connaissance qui ne soit pas entachée d'idées préconçues, bref chez celui qui propose une lecture véritablement scientifique. La disposition à l'objectivité est avant tout une attitude intellectuelle commandant davantage un regard critique qu'une coupure franche avec l'objet d'étude. Dans sa volonté de démystifier et d'appréhender en toute objectivité les phénomènes qui l'entourent, le chercheur accordera une attention privilégiée aux savoirs préexistants, mais s'appliquera en même temps à réaliser un dépassement, une rupture épistémologique diront certains (Bourdieu, Chamboredon & Passeron, 1968 ; Bachelard, 1965), en vue d'atteindre une connaissance plus vraie et plus authentique.

NOTE:

(1) Ainsi, comme le veut le modèle stéréotypé, le divorce est socialement et culturellement perçu comme un facteur de mésadaptation sociale pouvant engendrer la conduite délinquante. Or, est-ce le divorce comme tel qui produit un tel déséquilibre chez l'adolescent ou le contexte familial qui a précédé la rupture et celui qui l'a suivi ? Dès lors les contextes de crise familiale n'ayant pas conduit au divorce ne sont-ils pas eux aussi potentiellement chargés d'effets perturbateurs ? Par conséquent que signifie, sociologiquement parlant, la notion de divorce dans le discours scientifique ?

CHAPITRE 6

LA CONSTRUCTION DU CADRE OPÉRATOIRE

6.1 INTRODUCTION

Une recherche bien structurée débute, nous l'avons constaté, par un questionnement qui prend sa source soit d'une lacune dans nos connaissances, soit d'un constat d'échec dans l'explication d'un phénomène, soit encore d'un problème à résoudre. L'exploitation systématique des écrits — et l'élimination de spéculations subjectives ou à connotation idéologique — aide à mieux articuler ce questionnement avant d'aboutir à la formulation d'une proposition de recherche. L'étape suivante se donne pour tâche d'opérationnaliser cette proposition en vue de la soumettre aux faits de l'observation ou de l'expérimentation.

L'*opérationnalisation* est un processus visant à rendre empiriquement vérifiable une proposition de recherche et, partant, à rendre observables et mesurables les concepts structurant cette proposition[1]. L'opérationnalisation est en quelque sorte une forme de traduction s'appliquant au langage scientifique, une tentative de rapprochement entre deux univers, celui des réthoriques abstraites sur la réalité et celui des faits concrets qui composent cette réalité. Cette transformation de la proposition de recherche s'applique à deux niveaux:

1. Celui du rapport entre les termes de la proposition;

2. Celui de la définition opératoire des termes mêmes de la proposition.

Dans le premier cas, l'objectif poursuivi est la conversion de la proposition initiale en *hypothèse vérifiable*, dans le second cas il vise à substituer aux termes ou aux concepts de la proposition des *variables* ayant la propriété d'être observables et mesurables instrumentalement. Un exemple aidera à se représenter le travail à accomplir.

Dans un article intitulé *la Mort inégale*, Surault (1980) s'est penché sur le *thème* des inégalités devant la mort. L'auteur soumet un *postulat* selon lequel les inégalités devant la mort sont avant tout socialement et non biologiquement déterminées. Or dans certaines couches sociales, ces inégalités sont cumulées et donnent lieu, comme résultante ultime, à une mort précoce. La *proposition de recherche* qu'il énonce est donc la suivante:

> L'essentiel des différences de mortalité est d'origine socio-économique et culturelle.[...] Les handicaps se concentrent sur les individus appartenant aux catégories les plus défavorisées et s'entraînent les uns les autres, pour aboutir, presque <mécaniquement> à une mort plus précoce. (Surault, 1980:25)

Pour rendre opératoire cette proposition, il faut: 1) montrer le lien entre les handicaps et le décès précoce; 2) préciser les deux notions de la proposition, soit celle de «handicap selon le milieu d'appartenance sociale» et celle de «mort précoce». Dans ce cas-ci, le rapport de dépendance entre les deux concepts est indiscutablement asymétrique: le cumul des handicaps détermine la mort précoce et non l'inverse. Mais la proposition spécifie également quelle catégorie sociale est porteuse de telles inégalités, en l'occurrence les représentants de la classe ouvrière, surtout ceux issus de milieux défavorisés. On retrouve donc les éléments de base pouvant déboucher sur une *hypothèse* que l'auteur aurait pu formuler de la façon suivante: «Les individus qui appartiennent au milieu défavorisé cumulent des handicaps qui les rendent plus susceptibles de connaître une mort précoce que ceux issus des milieux aisés.»

Le second volet de l'opérationnalisation nécessite la spécification des concepts, c'est-à-dire la construction des variables comme telles qui permettent d'observer et de mesurer la variation prédite par l'hypothèse. Dans notre exemple, la variable dépendante «mort précoce» renvoie naturellement à l'âge au décès. Pour que soit confirmée l'hypothèse, du moins provisoirement, on doit donc pouvoir enregistrer une différence significative en fonction de l'âge moyen au décès, entre le groupe des sujets défavorisés et celui des représentants du milieu.

En ce qui a trait maintenant à la variable indépendante ou «explicative», «le cumul des handicaps», l'auteur fait mention de l'accroissement des risques de décès des catégories les plus défavorisées au chapitre des conditions de travail et sur le plan culturel, soit surtout des attitudes face à la maladie et du rapport au corps. On se rend compte ici que cette notion mérite un examen plus approfondi, donc un traitement opératoire. Mais nous reviendrons plus loin sur la procédure qu'utilisent les chercheurs pour rendre opératoires les construits ou les concepts plus abstraits.

L'exemple cité plus haut illustre bien la tâche qui attend le chercheur dans son effort pour rendre opératoire sa proposition de recherche. Nous vouons donc ce chapitre à l'étude de deux problèmes étroitement reliés à la construction d'un cadre opératoire, soit d'une part le rôle de l'hypothèse dans l'élaboration théorique et dans l'analyse empirique, et d'autre part la spécification des concepts.

6.2 LA FORMULATION DES HYPOTHÈSES

6.2.1 LA DÉFINITION DE L'HYPOTHÈSE

La littérature méthodologique propose plusieurs définitions de l'hypothèse. D'après Gauthier (1984:519), l'hypothèse est une «proposition portant sur un rapport entre des concepts particuliers ou un ensemble de concepts particuliers, dont on ne sait pas si elle est vraie ou fausse, mais au sujet de laquelle on croit que les faits pourront établir soit la vraisemblance ou la fausseté». La définition suggérée par Tremblay (1968:241), reformulée d'ailleurs dans des termes à peu près identiques par Ouellet (1981:130), est la suivante: «L'hypothèse est l'énoncé de relations plausibles entre une série de phénomènes observés ou de faits imaginés.» Les expérimentalistes de leur côté (McGuigan, 1969:27), conçoivent l'hypothèse comme un projet de solution. «Il peut s'agir d'une solution virtuelle fondée sur un raisonnement, ou seulement d'une vague intuition (c'est une hypothèse <pour voir>, et non une <hypothèse de non différence>». Mace (1988:35) définit à son tour l'hypothèse comme «une réponse anticipée que le chercheur formule à sa question spécifique de recherche». Pour De Bruyne *et al.* (1974:119), les hypothèses sont des «énoncés conjecturaux pouvant toujours être contredits par des faits».

Nous pourrions allonger indéfiniment cette nomenclature de définitions pour retrouver, à quelques exceptions près, des éléments voisins:

1. L'hypothèse revêt essentiellement un caractère déclaratoire;
2. Elle relie de façon explicite au moins deux variables;
3. Elle est destinée à être confrontée aux faits de l'expérience ou de l'observation.

Nous sommes donc tenté de définir l'hypothèse comme étant un *énoncé prédictif* spécifiant le lien unissant deux ou plusieurs variables et pouvant faire l'objet d'une vérification empirique. Cette définition s'applique particulièrement aux études empiriques de type inductif, genre que nous privilégions dans cet ouvrage parce qu'il convient bien à l'état d'avancement de la recherche gérontologique. Mais il existe d'autres interprétations ou usages de l'hypothèse, dans des disciplines plus déductives comme la science économique par exemple, où l'hypothèse tient lieu de *projet de solution à un problème*.

Quoi qu'il en soit, il importe de reconnaître la nécessaire harmonie entre le cadre théorique et le cadre opératoire; la science s'édifie ainsi grâce à des efforts soutenus consistant à mettre à l'épreuve des hypothèses que soumettent au travail de recherche les propositions théoriques. Ainsi, l'hypothèse devient le maillon d'une longue chaîne formée par les théories partielles et le paradigme qui les chapeautent. Les paradigmes, soutiennent De Bruyne *et al.* (1974:127) «[...] ont une fonction de clarification et d'orientation, ils fécondent les théories et permettent de poser plus facilement une foule d'hypothèses de travail particulières, plus opérationnelles et plus rigoureuses».

Le paradigme est en quelque sorte un ensemble de connaissances scientifiques «[...] universellement reconnues qui, pour un temps, fournissent à un groupe de chercheurs des problèmes types de solutions» (Kuhn, 1972:10 *in* De Bruyne *et al.*, 1974:127). Or, le processus de vérification est une boucle sans fin, une démarche itérative impliquant un travail incessant d'élaboration d'hypothèses, de corroboration empirique, de confirmation ou de reconstruction de schémas théoriques, puis de reformulation d'hypothèses nouvelles.

La science, nous livre Kuhn (1972) dans *la Structure des révolutions scientifiques*, procède par bonds, par autocorrections et remises en question des propositions jusqu'alors fécondes. Avec le temps, les paradigmes (ou la théorie partielle) s'épuisent ou s'affaiblissent, perdant leur capacité explicative lorsqu'elles sont de moins en moins supportées par les faits. On assiste alors à leur remplacement et à l'émergence de nouveaux paradigmes. De nouvelles hypothèses surgissent de cette mutation.

Les théories gérontologiques se développent ainsi par le truchement de la recherche empirique, au rythme de l'avancement des procédures de vérification, soit suivant une démarche déductive (ou hypothético-déductive) au cours de laquelle les propositions découlant du raisonnement théorique sont confrontées aux faits de l'observation, soit directement, de manière inductive, en vertu de ce que nous enseigne l'observation attentive de la réalité.

6.2.2 LE RÔLE DE L'HYPOTHÈSE DANS L'ÉLABORATION THÉORIQUE

La gérontologie, à l'instar de toute autre discipline, se construit grâce aux théories qu'elle engendre. Une théorie peut se définir comme étant un discours scientifique soit sur l'origine (explication génétique), la finalité (explication téléologique ou fonctionnaliste) ou la signification (explication phénoménologique) des phénomènes. Pour construire son discours, elle intègre et systématise les connaissances accumulées via les expérimentations et les observations effectuées dans l'univers réel.

Comme les théories parviennent rarement à épuiser la richesse des phénomènes, ni ne trouvent réponse à certaines énigmes ou faits aberrants concernant les données de l'expérience, elles ne fournissent la plupart du temps que des analyses partielles, des explications provisoires. Selon les approches, le rôle de la recherche peut être de compléter, d'enrichir ou de falsifier les théories. La recherche contribue donc d'une manière ou d'une autre à accroître leur validité. Parce qu'elle est un champ d'investigation à l'état embryonnaire, la gérontologie se caractérise ainsi par un ensemble de théories non finies, souvent compétitives, mais utiles dans la conquête de la vérité. La nécessité de valider les théories justifie en principe la poursuite des efforts de recherche.

Mais que contiennent les théories ? Selon Achard (1969), une théorie est une série de concepts s'interreliant pour former un ensemble unifié de propositions ou de théorèmes avec leurs conséquences. Les conséquences renvoient ici aux hypothèses dérivées ou déduites des propositions générales. Dans la théorie de l'activité (Maddox, 1970), un exemple de proposition de recherche est le suivant: «Plus l'estime de soi de la personne âgée est élevée, plus grande est sa satisfaction dans la vie.» Idéalement, lorsque la théorie atteint un stade de développement avancé, elle produit des *lois* ou des principes universels capables d'expliquer de manière uniforme un ensemble de phénomènes. Or, contrairement à ce que l'on rencontre dans les sciences de la nature, il existe très peu de lois en sciences humaines, vu la complexité et la perméabilité des phénomènes, la diversité des situations sociales et culturelles et la «permanence» du changement.

Dans un contexte socioculturel en mutation rapide et au rythme où évoluent les connaissances biomédicales, la situation des personnes âgées connaît, nous le constatons tous, de profonds bouleversements. Il s'ensuit que les théories gérontologiques développées aujourd'hui ne seront peut-être plus valables demain. Elles sont donc forcément vulnérables parce que résistant moins bien à l'épreuve du temps et aux conjonctures multiples tissant les rapports entre les aînés et la société. Le théoricien vigilant s'emploiera dès lors à dégager certaines *propositions universelles* ayant une valeur stochastique, c'est-à-dire conjecturale, eu égard à de grandes tendances ou à une constellation de phénomènes. Mais la plupart du temps, les théories ainsi développées engendreront des *propositions partielles*, valables pour un ensemble plus restreint de phénomènes.

Un autre élément important caractérisant un cadre théorique est la présence de *postulats* ou d'énoncés de principe sur lesquels s'appuient les propositions. On distinguera deux types de postulat:

1. Les *axiomes*: affirmations indiscutables en raison de leur évidence même ou parce qu'elles constituent des vérités universelles;
2. Les *jugements a priori*: déclarations tenues pour assurées ou du moins estimées acceptables sans qu'il y ait besoin d'en faire la démonstration.

Dans la théorie du désengagement (Cumming & Henry, 1961) par exemple, nous pouvons identifier les postulats suivants:

1. Les capacités d'un individu diminuant avec l'âge, celui-ci accepte passivement de se retrancher progressivement de la vie sociale en exerçant moins de rôles;
2. La société tend à exclure les personnes âgées parce qu'elle doit veiller à ce que les rôles et les tâches sociales soient remplis efficacement.

Hormis ces principaux constituants, les théories sont aussi construites autour d'un langage formalisé, fait de *concepts* bien définis qui aident à spécifier le sens des propositions. Du point de vue formel, la théorie regroupera des systèmes conceptuels et des classifications en les interreliant de manière compréhensive.

Enfin, les théories intègrent des ensembles de propositions pour former un *système explicatif* destiné à assigner des causes aux phénomènes et éventuellement à les *prévoir*. À ce chapitre, les théories scientifiques ne sont toutefois pas toutes d'égale portée. Certaines présentent une valeur universelle, transcendant les différences culturelles et affichant une imperméabilité aux transformations historiques. Ce sont les grandes théories ou les théories générales. D'autres ont été élaborées pour interpréter des microphénomènes ou des situations plus éphémères ou spatio-temporellement délimitées, c'est-à-dire des réalités dont on ne peut dévoiler le sens qu'à l'intérieur d'un cadre socioculturel exigu. Ce sont les théories particulières (Loubet Del Bayle, 1989).

Il existe par ailleurs plusieurs classifications des théories. Merton (1965) distingue les macrothéories, dont les théories globales des systèmes sociaux, d'où dérivent les théories partielles. On a ensuite les théories à moyenne portée, jugées essentielles pour le développement de la gérontologie, et dont la tâche est d'expliquer une classe précise de phénomènes tout en étant utilisables pour d'autres objets d'étude apparentés. Ainsi la théorie de la sous-culture peut-elle féconder des hypothèses applicables à différents thèmes de recherche gérontologique: l'étude de groupes activistes comme les Panthères grises, les ghettos résidentiels de personnes âgées, les clubs sociaux, les vagabonds.

Denzin (1970) pour sa part soutient que les résultats de recherche n'aboutissent pas forcément à des constructions théoriques très poussées. Aussi distingue-t-il cinq paliers d'élaboration théorique:

1. Les *systèmes de classification ad hoc* qui ont pour but de résumer un ensemble de données d'observation sans toutefois donner lieu à des propositions théoriques formelles;

2. Les *taxinomies* qui ont pour rôle d'organiser des classements de données de manière à orienter les études descriptives;
3. Les *cadres conceptuels* qui contiennent des propositions explicites qui correspondent aux théories à moyenne portée;
4. Les *systèmes théoriques* qui réunissent toutes les conditions d'une théorie idéale, à condition d'être suffisamment cohérents et formalisés pour que des propositions puissent être déduites des postulats de base;
5. Les *systèmes empirico-théoriques* qui représentent le point culminant du développement théorique, comme c'est le cas dans les sciences physiques et, partiellement, dans les sciences économiques. Dans ce type de système, le champ d'observation est directement interprétable par la théorie.

Mais quel est le but de la théorie ? Nous pouvons énumérer cinq fonctions essentielles de la théorie:

1. Elle est en premier lieu une *économie de pensée*, c'est-à-dire un discours qui réunit, synthétise et résume les connaissances acquises par l'entremise de la recherche et des réflexions se rapportant à un thème d'étude;
2. Elle est un mode de pensée visant à *assigner des causes* (explication génétique) ou des fonctions (explication téléologique) aux phénomènes. C'est donc un système d'explication ou d'interprétation fondé sur des généralisations;
3. Elle est un outil de *prévision scientifique*;
4. Elle est un système de principes permettant d'entrevoir des *applications concrètes* à partir des généralisations obtenues;
5. Elle est un système de propositions pouvant *engendrer d'autres hypothèses (fonction heuristique)*.

L'articulation entre hypothèse et proposition théorique devient maintenant plus claire. Une hypothèse corroborée par les faits de l'expérience impliquera le maintien de la proposition d'où elle dérive, contribuant ainsi à valider la théorie.

Toutefois le processus de validation de la théorie n'implique pas que les conséquences soient vraies, car subsiste toujours la possibilité qu'une théorie alternative soit davantage compatible avec les données de l'observation. C'est pourquoi le processus de confirmation d'une hypothèse, suivant l'argumentation poppérienne, ajoute peu de poids à la théorie; il ne fait que la valider à nouveau. En revanche, une hypothèse infirmée lors du processus de vérification conduira en principe à rejeter la proposition, affaiblissant en quelque sorte la théorie. À ce chapitre, la logique poppérienne est implacable puisqu'elle implique qu'il faille rejeter la théorie entière dans une telle éventualité.

Ainsi suivant Popper, (1978) le fait d'infirmer empiriquement une hypothèse mène au rejet de la théorie d'où elle émane, tandis que la confirmation de l'hypothèse ne signifie pas automatiquement que la théorie soit vraie. Cette position dogmatique débouche sur une conception suivant laquelle la théorie est un système cohérent de propositions universelles falsifiables.

Mais comme le fait valoir Beaugrand (1982:17), cette règle de la réfutation que préconise Popper (1978) ne devrait s'appliquer que pour un ensemble, voire un programme de recherche. Ainsi, précise-t-il, certaines conditions mal contrôlées dans l'environnement expérimental peuvent contaminer l'effet prévu, de sorte que le chercheur se trouve justifié de proposer une *hypothèse ad hoc* dans l'espoir de sauver son hypothèse principale.

Mais dans tout ce débat on retiendra un précepte qui devrait guider tout travail de recherche: ne pas préserver à tout prix l'hypothèse initiale, mais au contraire mettre en doute sa crédibilité et tester sa résistance aux explications rivales, au risque de la rejeter. Cette disposition intellectuelle, et l'attitude méthodologique qui en découle, doivent s'inscrire au coeur même de tout travail scientifique, tant dans les procédures de manipulations expérimentales que dans les épreuves de contrôle, notamment par introduction systématique de tierces variables dans les dispositifs de mesure.

6.2.3 LE RÔLE DE L'HYPOTHÈSE DANS L'ANALYSE EMPIRIQUE

On pourrait penser, comme le soulignait Canquilhem (1965), que le fait d'utiliser des hypothèses est la preuve de l'insuffisance de nos connaissances. Or, les hypothèses interviennent dans le processus de la recherche plutôt à titre d'outil pour mieux contrôler les faits de l'expérience, en structurant la démarche d'analyse.

L'hypothèse se situe en quelque sorte à mi-chemin entre les suppositions théoriques et les données de l'observation. Il ne s'agit là du rôle classique de l'hypothèse car il existe d'autres usages des hypothèses dans le déroulement d'une activité de recherche. Bien que la plupart du temps elles soient développées avant même que s'effectue la collecte des données, il est utile de préciser que la formulation d'hypothèses peut survenir à tout moment dans le cours d'une recherche. Nous examinerons donc les quatre principaux scénarios de recherche qui s'offrent au chercheur dans l'emploi des hypothèses.

6.2.3.1 La découverte de facteurs

Dans les études de type exploratoire, le chercheur tente le plus souvent de repérer des facteurs lourds ayant un potentiel discriminant par rapport au phénomène étudié. La stratégie consiste alors à mettre en évidence des différences entre des sous-groupes d'individus sur la base de nombreux indicateurs présumés associés au trait examiné.

Supposons que l'investigateur, s'intéressant au phénomène de l'estime de soi des personnes âgées, ait réuni des données lui permettant de comparer le profil de l'estime de soi de plusieurs sujets suivant différents groupes d'âge, le sexe, l'éducation, le revenu, la participation sociale, l'existence d'un réseau d'amis et l'état de santé. À défaut d'un cadre théorique suffisamment articulé pouvant lui indiquer quelles variables soumettre à l'analyse, il s'efforcera d'observer des différences significatives pour chacune de ces variables d'après l'estime de soi.

Pour chaque couple de variables mises en relation, il postulera l'*hypothèse nulle*, c'est-à-dire l'hypothèse de non différence entre les sous-groupes. Par exemple, il soutiendra que le sexe ne corrèle pas avec l'estime de soi. Or, si un test statistique révèle une différence significative entre les hommes et les femmes par rapport à l'estime de soi, il devra rejeter l'hypothèse nulle et accepter provisoirement l'hypothèse alternative.

Nous disons provisoirement, car la possibilité subsiste qu'il commette une erreur de premier type (E1), c'est-à-dire de rejeter H_0 (l'hypothèse nulle) alors qu'elle est vraie. L'ajout d'*hypothèses auxiliaires* (c'est-à-dire de conditions grâce auxquelles la prémisse implique son conséquent), la répétition de l'expérience (dans des conditions identiques et dans d'autres conditions), le contrôle des tierces variables et le constat de la covariation sont autant de moyens d'augmenter la robustesse du processus confirmatoire. Or, ce processus de mise à l'épreuve des hypothèses nulles peut survenir à différentes étapes dans l'analyse des données, un peu à la façon de la recherche exploratoire qui débouche sur d'autres hypothèses une fois le travail d'analyse terminé.

6.2.3.2 La hiérarchisation des déterminants

Nous avons un deuxième scénario lorsque le chercheur structure son analyse autour d'*hypothèses de travail* en vue d'estimer l'importance relative de plusieurs «déterminants» qui se seraient avérés des prédicteurs acceptables du phénomène analysé lors d'études antérieures. Pour reprendre l'exemple précédent, Fry (1988) a identifié quatre déterminants principaux de l'estime de soi: la continuité dans l'exercice des rôles sociaux, la maîtrise des ressources disponibles, le sens des responsabilités et la stabilité sur le plan socio-économique.

En formulant des hypothèses de travail ou des hypothèses *ad hoc* explicites concernant chacune de ces variables, l'investigateur est en mesure d'estimer la contribution relative de chacune d'elles en rapport avec l'estime de soi. La technique de la régression multiple est indiquée dans pareil cas pour attribuer un rôle distinctif à chaque déterminant et les hiérarchiser.

Dans une étude sur les facteurs de bien-être psychologique au-delà de 55 ans, Barrère *et al.* (1982) ont identifié 9 facteurs significatifs sur les 14 étudiés. Dans le cas des hommes, il s'agit de l'âge, de l'auto-appréciation de la santé globale, de l'auto-appréciation de l'état cardio-vasculaire, de l'auto-appréciation du revenu, de la retraite, du sentiment d'isolement social, des contacts sociaux, du niveau d'activité, du facteur névrotique et du caractère paranoïaque. Chez les femmes, seuls le sentiment d'isolement social, le facteur névrotique et l'extraversion se sont révélés significatifs au seuil de $p < 0,05$.

Par contre l'examen des corrélations partielles[2] a permis dans cette étude de souligner l'importance de quelques facteurs seulement. Ce qu'il importe de constater dans ces deux exemples visant à éprouver des hypothèses, c'est l'absence de cadre théorique apte à valider les propositions. On a par contre des hypothèses de travail.

6.2.3.3 La validation théorique

Le troisième scénario de recherche s'applique lorsque la théorie dirige l'analyse. On est alors en présence du schéma classique de la recherche, aussi bien expérimentale que non expérimentale, l'objectif étant de tester des hypothèses théoriques. Celles-ci sont alors déduites d'un corpus théorique, le rôle du chercheur consistant à les confirmer dans les faits.

6.2.3.4 Les épreuves de sûreté

Certaines études exigent que l'on puisse attester la représentativité de l'échantillon ou la fidélité des instruments. Nous proposons de qualifier d'*hypothèses de sûreté* celles mises à l'épreuve pour des fins purement méthodologiques. Par exemple, on vérifiera l'hypothèse de la non-différence (hypothèse nulle) entre certaines distributions de l'échantillon et celles se rapportant à la population-mère, notamment sur la base de variables pertinentes (c.-à-d. significatives par rapport à l'objet d'étude), de manière à attester la représentativité de cet échantillon.

6.3 L'INTERPRÉTATION DES RELATIONS INTERVARIABLES

Dans la majorité des cas, l'hypothèse prend la forme d'une réponse anticipée à une question précise de recherche. La situation la plus fréquente est une prédiction caractérisant la relation entre deux variables observées ou imaginées: c'est l'*hypothèse-interaction* par opposition à l'*hypothèse-uniformité* (Loubet Del Bayle, 1989), cette dernière s'appliquant aux prédictions relatives à une seule variable[3].

Quelle qu'en soit la forme, pour vérifier ou tester une hypothèse on recourt à des mesures statistiques inférentielles dites *tests d'hypothèse*. Le test d'hypothèse aide à déterminer si une relation est statistiquement significative à un seuil de probabilité donné (habituellement à $p \leq 0,05$, ce qui signifie qu'il y a 5 chances sur 100 que la relation observée soit due au hasard ou, si l'on préfère, aux fluctuations d'échantillonnage). Le test de signification fixe en quelque sorte le niveau d'acceptabilité statistique en tenant compte de la magnitude de la relation, de la variance et de la taille de l'échantillon. On recourt en outre à des mesures conçues pour apprécier la *magnitude de la relation;* ce sont les coefficients de corrélations et les mesures d'association.

Règle générale, lorsque est postulé un lien de dépendance entre deux variables, trois éléments importants devront être précisés:

1. Le rapport temporel;
2. Le statut de la relation;
3. Le sens de la variation.

6.3.1 LE RAPPORT TEMPOREL

Le rôle de la dimension temporelle dans l'élaboration des relations intervariables est généralement sous-estimé en méthodologie. Récemment, Kelly et McGrath (1988), dans un ouvrage intitulé *On Time and Method*, ont proposé une pénétrante analyse sur l'importance des composantes temporelles dans la recherche empirique, en soulignant notamment la nécessité de considérer l'intervalle de temps qui sépare une variable influente *X* de sa résultante *Y*, la durée de cet intervalle, la continuité et la persistance du changement observé sur *Y*, les temps de mesure ainsi que les différentes échelles temporelles (temps réel, temps expérimental, temps systémique).

Une première question à trancher s'adresse à *l'ordre temporel* des variables de l'hypothèse. Assigner l'ordre temporel c'est établir le rapport d'antériorité entre un facteur présumé agir comme source d'influence (*X*) et une variable considérée comme en subissant l'effet (*Y*). Bref, la dépendance hypothétique entre *X* et *Y* doit pouvoir s'exprimer dans un rapport chronologique indiquant la variable qui doit précéder l'autre dans le temps.

Dans une *relation asymétrique*, la *variable indépendante X* est antécédente à la *variable dépendante Y*, d'où le lien de dépendance suivant: $X \longrightarrow Y$. Par exemple, postuler que le sexe (*X*) exerce une influence sur la pratique religieuse (*Y*) des personnes âgées, c'est affirmer que la condition d'homme ou de femme détermine des comportements différents sur le plan de la pratique religieuse. Une hypothèse plausible pourrait s'écrire ainsi: «Les femmes manifestent une plus grande ferveur religieuse que les hommes.» Dans cet exemple, le rapport d'antériorité entre *X* et *Y* ne pose aucun doute puisque la pratique religieuse ne peut déterminer un attribut biologique, ici le sexe. On a donc *X* ⟶ *Y*, la position chronologique de *X* étant établie par le fait que l'événement ou le trait survient avant l'autre.

Abordons maintenant un autre point. La distinction entre variable indépendante et variable dépendante est fréquemment source de confusion. Il faut rappeler que l'attribution du titre de variable dépendante à *X* ou à *Y* ne vaut que dans l'optique situationnelle qu'envisage l'hypothèse. Autrement dit, rien n'exclut que la variable *Y* puisse à son tour exercer une influence sur d'autres variables (on la considérerait alors provisoirement comme variable indépendante). Mais dans un contexte précis où intervient l'hypothèse à l'étude, le rôle qui lui est assigné est de subir l'effet de *X*. Parallèlement, la variable indépendante *X* pourrait très bien se voir attribuer le rôle de variable dépendante (*Y*) dans un autre plan de recherche.

Lazarsfeld (1970) a insisté sur le fait que des variables telles que l'âge peuvent parfois être impliquées tantôt comme variable indépendante, tantôt comme variable dépendante. Dans l'hypothèse «les personnes âgées ont un niveau d'instruction inférieur aux jeunes», ce qui importe est évidemment l'époque où les aînés ont atteint l'âge de scolarisation. L'âge apparaît ici postérieur à l'éducation, du fait que l'on considère des groupes de comparaison. Si, comme le souligne Lazarsfeld, «[...] on met en relation l'âge du décès et le climat, l'âge doit évidemment être tenu pour postérieur» (Lazarsfeld, 1970:311).

Mais il arrive parfois qu'on ne puisse établir de manière sûre la position de *X* en regard de *Y* suivant la règle de l'antériorité. À titre illustratif, le rapport d'antériorité entre l'auto-appréciation de la santé et la satisfaction dans la vie des personnes âgées est loin d'être évident. Est-ce la perception subjective de la santé qui influe sur la satisfaction dans la vie ou l'inverse ? Une telle situation invite à déterminer la succession temporelle des variables en puisant dans la logique même de l'analyse ou en s'appuyant sur l'argumentation du cadre théorique sous-jacent.

Il existe également certaines techniques statistiques (p. ex. la mesure d'association asymétrique D de Somers, 1962) pouvant nous aider à «estimer» la direction de certaines relations, mais ce sont des solutions de remplacement controversées ou des substituts pas toujours fiables. On s'entourera donc de grandes précautions avant d'arrêter toute décision quant à l'établissement de la consécution des variables.

Autre point. Quelquefois, les variables paraissent fortement imbriquées les unes dans les autres, comme par osmose, au point où il est difficile d'organiser le travail d'observation et d'analyse suivant la règle de la directivité de l'hypothèse. On nomme ces situations des *relations symétriques*, représentées par *X* ⟷ *Y*. Par exemple, l'anxiété des personnes âgées et l'insomnie sont des variables qui peuvent s'influencer réciproquement et presque simultanément, c'est-à-dire que l'anxiété provoque l'insomnie qui à son tour déclenche l'anxiété.

Or, les relations symétriques le sont-elles vraiment ? On se rend compte que l'élément temps intervient toujours, qu'il y a un intervalle ou un délai, si minime soit-il, un temps de réaction relativement court entre *X* et *Y*. Le problème est donc d'observer et de mesurer cet intervalle.

Un autre cas illustrera un intervalle de réaction plus long. Ainsi, on postulera que des habitudes alimentaires malsaines peuvent provoquer, à long terme, l'apparition d'une maladie chez certains sujets âgés. Or, la présence de la maladie risque de déclencher à son tour une modification des habitudes alimentaires, contribuant ainsi à une amélioration à plus long terme de l'état de santé. Par exemple, la diminution de l'activité physique peut occasionner de l'embonpoint, qui se traduira plus tard par une diminution plus grande de l'activité physique. Voilà un exemple de relation symétrique avec inversion des effets, cas trop souvent négligé dans la recherche. Cet effet de symétrie réfère aux situations de *rétroaction*, où souvent les effets peuvent être inversés sans pour autant être amplifiés.

Par exemple, on postulera que *X* influence *Y*, mais que *Y* influencera plus tard *X*, soit rétroactivement. Dans ce cas, l'effet à rebours est à retardement et non progressif comme dans les symétries circulaires. Par exemple, le fait de fréquenter plus souvent des amis peut contribuer à dissiper un sentiment de solitude. Mais avec le temps les personnes qui expérimenteront moins la solitude pourront être amenées à ressentir un peu moins le besoin de fréquenter les amis. On aura alors $X \longleftarrow Y$, $Y \longrightarrow X$. Il est donc plus facile, en principe du moins, d'isoler l'action réciproque de deux variables lorsque l'observation tient compte du facteur temps. Mais pour résoudre le problème, il est impératif de prévoir plusieurs opérations de mesure, de manière à observer la progression des variations sur les deux variables. Malgré tout, le chercheur éprouvera de sérieuses difficultés à dissocier de manière décisive l'effet réciproque des deux variables.

Outre les effets de rétroaction comportant une inversion à rebours de la variation de *X*, on doit aussi envisager les cas de réversibilité de *Y*, tels que la rémission de certaines maladies, ainsi que les effets pervers (Boudon, 1977). L'étude longitudinale de Pous *et al.* (1988), évoquée précédemment, et qui portait sur les trajectoires de vieillissement dans une population rurale française, servira à illustrer le phénomène de la réversibilité de la variable dépendante.

Dans cette étude, qui s'échelonne sur quatre ans, on a observé que 61 % des sujets avaient conservé une bonne autonomie, 35 % étaient entrés progressivement en incapacité en vertu d'une réduction de la mobilité hors du domicile, alors que pour 4 % seulement, l'entrée en incapacité avait été brutale, par suite d'un accident morbide grave; 9 % seulement des sujets mobiles à l'extérieur du foyer en 1982 ne l'étaient plus en 1986, tandis que 22 % des personnes qui ne sortaient pas de la maison en 1982 pouvaient le faire en 1986. Il y a donc lieu de croire à la réversibilité de certaines incapacités.

Les relations parfaitement symétriques sont rares en sciences sociales, la simultanéité et la réciprocité des effets étant des perspectives davantage virtuelles que réelles. On devrait plutôt les représenter schématiquement de la façon suivante:

$$X \longrightarrow Y$$
$$X \longleftarrow Y.$$

La relation sera alors qualifiée de *circulaire*. On devrait en principe assister à un effet d'amplification observable dans une limite de temps variable (autrement dit, dans l'exemple précédent l'anxiété et l'insomnie atteignent forcément des seuils au delà desquels la réciprocité n'exerce plus d'effet). Cette discussion aide à mieux comprendre la nécessité de sélectionner un dispositif de recherche adéquat et pertinent à la situation d'étude, dans le dépistage des liaisons intervariables.

Un autre aspect relié au facteur temps concerne directement l'intervalle entre X et Y du point de vue de l'effet. La question qui se pose est la suivante: combien de temps faut-il pour que X produise un effet sur Y ? À première vue, cette question peut sembler triviale, mais elle est d'une importance capitale, notamment dans les sciences naturelles.

Hélas, la mesure du *temps de réaction* de Y et la *durée* de la réaction font peu souvent l'objet de l'attention des chercheurs en sciences humaines, alors que ces dimensions expérimentales sont mesurées et quantifiées dans l'étude des réactions chimiques par exemple. Cette problématique est toujours soulevée lors des expérimentations.

Supposons qu'un chercheur entreprenne de démontrer l'efficacité d'un programme visant à réduire le stress chez les personnes âgées. Il mesurera dans un premier temps le niveau de stress et, une fois le programme complété, il effectuera une seconde mesure afin de vérifier son hypothèse voulant que le programme aide à diminuer le stress des participants. Or, combien de temps doit-il s'écouler entre le moment où se termine le programme et la mesure au post-test, si on espère observer un changement dans le niveau de stress ?

À défaut d'une procédure claire et appropriée à cette problématique, le chercheur pourra enregistrer des scores au post-test qui ne révéleront pas un portrait fidèle des effets réels de la variable expérimentale (indépendante). Par exemple, il se pourrait que le programme contribue à accroître momentanément le stress des participants sur une courte période, puis un peu plus tard qu'il donne des résultats positifs en réduisant leur stress de façon significative. Par contre, six mois après l'expérience on pourrait constater que le niveau de stress des sujets revient à son état initial, tel qu'observé au prétest. Par conséquent, toute mesure simple au post-test peut, selon l'intervalle de mesure adopté, conduire à l'obtention de l'une ou l'autre de ces trois réactions à l'expérience, et finalement mener à de fausses interprétations.

L'enseignement qu'il faut tirer de cet exemple est simple: les phénomènes sociaux étant modulés socialement et chronologiquement, certains déterminants déclenchent parfois des réactions simultanées, d'autres produisent des effets différés ou à retardement, certains sont à rebours, d'autres se présentent sous une forme linéaire continue, d'autres se manifestent suivant une progression exponentielle, certains sont non monotoniques ou cycliques et ainsi de suite.

Le temps de réaction imputable à un effet X quelconque étant variable d'une situation de recherche à l'autre, et d'un individu à l'autre, il s'ensuit que cette particularité a une incidence considérable sur le plan de l'analyse. En principe, il est légitime d'affirmer que plus l'intervalle de temps entre X et Y est court, plus grande est la possibilité d'imputer à X l'attribut de cause.

En effet, la contiguïté spatiale et temporelle (Kelly & McGrath, 1988) entre X et Y rend moins probable l'action de tierces variables, permettant ainsi d'éliminer certaines hypothèses rivales. Dans toute situation du genre «si X, alors plus tard Y», les risques de contamination seront donc plus élevés.

Cette discussion a, espérons-le, le mérite de sensibiliser à un aspect trop souvent ignoré dans la formulation des hypothèses, à savoir la mention relative au délai dans l'apparition du phénomène. Le facteur temps constitue, à n'en point douter, une *condition de vérification* qui mérite d'être intégrée dans toute discussion accompagnant la présentation de l'hypothèse.

6.3.2 LE STATUT DE LA RELATION

Nous aborderons maintenant une autre opération, celle qui consiste à qualifier la nature de l'association entre la variable indépendante et la variable dépendante. Jusqu'ici nous nous sommes contenté d'affirmer que X <influence> Y, sans présumer de l'existence de relation causale. Or, que signifient les expressions couramment employées pour désigner l'action de X sur Y (c.-à-d. détermine, exerce une action sur, agit sur, occasionne, engendre, etc.) ?

D'un point de vue statistique, on dira qu'une variable X est associée à une variable Y, lorsque le fait de faire varier X (ou d'observer une variation de X) produit une variation de Y, toutes les autres sources de variation étant contrôlées, c'est-à-dire maintenues constantes. Tel est l'un des principes fondamentaux permettant de vérifier l'existence d'un lien de dépendance entre deux variables.

Le terme *variation* doit ici être pris dans son acception générale. Lorsque les deux variables forment des échelles métriques, dites continues, la variation signifie une «augmentation» ou une «diminution» des valeurs numériques (ou des attributs hiérarchisés) de cette variable. Lorsqu'il s'agit de variables nominales (p. ex. le sexe, le programme dans un groupe expérimental), c'est-à-dire lorsque les valeurs sont des attributs, la variation signifie la présence ou l'absence d'un attribut.

Contrairement à ce qui se produit dans les sciences naturelles, les hypothèses en sciences sociales sont rarement aptes à préciser la correspondance exacte entre un niveau de fluctuation donné de *X* sur celui de *Y*. En conséquence, on rencontre rarement des régularités concomitantes, et encore moins des régularités de type linéaire.

En effet, la plupart du temps, les observations portent sur plusieurs échantillons (au sens de plusieurs sujets) plus ou moins homogènes de sorte qu'il faille tenir compte des fluctuations d'un sujet à l'autre. Les relations concomitantes sont donc de l'ordre de la conjecture, ou si l'on préfère des probabilités. Pour attribuer à une variable *X* le statut de cause, il importe de démontrer d'une part, son antériorité par rapport à *Y* et, d'autre part, d'établir la preuve qu'une variation de *X* s'accompagne d'une variation substantielle (donc statistiquement significative) de *Y*, *toutes les autres variables étant fixées*.

Toutefois, comme nous l'évoquions dans le précédent chapitre, l'établissement d'un lien causal ne suffit pas pour expliquer un phénomène, car il ne révèle pas le mécanisme ou les processus conduisant à l'effet observé. L'idéal est de construire un modèle montrant l'enchaînement causal, c'est-à-dire la séquence des actions, en précisant la contribution respective de chacune des variables impliquées dans le processus. Lazarsfeld (1970) est l'un de ceux qui a le plus contribué à montrer le rôle des *variables intermédiaires* à cet égard. Nous y reviendrons dans le chapitre sur les stratégies d'analyse.

Dans l'étude des liaisons simples (deux variables à la fois), l'analyse doit toutefois conduire à «spécifier» la nature de la dépendance. La variable *X* peut être la *cause* de *Y*, ou une cause, ou encore une *condition* de l'apparition de *Y*, et enfin, un *élément neutralisateur* empêchant la variation de *Y*. En outre, il est impératif d'évaluer l'action combinée des facteurs (X_1, X_2, X_3...). On s'efforcera de préciser s'il s'agit d'*effets additifs* ou d'*effets d'interaction*. Le chercheur supposera également la possibilité que des facteurs *substituts* puissent créer les mêmes effets ou que la relation initiale puisse être fallacieuse (cf. chapitre 10).

6.3.3 LE SENS DE LA VARIATION

Finalement, une dernière propriété de l'hypothèse est sa capacité de prévoir le sens des fluctuations entre les deux variables. Nous distinguerons ici les *hypothèses directionnelles* des *hypothèses non directionnelles* (Berger & Patchner, 1988).

L'hypothèse non directionnelle correspond à deux situations: 1) l'hypothèse nulle (ou de non-différence) et 2) l'hypothèse alternative (de différence non spécifiée). Dans le cas de l'hypothèse nulle, on prédit l'absence de différence significative entre deux variable. Par exemple: «La scolarité n'est pas reliée de façon significative à l'âge de la retraite.» L'hypothèse alternative serait: «L'âge de la retraite varie en fonction de la scolarité.»

Dans ces deux exemples, aucune indication ne nous permet d'envisager comment la scolarité exerce une influence sur l'âge de la retraite. Est-ce une scolarité moindre ou une scolarité supérieure qui est associée à l'âge précoce de la retraite par exemple ? Prévoir le sens d'une relation nécessite donc le recours à des hypothèses de type directionnel où le sens des fluctuations est annoncé.

Qu'il s'agisse d'une *observation provoquée* (manipulation expérimentale) ou d'une *observation invoquée* (comparaison *ex post* de données existantes ou observées non expérimentalement), l'hypothèse-interaction établit obligatoirement le sens de la variation affectant les variables examinées. Dans le cas des variables échelonnées (les variables intervalles et ordinales), on exprimera cette variation suivant la *position dans l'échelle* (observation transversale) ou suivant la *progression dans l'échelle* (observation longitudinale).

Prenons l'exemple d'une étude inter-régionale visant à démontrer un lien entre le statut des personnes âgées, mesuré à partir du revenu, et le lieu de résidence, mesuré d'après la densité de la population. Dans le cas d'un dispositif transversal, on pourrait formuler l'hypothèse suivante: «Les personnes âgées dont le revenu *est élevé* se retrouvent proportionnellement en plus grand nombre dans les zones à concentration démographique *élevée.*»

L'hypothèse ainsi formulée, la situation inverse s'applique également, c'est-à-dire que «les personnes âgées dont le revenu est faible sont proportionnellement plus nombreuses à résider dans les aires à faible concentration». Nous proposons de représenter schématiquement cette hypothèse de la façon suivante: $X+ \longrightarrow Y+$, où les signes positifs signifient qu'une *position* vers le haut de l'échelle pour la variable X s'accompagne d'une *position* vers le haut de l'échelle pour la variable Y. On dit alors que la relation est *positive*.

Une relation positive parfaite suppose que les valeurs de X et de Y varient dans la même direction et dans une même proportion, de sorte que les points sont parfaitement alignés sur une droite de régression. Nous expliquerons plus en détail cet aspect dans un chapitre ultérieur. Une relation négative parfaite implique par contre qu'une variable fluctue en sens inverse de l'autre, mais proportionnellement: une valeur élevée de X correspond à une valeur moindre de Y.

Si en revanche le dispositif de l'étude est longitudinal, l'hypothèse devra s'exprimer en termes de variation mesurable dans le temps, en l'occurrence entre deux points d'observation. On prédira par exemple: «Les personnes âgées dont le revenu a augmenté ont tendance à résider dans les zones à concentration démographique élevée.»

On exprimera l'augmentation (ou la diminution) par un vecteur, soit dans ce cas-ci:

$$\uparrow X \longrightarrow Y+.$$

Si la variable Y s'exprime aussi par une variation, celle-ci sera identifiée par un vecteur comme dans ce schéma: $\downarrow X \longrightarrow \downarrow Y$. (Par exemple: «La diminution de l'appétit entraîne une diminution progressive du poids.»)

Lorsque la variable à caractériser est de type nominal (cf. section suivante), il est impératif de préciser quel attribut de cette variable est relié à la position, à la variation ou à l'attribut de l'autre variable. La formulation de l'hypothèse suivante illustre une telle situation: «Les personnes veuves éprouvent un sentiment de solitude plus élevé que les personnes célibataires ou mariées.»

Cet exemple souligne que la présence d'un attribut particulier en regard de X (ici le statut civil de veuve) est relié à une position dans l'échelle de solitude (sentiment de solitude plus élevé). Concrètement, si l'hypothèse se trouve confirmée, cela signifie que les personnes veuves ont enregistré un score moyen plus élevé que les célibataires ou les gens mariés sur l'échelle de solitude. Par contre, on notera que telle que formulée, l'hypothèse ne prévoit pas la situation des personnes divorcées ou séparées. Schématiquement on aura donc: $X_v(cm) \longrightarrow S+$. L'expression entre parenthèses désigne le groupe comparatif, soit les personnes célibataires et mariées.

Quand la variable est dichotomique[4], par exemple le sexe ou le statut de «retraité-non retraité», on peut omettre la mention du groupe comparatif entre parenthèses (p. ex. $X_f \longrightarrow Y$-), celui-ci étant identifié par défaut.

Dans l'optique longitudinale où on enregistrerait une modification de l'attribut, soit un changement de statut en regard d'un changement ou d'une variation dans l'échelle de solitude, on adoptera la représentation symbolique suivante à l'aide d'indice et d'exposant: $X_m^v \longrightarrow \uparrow Y$ (ce qui signifie dans le cas présent: «Les personnes mariées devenues veuves éprouveront une augmentation plus grande du sentiment de solitude comparativement aux individus dont le statut n'a pas changé»[5].

Le lecteur portera donc une attention particulière sur l'importance de spécifier la caractéristique de l'autre groupe engagé dans la comparaison lorsqu'il s'agit de variables de type nominal.

6.4 LES QUALITÉS DE L'HYPOTHÈSE

Examinons maintenant les qualités et les critères d'une bonne hypothèse de recherche (cf. Loubet Del Bayle, 1989; Good & Hatt, 1952). En premier lieu, l'hypothèse doit être *spécifique* au sens défini dans les paragraphes précédents. On s'assurera ici de bien clarifier sa directivité, le rapport de temporalité entre les variables, la nature de la dépendance et le statut des variables impliquées. En deuxième lieu, l'hypothèse doit être *plausible*, c'est-à-dire être en corrélation étroite avec le phénomène qu'elle prétend expliquer ou spécifier. Or, cette question nous renvoie au problème de la validité des concepts, notion que nous étudierons un peu plus loin. En troisième lieu, l'hypothèse doit être *opératoire*, au sens où le chercheur indique la procédure employée pour observer et mesurer, à l'aide d'instruments fidèles et valides, les concepts permettant la vérification. En quatrième lieu, l'hypothèse doit être *précise*, c'est-à-dire épurée de toute ambiguïté quant aux termes utilisés ou quant à la nature de la relation postulée. En cinquièmement lieu, l'hypothèse doit être *communicable*, c'est-à-dire que sa compréhension ne suscitera pas d'équivoque dans la communauté scientifique. Enfin, l'hypothèse doit être *réplicable*, c'est-à-dire répétable dans d'autres contextes d'observation et utilisable par d'autres chercheurs aux fins de vérifications subséquentes.

Avant de passer à la section suivante sur l'opérationnalisation des concepts, il convient de glisser un mot sur le processus de vérification de l'hypothèse, bien que cette question fasse l'objet d'une section du chapitre consacré aux stratégies d'analyse. Dans la terminologie scientifique, on recourt à plusieurs concepts ou expressions équivalentes: éprouver, tester, vérifier, mettre à l'épreuve une hypothèse. Lorsque les résultats vont dans le sens indiqué par l'hypothèse, on dira que celle-ci est provisoirement *confirmée* (ou acceptée), et dans la situation inverse elle sera *infirmée* (ou rejetée). Il va de soi que certaines conditions doivent être respectées avant de se prononcer: la décision est habituellement prise à partir d'un test statistique ou suivant un raisonnement s'appuyant sur une analyse qualitative minutieuse des données.

6.5 L'OPÉRATIONNALISATION DES CONCEPTS

6.5.1 LES ÉCHELLES DE CLASSIFICATION

L'opérationnalisation des concepts soulève un certain nombre de difficultés qu'il faut maintenant aborder. Rappelons ici l'objectif que nous poursuivons, celui consistant à confronter l'hypothèse aux faits de l'expérience ou de l'observation. L'opérationnalisation des concepts vise précisément à transformer les termes de l'hypothèse en indicateurs mesurables, de façon à faciliter le processus de vérification. Habituellement, les termes de l'hypothèse sont des notions trop générales, plutôt vagues, voire très floues, qui nécessitent conséquemment un traitement opératoire. Or, ces notions sont souvent des représentations abstraites d'un ensemble de faits ou d'événements parfois directement observables, mais souvent sans lien direct avec la réalité empirique. Le plus souvent, le chercheur a en tête une ébauche grossière de ce que signifie la notion à opérationnaliser, voire une définition nominale comportant un aperçu préliminaire de la classification sous-jacente.

Il existe bien sûr des ordres d'abstraction à divers degrés. Les concepts primaires, référant par exemple à des traits biologiques (p. ex. sexe, âge, grandeur, etc.), ont un référent empirique immédiatement accessible. Les construits et les concepts idéaux sont en revanche des concepts de second niveau nécessitant un effort d'élaboration plus complexe, dans la mesure où ils renvoient le plus souvent à d'autres notions du même niveau d'abstraction (p. ex. classe sociale, démocratie, intelligence, autonomie fonctionnelle). Cronbach et Meehl (1955:283) définissent le construit comme étant un attribut hypothétique assigné à des individus dans des situations d'observation bien définies. Pour Nunnally (1978), c'est le caractère abstrait et non concret du concept qui distingue le construit d'une variable de premier niveau. Enfin, nous distinguons les construits de second niveau qui font appel à deux ou plusieurs construits de premier niveau mis en relation (p. ex.la satisfaction comme écart entre des attentes et les gratifications immédiates; la mobilité sociale comme écart entre des positions professionnelles dans la structure sociale).

En recherche sociale ou gérontologique, l'opérationnalisation s'efforce de définir un concept à partir de ses propriétés observables et quantifiables et non pas suivant une procédure visant à faciliter la compréhension au sens littéraire du terme.

Dans sa préface à l'ouvrage de Lazarsfeld, Boudon souligne même l'idée de *stratégie* en parlant «d'association de concepts scientifiquement stratégiques à des ensembles d'éléments observables» (Lazarsfeld, 1970:40). En d'autres mots, la définition opératoire indique comment un construit sera appréhendé à l'aide des instruments d'observation ou de mesure, évitant ainsi d'introduire toute ambiguïté en matière de sens. Les dictionnaires par exemple définissent les mots de différentes manières: mode générique, mode fonctionnel, mode explicatif, etc. Le résultat doit conduire à une représentation claire et distinctive du concept, sans que la définition fournisse pour autant les moyens d'appréhender la réalité qu'il recouvre. Or le rôle de la définition opératoire est précisément de transformer les concepts en variables, notions qui, en plus d'être directement observables et mesurables dans la réalité, ont la propriété de comporter des valeurs échelonnées ou hiérarchisées ou encore des valeurs-attributs pouvant être comparées. Une variable est donc simplement un concept opérationnalisé qui varie, qui prend deux ou plusieurs valeurs.

Kerlinger (1986) différencie deux types de définitions opératoires, soit: 1) les *définitions expérimentales* comportant un exposé détaillé du processus de manipulation de la variable-programme ou de la variable-traitement; 2) les *définitions de mesure* impliquant l'explicatif des opérations d'attribution et de comparaison des valeurs. Il est à remarquer que cette distinction est pertinente puisque certaines variables sont manipulables (p. ex. l'anxiété), tandis que d'autres ne le sont pas (p. ex. l'intelligence, les handicaps).

Mais avant de décrire la procédure d'opérationnalisation, il est nécessaire de distinguer les variables utilisées en recherche, variables qui servent à établir les échelles de mesure. La figure suivante présente une classification des variables.

VARIABLES CONTINUES	VARIABLES CATÉGORISÉES
Échelle de rapport	Échelle nominale
Échelle à intervalle	Échelle ordinale

Fig. 6-1. Typologie des variables selon le type d'échelle de mesure.

6.5.1.1 Les variables continues

Une variable est dite continue lorsque ses valeurs sont fractionnables et additives, donc métriques, et s'étendent sur un continuum. En d'autres termes, la variable est continue si dans un intervalle donné, une valeur peut être observable dans l'univers empirique. Par exemple, l'âge est une variable continue. Les valeurs 65 ou 66 ans sont fractionnables en mois, en jours, etc. Dans l'intervalle 65-66 ans, des valeurs intermédiaires sont plausibles, telles que 65 ans et 6 mois, 65 ans et 11 mois et 2 jours.

Les variables continues peuvent donner lieu à deux types d'échelle de mesure: les échelles de rapport et les échelles à intervalles. Les *échelles de rapport (ratio)* offrent la possibilité d'assigner une valeur vraie ou absolue de zéro, comme le poids, le flux électrique ou toute autre propriété, le plus souvent physique. Par conséquent, il est possible de fixer l'amplitude d'une valeur donnée en référence avec le point zéro que l'on trouve sur l'échelle de mesure. L'échelle de température Kelvin (valeur absolue de 0° équivalente à -273,15° Celsius) en constitue un autre exemple. Il est à noter qu'une température de 100° Kelvin est deux fois plus chaude qu'une température de 50° Kelvin (échelle de rapport).

En contrepartie, une température de 80° Fahrenheit n'est pas deux fois plus chaude qu'une température de 40° Fahrenheit (échelle à intervalle). Dans le cas de l'âge, considéré comme échelle de rapport, on pourra affirmer qu'un individu de 60 ans est deux fois plus vieux qu'un individu de 30 ans.

L'*échelle à intervalle* nécessite un arrangement en classes égales (ou apparemment égales) où la distance entre deux points sur l'échelle (équidistance) est connue. L'unité de mesure permet d'attribuer une position précise à l'objet mesuré sur l'échelle, bien que celle-ci prenne un sens plus restreint que l'échelle de rapport. Les valeurs sont échelonnées et fractionnables, mais la distance entre deux valeurs sur l'échelle donne lieu à des interprétations en termes d'écart différentiel.

Comme l'a fait remarquer Babbie (1973:139), la différence entre des scores de quatre et de cinq sur une échelle d'aliénation n'est pas nécessairement la même qu'une différence entre des scores de trois et de quatre. Diverses hypothèses sont formulées quant aux objets mesurés avant de construire des échelles d'intervalles: hypothèse de la normalité de la distribution, hypothèse sur l'égalité des ordonnées (hauteur des rectangles dans l'histogramme) (Debaty, 1967:7).

Il convient donc d'être très prudent dans l'emploi des échelles à intervalles, notamment au chapitre de l'interprétation. Les échelles continues offrent, dans l'ensemble, les meilleures possibilités d'analyse, puisqu'elles se prêtent aisément aux divers traitements statistiques, tant descriptifs qu'inférentiels.

6.5.1.2 Les variables catégorisées

On dit d'une variable qu'elle est catégorisée lorsque ses «valeurs» sont des attributs qualitatifs renvoyant à une classification quelconque, voire à des quantités isolées, disjointes les unes des autres (Bernard & Lapointe, 1987). En somme, les variables catégorisées comportent des classes ou des valeurs discrètes ou du moins relativement discrètes selon les critères de discrimination employés.

La variable «taille de la famille», qui se mesure d'après le nombre d'enfants, est un exemple de classification quantitative discrète. Bien que les valeurs exprimées soient des nombres (nombre d'enfants), ces nombres expriment des unités non fractionnables mais facilement hiérarchisables (classement ordinal). Identiquement, le «sexe» est une variable qualitative discrète puisqu'il prend deux valeurs correspondant aux dénominations homme ou femme, mais les valeurs ne sont pas hiérarchisées (classement nominal).

Les variables catégorisées offrent donc la possibilité de construire deux types d'échelles de classification et de mesure: les échelles nominales et les échelles ordinales. Les *«échelles» nominales* correspondent aux classifica-

tions dont les attributs sont des catégories homogènes et distinctes correspondant à des caractéristiques de l'objet mesuré. On considère donc comme équivalents les éléments réunis dans une classe donnée de l'échelle. Toutefois, les valeurs assignées aux caractéristiques n'ont aucun lien entre elles si ce n'est que «d'appartenir» à un modèle référentiel ou conceptuel commun.

Ces valeurs sont en fait des étiquettes qui tiennent lieu de symbole numérique ou d'attribut qualitatif quelconque. La plupart du temps, les valeurs ainsi attribuées aux dénominations doivent être mutuellement exclusives, donc non reliées entre elles. Le sexe, l'appartenance religieuse, le statut civil ou le lieu de résidence appartiennent à ce type.

Sur le plan de l'analyse, les variables nominales se réduisent à des calculs de fréquence aux fins de dénombrement ou de classement et à des opérations telles que la mesure centrale (p. ex. le mode), les mesures d'association (p. ex. coefficient *Lambda*, *V* de Cramer, coefficient de contingence) ou les tests de signification (p. ex. le khi deux).

Mais lorsque les valeurs attributives sont hiérarchisables ou interprétables selon l'ordre de grandeur ou le rang, on obtient une *échelle ordinale*. Deux situations peuvent se présenter: le rangement est global ou il est partiel. L'absence de linéarité dans la classification par rangement conduit à un *ordre partiel*, tandis qu'un arrangement en classes ordonnées du haut jusqu'en bas de l'échelle donne un *ordre global*.

Ainsi, la scolarité (exprimée en nombre d'années d'étude ou en niveau scolaire), le niveau de satisfaction sur un instrument de mesure, le rang social ou la capacité fonctionnelle d'une personne âgée sont des variables de type ordinal. Il est à noter que les variables ordinales se prêtent plus facilement aux analyses statistiques (coefficient *rhô* ou *tau* de Kendall par exemple) que les variables nominales qui requièrent soit un traitement dichotomisé (variable binaire) ou soit l'emploi de techniques particulières (coefficient *Lambda* par exemple).

6.5.2 LA CONSTRUCTION DES VARIABLES

Pour aider à comprendre le processus de construction des variables, nous emprunterons la démarche proposée par Lazarsfeld (1970) pour des applications instrumentales, ayant en tête la fabrication des questionnaires.

Signalons dès le départ que cette procédure convient particulièrement quand il s'agit de rendre opératoires des construits ou des concepts de second niveau qui se révèlent non immédiatement accessibles à la compréhension ou qui ne sont pas directement observables. Autrement dit, les variables telles que le revenu, l'âge, la scolarité ou le statut civil n'ont pas besoin d'être opérationnalisées, puisque leurs valeurs correspondent à des réalités factuelles, donc directement attribuables. Encore faut-il s'assurer que les catégories ou les valeurs soient mutuellement exclusives et en même temps exhaustives, ce qui n'est pas toujours évident lorsqu'on scrute à la loupe certains questionnaires de recherche.

Lazarsfeld (1970:42) précise que le développement de la psychologie expérimentale a été rendu possible grâce à l'emploi de «variables intermédiaires» non observables directement et non mesurables. Tel est le cas de notions telles que «intelligence», «anomie» ou «habitude». Ce sont des concepts de cette nature qui nécessitent un effort de conceptualisation.

Nous ferons donc ici référence à des concepts délicats à saisir et à mesurer, concepts qui renvoient le plus souvent à des comportements (p. ex. fonctionnement physique, mental ou social), à des ensembles de faits (p. ex. participation ou activités) ou à des appréciations quelconques (p. ex. santé subjective, satisfaction).

Contrairement aux mesures s'adressant aux propriétés physiques (p. ex. poids, bruit, pression, etc.) qui offrent un plus grand degré de précision, les mesures portant sur les notions de construit permettent difficilement de fournir une réponse univoque et concluante quant au lien entre l'indicateur ou le facteur sous-jacent[7]. Il est donc nécessaire de justifier leur emploi au moyen d'une procédure (celle de l'opérationnalisation), mais aussi d'une argumentation théorique convaincante.

Abordons maintenant l'étude des cinq étapes conduisant à l'opérationnalisation des concepts. La première est celle de la *représentation imagée du concept*. Cette expression renvoie, osons-nous affirmer, à la terminologie qu'ont employée Piaget (1946) et Bruner *et al.* (1967), soit les notions de «stade préopératoire» et de «mode iconique» respectivement (Desrosiers-Sabbath, 1984). Il s'agit essentiellement de dégager les premières perceptions ou les intuitions qu'évoque le concept à opérationnaliser.

S'il est question par exemple de rendre opératoire la notion de «participation sociale» des personnes âgées, il faudra dans un premier temps dresser la liste des activités que suggère la participation ou encore énumérer les éléments de comportement traduisant un engagement social quelconque.

À cette étape, il n'y a pas de règles précises à suivre: l'idée est de circonscrire tout ce qu'englobe le concept à première vue et de l'illustrer par des exemples (Lazarsfeld, 1970:267).

La recension des écrits, voire la réflexion critique autour de la problématique de recherche, s'avère ici d'une aide précieuse pour tenter de cerner ces éléments intuitifs de représentation. Le concept de participation sociale suggérera provisoirement l'idée de sorties de divertissement, de fréquentations de clubs de loisirs, d'engagement politique ou religieux ou encore de bénévolat.

La deuxième étape, celle de la *spécification du concept*, a pour but d'identifier les attributs discriminants en tentant de les regrouper en éléments constitutifs, tels que représentés sous la forme de dimensions.

Par exemple, les *dimensions* de la participation sociale pourront être les suivantes: 1) religieuse; 2) politique; 3) culturelle; 4) sociale; 5) sportive. Bref, il s'agit de proposer une échelle de classification des types de participation capable de couvrir au maximum et le plus fidèlement possible le champ des activités recherchées.

Mais si la problématique de l'étude est plutôt centrée sur un type de participation en particulier, la participation religieuse par exemple, on tentera de distinguer d'autres dimensions plus pertinentes ou spécifiques. Par exemple: 1) les rôles actifs; 2) les rôles passifs.

Ce travail de découpage, de décomposition et d'assemblage conceptuels n'est certes pas aisé. Il n'y a heureusement pas qu'une seule et bonne façon de spécifier le concept. On se souviendra que la recherche exige beaucoup de discipline mais qu'elle fait aussi appel à l'imagination créatrice. Plusieurs systèmes de classification dimensionnelle peuvent donc être identifiés ou construits, selon le problème à l'étude mais aussi suivant l'ingéniosité et la perspicacité du chercheur.

Cependant, pour avoir expérimenté à maintes reprises cette méthode auprès des étudiants, nous avons été à même de constater qu'au terme de la démarche, des systèmes dimensionnels différents conduisent souvent à l'identification d'indicateurs comparables, voire semblables.

Par ailleurs, il arrive fréquemment que le construit fasse l'objet d'un traitement sémantique pouvant aboutir à la découverte de dimensions mais aussi de *sous-dimensions*. Ces sous-dimensions devront elles aussi figurer dans des sous-échelles à l'étape de la fabrication de l'instrument. L'exemple présenté un peu plus loin comporte de telles sous-dimensions.

La troisième opération vise à *identifier des indicateurs*, c'est-à-dire des situations, des comportements ou des faits concrets illustrant ou reflétant des aspects se rapportant à chaque dimension et sous-dimension du concept. L'indicateur réfère aux faits directement observables, donc mesurables, et a la propriété essentielle d'être facilement transposable dans un instrument de collecte de données.

Pour être admissible, l'indicateur doit satisfaire un minimum de conditions:

1) refléter avec la plus grande validité possible le concept sous-jacent ou la dimension de ce concept;
2) pouvoir s'appliquer à la population étudiée, au sens où chaque sujet interrogé pourra aisément se situer en regard de l'indicateur en question;
3) être exempt d'ambiguïté dans sa forme, dans son contenu et dans le sens qu'on lui prête;
4) se rapporter à un fait concret ou à une situation facilement identifiable par le répondant, significative pour lui et propre à induire une réponse (attitude) congruente;

5) se présenter sous une forme «opératoire» permettant de classer les réponses en catégories prédéfinies, le plus nettement distinctes.

Mais revenons à notre exemple où le chercheur se donne pour tâche d'identifier les indicateurs susceptibles de rendre compte de comportements de participation pour chaque dimension étudiée, soit d'après la présence ou l'absence de comportement, son intensité (fréquence) ou sa qualité (appréciation subjective ou normative).

À titre illustratif, la fréquence de l'assistance aux offices religieux ou la prise en charge régulière de la quête à l'église, la fréquence de pratique des sports d'équipe, le nombre de gestes bénévoles posés, sont autant d'indicateurs évoquant le concept. En plus de l'appréciation quantitative, le chercheur pourra aussi s'intéresser à des aspects plus qualitatifs qu'il évaluera selon les moyens anticipés.

Par exemple, il retiendra des indicateurs pour mesurer la participation d'après l'importance des rôles ou des responsabilités assumés (p. ex. scrutateur lors des élections, collecteur de fonds à domicile, visiteur de malades, président d'un club social, etc.).

Normalement, cet effort d'identification des indicateurs conduit à effectuer un choix parmi les éléments identifiés. On évitera à cet effet les indicateurs redondants ou qui se prêtent à des recoupements, et ceux qui s'avèrent moins discriminants (c.-à-d. ceux qui risquent de ne s'appliquer qu'à de rares individus ou au contraire qui rallient tous le sujets). Lazarsfeld (1970:284) souligne à ce propos une propriété importante de l'opérationnalisation, celle de l'*interchangeabilité des indices*, c'est-à-dire que la substitution d'indices (ou de groupes d'indicateurs) débouche le plus souvent à des résultats invariants.

Par exemple, s'agissant d'opérationnaliser le concept d'appartenance sociale, les indicateurs mesurant le rang professionnel pourront se substituer avantageusement à ceux se rapportant au revenu ou au degré de scolarité. Mais comme il se présente souvent des cas d'exception (p. ex. cas du cadre supérieur ayant peu d'instruction) et à défaut d'une bonne connaissance préalable des caractéristiques de l'échantillon, la prudence commande de conserver un large éventail d'indicateurs couvrant l'ensemble des dimensions, et par voie de conséquence une pluralité de situations d'observation.

La quatrième étape consiste à *attribuer des valeurs* aux indicateurs. Si le système d'attribution des valeurs est homogène, les indicateurs constitueront les *éléments* («item») d'une échelle de mesure ou d'un test.

Dans l'exemple hypothétique sur la participation sociale, supposons que le chercheur ait retenu cinq indicateurs principaux qui lui serviront à mesurer la variable «participation», les valeurs attribuées étant les mêmes d'un élément à l'autre:

QUESTION: Au cours des six derniers mois, combien d'heures en moyenne par mois avez-vous consacrées à chacune des activités énumérées dans la liste qui suit ?

	ÉLÉMENTS	VALEURS			
1.	Pratique d'un sport en équipe	1	2	3	4
2.	Jeux en société	1	2	3	4
3.	Activités bénévoles (collecte de fonds, réunions, etc.)	1	2	3	4
4.	Assemblées, réunions et autres activités sur la scène politique	1	2	3	4
5.	Activités musicales (chorale, chant) dans un lieu public	1	2	3	4

Fig. 6-2. Indicateurs de la participation.

Légende: 1 = Aucune activité au cours des six derniers mois
2 = Entre 1 et 5 heures
3 = Entre 6 et 10 heures
4 = Plus de 11 heures.

Le lecteur aura noté que chaque élément représente, dans l'ordre, les dimensions sportives, sociales, bénévoles, politiques et religieuses spécifiées antérieurement. En pratique, on recourt à un plus grand nombre d'indicateurs ou à des approches combinant la fréquence et la valeur qualitative des activités. Mais l'exemple ici n'a qu'une valeur illustrative.

La cinquième opération débouche sur la *construction de l'index* suivant un procédé combinant les indicateurs retenus. Il s'agit là d'une étape un peu malmenée ou mal expliquée dans la plupart des ouvrages généraux en méthodologie.

Construire un index c'est attribuer les *valeurs de la variable*. Si on accorde une pondération égale pour chaque élément, l'échelle de la participation sociale s'établira comme suit: une valeur de 5 indique la participation minimale, tandis qu'une valeur de 25 reflète un indice de participation maximale.

La variable participation sociale pourrait ensuite être étiquetée (attribution des valeurs) selon l'appréciation qualitative suivante, en trois classes à intervalles égaux[6]:

1 = Faible participation (scores entre 5 et 11 points);
2 = Participation moyenne (scores entre 12 et 18 points);
3 = Forte participation (scores entre 19 et 25 points).

En pratique, le chercheur préférera établir son échelle définitive d'après les observations découlant des tris à plat, ou si l'on veut des distributions de fréquence pour chaque élément, et des analyses statistiques. Il obtiendra à la faveur de cette démarche une distribution plus uniformisée, conforme au profil de la participation du groupe. Enfin, l'*agrégation (pooling procedure)* permet de combiner différentes mesures en un seul indice par addition des scores ou pondération.

Afin d'illustrer le processus d'opérationnalisation dans ses grandes lignes, examinons le modèle instrumental employé dans l'étude de Nemiroff, Rosenberg et Radbill (1977) lors d'une étude expérimentale sur l'orientation des personnes âgées dans la réalité.

L'expérimentation s'est déroulée dans un milieu hospitalier (Hôpital Maimonides de Montréal). Les auteurs y ont relevé un sentiment de frustration croissante du personnel en charge de malades âgés en régression (syndrome cérébral organique).

Pour atténuer le processus de détérioration des patients concernés, les chercheurs examinèrent diverses techniques susceptibles de donner des résultats concluants (remotivation, thérapie par le milieu, orientation vers la réalité, modification du comportement). L'objectif poursuivi consistait à donner de l'expansion au rôle du personnel soignant et à stimuler les capacités latentes des patients.

PHASE 1: LA REPRÉSENTATION IMAGÉE DU CONCEPT

Dans un premier temps, on a dégagé les critères pouvant mener à la fabrication d'un instrument à utiliser dans une expérience d'orientation modifiée dans la réalité auprès d'un groupe de patients atteints du syndrome. Leur réflexion déboucha sur la mise au point d'un programme comprenant des travaux en petits groupes, la création d'une atmosphère calme dans l'unité de soin, l'établissement de consignes routinisées pour les soins dispensés aux patients, l'uniformité des contacts et l'apport de gratifications immédiates envers les patients de la part du personnel. Parallèlement, on développa l'instrument d'observation autour du concept central de *fonctionnement des malades*.

PHASE 2: LA SPÉCIFICATION DU CONCEPT

Le concept de fonctionnement fut opérationnalisé selon trois dimensions: 1) l'adaptation psychologique; 2) l'adaptation sociale; 3) l'adaptation physique. Bien que les auteurs n'exposent pas de façon cohérente l'articulation entre les dimensions et les sous-dimensions, la subdivision suivante semble avoir été adoptée, comme le fait voir la figure 6-3.

DIMENSIONS	SOUS-DIMENSIONS
a) Adaptation psychologique	1. Orientation 2. Communication 3. Humeur
b) Adaptation sociale	1. Interaction et comportement social 2. Apparence extérieure
c) Adaptation physique	1. Hygiène 2. Habitudes d'élimination 3. Habitudes d'alimentation et de sommeil 4. Mobilité

Fig. 6-3. Dimensions et sous-dimensions du concept de fonctionnement.

Source: Nemiroff, Rosenberg et Radbill, 1977.

PHASE 3: L'IDENTIFICATION DES INDICATEURS

L'étape suivante a consisté à identifier les indicateurs permettant de construire les éléments de l'instrument d'évaluation. Au total, 58 indicateurs (et sous-indicateurs) ont servi à représenter l'ensemble des sous-dimensions de l'échelle. Comme on peut le constater dans l'exemple se rapportant à la dimension «adaptation physique» rapporté à la figure 6-4, chaque indicateur est une représentation concrète de chacune des sous-dimensions dans l'échelle d'adaptation physique. Ces indicateurs forment en même temps les éléments de l'instrument d'évaluation.

Il est à noter cependant que le choix des indicateurs ou même la construction des énoncés n'est pas sans reproche dans cet exemple. Ainsi, nous nous interrogeons sur la nécessité d'inclure l'indicateur 2 dans la sous-dimension hygiène, alors que l'indicateur 1 devrait suffire à évaluer le comportement. De surcroît, cette difficulté réapparaît ailleurs dans l'échelle.

Sa seule utilité est sans doute d'agir comme question témoin. Par ailleurs, l'énoncé «le patient se tient debout et marche» est ambigu car il comporte un double élément, ce qui est à éviter dans toute formulation d'énoncé. Comment évaluer le comportement si le patient peut se tenir debout sans pouvoir marcher ?

SOUS-DIMENSIONS		INDICATEURS	
a)	HYGIÈNE	1.	Se lave le visage et les mains avec de l'aide.
		2.	Se lave le visage et les mains sans aide.
		3.	Brosse ses dents ou son râtelier avec de l'aide.
		4.	Se peigne avec de l'aide.
		5.	Se peigne sans aide.
b)	HABITUDES D'ÉLIMINATION	1.	Contrôle ses intestins le jour et la nuit.
		2.	Contrôle sa vessie le jour et la nuit.
		3.	Va à la toilette sans aide.
		4.	Va à la toilette avec de l'aide.
c)	HABITUDES D'ALIMENTATION ET DE SOMMEIL	1.	Dort bien (toute la nuit).
		2.	Est alerte et éveillé pendant la plus grande partie du jour.
		3.	Mange par lui-même.
		4.	Se sert bien de son couvert.
		5.	Se sert bien d'un verre à boire.
d)	MOBILITÉ	1.	Se tient debout et marche.
		2.	Marche avec l'aide du personnel ou d'un appareil.
		3.	Se déplace lui-même en chaise roulante.

Fig. 6-4. Liste des indicateurs dans l'échelle sur l'adaptation physique.
Source: Nemiroff, Rosenberg & Radbill, 1977:54.

PHASE 4: L'ATTRIBUTION DES VALEURS DANS L'ÉCHELLE

Dans l'exemple précité, chaque élément est à évaluer selon l'échelle d'appréciation suivante:

0: jamais 1: quelquefois
2: souvent 3: toujours

Remarquons enfin, par cet exemple, que chaque élément est évalué en fonction du score non pondéré, de sorte que la valeur attribuée à l'un est identique à celle de tous les autres. Il s'agit donc d'une échelle ordinale. La catégorisation qualitative (jamais, quelquefois, souvent, toujours) n'est cependant pas la solution la plus adéquate, car il y a toujours matière à interprétation. La catégorie «souvent» pour un évaluateur peut signifier «quelquefois» pour un autre. Lorsque c'est possible, il est souhaitable d'exploiter une grille d'évaluation définissant des fréquences de comportement.

6.5.3 LA CONSTRUCTION DES ÉCHELLES DE MESURE

Introduisons en premier lieu la distinction entre une échelle de mesure et un test. L'*échelle de mesure* est un instrument pour déterminer le score d'un individu d'après son appréciation subjective d'un ensemble d'éléments concernant le concept à étudier. Le *test*, notion introduite par Cattell (1860-1944), est aussi un instrument de mesure, mais il englobe, en plus du «corrigé», les critères et conditions d'emploi, la détermination du temps utile, les consignes s'appliquant lors de sa passation, les règles et procédures de codification et enfin les modalités de lecture, de correction et d'interprétation. La notion de test est aussi définie dans son usage plus restreint, lorsqu'elle vise à déterminer la performance ou le rendement d'un sujet en fonction d'un trait à mesurer.

Le test, tout comme l'échelle de mesure, sert donc à positionner un individu — à l'intérieur d'un groupe par exemple — ou une caractéristique quelconque de l'objet, à partir de critères bien définis. C'est l'étalonnage qui remplit ce rôle.

Selon Bernier (1985:1), «la mesure est une opération consistant à associer selon certaines règles des symboles, le plus souvent numériques, à des objets, événements ou individus, et ce, pour représenter des quantités ou degrés d'attributs caractérisant ces objets, événements ou individus». Mesurer c'est donc déterminer la quantité d'une chose, d'un attribut ou d'un trait donné. C'est aussi montrer la variation d'un attribut, dans le cas des mesures longitudinales, ou du rapport de dépendance entre deux ou plusieurs variables. Une fois le test administré, on obtient des symboles qui sont les résultats de la mesure.

L'usage des tests en gérontologie est de plus en plus répandu bien que la plupart soient des traductions de l'anglais. On reconnaît depuis quelques années la nécessité de recourir à ces instruments, ce qui a donné lieu à des efforts importants pour les traduire en français (grâce par exemple à la technique du *back translation*), les adapter aux diverses situations d'étude, bref procéder à des validations transculturelles (Vallerand, 1989).

Plusieurs recueils de ces tests sont disponibles, dont les suivants: Israel, L. Kozarevick, D. & Sartorius, N. (1984), *Évaluations en gérontologie*; Kane, R. A. & Kane, R. L. (1981), *Assessing the Elderly: A Practical Guide to Measurement*; Mcdowell, I. & Newell, C. (1987), *Measuring Health: A Guide to Rating Scales and Questionnaires*; Mangen, D. J. & Peterson, W. A. (1984), Volume 1: *Health, Program Education, and Demography* (1982), Volume 2: *Social Roles and Social Participation* (1982), *Clinical and Social Psychology*; Buros, O. K. (1978), *The Eighth Mental Measurement Yearbook;* George, L. & Landerman, L. R. (1978), *The Meaning and Measurement of Attitudes Toward Aging.*

6.5.3.1 Justifications dans l'emploi des tests et des échelles de mesure

Supposons qu'un chercheur veuille vérifier la proposition que l'autonomie psychologique d'une personne âgée varie en fonction de la cohésion dans la famille d'appartenance. Il formulera sans doute l'hypothèse selon laquelle plus la cohésion familiale est forte, plus le sujet âgé manifeste une grande autonomie sur le plan psychologique. Ici, il devra opérationnaliser deux concepts afin de pouvoir mesurer la variable indépendante (cohésion familiale) et la variable dépendante (autonomie psychologique).

Un premier point concerne le degré de spécificité des concepts. C'est en principe ce que doit fournir la problématique de l'étude. Mais si les concepts recouvrent des éléments de réalité relativement complexes, il y a lieu d'envisager une procédure de mesure capable d'étudier plusieurs facettes ou dimensions des concepts à mesurer. C'est ce qui justifie la construction de tests ou d'échelles de mesure suffisamment élaborés pour pouvoir rendre compte de la réalité subsumée sous les concepts.

En outre, ces instruments gagneront à être suffisamment sensibles pour discriminer adéquatement les individus. La procédure de mesure comportera le plus souvent une série d'éléments (*items*) spécifiques à chaque dimension, éléments qui seront transposés sous forme de questions.

En fait, le problème de la mesure en sciences humaines est qu'il faut procéder de manière indirecte. On accède aux attitudes, aux perceptions des gens par la truchement des conduites, en situation réelle ou fictive, parfois par le biais des projections, ce qui suppose une hypothèse sur nos instruments eux-mêmes. Car il est difficile d'établir un étalon de mesure objectif sur lequel calibrer nos outils d'observation.

Mais une seconde question se pose: comment vérifier si les sujets interrogés expriment ce qu'ils pensent ou ressentent vraiment (Blalock, 1970) ?

Plusieurs stratégies permettent de contourner cette difficulté. Dans un questionnaire simple par exemple, on inclut des questions-tests, des questions-témoins, des questions indirectes ou encore des tests projectifs. Mais lorsqu'il s'agit de tests ou d'échelles de mesure multidimensionnelles,

les critères touchant à la qualité de la mesure sont plus stricts, au sens où l'attitude ou la perception à saisir soulève davantage d'obstacles du point de vue de la validité.

Quand on étudie l'histoire de la psychométrie, on se rend compte à quel point les efforts visant la construction de tests scientifiquement éprouvés se sont heurtés à l'épineux problème de la validité externe ou interne de la mesure, sans compter celui de la fidélité des instruments, problèmes auxquels nous consacrerons une section un peu plus loin dans ce chapitre.

Mais il est toujours à craindre que la réflexion s'enlise dans le dataisme au détriment de l'effort théorique. Comme le disait si bien Bachelard (1965:212): «L'excès de précision, dans le règne de la quantité, correspond très exactement à l'excès du pittoresque, dans le règne de la qualité.»

6.5.3.2 Principales techniques dans la construction d'un test ou d'une échelle de mesure

Nombreuses sont les stratégies dans la construction des tests et des échelles de mesure. Notre intention n'est pas de les expliquer dans les détails, ni de les énumérer toutes. Notre souci est davantage de sensibiliser le lecteur à l'existence de ces procédures, quitte à ce qu'il les explore dans des lectures qui traitent à fond le sujet. Nous suggérons en particulier les ouvrages suivants: Maitre (1972), Debaty (1967), Stouffer *et al.* (1950), et Bastin (1966). Brossons donc un aperçu sommaire de certains types d'échelles, même si certains d'entre eux sont de moins en moins utilisés dans les travaux de recherche actuels[8].

— *Les échelles différentielles: la méthode de Thurstone*

S'intéressant au traitement des attitudes, Thurstone (1927) a d'abord cherché à se départir des principes de mesure des sensations de Weber et de Fechner (Thurstone, 1927) utilisées jusque-là dans l'étude des perceptions. Il remplace la notion de perception par celle de processus discriminant, sa préoccupation étant de mettre au point des échelles de mesure pouvant se rapprocher des classifications de type «intervalle».

D'après la méthode idéale du jugement comparatif, chaque élément ou énoncé devrait être évalué en relation avec l'autre, le sujet comparant les deux termes de toutes les combinaisons possibles présentées sous forme de paires (Selltiz *et al.*, 1977:409). Mais un tel exercice s'avère extrêmement fastidieux, en supposant un nombre relativement élevé d'énoncés, le nombre de comparaisons à effectuer se situant dans l'ordre de:

$$\frac{n!}{2!(n-2)!} \qquad [6.1]$$

Par exemple, classer seulement 25 énoncés selon cette méthode nécessite déjà 300 manipulations impliquant un jugement.

Pour contourner cette difficulté, Thurstone proposa plutôt à un échantillon représentatif de juges le soin de ranger une série d'énoncés (stimuli) selon leur appréciation. Les énoncés devaient être classés sur un continuum comportant 11 classes considérées comme des intervalles d'égalité apparente. Dans ses grandes lignes, la démarche est la suivante:

1. Construire plusieurs énoncés se rapportant à l'attitude à mesurer;
2. Confier à un échantillon de juges le mandat de classifier en 11 classes les énoncés d'après leur appréciation (1 étant l'attitude la moins favorable, 11 étant la plus favorable et 6 étant la position neutre);
3. Calculer la valeur scalaire d'un énoncé selon sa position médiane accordée sur l'ensemble des jugements (à partir d'un abaque ou d'après la formule présentée ci-contre);
4. Rejeter les énoncés ayant une trop grande variation d'un juge à l'autre (cf. indice S ci-contre);
5. Construire l'échelle en sélectionnant les énoncés ayant une distribution uniforme d'une attitude extrême à l'autre.

Landsheere (1976) a proposé la formule suivante pour établir la valeur scalaire d'un énoncé (50e centile).

$$S = L - \frac{(50 - F_c)}{F_s} \cdot i \qquad [6.2]$$

où

S = La valeur scalaire d'un énoncé.

L = La moyenne entre la limite supérieure de la classe où se trouve le centile cherché et la limite inférieure de la classe qui la précède.

f_c = La fréquence cumulée de la classe qui précède celle où se trouve le centile cherché.

f_s = La fréquence simple de l'intervalle où se trouve le centile cherché.

i = L'intervalle de classe.

Le tableau 6-1 fournit un exemple illustrant la procédure à suivre. Le centile cherché se trouve dans la classe 8, la valeur médiane s'établissant à 44,5, soit:

$L = (7,9 + 6)/2$ ce qui donne 6,95

$f_c = 43$

$f_s = 18$

$i = 1$; et

$S = 6,95 + \frac{(50 - 43)}{18}$, soit 7,33.

L'indice *S* permet de déterminer dans quelle mesure chaque énoncé a été classé identiquement par les juges. L'indice est ici calculé selon l'écart semi-interquartile (moitié de la distance entre le 25ᵉ centile et le 75ᵉ centile). En cas d'égalité entre deux indices, on retient celui qui possède la valeur la plus faible.

Lorsqu'on applique cette formule à l'ensemble des énoncés, le résultat donne une échelle comportant une série d'éléments (*items*) pondérés. Dans l'instrument d'observation comme tel, ces éléments sont répartis aléatoirement, la valeur scalaire n'apparaissant pas, bien entendu. Lorsqu'on utilise ce type d'échelle dans une recherche, le répondant sélectionne les énoncés auxquels il se montre favorable.

Les énoncés ainsi sélectionnés sont classés ensuite par ordre de pondération, c'est-à-dire selon leur valeur scalaire. Le score attribué à un répondant correspond finalement à la valeur médiane des énoncés qu'il a sélectionnés.

TABLEAU 6-1. Résultats d'évaluation des juges (n = 90) pour un énoncé.

CLASSES	LIMITES DE CLASSE	FRÉQUENCE DE CHOIX	
		f	Σf
1	0 - 0,9	1	1
2	1 - 1,9	2	3
3	2 - 2,9	5	8
4	3 - 3,9	5	13
5	4 - 4,9	8	21
6	5 - 5,9	10	31
7	6 - 6,9	12	43
8	7 - 7,9	18	61
9	8 - 8,9	15	76
10	9 - 9,9	9	85
11	10 - 10,9	5	90

— *Les échelles cumulatives: l'analyse hiérarchique de Guttman*

L'approche préconisée par Guttman (1940) vise à s'assurer que l'attitude à mesurer est unidimensionnelle, problème non résolu dans les échelles de type Thurstone. Guttman s'est donc employé à construire des énoncés devant former une échelle cumulative idéale (scalogramme), seuls ceux satisfaisant au critère de reproductibilité étant acceptés dans l'échelle finale.

Prenons un exemple simple pour illustrer la démarche. Supposons une échelle comportant les trois questions suivantes:

1. Avez-vous plus de 75 ans ?
——— oui ——— non
2. Avez-vous plus de 65 ans ?
——— oui ——— non
3. Avez-vous plus de 55 ans ?
——— oui ——— non.

Si un répondant répond oui à la question 1, il doit normalement répondre oui aux questions 2 et 3. En répondant oui à la question 2 il doit normalement répondre oui à la question 3 et non à la question 1. Le modèle des réponses cohérentes est constitué de quatre types, comme le montre le scalogramme ci-dessous.

SCORE	RÉPOND OUI			RÉPOND NON		
	1	2	3	1	2	3
3	X	X	X			
2		X	X	X		
1			X	X	X	
0				X	X	X

Fig. 6-5. Scalogramme.

On aura une échelle parfaite, exempte d'erreur et donc reproductible, si la distribution des réponses est disposée en diagonale comme dans ce tableau, ce qui permettra d'avancer que les éléments choisis sont unidimensionnels. Dans la pratique, les questions posées conduisent à des ensembles de réponses qui ne reproduisent pas ce modèle parfait. L'unidimensionnalité d'un élément est évaluée à partir d'un coefficient de reproductibilité calculé à partir des erreurs (écart du modèle).

Selon Stouffer *et al.* (1950), on obtient une échelle acceptable lorsque quatre critères sont satisfaits:

1. Un coefficient de reproductibilité élevé;
2. Une nombre suffisant d'énoncés (plus de 10);
3. Des distributions relativement égales dans les marginales;
4. Peu erreurs (mauvais classement d'un énoncé chez plusieurs sujets).

La formule du coefficient de reproductibilité est la suivante:

$$R = 1 - \frac{n \text{ (erreurs)}}{n \text{ (questions)} \cdot n \text{ (répondants)}} \qquad [6.3]$$

— *Les échelles sommatives: la méthode de Likert*

Les échelles sommatives proposent de mesurer les attitudes d'un individu en additionnant les scores qu'il obtient sur une série d'éléments présentés sous forme d'énoncés à évaluer. L'échelle ordinale de type Likert (ou ses nombreuses variantes: l'échelle numérique (Kogan, 1961), le test d'Osgood (Osgood *et al.*, 1957; Young, 1974) appartient à cette catégorie d'instrument. Nous n'aborderons pas ici les aspects plus techniques de la construction des indices (p. ex. indices d'ambiguïté), mais plutôt la démarche générale à suivre:

1. Le chercheur formule une série d'énoncés (p. ex. 20 énoncés) se rapportant au concept à mesurer (p. ex. la tolérance);
2. Une grille d'appréciation commune pour tous les énoncés est élaborée. Habituellement, elle est constituée d'une échelle comportant cinq niveaux d'évaluation, par exemple
   a) très favorable (ou d'accord);
   b) favorable;
   c) neutre (indifférent, pas d'opinion);
   d) défavorable;
   e) très défavorable.
3. Le score d'un sujet est obtenu en additionnant la valeur de ses réponses sur l'ensemble des énoncés suivant la pondération apparaissant au point 2. Sur une échelle de 5 points comportant 20 énoncés, le score minimum est de 20 et le score maximum de 100. Mais étant donné que des sujets ne répondent pas à tous les énoncés, il est préférable de calculer le score moyen qui atténue l'effet de non réponse;
4. Une fois établis les scores de tous les répondants, il s'agit de les distribuer sur l'échelle globale, soit la variable en question. On construit donc des classes ordinales, de préférence à intervalles égaux,

de façon à distribuer les scores. La variable «tolérance» comportera par exemple trois valeurs:

1. favorable (de 10 à 32) échelle de 33 points;
2. neutre (de 33 à 68) échelle de 34 points;
3. défavorable (de 69 à 100) échelle de 33 points.

Pour vérifier si les sujets répondent correctement, on veillera à inverser certaines questions (c.-à-d. dans la question inversée une appréciation de 1 révélera une attitude favorable). Dans l'appréciation des résultats, le chercheur retiendra les énoncés sur lesquels il observe le plus grand consensus grâce à l'analyse des corrélations entre chaque élément (item) et le score global.

Le principal avantage de ce type d'échelle est qu'il est simple à confectionner et qu'il peut s'appliquer à plusieurs objets et situations de recherche. Toutefois, son unidimensionnalité, donc sa validité, peut poser problème (Duncan & Stenbeck, 1987). Par ailleurs, il est difficile de comparer les scores de deux individus d'après l'attitude, sachant que certaines personnes ont «naturellement» tendance à se montrer plus favorables que d'autres dans la plupart des situations d'évaluation. L'*effet de la désirabilité sociale* peut jouer, aussi bien que le penchant optimiste ou pessimiste des individus. En réalité, un sujet ayant obtenu un score de 18 peut aussi bien se comparer à celui qui obtient un score de 25. On doit donc se montrer très prudent dans l'interprétation, mais surtout dans les consignes de passation des questionnaires et sur le plan de leur fabrication comme telle.

L'autre difficulté découle du fait que deux scores identiques peuvent être constitués de plusieurs combinaisons différentes de scores aux différents énoncés. Certains soutiennent cependant que ce problème n'est peut-être pas incompatible avec l'objectif poursuivi: «D'ailleurs, ces différents chemins qui mènent au même endroit sont peut-être équivalents du point de vue de l'objectif de mesure qu'on s'est tracé» (Selltiz *et al.*, 1977:416). Malgré tout, il est impératif de s'assurer que l'instrument est relativement unidimensionnel, ou le cas échéant, qu'il mesure chaque dimension à partir des résultats obtenus pour chaque sous-échelle.

Debaty (1967:47) rapporte qu'Edward a établi 14 règles importantes dans l'élaboration des énoncés, règles qui peuvent en principe s'appliquer pour tout genre d'échelles de mesure, de tests ou de questionnaires:

1. Éviter les énoncés qui se réfèrent au passé plutôt qu'au présent;
2. Éviter les énoncés qui relatent des faits;
3. Éviter les énoncés pouvant être interprétés de différentes manières;
4. Éviter les énoncés qui n'ont pas de rapport particulier avec l'objet mesuré;
5. Éviter les énoncés auxquels tout le monde peut adhérer;
6. Choisir les énoncés pouvant couvrir l'échelle entière;
7. Utiliser un langage simple, clair et direct;
8. Les énoncés ne doivent pas excéder 20 mots[9];

9. Chaque «item» doit renfermer une pensée complète[10];
10. Les énoncés qui contiennent les mots «toujours, jamais, aucun, tous» introduisent quelquefois des ambiguïtés et doivent être évités;
11. Les mots tels que «seulement, uniquement, la plupart du temps», et d'autres du même type doivent être employés avec modération;
12. Les énoncés doivent être des phrases simples et non complexes;
13. Éviter les mots qui risquent de ne pas être compris par les répondants;
14. Éviter les doubles négations.

— *Les techniques sociométriques*

Le test sociométrique mis au point par Moreno (1892-1974) est un outil de recherche utilisé dans l'étude des relations interpersonnelles. Excepté sa simplicité d'exécution, le grand avantage de cette technique tient au fait qu'elle place les sujets dans un contexte d'évaluation réelle impliquant de leur part un rôle plus actif et dynamique que dans les tests conventionnels. Cet instrument permet de fixer la position sociale d'un individu dans un groupe (statut sociométrique) à partir de son score d'*acceptabilité* (choix reçus, choix faits), d'établir les rapports sociaux (relations interpersonnelles) qu'entretiennent les individus et de cerner la dynamique du groupe.

Cette méthode est précieuse dans la plupart des évaluations gérontologiques portant sur les rôles et la vie de groupe (patients, personnel soignant). Le plus souvent, on demande aux participants d'un groupe de désigner les individus avec qui ils ont le plus d'affinités et, à l'inverse, ceux pour qui ils éprouvent le moins d'attirance pour effectuer une tâche quelconque.

Le test de perception sociométrique enjoindra aussi les participants à deviner ceux qui l'ont choisi et ceux qui l'ont rejeté. L'approche par choix multiples est certes intéressante, mais les résultats demeurent difficiles à interpréter lorsque la taille du groupe est grande. Cependant, le nombre de choix fournit un premier indice de l'expansivité d'un répondant.

En sociométrie, la procédure de collecte de données est élémentaire, d'autant plus qu'elle peut s'effectuer en groupe. Dans une situation d'analyse extrêmement rudimentaire où chaque participant aurait à effectuer des choix simples, soit: 1) l'individu le plus favorable; 2) l'individu le moins favorable, on obtiendrait une matrice à double entrée pour chaque participant donnant lieu au sociogramme hypothétique apparaissant à la figure 6-5.

Dans ce sociogramme plusieurs observations se dégagent. On notera en premier lieu l'existence de deux sous-groupes, le premier constitué des sujets *A*, *B*, *C*, *G*, *J* et *K*, le second formé des sujets *D*, *I*, *H*, *F* et *E*. Les deux sujets identifiés par un cercle blanc (*I* et *K*) sont les *isolés*. Ils ne reçoivent aucun choix ou rejet de la part des autres membres du groupe.

Également, les sujets identifiés avec une trame en pointillés (*A*, *B*, *D* et *I*) ne reçoivent aucun choix favorable mais font l'objet de rejet. C'est particulièrement clair pour le sujet *A*. Ce sont les *exclus*. Finalement, les individus représentés par une trame hachurée (*G*, *J*, *H* et *F*) caractérisent les *populaires*, l'individu *G* se démarquant nettement.

Par ailleurs, ce sociogramme permet d'identifier les *relations réciproques*, en l'occurrence les choix de préférence réciproques tels les relations *H* - *F* et *G* - *J* et les relations réciproques de rejet comme dans *A* - *B* (il s'agit des *cliques*). On a aussi la possibilité de relever les *relations d'opposition* comme dans la relation *C* - *G*. Il est donc relativement facile d'étudier la structure relationnelle et positionnelle d'un groupe à l'aide de cette technique relativement simple.

Le lecteur intéressé à approfondir cette méthode profitera à coup sûr de l'excellent ouvrage de Georges Bastin (1966) consacré aux techniques sociométriques.

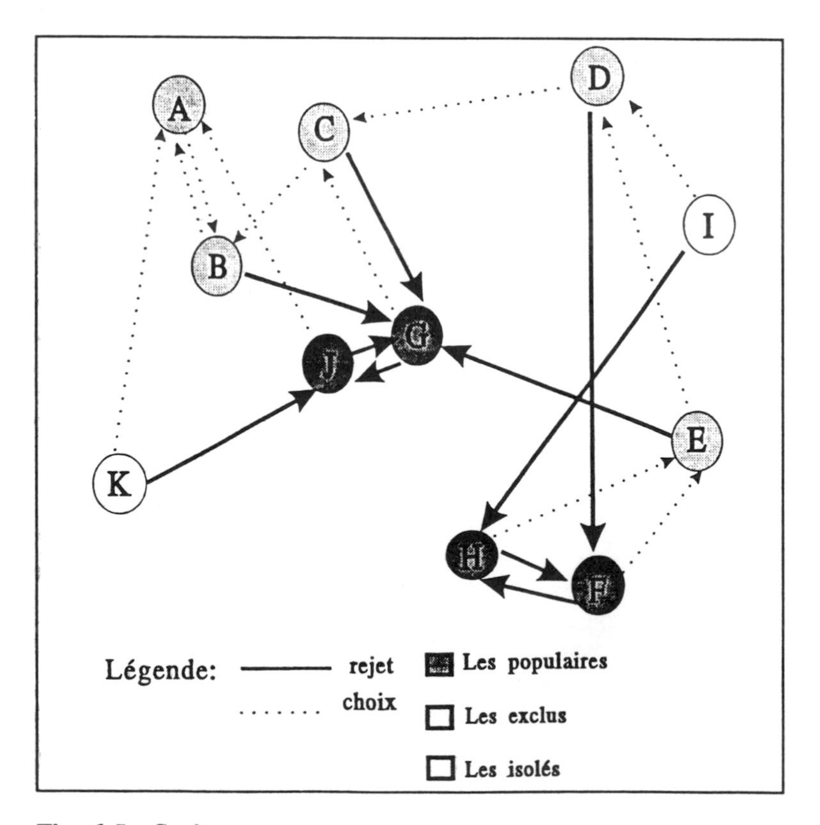

Fig. 6-5. Sociogramme.

6.6 LES QUALITÉS DE LA MESURE

Les épreuves de sûreté que nous allons maintenant examiner sont des opérations de routine quand on exige d'un instrument qu'il soit scientifiquement rigoureux. Or, les qualités d'un bon instrument ne se mesurent pas uniquement d'après son mode de conception, son étalonnement ou sa justesse. Il existe en fait plusieurs critères permettant d'estimer sa valeur méthodologique ou heuristique. Globalement, les qualités d'un bon instrument peuvent être appréciées à partir des principaux critères suivants:

6.6.1 LA FIDÉLITÉ

La fidélité nous indique jusqu'à quel point l'instrument fournit des résultats constants d'une situation de mesure à l'autre, d'un observateur à l'autre. Dans cette perspective, Legendre (1988) distingue la notion de *précision* de celle d'*exactitude*. La précision est une qualité subjective d'une mesure s'exprimant par la constance d'un instrument ou de la réaction d'un sujet. L'exactitude par contre exprime une réalité objective, soit la conformité de la mesure avec un phénomène extérieur. Nous étudierons un peu plus loin les techniques utilisées pour attester la fidélité d'un instrument.

6.6.2 LA VALIDITÉ EXTERNE

Un instrument est valide lorsqu'il mesure véritablement le concept qu'il est censé mesurer. Un instrument peut être fidèle sans pour autant être valide. Par exemple, un instrument pourra être conçu pour évaluer les fonctions mentales d'un sujet âgé, mais si l'opérationnalisation s'avère défectueuse, il risque de mesurer une autre réalité: on pourrait éventuellement se rendre compte qu'il mesure en fait les fonctions cognitives. La validité externe concerne également la généralisation des résultats à l'ensemble de la population qu'elle est censée représenter. Si l'échantillon n'est pas représentatif, la question de la validité externe est automatiquement soulevée, quelle que soit la validité intrinsèque ou la fidélité de l'instrument.

6.6.3 LA VALIDITÉ INTRINSÈQUE

La validité intrinsèque[11] d'un instrument désigne la justesse, soit sa capacité de fournir une réponse adéquate par rapport au problème étudié, en donnant la position vraie d'un individu ? La validité intrinsèque exprime la consistance des énoncés et l'homogénéité des indicateurs.

6.6.4 LA SENSIBILITÉ

La sensibilité renvoie à deux propriétés. En épidémiologie, elle indique la capacité de l'instrument ou du test de fournir un résultat positif quand il y a présence de la maladie. Elle aide ainsi à estimer la validité intrinsèque d'un instrument (Bernard & Lapointe, 1987:176).

Plus généralement, la sensibilité est la capacité de l'instrument de discriminer entre différents états, attributs ou individus. Plus l'instrument est capable de signaler de petites différences en matière d'attitude par exemple, plus il se révèle sensible.

En ce sens, la sensibilité d'une échelle ressortit non pas uniquement à son étalonnage (p. ex. transformation des scores bruts en scores standard), mais à sa graduation, à son calibrage.

6.6.5 LA SPÉCIFICITÉ

En épidémiologie, la spécificité désigne la capacité d'un test de fournir un résultat négatif, donc d'établir la normalité, lorsqu'il n'y a pas de maladie. La spécificité est en quelque sorte une forme de validité critériée.

6.6.6 LA STANDARDISATION

La standardisation (ou normalisation) d'un instrument caractérise l'aspect systématique de son contenu (tous les sujets sont soumis aux mêmes énoncés et à la même procédure d'observation), ainsi que les consignes ou les règles autorisant son emploi et son interprétation (emploi d'une grille de correction par exemple). La standardisation est une condition essentielle au succès des mises à l'épreuve répétées de l'instrument.

6.6.7 L'AUTONOMIE ET LA SOUPLESSE

L'autonomie et la souplesse d'un instrument définissent son degré d'applicabilité aux situations de recherche et la facilité avec laquelle on peut l'adapter à différents types de contextes ou de populations d'étude. Un instrument est autonome s'il est suffisant en soi dans une application donnée; il est souple s'il est adaptable à plusieurs situations ou contextes de mesure.

Par exemple, si un instrument n'est utilisable qu'à la condition d'y adjoindre d'autres instruments, on dira qu'il se révèle peu souple ou flexible. Il est donc avantageux de recourir à des instruments qui, tout en étant simples d'emploi, seront efficaces et transposables dans une pluralité de champs d'observation.

6.7 LA VALIDATION DES INSTRUMENTS DE MESURE

Valider un instrument c'est déterminer sa capacité de fournir des mesures compatibles avec les données de l'observation, avec le cadre théorique et conceptuel auquel il est rattaché, et qui soient congruentes avec les principes fondamentaux de la démarche scientifique (particulièrement la réplicabilité et la logique de l'administration de la preuve).

Les figures 6-6 et 6-7 présentent de façon schématique le vocabulaire se rapportant à la validation instrumentale, les épreuves de fidélité d'une part, les épreuves de validité d'autre part, ainsi que les principales procédures utilisées.

DÉNOMINATIONS	MÉTHODES	TECHNIQUES
1. Consistance interne	a. Test parallèle	— corrélation (*r* de Pearson), *gamma*, coefficient d'équivalence
	b. Homogénéité des éléments	— *alpha* de Cronbach, formule 20 de Kuder-Richardson
2. Stabilité	a. Test-retest b. Intra-juges c. Inter-juges	— ANOVA — *W* de Kendall — *Kappa*, Tau_b — corrélation intra-classe
3. Cohérence interne	a. Moitié-moitié (bipartition), b. Pair-impair	— *r* (Spearman-Brown), — *r* (Kuder-Richardson), — *alpha* de Cronbach

Fig. 6-6. Types et méthodes d'estimation de la fidélité.

DÉNOMINATIONS	MÉTHODES	TECHNIQUES
1. Validité de contenu. a) Validité apparente b) Validité logique	- 1a) critère subjectif - 1b) analyse	- 1a) Juges ou experts - 1b) élaboration claire des objectifs
4. Sélectivité des éléments	- analyse d'éléments	- *r* (élément-élément) - *r* (élément-score) - écarts types - analyse factorielle
5. Validité prédictive	- test de rendement ultérieur	- *r* - mesure d'association
6. Validité de construit	- analyse convergente et discriminante	- test *F* (inter-mesures)
7. Validité théorique	- intertest (test c. test-critère)	
8. Validité convergente	- intertest (test c. autre test bien établi)	- *r* - mesures d'association
9. Validité discriminante	- intertest (test c. test mesurant un concept opposé)	- *r* - mesures d'association

Fig. 6-7. Types et méthodes d'estimation de la validité intrinsèque.

DÉNOMINATIONS	MÉTHODES	TECHNIQUES
1. Validité écologique	- réplication à différentes populations	- comparaison quantitative et qualitative
2. Validité temporelle	- réplication (différents moments)	- comparaison quantitative et qualitative
3. Validité culturelle	- réplication (différents contextes socio-culturels	- comparaison quantitative et qualitative
4. Validité méthodologique	- différents dispositifs	- p. ex. comparaison labo c. terrain
5. Validité statistique		- différentes techniques d'analyse quantitative

Fig. 6-8. Types et méthodes d'estimation de la validité externe.

6.7.1 L'ESTIMATION DE LA FIDÉLITÉ

Essentiellement, la fidélité désigne la capacité d'un instrument de fournir une mesure semblable, donc précise, chaque fois qu'il est administré à un échantillon de sujets équivalents dans des conditions d'observation identiques. Mathématiquement parlant, la fidélité désigne la proportion de la variance vraie sur la variance observée (variance vraie + variance due à l'erreur).

Dire qu'un instrument n'est pas fidèle, c'est affirmer que des *erreurs de mesure* se sont introduites d'une façon quelconque dans les résultats. Or, il existe de nombreuses sources de non-fidélité. Les sources de non-fidélité interne peuvent être attribuables à des défauts dans l'instrument ou à des problèmes d'autonomie ou de souplesse. Par exemple, un test conçu spécifiquement pour des adolescents conviendrait mal à des sujets âgés et risquerait de s'avérer peu fidèle. Mais on rencontre également des sources de non-fidélité externe: les procédures d'utilisation et d'administration instrumentales mal expliquées, de mauvaises conditions d'expérimentation (bruit, présence de tierces personnes, etc.), un échantillon trop petit.

Le problème qui retiendra ici notre attention est celui des techniques pour *estimer la fidélité* d'un instrument. Nous examinerons trois aspects de la fidélité: 1) la consistance interne; 2) la stabilité; 3) la cohérence interne.

1. La *consistance interne d'équivalence* d'un instrument peut se mesurer d'après le degré de concordance entre deux formes d'un même test constitué à partir d'éléments différents mais jugés équivalents. Cette méthode est dite des *tests parallèles*. Dans un court intervalle de temps, on administre les deux tests (forme A et forme B) à un même échantillon de sujets afin de mesurer le degré d'équivalence. Le coefficient de corrélation (r de Pearson) fournit une estimation relativement valable de la consistance interne de l'instrument[12]. Plus la corrélation est élevée, meilleure sera la consistance estimée (cf. Gulliksen, 1950; Bernier, 1985:111).

Une seconde méthode est celle de l'*homogénéité des éléments*. Elle s'applique à l'ensemble des énoncés pris deux à deux et sert à estimer jusqu'à quel point ils mesurent adéquatement le même facteur. La formule 20 de Kuder-Richardson est recommandée quand les énoncés sont constitués en réponses dichotomisées.

$$R=\frac{k}{k-1}\cdot(1-\frac{\sum pq}{S_t^2}) \qquad [6.4]$$

où
k = nombre d'énoncés dans l'instrument;
p = proportion de sujets acceptant l'énoncé;
q = proportion de sujets rejetant l'énoncé;
s^2_t = variance des scores globaux.

Mais on utilise le plus souvent le coefficient *alpha* de Cronbach qui convient à tout genre d'instrument (questions, mesures, observateurs), grâce à cette formule:

$$\alpha = \left(\frac{n}{n-1}\right) \cdot \left(\frac{S_t^2 - \sum S_i^2}{S_t^2}\right) \qquad [6.5]$$

où
A = coefficient *alpha*;
n = nombre d'énoncés dans le test;
S^2_t = écart type du test;
Σ = sommation;
S^2_i = écart type d'un énoncé.

Les études de ***fidélité inter-juges*** représentent un cas particulier, la fidélité étant estimée à l'aide du coefficient *alpha* de Cronbach (ou l'analyse de variance) qui est devenu d'un emploi répandu. D'autres procédures sont aussi mises à contribution: le coefficient de concordance W de Kendall lorsque les échelles sont de rang (combiné au X_2 de Friedman), des mesures d'accord tels le *Kappa* de Cohen (classification nominale) ou le tau_b de Kendall (Liebetrau, 1983:53) pour des classifications ordinales (cf. Lefrançois *et al.*, 1992 pour un exemple en gérontologie) et la corrélation intra-classe dans le cas des mesures à intervalle (Bernard & Lapointe, 1987).

2. La *stabilité* d'un test mesure la fidélité d'après la méthode du *test-retest*. Il s'agit de faire subir à deux occasions le même test aux mêmes sujets dans un intervalle plus ou moins long. Si l'intervalle est trop court, l'effet de fatigue et de mémoire risque d'introduire des biais. Par contre, s'il est trop long, on peut soupçonner un effet de maturation. On utilise le coefficient de corrélation (le r de Pearson) ou le coefficient de stabilité (cf. Bernier, 1985:119) dans l'épreuve du test-retest.

Les études de ***fidélité intra-juges*** constituent ici également un cas particulier. Elles établissent des comparaisons intra-observateurs afin de déterminer l'efficacité de l'instrument du point de vue de son administration, de sa stabilité temporelle (r de Pearson). L'analyse de variance (mesures répétées) est le plus souvent utilisée dans ce type de problème.

3. Une troisième approche pour estimer la fidélité est celle de la *cohérence interne*. La technique de la *bipartition* est celle que l'on emploie le plus couramment dans l'épreuve de cohérence interne. On distingue essentiellement deux techniques: 1) celle des *moitiés* (bissection de l'instrument); 2) celle de la répartition des énoncés en deux groupes, *pair et impair*. La méthode consiste à répartir les énoncés d'après leur degré de difficulté, puis à les diviser en deux groupes (moitié-moitié), (pair-impair),

ou encore à les distribuer aléatoirement en deux groupes. Une opération de routine consiste à s'assurer que les distributions soient uniformisées et que les variances soient voisines dans les deux groupes. Plusieurs techniques d'estimation peuvent être employées, dont la formule standard de Kuder-Richardson:

$$r=2\left(1-\frac{(s_a^2+S_b^2)}{S_{a+b}^2}\right) \qquad [6.6]$$

où
S^2 = est la variance;
a = première moitié du test;
b = deuxième moitié du test.

La formule de Spearman-Brown:

$$r=\frac{2r_{ab}}{1+r_{ab}} \qquad [6.7]$$

où
r = fidélité estimée;
r_{ab} = corrélation entre les deux moitiés.

La formule de Spearman-Brown aide à estimer la fidélité de l'échelle globale. En pratique le coefficient *Alpha* de Cronbach est de plus en plus utilisé et remplace ces formules.

6.7.2 L'ESTIMATION DE LA VALIDITÉ

Un instrument est valide s'il fournit une appréciation réelle et adéquate de la notion qu'il est censé mesurer. La validité interpelle toujours le chercheur dont la tâche est de prouver ses conclusions ou de justifier ses résultats. La validité est un champ très vaste, difficile à circonscrire sur le plan méthodologique, et qui donne lieu à diverses interprétations. On distingue habituellement, tel que mentionné précédemment, la validité intrinsèque (interne) de la validité externe. Encore là, les auteurs ne s'accordent pas sur les éléments taxinomiques entourant cette classification. Règle générale, la validité externe signifie l'estimation de la *généralisabilité*, c'est-à-dire la capacité de transposer les résultats obtenus d'un échantillon à l'ensemble de la population d'où il a été prélevé. La validité intrinsèque par contre a trait à la relation entre le contenu de l'instrument et le concept représenté. Il existe plusieurs types de validité intrinsèque: 1) la validité de

C'est par souci de commodité que nous présentons en bloc cette section sur la validité, renvoyant le lecteur à l'index pour découvrir, à l'intérieur des chapitres où cette notion est traitée, les éléments de réponse à ses interrogations. Nous sommes conscient que cette notion un peu galvaudée est utilisée à tort et à travers dans l'évaluation critique d'une recherche. La validité recouvre en fait plusieurs problèmes de nature différente et déborde même le champ des instruments d'observation. Nous tenterons cependant, dans ce bref exposé, de donner un aperçu de ces types de validité dans l'optique plus pointue de la validation des instruments.

6.7.2.1 L'estimation de la validité intrinsèque

Un premier type est qualifié de *validité de contenu*. Celle-ci se mesure d'après le degré de représentativité des énoncés sélectionnés en regard du concept représenté. On recourt le plus souvent à un critère extérieur subjectif, un juge ou un expert habituellement, afin d'attester la pertinence des énoncés choisis (Martuza, 1977). Bernier (1985) distingue la *validité apparente* appréciée par le jugement d'un expert, de la *validité logique* ou d'échantillon, déterminée par une élaboration claire des objectifs et du domaine à mesurer.

L'autre approche reliée à la validité de contenu touche à la *sélectivité des éléments*. Cette procédure intervient lors de la fabrication de l'instrument en tant que tel. Il existe plusieurs techniques pour estimer si un élément (énoncé) est valide. La première est le croisement élément-élément qui fournit une série de coefficients de corrélation servant à détecter les éléments qui corrèlent faiblement. Si un tel cas se produit (corrélation faible et généralisée pour un élément), on est en droit de soupçonner que l'élément en question mesure autre chose que le concept représenté, ou que l'on est en présence de plusieurs facteurs ou dimensions.

L'analyse des écarts types est une autre technique dont le but est de départager les éléments discriminants des éléments peu discriminants. La technique de la corrélation entre chaque élément et le score total est aussi utilisée. La corrélation point-bisériale entre un élément *A* et le score total constitué des autres éléments est proposée par Bernier (1985:248). Enfin, on recourt de plus en plus à l'analyse factorielle (*validité factorielle*) dans l'espoir d'identifier des ensembles ou des familles de facteurs et de déceler les éléments n'appartenant pas à des facteurs.

Le second type se rapporte à la *validité théorique*. Une première technique dite *inter-test* vise la comparaison entre le résultat du test à évaluer et un test-critère reconnu. Si la corrélation est élevée entre les deux tests, le chercheur sera amené à reconnaître que son test mesure bien le concept sous-jacent. Cette approche fournit un indice de *validité congruente* ou de *validité convergente* (on dit aussi validité concomitante). À l'inverse, quand on compare le résultat d'un test avec celui censé mesurer un concept opposé, on a un indice de *validité discriminante* (ou validité de différenciation) qui doit fournir en principe un coefficient de corrélation négatif d'une magnitude élevée. En général, on cherche à établir la preuve que l'instrument ne mesure que le concept sous-jacent, indépendamment des autres variables susceptibles d'intervenir. La validité convergente et la validité discriminante peuvent être étudiées dans une seule et même démarche, dite *analyse multitraits-multiméthodes* (Smith & Glass, 1987), les construits des deux concepts sous-jacents étant mesurés à l'aide de quelques indicateurs.

La *validité prédictive* est une autre façon d'apprécier la validité d'un test. Le principe est le suivant: on compare le résultat d'un test avec un résultat ou un rendement qu'obtient le sujet à une date ultérieure. Par exemple, on comparera le résultat obtenu à un test d'admission d'un étudiant en gérontologie avec son rendement académique en cours de formation. La performance agit en quelque sorte comme une «preuve» indirecte de la validité du test administré au moment de l'admission.

La *validité de construit* ou *validité d'indicateur* est précisément reliée au problème qui nous a préoccupé jusqu'ici, soit celui de la construction des échelles de mesure où le concept à mesurer n'est pas observable directement, mais par l'entremise d'une série d'indicateurs. La validité de construit fournit une appréciation de la dépendance entre l'instrument et le modèle théorique d'où il émane. Le plus souvent, on cherche à établir la corrélation entre les éléments constituant une dimension du construit et les éléments d'une autre dimension définissant ce même construit. Pour attester la validité d'un construit, il est souvent nécessaire de se fonder sur les résultats de plusieurs analyses inférentielles utilisant la même procédure opérationnelle.

Un exemple d'une étude de validité de construit nous est fourni dans l'article de Stock et Okun (1982) portant sur la validation des échelles sur la satisfaction dans la vie. Pour estimer la validité de construits, les auteurs effectuent plusieurs analyses: étude de validité discriminante (cf. échelle de consommation d'alcool c. échelle de satisfaction dans la vie), étude de validité convergente (impliquant diverses mesures de qualité de vie, de satisfaction dans la vie), étude de fidélité de consistance interne et finalement, des comparaisons inter-groupes (groupe d'individus rapportant un handicap c. groupe ne rapportant pas de handicap) au moyen de l'analyse de variance multivariée (test *F* de Roy-Bargman) afin de mesurer la redondance de certaines échelles de mesure.

6.7.2.2 L'estimation de la validité externe

Nous nous sommes penché sur cet aspect de la validité dans le chapitre sur les stratégies d'acquisition. Or, expliquent Brinberg et McGrath (1985:128), la validité externe n'intéresse pas uniquement la généralisation des résultats d'un test, mais aussi sa *robustesse*.

La capacité d'un instrument de reproduire ou d'engendrer des résultats comparables dans des études réplicatives apporte, jusqu'à un certain degré, une indication précieuse sur la validité externe. Ainsi l'incertitude à propos d'un instrument sera considérablement réduite, lorsque celui-ci produira des résultats constants à partir de différents échantillons (*validité écologique*) (Brunswick, 1947), à différentes époques (*validité temporelle*) ou dans différents contextes socioculturels (*validité culturelle*).

Identiquement, l'incapacité d'un instrument de reproduire, lors d'expérimentations en laboratoire, des résultats qui soient comparables à ceux obtenus au cours d'expérimentations-terrain, crée un problème touchant la *validité méthodologique*. Certains auteurs, dont Matalon (1988:24), distinguent également la *validité statistique* qui porte sur l'adéquation entre le dispositif de recherche et le problème de recherche.

NOTES:

(1) On retrouve, selon Hempel, cette conception dans la pensée classique en science naturelle notamment (P.W. Bridgman, (1927), *The Logic of Modern Physics*, New York: Macmillan). Ainsi ces deux affirmations de Hempel (1972:138-139): «L'idée centrale de l'opérationnalisme est que la signification de chaque terme scientifique doit pouvoir être déterminée en spécifiant une opération de vérification bien définie qui lui fournit un critère d'application. (...) Le propre des définitions opératoires est alors de fournir des règles pour effectuer des mesures.»

(2) Les coefficients de corrélation partielle mesurent la magnitude de la relation entre deux variables lorsque les autres facteurs sont maintenus constants.

(3) On utilise aussi l'expression d'hypothèse mathématique. Par exemple, une hypothèse à une seule variable telle que: «La plupart des personnes âgées pratiquent une religion.» Pour vérifier cette hypothèse, on doit pouvoir observer un taux de participation égal ou supérieur à 50 % chez les sujets âgés.

(4) Une variable est dichotomique lorsqu'elle comprend deux valeurs. On dit qu'elle est trichotomique si elle possède trois valeurs, et polytomique lorsqu'elle comporte plus de trois valeurs.

(5) On peut concevoir des situations plus complexes. Ainsi: «Les personnes mariées devenues veuves ont développé un plus grand sentiment de solitude que les veufs remariés», soit: $X_{mv(vm)} \longrightarrow \uparrow Y$.

(6) Pour obtenir des classes égales, on détermine d'abord l'étendue de l'échelle, soit dans l'exemple 5 à 25, c.-à-d. 21 scores (25-5+1).
On peut donc créer des intervalles égaux de trois ou de sept classes (3 classes de 7 points ou 7 classes de 3 points). L'autre solution consiste à construire des classes égales, de préférence en nombre impair, à l'exception de la classe centrale. Ainsi on aura par exemple les cinq classes suivantes:
1 = très faible participation (entre 5 et 8 points): intervalle = 4;
2 = faible participation (entre 9 et 12 points): intervalle = 4;
3 = participation moyenne (entre 13 et 17 points): intervalle = 5;
4 = participation forte (entre 18 et 21 points): intervalle = 4;
5 = participation très forte (entre 22 et 25 points): intervalle = 4.

(7) Les erreurs de précision sont le plus souvent attribuables à des défauts de mesure ou au mauvais fonctionnement de l'instrument de mesure (mauvais calibrage, confection de l'instrument ne respectant pas le critère-étalon).

(8) Il existe plusieurs autres types d'échelle: échelle comparative, échelle de rang, échelle numérique, etc.

(9) Cette règle est cependant contestée par certains qui affirment que, dans certaines situations, de longs énoncés permettent au répondant de mieux nuancer sa pensée ou de répondre de manière plus adéquate.

(10) Il faut éviter en particulier les énoncés contenant deux idées différentes ainsi que les doubles questions.

(11) Le terme de *validité intrinsèque* est moins usuel, mais il a été préféré ici pour le démarquer de celui de *validité interne* vu au chapitre 4.

(12) On interprète le *r* de Pearson directement, sans l'élever au carré. Par exemple, un coefficient de fidélité de $r = 0{,}80$ dénote une variance systématique de 80 % et un pourcentage d'erreur de 20 % (Bausell, 1986:181).

PARTIE IV

LES STRATÉGIES D'OBSERVATION

CHAPITRE 7

LES MÉTHODES D'ÉCHANTILLONNAGE

7.1 INTRODUCTION

Dans ce chapitre, nous étudierons les trois composantes maîtresses d'une stratégie d'observation. Par stratégie d'observation, il faut entendre un plan articulé d'opérations réunissant les méthodes et les techniques de collecte des données. Dans une première section, nous examinerons les *critères et exigences de l'observation*, puis les *constituants du cadre de référence*, pour enfin conclure avec les *méthodes d'observation* en tant que telles. Pour éviter de donner un caractère trop technique à ce chapitre, nous nous en tiendrons aux éléments principaux, en tâchant de souligner les particularités plus spécifiques à la gérontologie. Le lecteur intéressé à approfondir les aspects que nous ne pourrons qu'effleurer consultera avec profit les ouvrages cités dans ce chapitre.

7.2 PRINCIPAUX CRITÈRES ET CONTRAINTES DE L'OBSERVATION

L'adoption d'une stratégie d'observation commande une analyse approfondie des exigences épistémiques de l'étude, des règles conduisant à la rigueur méthodologique et des contraintes multiples qui risquent d'affecter le processus de la collecte des données. Par conséquent, avant de soumettre ses interrogations aux faits de l'expérience, le chercheur veillera à disséquer puis à scruter à fond ces limites et impératifs. Il s'agit donc, à cette étape-ci, de sélectionner parmi les nombreux scénarios d'observation celui qui regroupe les méthodes les plus appropriées pour les fins envisagées.

Mais que faut-il entendre par observation ? Pour reprendre l'idée de Tremblay (1968:287), l'observation signifie que le chercheur déploie un effort systématique pour enregistrer le plus fidèlement possible les faits qu'il voit et entend dans un contexte situationnel prédéterminé, pour autant que ceux-ci soient directement concernés par la proposition de recherche. L'observation est donc une étape incontournable dans toute recherche empirique. C'est grâce à elle si le chercheur peut réunir toutes les données nécessaires à l'atteinte de ses objectifs.

Or, ce n'est que lorsqu'elle s'inscrit dans le cadre d'une stratégie découlant de principes méthodologiques bien établis, que l'observation est admissible au rang de recherche scientifique. En fait, quatre conditions essentielles doivent être satisfaites pour qu'une démarche d'observation puisse être qualifiée de scientifique:

1. Elle doit servir à un objectif de recherche clairement énoncé;
2. Elle doit faire l'objet d'un plan systématique;
3. L'information doit être enregistrée méthodiquement;
4. Elle doit être reliée à des propositions générales et non à un ensemble de curiosités.

L'observation scientifique requiert l'élaboration d'une stratégie portant sur quatre plans principaux:

1. La situation générale d'observation: a) le contexte de l'étude en termes d'espace-temps; b) le choix du site d'observation, soit le laboratoire ou le terrain;
2. La nature et l'étendue des informations à recueillir;
3. La définition des unités ou encore du groupe (ou des groupes) d'observation, soit essentiellement le choix entre une population et un échantillon;
4. La méthode de collecte de données en tant que telle, dont particulièrement le choix entre les méthodes directes et les méthodes indirectes.

Dans ce chapitre, nous discuterons surtout les points 3 et 4 qui sont au coeur de notre propos sur les stratégies d'observation, les autres points découlant de décisions normalement prises au moment de l'élaboration de la problématique et lors du choix d'une stratégie d'acquisition.

Mais avant d'aborder plus à fond ces diverses stratégies, examinons les paramètres à évaluer en vue de fixer un choix sur une stratégie d'observation. Le lecteur notera que ces éléments sont souvent imbriqués, ce qui complique le travail de sélection d'une stratégie d'observation.

7.2.1 LA NATURE DES INFORMATIONS À COLLECTER

Selon les objectifs à atteindre, les données à recueillir peuvent être de nature simple ou complexe. Habituellement, les dispositifs comme les sondages s'intéressent à des données factuelles se rapportant à des expériences récemment vécues ou aux connaissances des répondants. Ce type de recherche convoite le plus souvent des méthodes de collecte de données relativement souples et peu sophistiquées.

Mais lorsque l'étude se penche sur des attitudes ou quand elle fait appel à des schèmes de valeurs controversés, des techniques instrumentales plus élaborées devront être envisagées. La profondeur de l'introspection, la quantité d'informations à réunir, la nature même des données, leur caractère plus ou moins délicat, sont autant d'aspects déterminants qui doivent être soigneusement jaugés dans le choix d'une stratégie d'observation.

7.2.2 LA COMPOSITION DES UNITÉS D'OBSERVATION

Si l'étude porte uniquement sur du matériel documentaire (données consignées dans des dossiers ou dans des registres quelconques), il faut s'appliquer à répertorier le plus fidèlement possible les constituants de l'aire d'observation pour mieux le délimiter au regard des fins poursuivies. Par contre, lorsqu'il s'agit de centrer l'observation sur des individus, on doit veiller à bien identifier le ou les groupes cibles de même que la *population cible* de référence.

Finalement, s'il est prévu de généraliser à toute la population les conclusions tirées de l'analyse, le choix d'une procédure d'échantillonnage appropriée à la situation d'étude doit faire l'objet d'une évaluation minutieuse. Tout ce qui est susceptible de gêner la composition ou la taille de l'échantillon, le recrutement des sujets — soit les éventuels problèmes de repérage ou de prise de contact —, le degré de collaboration anticipé de la part des répondants, constitue autant d'aspects à soupeser.

Le problème de la composition des unités d'observation se pose de façon aiguë lorsqu'un *recrutement progressif* des sujets est à envisager, soit: a) quand le repérage des cas est difficile ou ne peut se réaliser que progressivement; b) quand il s'agit de populations rares (il faut attendre que les «cas se produisent»). L'échantillonnage progressif soulève indiscutablement des problèmes méthodologiques particuliers (Sudman, 1976).

7.2.3 LA PRÉCISION RECHERCHÉE

Selon l'objectif de connaissance requis, l'étude nécessitera un échantillon de taille plus ou moins restreinte, ou l'élaboration de techniques de collecte de données plus finement construites. Dans les dispositifs d'exploration par exemple, la taille de l'échantillon importe habituellement moins que le nombre de traits à mesurer ou l'approfondissement de certains d'entre eux.

Mais dans les dispositifs expérimentaux où la taille des groupes est souvent réduite, tout comme le nombre de variables, l'importance de l'exactitude des mesures est prépondérante. Dans un cas comme dans l'autre, un choix judicieux s'impose quant aux stratégies d'observation à mettre en place.

Les critères justifiant l'emploi des procédures statistiques sont aussi à prendre en considération et à prévoir. Enfin, le degré de précision exigé par le commanditaire ou par le chercheur aura une incidence marquante sur le choix d'une stratégie d'observation.

7.2.4 LE FACTEUR COÛT

Le facteur coût est toujours un élément crucial dans le choix d'une stratégie d'observation. En fait, la précision recherchée est directement tributaire des ressources monétaires dont bénéficie le chercheur, puisque ce sont elles qui déterminent l'ampleur de l'observation, c'est-à-dire la taille de l'échantillon et le nombre d'instruments utilisés.

Si les ressources financières sont minces, le chercheur ne pourra guère espérer mieux que de restreindre ses objectifs, ce qui l'incitera à mieux circonscrire son champ d'observation et à tirer profit au maximum des moyens dont il dispose.

Telle se présente souvent la situation des étudiants universitaires en rédaction de mémoire. Dans les programmes universitaires de deuxième cycle, le conseiller principal attend le plus souvent de l'étudiant qu'il démontre sa «maîtrise» des outils de recherche et qu'il fasse preuve d'une vigilance critique dans l'emploi des stratégies.

Comme le postulant à un grade universitaire ne dispose habituellement pas de ressources comparables à celles d'un chercheur subventionné, la plupart du temps on n'exigera pas qu'il s'engage dans un travail de longue haleine nécessitant un grand échantillon.

7.2.5 LE FACTEUR TEMPS

Le temps nécessaire pour réaliser un projet exerce aussi une influence considérable sur le choix des instruments. Le facteur temps intervient dans de multiples situations de recherche: la plupart des études longitudinales, les études intensives comportant de nombreuses opérations de dépouillement et d'analyse, les recherches impliquant des contre-vérifications ou de fréquents retours sur le terrain, les études évaluatives formatives, bref là où le processus même de la collecte de données (cas des échantillons progressifs et des collectes de données en cascade) demeure imprévisible ou difficilement planifiable.

Dans les enquêtes répétées de type «panel» par exemple, il faut veiller à ce que le choix des instruments assure une grande fidélité des résultats et occasionne le moins de mortalité «échantillonnale» possible. L'élément temps intervient également lorsqu'il s'agit de sélectionner une stratégie de recrutement des sujets qui maximise les chances de succès sur le plan de la participation.

Autre situation: lorsqu'un faible taux de participation ou de réponse à un questionnaire est à prévoir, on doit s'efforcer d'en mesurer les conséquences en évaluant le temps nécessaire pour enclencher une procédure de relance ou encore procéder au tirage d'un échantillon de remplacement.

Le temps s'exprime bien sûr en coût. Il est primordial de prévoir l'incidence de l'élément temps sur l'ensemble des ressources affectées aux différentes opérations de recherche. Par exemple, les entrevues ouvertes ou celles en profondeur exigent une plus grande disponibilité de la part des interviewers et des sujets eux-mêmes, d'où la nécessité de prévoir des visites répétées au domicile des répondants et de nombreuses heures à consacrer au dépouillement et à l'analyse des données.

7.2.6 LA DISPONIBILITÉ DES DONNÉES

La disponibilité et l'accessibilité des données sont des aspects souvent négligés dans la planification d'une recherche. Souvent, ce n'est qu'au moment où il met le pied sur le terrain que le chercheur prend conscience de l'ampleur des obstacles à surmonter pour rassembler les données pertinentes à son étude. La non-disponibilité de certaines données l'incitera soit à recentrer son étude, soit à multiplier les démarches pour obtenir le matériel documentaire manquant, soit à examiner des solutions de rechange ou, ultimement, à abandonner le projet.

L'élément disponibilité des données renvoie également à la difficulté d'acquérir les autorisations ouvrant l'accès à certains dossiers. Cette difficulté occasionne souvent des délais (facteur temps) qui, en s'accumulant, rendent difficile le respect de l'échéancier. La tentation est alors forte de bousculer des étapes et de négliger certaines opérations prévues.

7.2.7 LES CONSIDÉRATIONS ÉTHIQUES

Des difficultés d'ordre déontologique sont fréquemment sujettes à freiner l'ardeur de l'investigateur, dans les dispositifs expérimentaux surtout.

En effet, pour ne pas causer de préjudices ou de torts (physiques ou psychologiques) à certains sujets (ou aux institutions), le chercheur se fera un devoir d'obtenir leur *consentement libre et éclairé*, de garantir l'*innocuité*, de préserver l'*anonymat* ou la *confidentialité*.

Si ces conditions ne peuvent être réunies, des solutions de remplacement devront être envisagées. On modifiera par exemple les critères d'admissibilité, on réduira la taille des groupes, on renoncera à constituer un groupe témoin, ou plus directement, on abandonnera certaines techniques de collecte de données ou encore on retranchera certains thèmes ou questions prévues.

Parallèlement, l'*indemnisation* et la *rémunération* (ou toute autre forme de gratification) des sujets seront ouvertement annoncées. Il est donc prudent, avant même de se présenter sur le terrain, d'amorcer les démarches pour obtenir d'un *comité d'éthique* les approbations requises, et les lettres de consentement des sujets.

Bref, chaque fois que des problèmes d'ordre éthique sont en cause, la stratégie globale de l'observation doit en tenir compte au moment des choix méthodologiques.

7.2.8 LES RESSOURCES HUMAINES

Un dernier élément à inscrire dans la sélection d'une stratégie d'observation concerne la présence et la qualité des ressources humaines. Par ressources humaines, nous entendons le personnel habituellement affecté aux différentes phases des opérations de recherche: chercheur principal, auxiliaires de recherche, interviewers, codificateurs, consultants, personnel de soutien technique ou de secrétariat.

Si le personnel technique devait faire défaut, des activités de recrutement, de sélection et de formation de personnel devraient figurer au programme, ce qui consomme du temps et des énergies. L'absence d'expertise ou du moins de personnel de recherche suffisamment qualifié, par exemple dans la conduite des entretiens, pourrait même inciter le chercheur à modifier sa stratégie d'observation ou à restreindre ses objectifs.

7.3 LES CONSTITUANTS DU CADRE DE RÉFÉRENCE

Étudions en premier lieu la démarche conduisant au choix des unités d'observation, en insistant surtout sur les procédures d'échantillonnage. La figure 7-1 en résume les différentes étapes.

Le *cadre de référence empirique* est aux données de l'observation ce que le *cadre de référence théorique* est aux concepts. Il englobe l'ensemble des phénomènes circonscrits dans la réalité observée, phénomènes que le chercheur considère comme faisant partie de sa population cible.

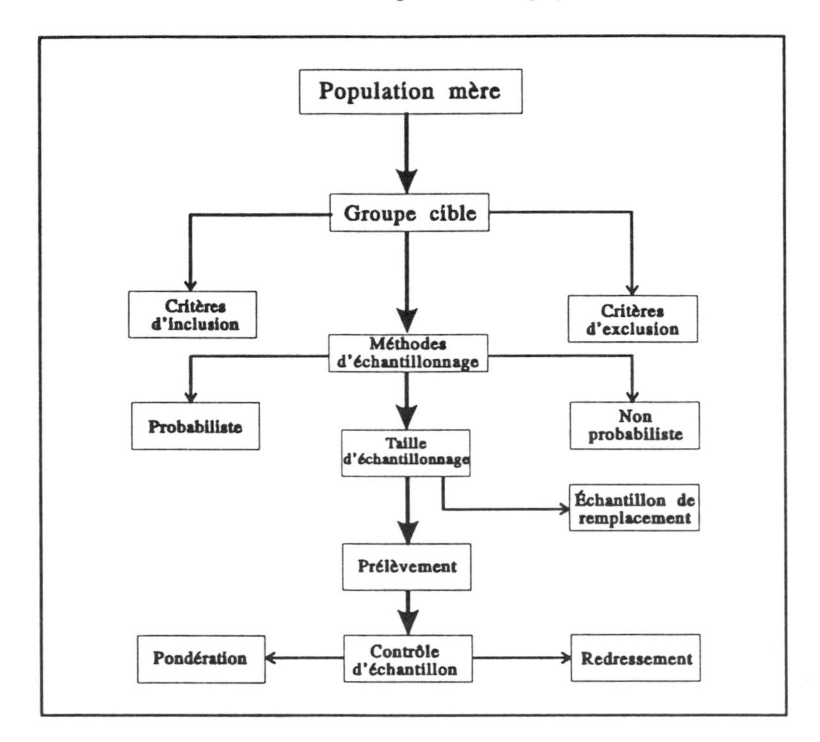

Fig. 7-1. Élaboration d'un plan d'échantillonnage.

7.3.1 LE CHAMP D'OBSERVATION

Or, à l'instar des schèmes théoriques, le cadre de référence empirique doit être construit pour que puisse s'exercer le travail de l'observation. Définissons en premier lieu le champ d'observation. Le *champ d'observation* est le cadre spatio-temporel dans lequel la recherche est censée se dérouler. Les frontières de ce cadre référentiel sont habituellement esquissées dès l'étape de l'élaboration de la problématique et lors du choix du dispositif de recherche.

Par exemple, un chercheur entreprenant une étude sur les conflits de rôles intergénérationnels dans la famille devra se forger une idée sommaire du type d'information à réunir et décider où se procurer ces renseignements, en interrogeant notamment différents membres de plusieurs familles. Il est donc important de planifier l'opération de construction du cadre d'observation en fonction de celui de l'analyse. Ainsi, choisir entre l'étude de sujets non appariés (homme et femmes) ou l'étude de dyades (des couples) conduit à un cadre d'observation et d'analyse distinct. Le lecteur consultera à ce propos l'étude de Stull (1988) sur les prédicteurs de bien-être, où l'approche dyadique s'est avérée utile.

Une fois l'observation orientée et engagée, les retours en arrière sont impossibles sinon très coûteux, d'où l'importance d'accorder toute son attention à cette opération de recherche. On définira donc soigneusement le *milieu* dans lequel les informations seront puisées, milieu qui servira de cadre référentiel pour les besoins de l'étude; il peut s'agir d'un cadre de vie naturel suivant une aire géographique ou administrative quelconque (p. ex. paroisse, quartier, municipalité, région) ou d'un cadre de vie institutionnel, familial ou occupationnel; il peut aussi s'agir d'un milieu social, défini par exemple selon la classe sociale d'appartenance ou selon une organisation regroupant des individus partageant des intérêts ou des engagements communs. Le milieu social désigne tout aussi bien un groupe, un couple, un réseau de relations quelconque ou un service (unité de soin gériatrique par exemple).

En définitive, il appartiendra à l'investigateur de déterminer si ce milieu est représentatif ou non de l'ensemble de la population et dans quelles conditions le processus de la généralisation pourra être mis en branle.

D'autre part, le champ d'observation est aussi à délimiter dans une *perspective temporelle*. Pour tenir compte de phénomènes évolutifs, par exemple le changement ou l'apprentissage, on prendra soin de baliser l'étude en fonction d'une période d'observation prédéfinie. Les études longitudinales exigent bien entendu cette précision. On se souciera également de la perspective temporelle pour bâtir un plan d'échantillonnage qui tienne compte de la déperdition des effectifs lors des enquêtes répétées. Le lecteur consultera l'article de Forbes *et al.* (1989) qui discute de ce problème et de celui du maintien de la représentativité dans une étude longitudinale ontarienne.

Le champ d'observation se définit d'après les *unités d'observation ou unités statistiques* de l'analyse. Les unités statistiques englobent les éléments de l'univers d'enquête susceptibles de figurer dans l'échantillon global[1]. Ce sont les «informateurs», sujets humains ou classes d'objets (couples, familles, institutions), constituant la cible privilégiée du chercheur dans la poursuite de ses objectifs. Les informations brutes ou de première main, ou celles reconstituées *a posteriori*, forment donc le matériau premier de l'observation scientifique. Dans la recherche sociale, nous disposons donc de deux sources principales d'information:

1. Des personnes ou des groupes (couples, familles) que l'on sollicite pour participer à une étude;

2. Du matériel documentaire se rapportant à des institutions, des groupements ou des caractéristiques de population.

Dans un cas comme dans l'autre se pose dès le départ la question des critères de choix et de sélection des unités d'observation.

S'agissant par exemple d'une enquête sur les conditions d'habitation des personnes de plus de 65 ans, les questions suivantes seront soulevées:

1. La recherche s'effectuera-t-elle auprès d'un échantillon de sujets âgés, d'un groupe d'experts en la matière ou à partir de renseignements obtenus dans diverses sources documentaires (données de Statistique Canada, par exemple) ?

Il échoira ensuite au chercheur de circonscrire plus clairement son aire d'observation.

2. Entreprendra-t-il l'étude à l'échelle nationale, provinciale ou locale ? S'intéressera-t-il à un ou à des groupes d'individus en particulier ?
3. L'étude s'appliquera-t-elle à une population ou à un échantillon ?
4. Dans cette dernière éventualité, de nouvelles interrogations surgiront: quelle sera la taille de l'échantillon et comment procédera-t-on au choix des unités d'observation ?

Voilà autant d'interrogations qui méritent ici notre attention. Pour simplifier l'exposé, nous envisagerons les situations plus fréquentes en gérontologie où la recherche est orientée vers l'observation des individus. Ainsi, les enquêtes sociales, les études de cas multiples, les recherches cliniques et les expérimentations contrôlées procèdent le plus souvent à partir de l'observation de groupes d'individus.

Les points suivants sont à examiner:

— La définition de la population mère et d'un groupe cible;
— Les critères d'inclusion et d'exclusion;
— La méthode d'échantillonnage;
— La taille de l'échantillon;
— Le contrôle de l'échantillon.

7.3.2 LA DÉFINITION DE LA POPULATION MÈRE ET D'UN GROUPE CIBLE

La *population cible* englobe l'ensemble des individus répondant aux critères généraux spécifiés dans l'étude et qui font partie de l'univers d'enquête; ce sont donc ceux à qui s'applique en principe la proposition de recherche et à qui s'adresse la généralisation des résultats[2]. La *population mère* ou *population observée* (Satin & Shastry, 1983) par contre désigne l'ensemble des individus jugés admissibles pour faire partie de l'échantillon. On comprendra facilement qu'il est impératif à ce stade-ci de fournir une description complète et adéquate de la catégorie d'individus composant cette population. Le *groupe cible* correspond enfin aux unités statistiques ou d'analyse choisies pour participer à l'étude (échantillon théorique).

L'importance de bien identifier la population mère doit être soulignée. Souvent, la connaissance de certains *paramètres* pertinents caractérisant la population (p. ex. moyenne d'âge avec l'écart type, distribution par sexe) aide à déterminer le degré de représentativité de l'échantillon. En outre, ces mêmes paramètres servent à fixer la taille de l'échantillon comme nous l'expliquerons plus loin.

Lorsque la population de référence ou *univers d'enquête* est vaste, il est d'usage de restreindre la taille d'échantillonnage, en prenant soin de sélectionner de préférence des individus représentatifs de cette population. Nous savons que seuls les organismes en mesure d'effectuer des *recensements* peuvent prétendre décrire les traits d'une grande population. L'échantillonnage est donc une stratégie utilisée fréquemment dans la recherche empirique.

Mais une population peut être définie de manière plus pointue. Ainsi, un centre d'accueil et d'hébergement pour personnes âgées est un univers relativement fermé, puisque circonscrit spatialement, de sorte qu'il est concevable de mener une étude, de type monographique par exemple, auprès de toute la population. Par conséquent, lorsqu'on est en présence d'une *population captive* (c.-à-d. confinée spatialement et non recluse), on peut, sous certaines conditions, espérer obtenir un tableau très fidèle ou représentatif de la situation, comparativement aux études réalisées à partir d'un échantillon.

Dans les dispositifs expérimentaux ou quasi expérimentaux et les études de cas témoins, il est souvent nécessaire d'identifier deux groupes cibles, l'un devant être affecté au groupe témoin, l'autre au groupe expérimental. Or, il arrive parfois que les deux groupes en question ne soient pas composés d'individus présentant des traits homogènes à tous égards. Par exemple, dans une étude de cas témoin, on identifiera deux groupes de patients ayant reçu le même diagnostic, l'un présentant certains symptômes de la maladie, l'autre manifestant d'autres symptômes.

Bien qu'il appartienne ultimement au chercheur de décider si l'étude doit être réalisée auprès d'une population restreinte ou auprès d'un échantillon, ce choix est évidemment fonction de plusieurs éléments, dont ceux énumérés dans la section précédente (facteur coût, facteur temps, etc.). En outre, ce choix dépend de la situation d'étude, des obstacles appréhendés mais surtout des objectifs poursuivis et du dispositif choisi.

7.3.3 LES CRITÈRES D'INCLUSION ET D'EXCLUSION

Nous sommes maintenant en mesure de définir la population mère. En supposant que l'observation d'un échantillon soit retenue, il faut ensuite décider sur quelle base les sujets seront sélectionnés. Dans un premier temps, les critères d'inclusion seront spécifiés. Par critère d'inclusion il faut entendre les conditions (nécessaires ou suffisantes) d'acceptation des sujets pour les besoins de l'expérience ou de l'observation. Quelles doivent être leurs caractéristiques essentielles pour qu'ils soient admissibles à l'étude ? À quel titre seront-ils choisis ? Les critères seront nécessairement définis en fonction de l'objet et des variables à l'étude.

S'agissant par exemple d'explorer la solitude des personnes âgées, on préférera éventuellement recruter des sujets veufs, âgés de 65 ans et plus et résidant dans un centre d'accueil depuis plus de 5 ans.

Dans un deuxième temps, seront spécifiés, si nécessaire, des critères d'exclusion. Ces critères seront soit des traits jugés non pertinents, soit des conditions en regard de la conduite de la recherche, soit enfin des éléments non significatifs du point de vue des objectifs poursuivis. Par exemple, on pourrait décider d'écarter systématiquement tous les individus répondant aux caractéristiques suivantes:

1. Les personnes incapables de s'exprimer dans la langue utilisée par les enquêteurs;
2. Les personnes non lucides;
3. Les sujets à risque (p. ex. suicidaires, psychotiques);
4. Les sujets recevant d'autres traitements pendant l'expérimentation;
5. Les sujets qui, pour des raisons de santé par exemple (p. ex. hémiplégie), seraient jugées inaptes à subir les tests.

Le fait d'exclure certains sujets risque cependant de saper la validité externe, surtout s'ils sont nombreux ou qu'ils forment un sous-groupe bien particulier. L'extrême prudence est donc requise à ce chapitre. Nous n'insisterons jamais assez sur la nécessité de rapporter fidèlement, comme il se doit, ces cas d'exclusion et d'en faire mention explicitement dans la présentation des résultats de l'analyse des données.

Une étude évaluative mesurant les effets du tourisme sur l'état de santé de sujets âgés dépendants illustrera notre propos. L'association caritative «Les petits Frères des Pauvres» organisa en 1987 une croisière de sept jours sur les canaux hollandais au profit de personnes âgées dépendantes. Les critères d'inclusion étaient: 1) être une personne dépendante; 2) avoir donné son accord; 3) ne pas avoir bénéficié de sortie de l'institution dans l'année. Étaient exclues les personnes répondant aux traits suivants: 1) celles en très mauvaise santé; 2) celles dont les soins étaient non envisageables sur le bateau; 3) celles dont le comportement était incompatible avec la vie sociale (Favre-Berrone *et al.*, 1990).

Il est à noter qu'à partir du moment où l'on sélectionne des sujets dans l'espoir d'uniformiser les comparaisons, certaines variables clés deviennent par le fait même contrôlables directement. Il s'agit en quelque sorte d'un procédé permettant de les fixer.

Cependant, l'*homogénéisation des groupes* d'étude se présente comme une arme à deux tranchants: elle contribue effectivement à maintenir constantes certaines variables, réduisant par le fait même les contaminations lors de l'analyse. En revanche, elle réduit les possibilités de généralisation, certains individus étant exclus d'emblée.

7.3.4 LES MÉTHODES D'ÉCHANTILLONNAGE

Dans cette section, nous passerons en revue les différentes méthodes et techniques d'échantillonnage utilisées dans la recherche. Définissons d'abord la notion d'échantillonnage. L'échantillonnage est un processus de sélection d'un nombre relativement restreint d'unités à partir d'une population mère, de telle sorte que les conclusions tirées de l'analyse de ces unités puissent être généralisables à la population ou à l'univers d'enquête qu'elles sont censées représenter. La figure 7-2 classe les 10 principales méthodes d'échantillonnage en deux colonnes, celle de gauche regroupant les méthodes probabilistes (ou aléatoires), celle de gauche les méthodes dites non probabilistes (ou empiriques).

7.3.4.1 Les méthodes probabilistes

Une méthode d'échantillonnage est qualifiée de probabiliste lorsque chaque unité de la population mère est sélectionnée selon un procédé aléatoire et a la même chance d'être choisie que toutes les autres unités. Ici, c'est le jeu du hasard (la loi des probabilités) qui détermine quelle unité fera partie de l'échantillon. Plusieurs méthodes et techniques d'échantillonnage de type probabiliste ont été développées et certaines d'entre elles peuvent même être utilisées conjointement.

MÉTHODES PROBABILISTES		MÉTHODES NON PROBABILISTES	
1.	Aléatoire simple	1.	Accidentelle
2.	Systématique	2.	De sujets volontaires
3.	Stratifiée	3.	Par choix raisonné
4.	Par grappes (avec phases)	4.	Quota
5.	Aréolaire (et par itinéraire)	5.	Progressive

Fig. 7-2. Principales méthodes d'échantillonnage.

— *La méthode aléatoire simple*

La méthode aléatoire simple consiste à choisir au hasard, selon diverses procédures, les unités répertoriées. Par exemple, on dépose dans une urne une fiche type sur laquelle figure le nom de chacune des personnes âgées inscrites dans un centre de jour ($n = 100$). On pige ensuite au hasard n noms d'individus (par exemple 30 sujets). C'est le principe de la loterie.

Une autre technique consiste à utiliser une table de nombres au hasard (Rand Corporation, 1955). Cette procédure suppose que chaque individu ait été préalablement identifié par un numéro matricule quelconque. Les tables de nombres au hasard contiennent des séries numériques spécialement conçues et testées pour assurer que tous les nombres possèdent la même chance d'être tirés au sort.

La figure 7-3 présente une portion d'une table type de nombres au hasard.

67	28	96	25	68	36	24	72	03	85	49	24
85	86	94	78	32	59	51	82	86	43	73	84
40	10	60	09	05	88	78	44	63	13	58	25
94	55	89	48	90	80	77	80	26	89	87	44
11	63	77	77	23	20	33	62	62	19	29	03

Fig. 7-3. Table partielle de nombres au hasard.
Source: Kalton, 1983.

Supposons une population mère de 7 500 unités et que l'on ait décidé de construire un échantillon de 200 sujets. On utilisera alors des ensembles formés des quatre premiers chiffres dans la table (lecture horizontale ou verticale). Dans ce cas-ci, on sélectionnera uniquement les nombres se situant dans la fourchette 0000-7500, soit 6728, 4010, 1163, 6009, 7777, 6836 et ainsi de suite jusqu'à ce que l'objectif de 200 numéros soit atteint.

Il convient ici de noter que l'échantillonnage peut s'effectuer avec ou sans remise; s'il y a replacement ou remise, la fiche ou le numéro d'un individu ayant été sélectionné est déposé à nouveau dans l'urne, de sorte qu'il peut être sélectionné une autre fois (ou plusieurs autre fois). Cette technique est qualifiée de *non exhaustive*. Cependant, l'échantillonnage sans replacement (*exhaustif*) semble fournir les estimations les plus précises (Kalton, 1983).

— *L'échantillonnage aléatoire systématique*

La méthode précédemment décrite présente l'inconvénient d'être fastidieuse dans l'éventualité où il faudrait procéder à un grand nombre de choix. Pour simplifier la tâche, on recourt habituellement à la technique du tirage par répertoire. À partir d'une *liste nominale*, la sélection des individus se réalise en prélevant chaque *n*ième nom apparaissant dans la liste. On peut même utiliser une unité de longueur pour les listes très longues (Tremblay, 1991). L'intervalle ou *pas de sondage* est déterminé d'après le nombre d'individus figurant sur la liste et la taille de l'échantillon. Imaginons par exemple qu'il soit décidé de prélever 200 noms sur une liste de 2 000 noms. Il s'agira alors de choisir un nom à tous les 10 noms. Mais, si le nième nom de la liste n'est pas admissible (p. ex. nom d'un établissement commercial), on saute au prochain pas de sondage (plutôt que de sélectionner le nom qui suit immédiatement le nom du commerce en question). Soulignons que l'approche n'est véritablement aléatoire que si le premier nom sélectionné à même la liste source est tiré au sort.

Cette méthode présente toutefois certains désavantages, plusieurs la considérant même douteuse à la lumière de la théorie des probabilités. La première difficulté réside dans le choix de la liste de départ, c'est-à-dire dans la construction du *cadre d'échantillonnage*. Il est en effet hasardeux d'affirmer hors de tout doute qu'il n'existe pas un arrangement quelconque dans la liste. Par ailleurs, il est vraisemblable qu'il y ait des omissions, ce qui est forcément susceptible d'induire un biais systématique. L'annuaire téléphonique par exemple n'est pas d'un secours absolument fiable, plusieurs noms n'y figurant pas (p. ex. certains professionnels ou les gens hospitalisés pour soins de longue durée). Son utilisation risque par conséquent de conduire à la sous-représentation de certaines catégories d'individus. Dans le cas des listes de personnes âgées ou des annuaires téléphoniques, le problème est d'autant plus aigu que plusieurs individus ne sont pas abonnés, soit parce qu'ils sont en institution, dans des centres hospitaliers notamment, soit simplement parce qu'ils n'ont pas le téléphone. Un excellent exposé sur cette méthode est présenté par Sudman (1976, 1983).

— *L'échantillonnage par stratification*

Tout renseignement sur la population cible peut avantageusement être mis à profit pour améliorer l'efficacité du plan d'échantillonnage. Le principe de la stratification consiste à fragmenter une population, généralement très hétérogène, en sous-groupes relativement homogènes et différenciés que l'on appelle les *strates*. Ces strates peuvent être définies d'après une variable simple (p. ex. les classes d'âge) ou une combinaison de variables (p. ex. les classes d'âge et le sexe). Une fois les effectifs de la population répartis en strates, un scénario consiste à appliquer la méthode de l'échantillonnage aléatoire simple (ou systématique) à l'intérieur de chaque strate (*échantillon stratifié aléatoire*). Une fois regroupés, les sous-échantillons ainsi créés forment l'échantillon global.

L'intérêt de cette méthode est qu'elle permet des estimations indépendantes par strates, accordant ainsi un meilleur contrôle de la taille des effectifs dans chaque strate, autorisant même des analyses partielles à l'intérieur de celles-ci.

On fait appel à cette méthode si une précision (ou % de marge d'erreur) donnée est requise pour une ou plusieurs strates. Le recours à la méthode de l'échantillonnage stratifié s'impose également s'il s'agit de réduire les coûts de l'enquête, lorsque la taille des effectifs à sélectionner est réduite (la procédure aléatoire simple risque de sous-représenter une strate quelconque) et quand des analyses partielles par strates sont absolument requises.

Deux approches principales sont utilisées: 1) l'échantillonnage stratifié proportionnel; 2) l'échantillonnage stratifié non proportionnel. L'échantillon est proportionnel ou non proportionnel selon que la fraction de chaque strate composant l'échantillon est identique ou non à celle des sous-ensembles correspondants dans la population. Dans le premier cas, la fraction sondée est uniforme, tandis que dans l'autre elle est variable. On a des *échantillons autopondérés* lorsque la taille de chacun est proportionnelle à l'effectif de la strate correspondante (Paenson, 1970).

L'un des avantages de la stratification non proportionnelle est d'offrir l'assurance qu'un nombre suffisant d'unités se retrouve dans certaines strates, ce qui accroît la validité de l'analyse et permet de conserver la même marge d'erreur d'une strate à l'autre. Il va de soi qu'au terme d'une analyse par strate, il soit indispensable d'appliquer un correctif, un facteur de pondération par exemple, si l'optique est d'obtenir une estimation juste de la population globale. Il existe à cet égard des particularités, telles les méthodes de stratification *a posteriori*, sujet que nous n'aborderons toutefois pas dans cet ouvrage (Grosbras, 1987).

— *L'échantillonnage par grappes*

L'échantillonnage par grappes, dit aussi en *faisceaux ou hiérarchique*, est une variante de l'échantillonnage stratifié. Au lieu de regrouper artificiellement les individus en strates (c.-à-d. en fonction d'une ou de plusieurs variables), ceux-ci sont saisis comme formant des grappes ou groupements naturels, localisables spatialement. Prenons l'exemple d'une enquête portant sur des personnes âgées résidant en centre d'accueil et d'hébergement dans une région donnée. Un échantillonnage aléatoire simple, réalisé à partir de la liste de toutes les personnes âgées résidant dans tous les centres d'accueil, nécessiterait de nombreux déplacements pour les enquêteurs, étant donné la forte probabilité de retrouver au moins un sujet dans chaque centre d'accueil. Un échantillonnage stratifié, en fonction par exemple de la taille des établissements (p. ex. strate 1 = moins de 50 personnes âgées; strate 2 = plus de 51 personnes âgées), ne résoudrait pas non plus le problème des coûts imputables aux nombreux déplacements à effectuer. Or, la méthode de l'échantillonnage par grappes vise précisément à corriger cette difficulté. Elle consiste dans un premier temps à dresser la liste de tous les centres d'accueil inscrits dans la région d'étude, puis à sélectionner au hasard un certain nombre de centres d'accueil.

À titre illustratif, si 60 centres d'accueil et d'hébergement sont répertoriés dans la région, on pourra tirer au sort 10 centres et mener l'enquête auprès de tous les résidents de ces 10 centres. Dans ce cas, l'échantillon par grappe est à *un degré* ou à *grappes entières*. Si par contre on choisit ensuite au hasard un certain nombre d'individus dans chacun des 10 centres d'accueil, l'approche est qualifiée de *à deux degrés* (dit à *grappes partielles*). Lorsqu'on procède à plusieurs niveaux d'échantillonnage, la technique est dite *à degrés multiples*. On se rend donc compte de l'immense avantage de cette méthode. Il s'exprime en termes de coût, les déplacements étant réduits au minimum sans que l'on ait à sacrifier pour autant la représentativité de l'échantillon.

Pour réduire l'erreur d'échantillon, il est souhaitable: 1) de procéder au départ à une estimation de l'*homogénéité intragrappes;* 2) de veiller à ce que les grappes soient de taille assez grande; 3) de contrôler la *variance intergrappes*. Il importe cependant peu que les grappes soient de tailles identiques.

— *L'échantillonnage aréolaire*

L'échantillonnage aréolaire illustre bien l'un des principes qui doit guider toute procédure d'échantillonnage, soit celui des coûts minima. Grâce à la méthode aréolaire, les frais de recherche encourus sont considérablement amoindris, au chapitre notamment des déplacements. Un exemple aidera à assimiler cette méthode. Imaginons qu'un chercheur souhaite bâtir un échantillon de personnes retraitées habitant dans un centre urbain en vue de les interroger. À partir d'une liste électorale fournie par la municipalité, il pourrait certes obtenir les noms et adresses des résidents âgés de plus de 65 ans, puis sélectionner à même cette liste un échantillon représentatif d'individus. Hors cette technique, bien que valable en soi, occasionnera immanquablement des frais élevés, puisqu'il faudra se déplacer dans tous les secteurs de la municipalité. Pour réduire les coûts de déplacement, le chercheur préférera une autre stratégie. Il se procurera une carte municipale sur laquelle il appliquera un quadrillé transparent et numéroté. Par exemple, la grille contiendra 200 cellules correspondant à des secteurs municipaux. Puis, une dizaine de cellules, à titre d'exemple, seront sélectionnées au hasard (à l'aide de la table des nombres au hasard) suivant la densité démographique et la taille de l'échantillon requis. Le chercheur établira ensuite la liste des personnes âgées résidant dans ces 10 zones (à l'aide d'une liste municipale), zones en principe représentatives de la population urbaine. Les déplacements seront ainsi considérablement réduits et en même temps sera préservé le caractère probabiliste de l'échantillon.

— *L'échantillonnage par itinéraire*

Plus souple et tout aussi efficace est la technique des itinéraires, dite *méthode de Politz*. Au lieu de quadriller l'espace urbain, le chercheur sélectionne au hasard un certain nombre de rues ou d'artères puis assigne aux enquêteurs un parcours à suivre comportant des points d'arrêt prédéterminés et la désignation des personnes à interroger. Les sujets résidant le long de ces rues ou artères reçoivent ensuite la visite des enquêteurs.

Signalons que l'enquêteur pourrait introduire «artificiellement» le hasard en interrogeant par exemple un sujet à tous les 10 sujets. Mais il lui faudra demeurer prudent et éviter d'introduire des biais (p. ex. certains seront tentés d'interroger seulement les résidents du rez-de-chaussée, ce qui introduit forcément des biais: le coût des loyers n'étant pas le même d'un étage à l'autre, il s'ensuit que les locataires du rez-de-chaussée ont un profil socio-économique distinct).

On estime que la méthode des itinéraires, lorsque combinée à celle des quotas, est particulièrement efficace dans les milieux démographiquement denses.

Pour conclure cette section, signalons que toutes ces méthodes aléatoires peuvent être combinées dans le but d'accroître l'efficacité du plan d'échantillonnage et de réduire les coûts de la collecte de données. Le lecteur prendra enfin note qu'il existe d'autres méthodes d'échantillon probabiliste, en particulier pour les expérimentations contrôlées (opérations d'appariement et de jumelage notamment).

7.3.4.2 Les méthodes non probabilistes

Le recours à des méthodes d'échantillonnage non probabilistes se justifie de multiples façons: par souci d'économie, quand la représentativité n'est pas absolument requise, vu la méconnaissance des principaux paramètres d'une population cible, pour des raisons d'éthique et là où les sujets forment une population rare.

Un cas fréquent se rencontre lorsque la préoccupation est d'approfondir certaines questions sans égard à la représentativité. Les enquêtes pilotes, les études de cas et les dispositifs d'exploration appartiennent à cette catégorie d'étude.

Les méthodes non probabilistes ont un défaut commun: celui de reposer sur un mode de sélection subjectif ou arbitraire et d'interdire, règle générale du moins, toute possibilité de généralisation. En outre, et on le mentionne rarement dans la documentation, les échantillons non probabilistes rendent impossible les contre-validations. Elles font donc injure au dogme scientifique de la réplication.

— *Les échantillons accidentels*

Un échantillon est accidentel lorsque les individus qui le composent sont recrutés selon leur disponibilité immédiate, sans qu'intervienne un processus de sélection planifié qui soit fondé sur des principes aléatoires. On dit que les sujets sont choisis «au hasard», dans la rue par exemple ou dans un lieu quelconque, la notion de hasard devant ici être comprise dans son acception vulgaire.

Choisir au hasard des individus dans un lieu public ne constitue pas un procédé aléatoire sur le plan scientifique, car ce n'est pas toujours par «hasard» si certains individus s'y trouvent. Par exemple, le centre commercial où l'on a prévu réaliser le recrutement peut attirer une couche particulière de la population; ou encore le type de clientèle fréquentant ce lieu peut fluctuer selon le jour de la semaine, voire l'heure de la journée. Par ailleurs, le fait d'interroger au hasard des passants dans un centre commercial ou une grande surface ne garantit aucunement que tous auront la même chance d'être choisis.

Plus ou moins consciemment, l'enquêteur aura par exemple tendance à solliciter uniquement des personnes bien vêtues, de même sexe, à l'apparence ouverte, à la physionomie agréable. Plusieurs biais de nature très diversifiée risquent donc de s'introduire et de fausser la représentativité de l'échantillon.

— *Les échantillons de volontaires*

Lorsque les sujets sont sollicités pour participer à une étude sur une base volontaire (p. ex. annonce dans les journaux), cas particulièrement fréquent dans la recherche clinique en gérontologie, l'investigateur fait face au même type de problème que décrit plus haut. Cependant, il dispose de moyens pour tester la validité de son échantillon, comme nous le verrons plus loin. Ce problème survient également chaque fois que des questionnaires sont administrés par la poste ou qu'est utilisée la méthode de l'entrevue par téléphone.

Comment s'assurer que ceux qui acceptent de participer à l'étude sont représentatifs de l'ensemble de la population ? L'*autosélection* peut jouer suivant des facteurs prévisibles liés au contenu de la recherche, mais aussi suivant d'autres mécanismes inconnus.

En gérontologie par exemple, la participation libre de sujets âgés peut occasionner des distorsions importantes. Ainsi, il est probable qu'une proportion supérieure d'individus en bonne santé ou autonomes acceptent de participer à une étude, ce qui entraîne une sous-représentation des moins bien portants (Leclerc, Lefrançois & Poulin, 1992).

— *Les échantillons par choix raisonnés*

Les échantillons par choix raisonnés sont construits pour répondre à des besoins spécifiques de recherche. Plusieurs scénarios sont plausibles. Des juges sélectionneront par exemple des sujets parce qu'ils répondent à certains critères ou correspondent à des profils quelconques. À titre illustratif, on recrutera deux groupes de personnes âgées, l'un reconnu pour ses comportements conformistes, l'autre pour ses comportements excentriques. Le choix pourra aussi s'effectuer de manière à polariser certains traits ou pour mieux mettre en relief des traits différenciés. On constituera alors des *échantillons opposés*.

— *Les échantillons de quotas*

L'échantillonnage par quotas (peut également être vu comme un sous-type des échantillons par choix raisonnés, voire de l'échantillon stratifié) procède de façon similaire à l'échantillonnage proportionnel, du fait qu'il tente de corriger des distorsions en contingentant les effectifs selon une distribution par strates. L'échantillon par quotas tente en quelque sorte d'ajuster la représentation des effectifs selon une distribution qui ressemble à la structure de la population parente.

Supposons qu'une distribution de personnes âgées résidant à domicile s'établisse comme suit: 1) 59 % de femmes; 2) âge moyen de 76 ans, avec écart type de 5,8 ans; 3) 35 % d'entre elles vivant seules. Ces informations peuvent servir de base pour établir les quotas, c'est-à-dire que dans l'échantillon final on s'assurera de retrouver ces mêmes proportions et cette même distribution d'âge.

Par conséquent, les processus de sélection et de recrutement s'effectuent de façon concomitante dans la méthode des quotas. On assignera donc aux enquêteurs des quotas respectant ces proportions et ces moyennes selon les effectifs à atteindre, de manière à assurer la meilleure représentativité de l'échantillon.

Des quotas seront éventuellement établis en croisant deux ou plusieurs variables. Par exemple, les trois variables mentionnées plus haut (l'âge ayant été préalablement réparti en catégories) pourraient donner lieu à la répartition hypothétique suivante (tableau 7-1) pour l'ensemble des situations de résidences. L'échantillon par quotas devra donc respecter les proportions indiquées pour chaque cellule.

Mentionnons enfin que la méthode des quotas, lorsque combinée à une technique de pondération, fournit, estiment certains, un degré de précision comparable aux méthodes probabilistes. Sudman (1976) soutient que les biais sont de l'ordre de seulement 3 à 5 %.

TABLEAU 7-1. Distribution procentuelle de la population hébergée en centre d'accueil suivant l'âge, le sexe et le statut de vie domiciliaire.

CLASSES D'ÂGE (SEXE)	VIVANTS SEULS(ES) OUI		NON	
	HOMMES	FEMMES	HOMMES	FEMMES
65 - 70 ANS	6	6	9	8
71 - 75 ANS	4	5	7	9
76 - 80 ANS	2	4	6	11
81 ANS ET PLUS	2	6	5	10
TOTAL %	14	21	27	38
COMBINÉ %	35		65	

— *Les échantillons progressifs*

L'échantillon progressif est une autre méthode non probabiliste, bien que relativement peu utilisée. Il repose sur un principe qui s'apparente à la méthode par quotas, du fait qu'il se constitue au fur et à mesure que se réalise le recrutement des sujets. Toutefois, contrairement à la méthode par quotas, le chercheur ignore les paramètres de la population. Il construit son plan d'échantillonnage à partir des informations que lui fournissent les premiers sujets interrogés. Dans la méthode dite «boule de neige» (*snowball technique*), le chercheur commence par interroger des gens admissibles dans l'entourage, éventuellement des connaissances, puis élargit son rayon d'investigation grâce aux renseignements nominaux obtenus de la part de ces premiers informateurs. C'est donc la personne interviewée qui fournit à l'enquêteur le ou les noms d'autres individus répondant au profil recherché. Ces personnes sont ensuite contactées, interrogées puis, à la fin de l'entrevue, on leur demande de communiquer à leur tour le nom d'autres personnes susceptibles de faire partie de l'échantillon (Biernacki & Waldorf, 1981). Cette méthode convient particulièrement bien lorsque le chercheur ne dispose pas de moyens sûrs pour identifier sa population cible. Sudman (1983) estime que cette méthode (*network sampling, multiplicity sampling*) présente l'avantage non négligeable de réduire les risques de sélection aléatoire, problème auquel sont exposées les autres méthodes non probabilistes.

L'étude de Taeitz (1988) nous fournit une belle illustration de cette méthode. Ce chercheur s'est penché sur le phénomène de l'intégration socioculturelle des Américains âgés résidant à Paris. Ayant constaté qu'il n'existait aucune liste ou aucun répertoire identifiant cette catégorie sociale, Taeitz a dû constituer son échantillon au fur et à mesure que s'effectuait la collecte de données. Il entreprit sa recherche en interrogeant quelques connaissances de souche américaine qui lui fournirent les noms d'autres personnes ayant la même origine. Grâce à ce processus en boule de neige, il parvint à constituer un échantillon de 104 individus.

On aura compris que la validité de cette méthode repose sur le choix des informateurs clés au départ. Le groupe cible initial devrait donc être suffisamment diversifié, sinon le chercheur court le risque de constituer un modèle de réseau réfléchissant une tendance selon l'opinion ou l'idéologie par exemple. En outre, les individus isolés ou moins connus sont moins susceptibles d'être représentés.

7.3.4.3 Les techniques particulières

Pour compléter cette section, nous présenterons brièvement deux techniques couramment utilisées dans la construction des plans d'échantillonnage: 1) l'*échantillonnage à deux ou à plusieurs degrés*; 2) l'*échantillonnage avec phases*.

L'échantillon probabiliste à plusieurs degrés est le résultat de plusieurs tirages aléatoires (à deux degrés, à trois degrés, à plusieurs degrés) d'unités de sondage de plus en plus petites, chaque élément étant inclus dans les unités choisies au niveau précédent. La population est d'abord répartie en sous-ensembles appelés unités primaires. On tire un échantillon d'unités primaires, et dans celles qui sont retenues, on tire des échantillons d'unités secondaires, et ainsi de suite, selon le nombre de degrés nécessaires. Par exemple, dans une étude portant sur les personnes âgées vivant dans les centres d'accueil privés au Québec, on choisira comme unités primaires les quelque 500 (chiffre hypothétique) centres d'accueil publics et privés pour personnes âgées. Le premier tirage au hasard portera sur les unités constituant cette base de sondage (p. ex. on obtiendra 100 centres d'accueil). Au deuxième degré, on construira la liste des centres d'accueil privés (unités secondaires) faisant partie de cette liste de 100 centres (p. ex. on aura 20 centres d'accueil privés sur 100). Un autre tirage aléatoire s'effectuera sur ces 20 unités secondaires, pour en retenir 5 par exemple. Enfin, au troisième degré, on procédera à un tirage systématique à même la liste des personnes âgées résidant dans les unités secondaires sélectionnées (p. ex. 100 sujets) (Berthier & Berthier, 1978). Il est souhaitable, lorsque cela est possible, de stratifier entre chaque opération afin d'obtenir des strates homogènes du point de vue de la taille.

Il ne faut cependant pas confondre l'échantillonnage à plusieurs degrés avec l'échantillonnage à double phase ou à plusieurs phases (multiphasique). L'échantillonnage à double phase (technique dite du *double échantillonnage* ou *stratification a posteriori*) est utilisé quand le chercheur ne possède pas suffisamment d'informations sur la population étudiée ou qu'il a besoin d'un estimateur (statistique). Dans un premier temps, un grand échantillon est prélevé aléatoirement de manière à recueillir des informations relatives à une ou des variables auxiliaires pertinentes (p. ex. l'âge, le sexe, la scolarité) et à les corréler avec les variables qui intéressent le chercheur. Ces informations seront de préférence immédiatement disponibles. Dans un deuxième temps, ces informations sont exploitées pour bâtir un échantillon plus équilibré sur lequel portera l'enquête véritable. Ainsi, un sous-échantillon peut être construit pour refléter les proportions identifiées lors de la première phase à même les variables étudiées.

La recherche de données manquantes (p. ex. cas des non-répondants) constitue une autre application du double échantillonnage. Un second échantillon parmi les non-répondants est alors prélevé, les sujets étant sollicités de manière plus persuasive (Drew & Hardman, 1985:168).

Le lecteur prendra note qu'il existe d'autres procédures d'échantillonnage: l'échantillonnage de comportement, l'échantillonnage libre, l'échantillonnage ponctuel, l'échantillonnage un-zéro, l'échantillonnage par blocs, les échantillonnages superposés, etc. (cf. Lefrançois, 1991).

7.3.5 LA TAILLE DE L'ÉCHANTILLON

Mathématiquement parlant, une enquête menée auprès d'un échantillon de sujets n'est jamais le substitut parfait d'une enquête réalisée auprès de toute une population (recensement). Mais l'idéal n'est pas toujours d'interroger la totalité des sujets composant une population quelconque. En plus du coût financier qu'il entraîne, le recensement exige du temps. Or, l'étalement de l'observation dans le temps peut à l'occasion introduire des effets indésirables dans les résultats. Ce phénomène est particulièrement évident lorsque l'étude sur le terrain se prolonge et que les opinions ont tendance à fluctuer rapidement ou encore lorsque le fait même d'interroger des individus sur un sujet donné altère les opinions des futurs répondants par un effet de bouche à oreille. L'échantillonnage offre donc à ce chapitre des avantages incontestables.

Cela dit, étudions maintenant le problème de la taille de l'échantillon. L'idée maîtresse est de s'assurer que la marge d'erreur introduite inéluctablement dans une enquête sur échantillon soit réduite au minimum. L'*erreur d'échantillonnage* est la différence entre la valeur vraie de la population (paramètre) et celle mesurée sur l'échantillon (statistique ou l'*estimateur*). Autrement dit, le chercheur tente de déterminer une taille d'échantillon qui lui procurera la plus faible marge d'erreur eu égard aux exigences scientifiques de l'étude et considérant ses contraintes logistiques. Plusieurs stratégies sont proposées: 1) l'une repose sur une approche statistique; 2) l'autre se fonde sur des aspects pratiques faisant appel à une appréciation analytique; et 3) une troisième repose sur l'expérience.

Une première méthode pour estimer la validité d'un échantillon probabiliste consiste à calculer l'erreur type de la moyenne d'après la formule:

$$E = \sqrt{\frac{v}{n}} \qquad [7.1]$$

où
E = l'estimation de l'erreur-type de la moyenne
v = la somme des variances des scores de l'échantillon.
n = la taille de l'échantillon.

ou encore l'erreur-type d'une proportion à l'aide de la formule suivante dans le cas d'une grande population (population infinie):

$$E = \frac{\sqrt{p(1-p)}}{n} \qquad [7.2]$$

où
p = proportion d'individus dans l'échantillon ayant une certaine caractéristique (p. ex. 20 % personnes âgés sont veuves pour un échantillon hypothétique de 500).

Dans ce cas on aura $E = \sqrt{}(0{,}20 * 0{,}80)/500$
$E = 0{,}018$ ($\pm$ 1 écart type) pour $\pm$ 2 écarts types,
$E = 0{,}036$).

Comme le lecteur peut le constater, l'erreur type diminue à mesure que s'accroît la taille de l'échantillon. De fait, plus la taille de l'échantillon (n) se rapproche de celle de la population (N), et plus le degré de précision augmente cependant que le taux d'amélioration de la précision diminue. En d'autres termes, la précision obtenue s'accroît en fonction de la racine carrée du taux d'accroissement de la population. Par conséquent, la précision d'un échantillon dépend plus de la taille des effectifs que du pourcentage des effectifs par rapport à la population cible, comme on le croit faussement. Un échantillon de 1 000 décrira avec autant de précision une population de 20 000 000 qu'une population de 20 000 individus.

Le résultat de l'analyse précédente permet d'estimer l'intervalle de confiance dans lequel se situe la vraie proportion, c'est-à-dire celle de la population. Si l'hypothèse sous-jacente à éprouver est non directionnelle (test bilatéral), un échantillon de plus grande taille sera requis. Pour un seuil de confiance de 95 %, on applique la formule suivante (2 écarts de la moyenne):

$I = E * (1,96)$

où

I = intervalle de confiance

E = estimation de l'erreur type (moyenne ou proportion).

On aura donc

$I = 0,036 * 1,96$

$I = 0,07.$

Par conséquent on affirmera qu'il y a 95 % de chance que la vraie proportion se situe entre 0,13 et 0,27 (fourchette de 0,07, c.-à-d. 0,20 ± 0,07).

Or nous pouvons également utiliser cette approche pour déterminer la taille de l'échantillon à partir d'un paramètre connu (p. ex. proportion du trait à mesurer, dans ce cas-ci le % de personnes veuves) d'après les résultats d'une enquête pilote par exemple, ou de toute autre information se rapportant à la population cible[3]. Ainsi on déterminera «n» de la façon suivante:

$$n = \left(\frac{1,96}{E}\right)^2 (P)(1-P) \qquad [7.3]$$

où

n = est la taille de l'échantillon.

Par exemple en fixant une marge d'erreur de 0,03 à un niveau de confiance de 95 % ($z = 1,96$), sachant que la proportion du trait mesuré est de 0,25 dans la population, on estimera la taille de l'échantillon comme suit:

$n = (1,96/0,03)^2 *(0,25)(0,75); n = 800.$

On peut également se servir d'une table (figure 7-4) pour déterminer la taille de l'échantillon dans le cas des proportions.

La méthode statistique soulève cependant quelques objections comme nous prévient à juste titre Fowler (1988). En premier lieu, il est rare en recherche sociale que l'estimation à partir d'un ou de deux paramètres soit suffisante. Il faudrait donc multiplier considérablement le nombre d'estimations — travail qui n'est pas toujours réalisable — avant d'arrêter un choix définitif quant à la taille d'échantillon.

Par ailleurs, cette approche ne s'applique véritablement que lorsque les distributions sont normales ou normalisées et que la méthode d'échantillonnage est strictement aléatoire. Par exemple, on sait que la stratification permet d'obtenir des échantillons plus représentatifs que la méthode par grappes ou la méthode aréolaire.

Enfin, certaines variations plus ou moins prévisibles sont susceptibles d'affecter la représentativité de l'échantillon et partant, la stratégie à utiliser quant à l'estimation de la taille. Il s'agit du cas des refus ou si l'on préfère des non-répondants.

Dans l'exemple précédent ($n = 800$), où le chercheur a prévu expédier par la poste un questionnaire, il peut espérer au mieux obtenir, d'après les résultats d'enquêtes antérieures, un taux de participation de 70 %. Il jugera sans doute plus réaliste d'envisager 60 %. Par conséquent son échantillon maître s'élèvera à 800/0,60, soit 1 333 sujets. Une voie de remplacement consiste à maintenir l'échantillon de 800 et à tirer un échantillon supplémentaire, dit de réserve, de 533 noms, échantillon qu'il pourra utiliser à sa discrétion selon l'évolution du taux de participation. De cette façon, il pourra mieux contrôler le budget affecté à cette opération.

TAILLE D'ÉCHANTILLON	PROPORTION*				
	50/60	60/40	70/30	80/20	90/10
100	10,0	9,8	9,2	8,0	6,0
200	7,1	6,9	6,5	5,7	4,2
300	5,8	5,7	5,3	4,6	3,5
400	5,0	4,9	4,6	4,0	3,0
500	4,5	4,4	4,1	3,6	2,7
600	4,1	4,0	3,7	3,3	2,4
800	3,5	3,5	3,2	2,8	2,1
1000	3,2	3,1	2,9	2,5	1,9
2000	2,2	2,2	2,0	1,8	1,3

Fig. 7-4. Table de distribution procentuelle binomiale.
Source: Babbie, 73:377; * Cf. note n° (4).

Dans la même veine d'idée, la *perte d'échantillonnage* occasionnée par les situations d'abandon ou de décès — ce qui est plus fréquent en gérontologie — est à envisager également dans les dispositifs expérimentaux et la plupart des études prospectives (follow-up, «panel»). Les stratégies visant à réduire la mortalité d'échantillonnage ou à stimuler la participation comptent donc pour beaucoup dans toute décision entourant le choix de la taille d'un échantillon.

Compte tenu des particularités propres à la recherche en sciences humaines, on conçoit donc sans peine qu'il demeure difficile d'appuyer solidement toute décision quant à la taille de l'échantillon sur des estimations purement statistiques. La recherche qualitative nous fournit à ce titre un bel exemple de tentative de dépassement des principes de l'inférence statistique. Certains proposent d'ailleurs une méthode documentaire privilégiant l'élargissement de l'information et la réintroduction des données temporelles dans l'analyse (Poirier, Clapier-Valladon & Raybaut, 1983). La notion même de représentativité est ici remise en cause du fait qu'elle suppose l'existence d'un univers clos et immuable.

Face à la constellation de facteurs qui entrent inévitablement en jeu dans le choix d'une taille d'échantillon, des solutions complémentaires sont à explorer, ce qui amène certains experts à privilégier une voie plus analytique. Par exemple, Kraemer et Thiemann (1987) recommandent de baser la décision sur une analyse critique des travaux antérieurs, sur les recherches méta-analytiques, sur des enquêtes pilotes de type exploratoire et sur certaines analyses qualitatives. Ces approches peuvent ainsi permettre d'anticiper certains problèmes reliés à l'homogénéité des groupes.

L'ensemble des facteurs à considérer dans l'établissement de la grandeur de l'échantillon se résume donc aux éléments suivants:

1. Le facteur temps;
2. Les ressources financières;
3. Le type de dispositif;
4. La méthode d'échantillonnage;
5. Le traitement statistique;
6. L'homogénéité des traits;
7. La précision recherchée;
8. La connaissance de paramètres.

On peut cependant, à titre indicatif, fournir un ordre de grandeur de la taille requise d'échantillon, selon le type de recherche. Les sondages et les études longitudinales non expérimentales (incluant les analyses secondaires) par exemple sont de l'ordre de 800 à 2 000 effectifs et encore davantage dans certaines études épidémiologiques. Les enquêtes sociologiques recrutent entre 300 et 600 sujets environ, comparativement aux études expérimentales qui portent souvent sur une soixantaine de cas répartis dans deux groupes, tandis que les études de cas multiples ne recourent habituellement qu'à une dizaine de sujets.

Afin d'en connaître davantage sur la grandeur relative des échantillons dans la recherche gérontologique, nous avons dépouillé les articles de trois périodiques couramment consultés ou utilisés, soit ceux publiés au cours des trois dernières années. Bien que nous ne prétendions pas qu'il s'agisse d'un portrait représentatif de la situation en gérontologie, les données du tableau 7-3 permettent néanmoins de comparer la taille moyenne des effectifs pour trois revues, selon le genre de recherche réalisé. En même temps, ce tableau montre de manière comparée l'importance relative de chaque grande stratégie de recherche dans la documentation gérontologique.

TABLEAU 7-3. Taille moyenne des échantillons selon le type d'étude dans trois périodiques en gérontologie (1986-89). [%/(*n*)][1]

TYPES D'ÉTUDE	STATISTIQUES	RCV	RA	GS
1. Transversale	% (n)[2] X σ	31,4/(17) (17) 444,3 726,6	26,7/(20) (18) 415,1 656,1	7,6(11) (11) 1 022,9 2 357,2
2. Longitudinale	% (n)	18,5/(10) (10) 417,3	8/(6) (5) 228,2	3,4/(5) (5) 1 322,8
3. Analyse secondaire	% (n) X σ	7,4/(4) (4) 1 042,3 1 061,2	25,3/(19) (19) 2 969,5 6 354,8	3,5/(5) (4) 1 467,7 413,3
4. Analyse documentaire (recensement)	%	13,0/(7)	25,3/(19)	17,2/(25)
5. Étude de cas	%	9,4/(5)	0/(0)	0/(0)
6. Méta-analyse	%	1,8/(1)	5,3/(4)	0/(0)
7. Étude de fond		18,5/(10)	9,4/(7)	68,3/145
TOTAL	%	100/(54)	100/(75)	100/145

Source: *Revue canadienne du vieillissement*, Vol. 5-7, 1986-1988. *Research on aging*, Vol. 9-10, 1987-1988, Vol. 11, n°s 1 et 2, 1989. *Gérontologie et société*, Vol. 40-50, 1987-89. (1) Pourcentages verticaux et (nombre d'études). (2) Nombre d'études ayant rapporté les effectifs.

7.3.6 LE REDRESSEMENT DE L'ÉCHANTILLON

Le redressement de l'échantillon renvoie aux interventions à effectuer en cours d'enquête (ou lorsqu'elle est complétée) afin de s'assurer de la meilleure représentativité des résultats. L'idée est d'obtenir des *échantillons équilibrés* qui autorisent l'inférence statistique.

Un échantillon a besoin d'être redressé lorsque:

1) Le taux de non participation (individus qui ne collaborent pas à l'étude) est élevé (supérieur à 20 %) (5);
2) Le taux de non-réponse (proportion élevée de questionnaire-déchets, interviews incomplètes, etc.) est jugé trop important;
3) Le taux de déperdition est trop élevé;
4) On n'a pas atteint le taux de précision souhaité lors de l'élaboration du plan initial[6].

Remarquons que plusieurs techniques ont été proposées pour rectifier un échantillon:

1) Le tirage d'échantillons contrôlés;
2) Le tirage d'échantillons compensés;
3) Les rectifications par extrapolation des résultats.

L'estimation de la variance d'échantillon au moyen de la réplication (Sudman, 1976) est aussi proposée. Nous discuterons ici de deux techniques:

1) L'équilibrage progressif;
2) La pondération *post hoc*.

7.3.6.1 L'estimation d'un défaut de l'échantillon

Examinons d'abord une technique simple. Si l'on suppose une distribution normale des effectifs (courbe de Gauss, ou en cloche), une approche consiste à tester l'hypothèse nulle (de non-différence) entre un (ou des) paramètre(s) (p. ex. moyenne et écart type de la population) et la (ou les) statistique(s) correspondante(s) de l'échantillon.

Si l'hypothèse nulle s'avérait rejetée, au niveau de confiance alpha de $p \leq 0,10$ par exemple, il y aurait lieu de s'interroger soit sur la représentativité des sujets constituant l'échantillon, soit sur la taille même de l'échantillon. Des corrections devront donc être apportées. Le test t de Student peut être utilisé à cette fin.

Dans le cas des variables nominales ou ordinales, le test de signification du khi deux sera employé. Dans ce dernier cas, les fréquences théoriques correspondent à la distribution de la population et les fréquences observées à celle de l'échantillon effectif.

Le calcul s'effectue conformément aux explications fournies au tableau 7-4. Comme la valeur p est ici plus grande que 0,10, on accepte l'hypothèse nulle que la distribution de cet échantillon correspond à celle de la population.

TABLEAU 7-4. Calcul du khi deux à partir des valeurs brutes des distributions paramétriques et statistiques.

CATÉGORIES	f_p	f_s	$(f_s$-$f_p)$	$(f_s$-$f_p)^2$	$\frac{(f_s-f_p)^2}{f_p}$
A	160	143	-17	289	1,80
B	85	93	8	64	0,75
C	210	222	12	144	0,69
D	45	42	-3	9	0,20

$$X^2 = \sum \frac{(f_s - f_p)^2}{f_p} = 3{,}46$$

où
$dl = 3; \quad p > 0{,}30$

7.3.6.2 L'équilibrage progressif

Une première façon de redresser l'échantillon (échantillon effectif) est d'utiliser la technique de l'***équilibrage progressif***, c'est-à-dire en cours de collecte de données. Un scénario courant est celui où l'investigateur corrige son échantillon en en augmentant la taille au fur et à mesure de l'analyse des résultats obtenus aux tests d'estimation de l'erreur d'échantillonnage. Il puise alors dans son échantillon de réserve si celui-ci a été prévu lors de la création de l'échantillon maître.

Un deuxième scénario consiste à procéder à un tirage au sort *sélectif* d'autres sujets aux fins d'accroître les catégories sous-représentées dans l'échantillon réel. Par exemple, sachant que 75 % des personnes âgées résidant en centre d'accueil sont des femmes et que les chiffres révèlent que l'échantillon en comprend 65 %, le chercheur procédera à un second tirage au sort en excluant cette fois les hommes pour s'approcher de la proportion vraie de 75 %.

Une troisième technique est celle des extrapolations graphiques (méthode CLAUSEN). Par exemple, les taux de réponses positives à une question importante sont enregistrés par vagues successives (enquête principale, première lettre de rappel, deuxième lettre de rappel, troisième lettre de rappel, etc.). Les résultats sont ensuite reportés sur un graphique, le taux de réponses positives des non-répondants étant projeté (extrapolation) selon la tendance générale, ce qui permet de déterminer la valeur des réponses positives.

7.3.6.3 Les redressements a posteriori

Le redressement *a posteriori* s'applique au sondage ou à l'enquête une fois qu'a définitivement pris fin la collecte des données. On suppose donc qu'il n'est plus possible, à cette étape, d'intervenir dans le processus de redressement de l'échantillon (équilibrage progressif), soit parce qu'on a épuisé la banque de sujets, soit parce que doit cesser l'opération de collecte des données. Ce redressement s'applique également aux échantillons stratifiés non proportionnels en vue de rétablir la représentativité aux fins de la généralisation. Deux méthodes principales ont été proposées: 1) la pondération *post hoc*; 2) l'interview auprès des non-répondants (méthode HANSEN).

— *La pondération post hoc*

Imaginons qu'un chercheur obtienne la répartition suivante des effectifs une fois son enquête terminée. Les données du tableau 7-5 enregistrent les distributions respectives de l'échantillon maître et de l'échantillon effectif selon le sexe. Même s'il n'existe pas de différences statistiquement significatives entre les proportions (*EM* c. *EE*, *H* c. *H*, *F* c. *F*), l'investigateur souhaitera sans doute corriger la proportion chez les hommes (p = 0,10).

TABLEAU 7-5. Effectifs de l'échantillon maître et de l'échantillon effectif.

ÂGE	ÉCHANTILLON MAÎTRE			ÉCHANTILLON EFFECTIF		
SEXE	hommes	femmes	TOTAL	hommes	femmes	TOTAL
65-69	39(16)	37(20)	36	21(6)	30(14)	20
+ 70	61(25)	63(34)	59	79(23)	70(32)	55
TOTAL	100(41)	100(54)	95	100(29)	100(46)	75
	Khi deux = 3,9; p = 0,84			Khi deux = 0,86; p = 0,35		
	Comparaisons: hommes - hommes: Khi deux = 2,64; p = 0,10 femmes - femmes: Khi deux = 0,48; p = 0,50					

Pour rectifier la situation, il appliquera les facteurs de pondération suivants (n_i/n_j, soit 16/6 (65-69 ans) et 25/23 (70 ans et plus) chez les hommes) soit:

Hommes: 65-69 ans 2,67
70 et + 1,09.

Concrètement, si les résultats de l'enquête révèlent chez les hommes de 70 ans et plus que 19 individus sur 29 sont mariés, le facteur de pondération rétablira cet effectif à 20,7 (19 * 1,09) de façon à respecter la distribution obtenue aléatoirement lors de la constitution de l'échantillon maître.

— *La méthode HANSEN*

Dans la méthode Hansen *et al.* (1953), un échantillon restreint parmi les non-répondants (p. ex. gens non à domicile au moment de l'enquête) est sélectionné puis les sujets sont interrogés. Voyons un exemple. Considérant un échantillon de 1 000 sujets (*E*), un chercheur expédie donc 1 000 questionnaires par la poste; 400 questionnaires seulement étant retournés (*R*), un redressement doit s'effectuer.

À une question donnée, il note que 30 % des répondants interrogés par voie postale ont répondu par l'affirmative. Il tire ensuite un échantillon parmi les non-répondants (*E-R*), par exemple 50 sujets. Supposons qu'il enregistre chez ces 50 sujets un pourcentage de «oui» de 40 %. Pour estimer la proportion réelle de oui, il utilisera la formule suivante:

$$f = (R/E \times A) + (E\text{-}R/E \times B)$$

où

A = pourcentage de réponses positives lors de l'enquête;
B = pourcentage de réponses positives lors de l'interview auprès de l'échantillon restreint de non-répondants.
R = taux de retour;
E = échantillon principal.

Dans notre exemple, le taux corrigé de oui serait de 36 %.

Le lecteur consultera l'ouvrage de Duverger (1964) et Grosbras (1987) pour découvrir d'autres techniques apparentées.

NOTES:

(1) Techniquement parlant, un sujet est un échantillon, mais on utilise le terme d'échantillon au sens d'un agrégat de sujets.

(2) Le problème de la généralisation en gérontologie a fait l'objet de critiques de la part de Nesselroade et Ford (1985). Ces auteurs soutiennent que la généralisation renvoie trop souvent à des catégorisations sociales (p. ex. personnes institutionnalisées c. personnes à domicile, etc.).

(3) Dans le cas de l'estimation de la taille d'échantillonnage (n) requise à partir de la moyenne et de l'écart type de la population, on utilise cette formule (Herniaux, 1971):

$$n = \frac{i^2(\sigma^2)}{\alpha^2(m^2)} \qquad [8,4]$$

où
i = à 95 % de probabilité,
α = coefficient d'erreur fixé (p. ex. 0,03),
m = moyenne de la population,
σ = écart type de la population.

(4) Explication. Les valeurs du tableau expriment l'erreur d'échantillonnage estimé au seuil de confiance de 95 % selon la taille des échantillons et la distribution procentuelle du trait mesuré. Par exemple, si dans la population des personnes âgées en centre d'accueil, la proportion des femmes est de 80 %, un échantillon de 400 sujets âgés sera nécessaire pour respecter une marge d'erreur estimée de 4 % dans 95 % des cas (probabilité).

(5) On suppose ici l'échantillon effectif (sujets ayant réellement participé à l'étude) et non l'échantillon théorique. On doit donc *suréchantillonner* pour compenser les cas de refus.

(6) Un taux de refus supérieur à 30 % soulève un problème encore plus important, celui de la représentativité, et doit être traité autrement (renoncer à la représentativité, procéder à un redressement majeur, etc.).

CHAPITRE 8

LES MÉTHODES DE COLLECTE DE DONNÉES

8.1 INTRODUCTION

Si les techniques d'échantillonnage suivent des principes qui tiennent, pour l'essentiel, de la théorie mathématique, celles de la collecte des données s'appuient en revanche sur des postulats qui relèvent d'une théorie psychologique (Stoetzel & Girard, 1973). La prise en compte de la dimension comportementale est donc capitale dans l'établissement de toute stratégie ou de tout plan de collecte de données. Pour être à la hauteur des attentes légitimes du chercheur, ce plan reflétera tout autant un savoir-faire technique, des habiletés en communication, de l'intuition que de la créativité. Bref, la mise en oeuvre d'un plan de collecte de données exige le déploiement de stratégies qui puissent s'adapter à la réalité intersubjective de l'observation, et en même temps qui soient capables de capter l'information avec la plus grande objectivité.

D'emblée donc, le processus de collecte de données se heurte d'une part à l'effet que produit le sujet observé sur l'observateur, et d'autre part, à la réaction plus ou moins prévisible et variable du sujet observé. Au surplus, la difficulté de décrypter convenablement le message de l'émetteur, donc de mal l'interpréter, demeure omniprésente tout au long de l'opération de collecte des données. Accorder au témoignage d'un sujet interrogé un sens différent de celui qu'il conçoit véritablement risque par conséquent d'entacher la validité des informations. On admettra donc sans peine que les stratégies de collecte de données doivent toujours se donner pour objectif de minimiser l'impact de ces éventuelles déformations, et ce grâce à une planification adéquate du moment de l'approche et du contact avec le sujet, mais surtout en définissant clairement la manière d'interroger le sujet et le contenu des questions à poser.

Nous consacrerons donc cette section à l'examen des différentes procédures de collecte de données en insistant sur les moyens susceptibles d'atténuer les biais émergeant de l'observation. Nous proposons de subdiviser les méthodes d'observation en cinq catégories, comme indiqué à la figure 8-1.

Dans notre présentation, nous mettrons surtout l'accent sur la méthode de l'entrevue et celle du questionnaire.

1.	L'observation directe	- observation participante - observation non participante
2.	L'interview de face à face	- interview structurée (ou directive) - interview semi-directive - interview non directive
3.	L'interview téléphonique	
4.	Le questionnaire	- questionnaire auto-administré - questionnaire sous supervision technique - technique delphi
5.	L'observation documentaire	- primaire - secondaire

Fig. 8-1. Classification des méthodes d'observation.

8.2 L'OBSERVATION DIRECTE

L'observation directe est associée à la naissance de la sociologie américaine, particulièrement celle orientée vers la compréhension des phénomènes de sous-culture, de marginalisation et de déviance. C'est cette méthode qui a valu la notoriété au célèbre sociologue américain William Foote Whyte, grâce notamment à son étude intitulée *Street Corner Society*.

Au moyen de l'observation participante, Whyte a étudié pendant plus de trois ans la vie des immigrants d'origine italienne dans un quartier populaire de Boston. Depuis, cette méthode connaît une vogue grandissante dans la recherche ethnologique (aussi en ethnométhodologie) notamment, et plus globalement dans la recherche qualitative.

Fondamentalement, l'observation directe consiste à recueillir des informations sur les lieux mêmes où se déroule l'action sociale (*social settings*). L'immersion du chercheur sur le terrain sera plus ou moins intense suivant que l'observation doive se dérouler sporadiquement ou qu'au contraire elle prenne une allure continue. À la base de cette démarche, on retrouve une posture méthodologique antipositiviste qu'il convient de résumer en quelques points essentiels. Celle-ci consiste non pas à observer des personnes au titre d'individus représentatifs d'une collectivité, mais bien à observer à travers leurs interactions, la culture du groupe, ses normes, les valeurs véhiculées dans le milieu et le sens qu'accordent les acteurs à leur conduite. En outre, le chercheur renonce, par principe ou du moins tactiquement parlant, à son statut de scientifique: sa relation avec le groupe se situe aux antipodes d'une position d'extériorité et de supériorité, ce qui demande une grande ouverture d'esprit, une disponibilité, une curiosité mais aussi une acceptation de la différence.

L'*observation non participante*, appelée aussi *participation désengagée*, désigne une stratégie où l'observateur s'abstient expressément d'échanger avec les membres du groupe ou évite d'intervenir dans les décisions, bref de participer activement à la vie du groupe (Barner, 1986). Bien qu'il assure une plus grande objectivité, ce mode d'observation interdit, ou du moins ne facilite pas, la compréhension de la vie intérieure du groupe. Par ailleurs, la présence du chercheur-observateur peut être signifiée ou non aux membres du groupe, selon qu'il y a entente ou non avec les participants.

Cette approche se prête particulièrement bien à l'étude de phénomènes plus discontinus, événementiels ou de courte durée, par exemple des réunions de personnes âgées, des patients dans des unités de soins, la réaction des spectateurs, la vie de groupe des aînés dans des clubs de loisir. L'observation portera par exemple sur le discours ou l'attitude de leaders, sur les formes de regroupements entre individus ou le contenu des échanges.

Ikels, Keith et Fry (1988) ont utilisé la méthode de l'observation non participante dans une étude transculturelle sur le statut des aînés. Un volet de l'étude fut réalisé à Hongkong à partir de l'observation de personnes âgées rassemblées dans différents lieux publics (librairie, parc, restaurant, bureau de postes, pharmacie, etc.). Les chercheuses se sont intéressées particulièrement aux formes de groupements des individus dans ces différents lieux de rassemblements, d'après la composition des groupes suivant l'âge et le sexe.

Contrairement à l'approche précédente, l'*observation participante* implique que l'observateur s'immisce de façon plus intime dans la vie du groupe étudié, qu'il entretienne même des échanges avec ses membres (Bruyn, 1966). Du fait de l'implication de l'observateur, l'objectivité peut toutefois poser une difficulté, d'autant plus que la présence d'un chercheur dans le milieu risque à tout moment d'altérer le comportement des sujets observés, de freiner leur spontanéité. On obtient toutefois à la faveur de cette approche une connaissance plus approfondie des représentations, du sens des interventions ou de la dynamique du groupe étudié.

D'intérêt pour la gérontologie, mentionnons l'étude désormais classique d'Anderson (1923) sur les vagabonds. C'est en feignant d'être un clochard, qu'Anderson put pénétrer l'univers intime d'individus laissés pour compte. Se déplaçant d'une ville à l'autre, fréquentant les centres de logement pour les itinérants et les sans-abri, il accumula une foule de renseignements exclusifs sur leur mode de vie, les étapes transitoires dans la vie d'un vagabond, ainsi qu'une meilleure compréhension de la structure hiérarchique de cette catégorie sociale.

Empruntant une voie comparable, MacPherson (1988) a analysé les activités d'un collectif de femmes sur la ménopause, groupe dont elle faisait déjà partie avant que ne débute sa recherche. Qualifiant elle-même sa méthode d'*ethnoanalyse*, elle opta pour la transparence en révélant au groupe ses intentions de recherche tout en poursuivant son engagement et sa participation aux activités du collectif.

Le lecteur trouvera dans l'ouvrage de Selltiz, Wrightsman et Cook (1977) une excellente discussion sur cette approche, notamment en ce qui a trait aux considérations éthiques.

8.3 L'INTERVIEW DE FACE À FACE

8.3.1 LES TYPES D'INTERVIEWS SELON L'OBJET

Du point de vue de la recherche, l'interview de face à face est un type d'entretien qui s'inscrit dans une stratégie d'observation rigoureusement planifiée en vue d'obtenir des informations valides auprès d'un échantillon de sujets. Selon Daval (1963:121), l'interview est en premier lieu une *entrevue* entre deux personnes qui poursuivent un dialogue dans un but précis. Daval, comme la plupart des experts en techniques d'interview (Muchielli, 1972; Blanchet *et al.*, 1987), souligne la spécificité de l'interview scientifique en la distinguant des autres types d'entretiens. Ainsi, l'interview de recherche n'est pas une conversation puisque cette dernière ne se caractérise que par un échange d'information. Elle n'est pas non plus un interrogatoire — méthode qu'utilisent les juges d'instruction et les policiers —, car celui-ci impose certaines contraintes sur le sujet interrogé dont le but consiste souvent à lui extirper des aveux. Elle n'est pas non plus une entrevue journalistique car, en vertu de la référence au public lecteur ou auditeur, ce mode d'entretien s'alimente souvent de faits anecdotiques, d'insinuations compromettantes destinées à susciter un intérêt. Certains journalistes n'hésiteront pas à accentuer la dimension spectaculaire du témoignage.

L'entretien de face à face de type thérapeutique, clinique ou psychologique (Nahoum, 1967) met lui aussi en relation psychosociale deux individus dont les rôles ne peuvent être intervertis. Cependant, celui-ci est orienté vers la prise de conscience, le soulagement ou la guérison du sujet qui trouve donc un intérêt immédiat sinon une motivation intrinsèque à se prêter à des sessions thérapeutiques. Blanchet *et al.* (1987:84), dans le passage qui suit, montrent bien la particularité de l'entretien thérapeutique:

> L'entretien thérapeutique a un but quasiment opposé; il favorise, à travers la construction d'un discours, la constitution d'un savoir privé, peu communicable, grâce à la mise en place et au jeu de relations imaginaires envers le thérapeute. Le dispositif thérapeutique du thérapeute repose sur l'absence d'un projet de sens identifiable comme tel par le patient. Celui-ci est amené à chercher le sens de son discours dans les réponses qu'il lui suppose.

L'interview clinique, de type diagnostic ou thérapeutique, vise ainsi à recueillir la biographie du sujet pour dégager des symptômes ou encore en vue de le réadapter socialement en réorganisant son affectivité. De la même manière, l'interview d'orientation qu'utilisent les praticiens sociaux (casework, relation d'aide) cherche à reconstituer le cadre familial et socioprofessionnel du bénéficiaire en vue de trouver les solutions aux difficultés rencontrées. Bien qu'utilisant des techniques éprouvées, ces types d'entretiens de face à face poursuivent des finalités qui diffèrent sensiblement de celles de l'interview scientifique.

Nous sommes maintenant mieux disposé à caractériser l'interview de face à face de type scientifique. On y trouve la même dynamique relationnelle que dans l'entretien psychologique, sauf qu'on demande au sujet d'accepter volontairement de coopérer sans qu'il en retire un quelconque bénéfice immédiat. Par ailleurs, il faut rappeler que l'interview scientifique ne s'intéresse pas au sujet en soi, du moins dans la plupart des situations d'enquête; son témoignage prend de l'importance dans la mesure où il est l'expression du point de vue du groupe de référence auquel il appartient.

8.3.2 LES TYPES D'INTERVIEWS SELON LE MODE D'ADMINISTRATION

Pour recueillir des informations qui soient le plus fidèles possibles et qui permettent de satisfaire aux exigences de l'étude, le chercheur dispose de plusieurs méthodes d'interview dans le dispositif en face à face. On distinguera en premier lieu entre les interviews réalisées dans des lieux publics (*intercept interview*), celles en groupe et celles en privé.

Soulignons, avec Frey (1989), que l'administration des *interviews dans les lieux publics* est une approche de plus en plus répandue. Qu'il s'agisse de centres d'achats (grandes surfaces), de clubs sportifs, que ce soit à la sortie des cinémas, dans les lieux de rassemblements ou dans les restaurants, l'*interview «sur le tas»* diffère cependant de l'*entrevue sur le terrain* employée dans la recherche ethnographique où l'on utilise le questionnaire semi-structuré.

Dans l'interview sur le tas, la collecte des données se complète beaucoup plus rapidement car la présence des interlocuteurs sur les lieux de l'observation est souvent éphémère. Il est donc avantageux de recourir au questionnaire structuré. Le principal inconvénient de ce protocole d'interview est qu'il interdit à toutes fins utiles l'usage des échantillons probabilistes. Il faut donc s'en remettre à des procédures de sélection telles que la méthode des quotas ou l'échantillonnage accidentel.

Cependant, cette méthode accélère la collecte des renseignements pertinents auprès d'un groupe bien circonscrit. Le lecteur en déduira donc que la facilité d'exécution de ce type de situation d'entrevue peut s'avérer utile dans les enquêtes pilotes.

L'*interview de groupe* est une technique qui consiste à réunir quelques personnes touchées par un problème quelconque — le personnel dans une unité de soin par exemple — dans le but de clarifier ou de résoudre une difficulté. Étant donné que l'interviewer doit agir aussi comme animateur, il est souhaitable de faire appel aux services d'un observateur neutre chargé d'enregistrer les informations pertinentes sur le déroulement des échanges.

Voyons un exemple. Bales (1970) a développé une méthode originale pour codifier les interactions et les comportements pendant le déroulement d'une activité d'observation en groupe. Il distingue à cet effet les comportements positifs des membres (comportement de collaboration, manifestation d'appui, dramatisation), les apports actifs (propositions, information du groupe, exposition de points de vue, commentaires critiques), les apports passifs (demande de clarifications, questions d'information) et les comportements négatifs (tendance à la désapprobation, sentiment d'agressivité ou d'impatience, manifestation d'anxiété).

La troisième approche est celle des *interviews en privé*, la plupart du temps réalisées au domicile du répondant. Mais, comme le rapportent Bonar et Maclean (1985:38), les interviews auprès des personnes âgées se réalisent de plus en plus dans des établissements de soins prolongés, dans des centres d'accueil et d'hébergement, dans des salles d'urgence encombrées. Dans de tels milieux, il est beaucoup plus difficile de développer une atmosphère de détente et d'intimité, condition qu'on estime très favorable au succès des enquêtes auprès des gens du troisième âge.

Malgré ses lacunes, cette méthode est nettement à privilégier dans le cas des longs entretiens, si plusieurs sessions d'interview son envisagées, et surtout s'il est indispensable de recourir à un échantillon probabiliste. On distinguera ici entre les *interviews multipliées* et les *interviews répétées*. Dans le premier cas, le même individu est visité à plusieurs reprises, chaque entretien traitant d'un aspect distinct mais le tout devant être interrelié. Dans le cas des interviews répétées, ce sont les mêmes questions qui sont posées au sujet de manière à observer s'il survient des changements. Cette méthode convient donc dans les dispositifs de type «panel».

8.3.3 LES TYPES D'INTERVIEWS SELON LA FORME

Passons maintenant aux types d'interview se différenciant d'après leur forme. L'*interview structurée* (ou interview à réponses libres) est une approche qui consiste à interroger le sujet sur un point précis à l'aide d'un questionnaire préformé. Cet instrument comporte donc une série de questions que l'interviewer doit lire en respectant l'ordre de présentation ainsi que le libellé de chaque question. Cependant, comme les catégories de réponse sont le plus souvent ouvertes, il s'ensuit que la personne interviewée demeure totalement libre de répondre comme elle l'entend.

L'interviewer jouit en conséquence d'une marge de manoeuvre plutôt limitée. Au sens strict, son rôle se résume à lire les questions, puis à enregistrer le plus fidèlement possible les réponses. Cependant, comme il doit veiller à ce que le sujet saisisse bien la question, il interviendra à l'occasion pour clarifier certains points, reformuler une question ou même encourager le répondant. C'est d'ailleurs l'un des avantages indéniables de l'interview structurée sur le questionnaire auto-administré.

L'*interview semi-structurée* se caractérise par une combinaison de questions ouvertes prérédigées, comme dans la méthode précédente, mais aussi de questions secondaires «improvisées» sur-le-champ au rythme du déroulement de l'entretien. L'enquêteur procède de manière plus intuitive, s'ajustant au contexte, en fonction de l'aisance du sujet et de la difficulté des thèmes abordés. Il dispose à cet effet d'un guide d'entrevue regroupant l'ensemble des thèmes ou des points à examiner. Il lui appartient donc de juger du moment le plus opportun pour passer à une autre séquence de questions. Signalons que l'interview semi-structurée a sa place dans les recherches ethnographiques et les observations en groupe.

Enfin, on a l'*interview non structurée* (ou non directive) qui est particulièrement recommandée dans l'étude en profondeur de certains sujets, lorsque la situation requiert que l'on dépasse le seuil des opinions ou des attitudes pour atteindre les motivations profondes, les valeurs ou les croyances les plus intimes des répondants. Comme elle se déroule souvent sur plusieurs sessions, la méthode exige beaucoup, tant de la part des répondants que de l'interviewer. Le fait de répartir les entretiens en plusieurs sessions comporte aussi un certain risque. En effet, si un sujet refuse de se soumettre aux sessions subséquentes, toute l'information recueillie lors de la première interview peut s'avérer inutilisable.

À propos des longues interviews, McCracken (1989:27) rapporte n'avoir éprouvé aucune difficulté particulière à interroger des sujets âgées. Son expérience démontra que l'effet de fatigue n'intervient pas chez les individus de plus de 65 ans. En guise d'explication, Stebbins (1972) soutient que le contexte plus ou moins formel de l'entretien, combiné à l'intérêt manifesté par l'interviewer à l'endroit du sujet interrogé, favorise le développement d'un sentiment d'utilité éprouvé par ce dernier.

Un premier sous-type est celui de l'*interview focalisée* (ou interview centrée) qui consiste à saisir les attitudes du sujet devant un problème à résoudre, une mise en situation ou tout autre stimulus destiné à susciter une réaction. Cette méthode convient surtout lorsque les sujets interrogés ont tous été exposés à une situation identique (p. ex. sujets âgés victimes d'une agression criminelle, nouveaux retraités, ex-patients psychiatriques). L'interviewer tente alors de centrer (focaliser) l'attention du sujet sur ses réactions subjectives (blocages, agressivité, silences, mécanismes de défense, etc.). Signalons qu'une variante de cette méthode est celle dite du *focus group* (Morgan, 1988; Simard, 1989).

Le second sous-type est qualifié de *méthode biographique* (les autobiographies). La méthode de l'*histoire de vie* couvre la vie entière d'un individu, tandis que celle des *récits de vie* concerne des tranches de vie plus précises (*biogramme*). À l'aide de cette méthode, le sujet interrogé (*anamnèse*) raconte son expérience de vie à travers divers événements vécus dans son passé et des *anecdotes* en lien avec le thème d'étude. Cette approche, de plus en plus utilisée auprès des personnes âgées, est d'ailleurs beaucoup plus qu'une simple méthode de collecte de données (Birren, 1987; Allison, 1985).

Les fonctions de la méthode biographique, comme nous le rapporte Peneff (1990:6-7), sont multiples: 1) connaissance des trajectoires individuelles par rapport à la situation présente du narrateur; 2) instrument de documentation historique; 3) confrontation du passé du sujet avec la reconstruction verbale qu'il en présente; 4) instrument de connaissance des opinions.

Citant certaines biographies sur des problématiques reliées à la vieillesse (Catani & Maze, 1982; Zonabend, 1980; Rhein, 1977), Peneff remarque que les «vieillards qui livrent spontanément leur passé sont doublement intéressés: vaincre la solitude et raconter pour la énième fois le roman de leurs infortunes ou de leurs conflits familiaux longtemps ruminés (héritage disputé, partage inégal entre enfants des devoirs dus (sic) aux vieux parents)». Il conclut que l'interview biographique est «une relation sociale inespérée pour les vieilles personnes» (Peneff, 1990:76-77).

Par conséquent, le chercheur doit être averti de certains dangers et éviter, selon lui, de se laisser séduire par le besoin de certaines personnes de s'épancher. Étudions maintenant certaines techniques se rattachant aux différentes étapes de l'interview.

8.3.4 LES PRÉPARATIFS PRÉLIMINAIRES À L'INTERVIEW

Lorsqu'il s'agit d'aborder des personnes âgées, les moindres détails prennent de l'importance, de sorte que l'opération d'ensemble doit être soigneusement planifiée pour en assurer le succès. Une fois le protocole et l'instrument d'observation mis au point, une première étape est la passation d'un prétest. On choisira de préférence un mini-échantillon de sujets répondant aux mêmes critères que ceux adoptés dans l'échantillon principal. Le but de cette opération vise à vérifier les points suivants: la longueur de l'entrevue (détecter des effets de fatigue), le niveau de compréhension des termes utilisés dans l'instrument, les résistances et les obstacles liés au site des observations. On profitera avantageusement de ce prétest pour familiariser l'équipe d'interviewers avec la catégorie de sujets interrogés, avec le protocole ainsi qu'avec les instruments. Les résultats de cette expérimentation permettront d'apporter des correctifs s'il y a lieu.

Reportons-nous maintenant au déroulement de l'enquête comme telle. La première étape concerne la *prise de contact*. La prise de contact initiale peut s'effectuer soit par téléphone, soit par courrier, préférablement les deux. La lettre adressée à la personne âgée est l'occasion pour le chercheur de s'identifier (lui-même et les membres de son équipe s'il y a lieu), d'expliquer à grands traits le but de l'étude et surtout de solliciter la coopération libre du sujet. Même si les personnes âgées sont relativement disponibles, elles peuvent en revanche manifester de la méfiance, notamment quant aux visites à domicile. Le contact téléphonique est donc quasi indispensable pour gagner leur confiance et obtenir leur consentement. En outre, le contact téléphonique représente le moyen par excellence pour vérifier leur disponibilité et surtout estimer leur aptitude à se soumettre à l'entrevue. C'est également par le truchement de la liaison téléphonique que l'on fixera le lieu du rendez-vous et le moment le plus approprié pour réaliser l'entrevue.

Le choix du lieu et du moment de la rencontre compte pour beaucoup dans le succès de l'entrevue, surtout lorsqu'il s'agit de personnes âgées. On veillera notamment, dans l'entente quant à l'heure du rendez-vous, à ne pas perturber les habitudes routinières des personnes âgées, en s'assurant que le moment de rencontre soit propice à l'échange et favorise le maintien d'une atmosphère calme et détendue. La solution la plus simple semble celle des visites à domicile. Il importe cependant que l'entrevue puisse avoir lieu sans la présence d'une tierce personne, tel le conjoint par exemple. L'expérience nous a démontré que la présence du conjoint est souvent défavorable (attitudes contrôlantes, assistance du tiers) au bon déroulement de l'entretien.

Le deuxième point concerne le *contrat de communication*. Son but est de rappeler à la personne interviewée le type d'apport demandé, de préciser les rôles respectifs, de négocier la durée de l'entrevue (ou des entrevues), d'indiquer au sujet pourquoi et comment il a été choisi, d'assurer la confidentialité et de mentionner quel usage sera fait des renseignements fournis. Certains chercheurs mentionnent dans ce contrat «verbal» qu'une rémunération «symbolique» leur sera accordée. Ainsi, Rodin *et al.*(1988) ont versé 4 $ US par entrevue (au total huit entrevues par personne sur trois ans) aux sujets participant à l'étude qu'elles ont menée sur la dépression et les troubles du sommeil.

Finalement, le contrat de communication est l'étape tout indiquée pour demander l'autorisation d'enregistrer, si possible, la conversation sur bande magnétique (ou vidéo). Un point doit être clair: toute ambiguïté ou changements ultérieurs à propos de ce contrat risque d'embrouiller le déroulement de l'entrevue.

À la phase des préparatifs, on remettra à chaque enquêteur une carte d'identité (de préférence avec photo) à présenter au moment du contact à domicile afin de créer dès le début un climat de confiance.

8.3.5 LE DÉROULEMENT DE L'INTERVIEW

Nous insisterons surtout sur trois aspects clés dans le déroulement de l'interview: 1) l'attitude de l'interviewer; 2) les obstacles à la communication; 3) les techniques d'entretien.

Pour ce qui est des attitudes, nous sommes d'avis que les principes de l'entretien non directif développés par Rogers (1985) s'appliquent parfaitement bien au contexte de l'interview de recherche. Une première attitude consiste à manifester de l'intérêt à l'endroit du sujet en l'encourageant constamment à s'exprimer de façon libre et spontanée. L'attitude de non-jugement est aussi essentielle: l'interviewer fera preuve d'une grande ouverture d'esprit, ce qui le prédisposera à tout entendre, sans faire de discernement, sans chercher à culpabiliser, à porter des jugements ou à prodiguer des conseils. Tel est le principe de l'acceptation inconditionnelle d'autrui.

L'attitude de non-directivité convient aussi dans les interviews non structurées, laissant au sujet beaucoup d'initiative. Par ailleurs, l'attitude empathique permet de transmettre à l'autre sa sensibilité, de montrer qu'il est attentif, à l'écoute, de manifester de la compréhension, sinon de la compassion, bref de révéler l'authenticité de ses intentions. Finalement, le chercheur devra déployer un effort constant pour demeurer objectif et maîtriser la situation.

Les obstacles à la communication peuvent s'avérer plus ou moins importants selon les personnalités en présence, le contexte environnemental ou le thème traité en tant que tel. Il appartient toujours au chercheur de créer un climat favorable à la communication, en encourageant sans répit la personne interviewée, en lui fournissant un foyer de discussion clair et en tâchant de détecter les manifestations verbales ou non verbales d'impatience, de fatigue ou d'irritation.

Les entraves à la communication qui émanent de la personne interviewée sont: 1) la fatigue; 2) l'anxiété; 3) les déficiences physiques (troubles d'expression verbale); 4) les difficultés de compréhension (langage, sens); 5) la tendance au transfert; 6) la contraction défensive[3]; 7) l'effet de façade[4]; 8) l'effet de sympathie[4]; 9) l'effet de vanité[4].

De la part de l'interviewer, les difficultés suivantes sont à surveiller: 1) difficulté à conceptualiser clairement, à respecter le niveau de compréhension du sujet; 2) difficulté à prévoir la réponse du sujet en vertu des classifications préalables (*effet d'anticipation*); 3) difficulté dans l'interprétation du message sans contre-vérification; 4) difficulté d'attention ou tendance à la distraction; 5) utilisation de l'autorité ou autres mécanismes de défense pour surmonter sa propre anxiété (p. ex. mal à supporter les longs moments de silence).

S'agissant d'interviewer les personnes âgées, plusieurs ont insisté sur certaines techniques de base (Bloom *et al.*, 1971; Schmidt, 1975; Bonar & Maclean, 1985): 1) ajuster le vocabulaire à celui des sujets, d'autant plus que les personnes âgées s'appuient souvent sur des schèmes de référence qui diffèrent de ceux des chercheurs; 2) ralentir le rythme afin d'accorder plus de temps au sujet pour réfléchir ou se remémorer certains faits; 3) tenir compte de l'effet de fatigue qui peut être un effet secondaire attribuable à la consommation de médicaments; 4) prévoir des moments de détente pour contrer l'anxiété ou les tensions; 5) recentrer doucement le sujet dès qu'il cherche à tourner l'attention vers ses propres préoccupations (ses maladies, ses déboires financiers, ses pertes, etc.); 6) s'asseoir de préférence tout près et à côté du sujet pour l'interviewer (pour faire obstacle aux problèmes de vision ou d'audition).

Quant aux techniques à utiliser dans le déroulement de l'entretien, Blanchet *et al.* (1989:98) sont d'avis qu'il faut distinguer entre les interventions de type *consignes* et celles de type *commentaires*. «Les *commentaires*, sont des explications, remarques, questions, observations ponctuant le propos de l'interviewé.» Par contre, la *consigne* est une intervention ayant pour but de définir le thème du discours subséquent à développer par l'interviewé (Blanchet *et al.*, 1989). Il convient d'insister sur les techniques suivantes : 1) la *formulation-reflet* qui consiste à paraphraser à partir du discours de l'interviewé de manière à vérifier la compréhension. La technique de l'*écho* (réponse-écho) est souvent utilisée (p. ex.: «Ainsi selon vous...», «Vous voulez dire que...»); 2) la *reformulation-résumé* qui vise à laisser le sujet centré sur le problème en tentant de récapituler ou de traduire de manière synthétique l'essentiel de son discours; 3) la *reformulation-clarification* qui consiste d'autre part à renvoyer au sujet le sens même de ce qu'il a dit afin de s'assurer de la cohérence du discours; 4) l'*écoute active* qui sert à signifier à l'interlocuteur, au moyen de gestes ou de paroles, notre approbation ou notre intérêt à propos de ce qui est dit.

Lors du déroulement de l'entretien, le chercheur s'interrogera fréquemment sur les points suivants:

1. Le point abordé par la question posée est-il utile à l'enquête ?
2. Doit-on aborder le thème à l'aide de plusieurs questions ?
3. Le sujet possède-t-il la connaissance nécessaire pour répondre adéquatement aux questions ?
4. La question telle que formulée risque-t-elle de suggérer une réponse dans un contexte trop personnel ?
5. La question oriente-t-elle dans un sens particulier ?
6. La question risque-t-elle de provoquer des résistances ?
7. Les termes utilisés ont-ils une signification claire ?
8. Le nombre de questions risque-t-il de fatiguer le sujet ?
9. L'ordre des questions respecte-t-il la pensée du répondant au lieu de la logique de l'analyse ?

Rappelons par ailleurs que le rôle de l'interviewer est multiple. Ainsi il doit: 1) poser les questions en respectant la séquence prévue; 2) enregistrer fidèlement les réponses; 3) vérifier soigneusement l'authenticité du témoignage; 4) soutenir l'intérêt ou la motivation; 5) tenir compte des tensions et de la fatigue; 6) faciliter l'expression libre et spontanée du sujet.

À propos de l'enregistrement des informations, quelques remarques s'imposent. L'emploi d'un magnétocassette comporte des avantages mais aussi des inconvénients. Premièrement, il libère l'interviewer d'une tâche déjà lourde et difficile à accomplir, alors qu'il doit se concentrer sur le déroulement de la communication. Deuxièmement, l'enregistrement sur support magnétique permet de reconstituer très fidèlement le contenu de la communication, ce qui inclut les pauses, les hésitations. Il faut enfin souligner que l'écoute des bandes enregistrées permet au chercheur principal de vérifier la qualité du travail de l'interviewer.

À l'encontre de cette méthode, il faut reconnaître qu'elle ne permet pas d'enregistrer les expressions non verbales (à moins d'utiliser un appareil vidéo) qui sont souvent révélatrices à maints égards. Également, l'enregistrement nécessite très souvent une transcription, opération qui peut s'avérer longue et coûteuse. Dernière difficulté et non la moindre, le magnétophone risque de provoquer une réaction de méfiance et de retenue chez certains sujets. Mais la prise de note a aussi ses inconvénients. Parmi ceux-ci, mentionnons que lorsque l'interviewer prend des notes, il signifie au sujet que ce qu'il vient de déclarer est important, ce qui risque de restreindre la spontanéité de l'expression ou d'orienter le contenu des propos.

Immédiatement après la rencontre, il est important que le chercheur complète son entrevue en relisant et corrigeant ses notes, en inscrivant ses impressions générales sur le déroulement de la session de manière à s'assurer d'avoir respecté le plus fidèlement le sens et le contexte de l'échange verbal.

La fiche d'entrevue doit aussi être révisée: elle contiendra tous les renseignements pertinents tels les coordonnées exactes du sujet, certains traits physiques ou comportementaux pertinents, le nombre de visites effectuées, la durée de l'entretien ou des entretiens, la présence ou non de tierces personnes, des traits particuliers reliés à l'environnement physique, les contacts téléphoniques.

Pour compléter ce bref aperçu quant à la méthode, ajoutons que l'équipe de recherche doit prévoir des sessions de formation à l'intention des interviewers afin d'assurer la plus grande homogénéité et qualité de l'opération. D'autre part, il est toujours indiqué d'effectuer des tests de qualité en vérifiant auprès d'un petit échantillon de répondants que les interviews ont bel et bien eu lieu selon les modalités et la durée prévues.

8.3.6 LES AVANTAGES ET LES INCONVÉNIENTS DE L'INTERVIEW DE FACE À FACE

Quelle est la valeur méthodologique de cette méthode ? Examinons en premier lieu les éléments d'appréciation générale pour ensuite nous situer en regard de son application aux personnes âgées. Frey (1989) résume les conclusions auxquelles ont abouti certains chercheurs sur les principaux avantages et inconvénients de l'interview de face à face.

Côté avantages, mentionnons qu'il est facile pour l'interviewer d'établir l'identité du répondant, ce qui facilite le contrôle de l'échantillon. L'interview téléphonique — tout comme le questionnaire auto-administré — est nettement désavantagée sur ce point. Par ailleurs, l'interview de face à face procure le taux de participation le plus élevé, dans l'ordre moyen d'envoron 84 % selon une estimation fournie par Siemiatycki (1979). Motenko (1989) rapporte même un taux de participation de 98 % dans une étude auprès de 50 femmes âgées prenant soin de leur époux atteint de la maladie d'Alzheimer.

D'autre part, l'interview en face à face est à privilégier lorsqu'il s'agit d'enquêter sur des thèmes délicats, lorsque le nombre de questions est élevé et quand il faut contacter des personnes potentiellement réfractaires ou réticentes à livrer des informations. Enfin, l'interview de face à face se démarque favorablement par sa souplesse d'emploi. Elle permet d'obtenir une meilleure qualité d'information étant donné que l'enquêteur est à même d'ajuster son instrument en fonction du niveau de compréhension de chacun.

Le principal inconvénient de l'interview de face à face se mesure en coûts. À titre illustratif, mentionnons l'étude que nous avons réalisée sur l'actualisation de soi des personnes âgées (Leclerc, Lefrançois & Poulin, 1992), au cours de laquelle 601 sujets ont été interviewés. Nous avons déboursé en moyenne 90 $ par entrevue, ce qui inclut la formation des assistants de recherche, les contacts téléphoniques, l'entrevue comme telle — d'une durée approximative de deux heures — les frais de déplacement à domicile, la codification ainsi que des sessions de mise au point et de supervision.

Frey (1989) cite l'étude de Collesano (1985) qui rapporte des dépenses de 66 $ US par entrevue complétée, somme assez comparable à la nôtre.

Or les frais qu'occasionne l'interview en face en face sont d'autant plus élevés que la population à rejoindre est dispersée géographiquement, d'où l'intérêt à privilégier une méthode d'échantillonnage plus économique. En outre, contrairement aux autres méthodes d'observation, l'entretien de recherche requiert la mise en place d'une équipe de travail qu'il faut former, superviser et encadrer de façon régulière.

Comme l'entrevue en face à face comporte souvent des questions ouvertes, le temps consacré à la transcription et à l'analyse des réponses ajoute inévitablement à l'élément coût.

Un autre inconvénient a trait au calendrier de réalisation. En effet, l'interview de face à face exige du temps, surtout lorsque le nombre de sujets à observer est élevé. Par ailleurs, certaines études (Bradburn, 1983) ne rapportent aucun biais de réponse particulier attribuable à la personnalité de l'interviewer. Par contre, on a observé qu'une attitude trop familière ou informelle de la part de l'interviewer entraînait une baisse significative de la qualité de l'information (Gates & Solomon, 1982; Johnson *et al.*, 1987; Rogers, 1976).

De surcroît, cette méthode d'observation est sujette à favoriser la transmission de réponses stéréotypées, à provoquer la désirabilité sociale et l'autovalorisation. Finalement, elle peut amener certains sujets à ne pas collaborer totalement, étant donné leur doute quant au respect de la confidentialité.

Quel intérêt cette méthode présente-t-elle en gérontologie ? Reprenons à Frey (1989:61) certains éléments d'appréciation qu'il attribue à West (1987). Les enquêtes auprès des personnes âgées se heurteraient au problème des incapacités physiques (troubles de la mémoire, problème d'audition), aux incapacités intellectuelles (faible scolarité), à la crainte éprouvée par plusieurs d'être agressés. Mais comparativement aux autres méthodes, l'entrevue de face à face semble avoir été privilégiée (Herzog & Rodgers, 1988) dans l'étude des personnes âgées.

Dans un article publié en 1983, Herzog, Rodgers et Kulka (1983) rapportent les résultats d'une étude comparative utilisant les données de neuf enquêtes nationales américaines. Voici leurs conclusions: dans les interviews de face à face, il faut s'attendre à un *taux de défection* de l'ordre de 33 %. En outre, cette méthode est plus avantageuse même si des sujets ont certaines incapacités ou que leur niveau de compétence intellectuelle est plus faible. Il est en effet plus facile pour l'interviewer d'ajuster son rythme à celui de la personne âgée, comparativement à l'entretien téléphonique par exemple.

Enfin, les auteurs cités ne mentionnent aucune difficulté particulière en ce qui a trait à la tendance à l'évitement; le pourcentage de réponses du type «je ne sais pas» n'est pas plus élevé dans l'interview de face à face que dans les autres méthodes d'observation.

8.4 L'INTERVIEW TÉLÉPHONIQUE

La méthodologie exposée plus haut s'applique également aux interviews téléphoniques, bien que la procédure comporte plusieurs éléments distinctifs. Les particularités techniques de cette méthode ont récemment été rassemblées dans quatre excellents ouvrages: 1) D. A. Dillman (1978), *Mail and Telephone Surveys: The Total Design Method;* 2) R. M. Groves & R. L. Kahn (1979), *Surveys by Telephone: A National Comparison with Personal Interviews*; 3) plus récemment James H. Frey (1989), *Survey Research by Telephone*; et 4) Paul J. Lavrakas (1987), *Telephone Survey Methods*.

Frey (1989:11) estime qu'au cours de la dernière décennie la fréquence des enquêtes réalisées au moyen du téléphone a surpassé celle des recherches utilisant l'interview de face à face. Les coûts de plus en plus exorbitants associés aux interviews à domicile, combinés au déclin du taux de participation, expliqueraient cette hausse de popularité (Rossi *et al.*, 1983; Frankel & Frankel, 1987).

Mais, comme certains l'ont souligné (Frey, 1989; Lavrakas, 1987), plusieurs innovations technologiques et méthodologiques ont joué un rôle de premier plan dans l'élaboration d'un nouveau savoir sur l'entretien téléphonique. Parmi celles-ci, signalons les nombreux perfectionnements apportés aux divers appareils ou réseaux de communications, améliorations qui se sont traduites par une augmentation du nombre d'abonnés, une meilleure qualité de la transmission, des équipements plus performants (téléphones à boutons-poussoirs, amplificateurs de la voie) et les facilités relatives aux appels interurbains (appels directs de numéro à numéro).

Sur un autre plan, l'informatique a apporté une assistance précieuse aux chercheurs, puisqu'il est maintenant possible d'automatiser certaines procédures (p. ex. système CATI: recherche et tris de numéros, composition automatique, système de rappel, protocoles d'interviews programmés, codification et compilation automatique notamment).

En revanche, le répondeur automatique, dont l'usage est de plus en plus répandu, représente un handicap pour ce type d'enquête; en effet, l'utilisateur conserve l'initiative puisque c'est lui qui décide quel appel il désire retourner.

Le chercheur employant la technique de l'interview téléphonique bénéficie également de certains avantages qui tiennent aux comportements psychosociaux attachés à la téléphonie. La compulsion des gens à décrocher le combiné dès que le timbre retentit est un premier atout.

Citant Ball (1968), Fry nous rappelle cette norme qui veut que l'initiateur d'un appel téléphonique soit aussi celui qui termine la conversation. Le fait de raccrocher brusquement étant perçu comme un geste irrespectueux, l'interlocuteur peu collaborateur préférera souvent négocier son intention de ne pas entamer la conversation ou d'y mettre fin «prématurément», plutôt que de «fermer la ligne au nez».

Une autre norme veut que le sujet interrogé participe activement à la conversation, un silence prolongé étant reconnu comme un comportement d'impolitesse. Frey (1989:20) nous rappelle que l'interlocuteur au bout du fil fait confiance au départ à celui qui amorce l'appel, ressentant même un désir légitime d'apporter une aide.

Le chercheur peut, dans une certaine mesure, capitaliser sur ces principes socialement admis afin d'accroître son taux de participation. Déontologiquement parlant, il est toutefois utile de rappeler l'obligation professionnelle du chercheur de ne pas exercer de pression indue, de faire preuve de courtoisie et de respect à l'endroit des personnes sollicitées.

Les autres considérations techniques ne seront pas développées ici. Le lecteur consultera avec intérêt les ouvrages cités précédemment. Par contre, dans l'optique de la recherche en gérontologie, il semble indiqué de dégager le pour et le contre de cette méthode.

S'agissant des études auprès de gens âgés, Herzog, Rodgers et Kulka (1983) brossent un bilan de leurs observations quant à l'emploi de la méthode de l'interview téléphonique. S'appuyant sur les constatations de Thornberry et Massey (1978), ils attirent d'abord notre attention sur le fait que les enquêtes téléphoniques auprès de personnes âgées fournissent des échantillons plus représentatifs que celles réalisées auprès de n'importe quelle autre tranche d'âge, car le taux d'abonnement téléphonique chez les gens âgés est plus élevé (remarque: sans doute la possession d'un appareil téléphonique est-elle un moyen de combler le vide occasionné par la solitude; cela exprime peut-être l'importance d'entretenir des liens continus avec la famille, ou peut-être cela dénote-t-il un souci de sécurité advenant des problèmes de santé).

Cependant, ils sont amenés à conclure qu'en ce qui concerne les enquêtes par téléphone, le taux de participation des personnes âgées est moins élevé que celui des jeunes.

Herzog, Rodgers et Kulka (1983) estiment qu'en menant une enquête téléphonique exclusivement auprès de personnes âgées, on s'expose à faire face à un taux de refus de 50 % en moyenne. Ils ont de plus constaté que les personnes âgées sont proportionnellement plus nombreuses à se soucier de la longueur de l'entrevue et à se plaindre de la fatigue ou du stress.

Parmi les facteurs expliquant cette tendance à refuser les interviews téléphoniques chez les sujets âgés, on a rapporté des problèmes d'audition (Corso, 1977) et la propension des personnes moins bien portantes physiquement et moins scolarisées à décliner l'invitation à une interview. Également, le rythme habituellement rapide de l'interview téléphonique tendrait à affecter leur performance (Botwinick, 1978).

En revanche, il semble que les personnes âgées se sentent davantage en sécurité lorsqu'elles sont interviewées au téléphone, comparativement aux interviews à domicile où la crainte d'être victimisées est manifestement plus grande.

8.5 LE QUESTIONNAIRE

Bien que l'on traitera ici de l'enquête par questionnaire auto-administré, situation où le chercheur n'intervient pas de façon active dans le processus même d'observation, il est utile de rappeler que les règles de construction du questionnaire s'appliquent également lorsqu'on l'utilise dans les interviews de face à face et au cours des interviews téléphoniques. Ces techniques intéresseront donc une pluralité de lecteurs, étant donné la grande variété des situations d'observation où elle a légitimement sa place (cf. Payne, 1980; Berdie & Anderson, 1974; Sudman & Bradburn, 1983; Javeau, 1988).

Le questionnaire trouve aussi son importance dans d'autres contextes d'observation: certaines études de cas, les études sociométriques, la plupart des études longitudinales prospectives et les expérimentations contrôlées ou semi-contrôlées.

Mais nous nous confinerons ici uniquement au problème de la fabrication des questionnaires standardisés et aux protocoles d'administration et de contrôle, laissant de côté la construction des tests qui a fait l'objet d'un précédent chapitre. En fait, les règles qui s'appliquent lors de l'élaboration des tests conviennent également au questionnaire-type et vice versa.

8.5.1 LES TYPES D'ENQUÊTES PAR QUESTIONNAIRE

D'entrée de jeu, distinguons les quatre principales circonstances où le questionnaire standardisé est utilisé. Le premier scénario décrit la situation où l'enquêteur enregistre lui-même les réponses du sujet interrogé. Il s'agit de l'administration du *questionnaire par entrevue*. Le chercheur utilise à cette fin soit une grille d'entrevue comportant une série de questions ouvertes plus ou moins préformées, ou encore un questionnaire standardisé constitué surtout de questions fermées.

Le deuxième scénario est celui où la personne sélectionnée pour participer à l'étude doit elle-même transcrire ses réponses dans le questionnaire, sans qu'aucune aide extérieure ne lui soit apportée. Ce mode est celui du *questionnaire auto-administré*. La plupart du temps, le questionnaire est expédié par la poste au domicile (ou au lieu de travail !) du répondant.

Le troisième scénario englobe les situations où le répondant reçoit une forme d'aide quelconque (par téléphone, par l'entremise de courtes visites à domicile ou sur les lieux mêmes où le questionnaire est complété). C'est le cas des *questionnaires sous supervision technique*. L'assistance apportée se limite, dans un tel contexte, à des interventions de clarification. Cette méthode offre généralement de meilleures garanties de succès, l'expérience montrant qu'on obtient un taux de réponse et de participation relativement élevé (les interventions ponctuelles aident à la compréhension, d'où une meilleure qualité de réponse; une motivation plus élevée entraîne une meilleur taux de participation), surtout lorsqu'on peut garantir l'anonymat.

Enfin, la *technique Delphi* ainsi que la *méthode du groupe nominal* sont des stratégies particulières d'enquête auprès d'un groupe, ou plutôt d'un agrégat d'experts[1] — ou de personnes habilitées à prendre des décisions — à qui l'on demande un avis en vue d'aider à résoudre un problème particulier.

Voyons d'abord dans ses grandes lignes la méthode Delphi (Linstone & Turoff, 1975; Ouellet-Dubé, 1983). Il s'agit essentiellement de consulter des experts sous le couvert de l'anonymat. Dans un premier temps, un questionnaire comportant des éléments d'évaluation est expédié par la poste à un agrégat de répondants soigneusement sélectionnés. Une fois les questionnaires retournés à l'émissaire, on procède à la compilation des réponses. Les résultats de cette compilation sont ensuite communiqués par écrit aux répondants, le tout accompagné d'un autre questionnaire. Ce second questionnaire a pour but de sonder à nouveau leurs réactions sur la base des nouvelles informations qui leur sont transmises. Grâce à cette procédure de réévaluation par rétroaction, on espère obtenir de la part des experts, dès le deuxième tour, une appréciation plus nuancée des éléments à évaluer ainsi que des propositions d'action mieux éclairées. Toute cette procédure, précisons-le, se déroule dans le plus strict anonymat (c.-à-d. les répondants ignorent qui sont les autres répondants), ce qui permet de neutraliser l'*effet de leader* que pourrait susciter une rencontre de groupe ou d'éviter des conflits de personnalité (cas des interviews de groupe par exemple) pouvant influencer l'appréciation des autres juges. L'idée est d'atteindre un plus haut degré de consensus.

Voyons un exemple cité par Seaman et Verhonick (1982:215). Pour déterminer les besoins en ressources infirmières selon le secteur d'intervention, Lindeman (1975) recruta un «panel» d'experts composé de 433 personnes. En tout, quatre questionnaires furent expédiés aux experts, le taux de participation ayant atteint 79 % pour l'ensemble de l'opération. Au premier tour, les experts identifièrent 150 domaines où les ressources en services de nursing paraissaient requises. Au deuxième tour, on présenta le résultat de cette compilation aux experts en leur demandant cette fois d'évaluer ces champs d'intervention selon: 1) la nécessité de mener des recherches dans les secteurs choisis; 2) la valeur de l'activité du point de vue de la profession d'infirmière; 3) l'impact de l'activité sur le bien-être des patients. Au troisième tour, les experts furent invités à commenter les résultats obtenus au deuxième tour. Finalement, le quatrième questionnaire permit de recueillir des commentaires sur les commentaires généraux rapportés au troisième tour.

La méthode du groupe nominal (Lauffer, 1982; Ouellet, 1987) repose sur un principe analogue. «C'est une technique d'identification de problème basée sur les informations ou l'appréciation que fournit un groupe d'individus sélectionnés en fonction de leur connaissance du sujet traité» (Lefrançois, 1991). Cependant, chaque expert est physiquement mis en présence des autres, les échanges étant réduits au minimum, sous la surveillance d'un animateur.

8.5.2 LE TYPE D'INFORMATIONS À RECUEILLIR

Commençons d'abord par identifier les différents types d'information à recueillir auprès des répondants.

Les *questions de fait* se rapportent le plus souvent à des réalités OBJECTIVES, c'est-à-dire à des données constitutives ou signalétiques sur l'individu, les objets de son entourage, ses comportements réels ou son expérience intime. Nous distinguons six catégories de faits objectifs:

1. Les *caractéristiques socio-démographiques* du répondant (p. ex. âge, sexe, scolarité, revenu, statut civil, etc.);
2. Les *caractéristiques relationnelles* (p. ex. nombre d'enfants, rang de naissance, contacts avec la famille, visites à domicile, fréquentation des amis, etc.);
3. Les *activités socio-culturelles et spirituelles* (p. ex. fréquentation de clubs de loisir, voyages, activités de détente et de conditionnement physique, pratiques religieuses, etc.);

4. Les *traits de l'environnement physique* (p. ex. habitat, objets personnels, animaux domestiques, etc.);
5. Les *expériences vécues* (p. ex. fréquence des hospitalisations, maladies, période de la retraite, événements particuliers, etc.);
6. Les *comportements et les habitudes* (p. ex. activités de la vie quotidienne, comportement d'allégeance politique (vote) ou d'appartenance (croyance religieuse), consommation, etc.).

Le second groupe d'informations englobe les *questions de jugement*, c'est-à-dire les données subjectives de type évaluatif portant soit sur des faits concrets, soit sur des individus, des idées ou des valeurs. On distinguera ici trois types d'information reliés à des questions de jugement:

1. Les *opinions* quant à la nature de faits, d'expériences, de pratiques ou d'événements (p. ex. opinions sur la religion, le système de santé, les politiques de la vieillesse, etc.);
2. Les *attitudes et les sentiments* (p. ex. réactions émotives ou perceptions amenant une disposition à agir en regard de réalités plus consistantes ou enracinées: valeurs morales, traditions, préjugés sociaux, etc.);
3. Les *motivations et les aspirations* (p. ex. les désirs ou les attentes exprimant une appréciation d'un devenir souhaitable);

Vient compléter cette liste un autre type d'information, soit les *cognitions* (p. ex. le niveau de connaissance ou d'information du sujet).

Cette classification sommaire permet d'entrevoir les stratégies différentielles à mettre en place pour obtenir des renseignements idoines, valables scientifiquement. À cet égard, Javeau (1988:29) attire notre attention sur les quatre principaux critères à partir desquels le témoignage d'un répondant doit être apprécié:

1. La compétence du répondant. Est-il familier avec le contenu des questions ? S'agit-il de connaissances récentes ou lointaines ?
2. La compréhension du répondant. Comprend-il le sens des questions ? Sa condition physique ou psychologique au moment de l'enquête lui permet-elle de répondre adéquatement aux questions ?
3. La sincérité du répondant. Est-il congruent ? Répond-il honnêtement aux questions ?
4. La fidélité du témoignage. Son discours traduit-il son sentiment véritable ? Sa mémoire lui fait-elle défaut ?

Cette énumération des critères de validité des témoignages appelle deux remarques complémentaires: 1) on doit s'efforcer d'«exploiter» au maximum les ressources du répondant, en adaptant la stratégie de collecte des données au sujet et, en même temps, en veillant à ce que les informations demeurent compatibles avec les objectifs poursuivis; 2) la stratégie de construction du questionnaire doit tendre à minimiser les biais de tout acabit susceptibles de contaminer la qualité de l'information.

Un questionnaire bien construit sera équilibré dans sa forme et son contenu, mais il sera aussi bien administré.

8.5.3 LES TYPES DE QUESTIONS

Lorsqu'il s'agit de recueillir des informations factuelles, du genre signalétique par exemple, on recourt préférablement à des *questions fermées*. On peut également utiliser ce type de questions pour fixer à l'intérieur de catégories déterminées l'opinion ou les attitudes des répondants.

Les questions fermées contiennent des énoncés présentés sous une forme interrogative ainsi que des catégories de réponses prédéterminées. Étant idéalement épurées d'ambiguïté pour le répondant, elles nécessitent donc une réponse immédiate, comme l'indique l'exemple suivant.

Question 1: Quel est votre état civil ?
——— Marié(e) ——— Séparé(e) ——— Divorcé(e)
——— Veuf(veuve) ——— Célibataire ——— Non-réponse[2].

Une mise au point doit cependant être faite à propos de la formulation de la question précédente. Comme l'ont fait remarquer Selltiz *et al.* (1977:308), la présentation des choix de réponses à même l'énoncé aide parfois le répondant à mieux se représenter le sens de la question. Tout dépend toutefois du niveau de compétence des répondants. Pour certains, il est préférable de poser la question: «Êtes-vous marié(e), célibataire, séparé(e), divorcé(e) ou veuf(veuve) ?»

Les questions standardisées de type fermé sont à privilégier non seulement pour obtenir des informations factuelles, mais aussi pour créer une atmosphère plus détendue au début d'un entretien. Les catégories de réponses proposées (mutuellement exclusives) tiendront idéalement compte de toutes les éventualités. Dans la majorité des cas, on demande au répondant de n'inscrire qu'un seul choix parmi ceux offerts. Le principal avantage de ce type de questions réside dans la simplicité et la rapidité du dépouillement des réponses, d'autant plus qu'un code peut être immédiatement attribué à chaque catégorie de réponses. Quand l'échantillon est homogène, les questions standardisées accroissent la fidélité, car tous les répondants se prononcent sur des questions présentées de façon uniforme. En revanche, les questions fermées sont sujettes à exclure des aspects souvent importants que le chercheur ignore ou qu'il a négligé d'intégrer dans son choix de réponses.

Un autre usage des questions fermées consiste à aiguillonner le répondant vers d'autres sections du questionnaire. En évitant de lui poser des questions auxquelles il n'est pas habilité à répondre ou qui ne conviennent pas à sa situation, on maintient ainsi son intérêt tout en ne lui occasionnant pas de perte de temps inutile. Les *questions-filtres*, parfois présentées sous forme de choix binaire, remplissent adéquatement cette tâche comme le démontre l'exemple de la question 2.

Question 2: Avez-vous des ami(e)s ou des proches parents à qui vous pouvez vous confier quand vous en ressentez le besoin ?
——— OUI
——— NON -▸ PASSEZ À LA QUESTION Nº 8
——— Non-réponse.

Le principal inconvénient des questions fermées est qu'elles «enferment» le répondant dans des catégories qui, parce qu'elles lui sont imposées, lui interdisent de nuancer sa pensée.

Les *questions semi-fermées* proposent également des choix préformés, mais laissent au répondant la possibilité d'enrichir sa pensée (PRÉCISEZ) ou encore d'inscrire une réponse qui n'a pas été prévue par l'enquêteur (AUTRE) comme dans l'exemple de la question 3.

Question 3: Dans quel type de résidence habitez-vous présentement ?
——— Résidence privée
——— Domicile d'un parent ou d'un(e) ami(e) (PRÉCISEZ) ________________
——— Résidence communautaire pour personnes âgées
——— Pension privée, famille d'accueil ou pavillon
——— Centre d'accueil et d'hébergement
——— Centre hospitalier pour soins prolongés (ou USP)
——— Autre (SPÉCIFIEZ) ________________________
——— Non-réponse.

Un autre type de question semi-fermée est utilisé lorsque le répondant a la possibilité d'inscrire plusieurs choix (question à choix multiples) parmi l'éventail de réponses suggérées. C'est la *question cafétéria* (cf. question 4).

Question 4: Pour quelles raisons êtes-vous retourné vivre à la campagne ?
(INSCRIVEZ PLUSIEURS CHOIX S'IL Y A LIEU)
——— Pour des raisons de santé
——— Pour être proche des membres de ma famille
——— Pour fuir les inconvénients de la ville (PRÉCISEZ):____________________
——— Pour le goût de la nature
——— Autre raison (PRÉCISEZ):_______________
——— Non-réponse
——— Ne s'applique pas.

L'avantage des questions semi-fermées réside dans la gamme de choix offerts et dans la facilité du dépouillement. Même si elles peuvent suppléer à des carences de la mémoire, elles risquent toutefois d'inciter certains répondants à se rabattre sur une solution de remplacement quelconque plutôt que de fournir l'effort pour traduire sa véritable pensée.

Passons maintenant à un autre type de questions. Les *questions ouvertes*, dites aussi à réponses libres, ont pour caractéristique d'offrir une plus grande latitude au répondant dans le contenu de la réponse (puisque aucun choix n'est proposé) et dans la manière de répondre. Elles permettent donc l'obtention d'une réponse plus personnalisée. Par contre, comme aucun choix n'est suggéré, le répondant risque d'oublier certains éléments importants, de sorte que la qualité de sa réponse peut laisser à désirer au point de rendre l'information inutilisable. Finalement, l'inconvénient des questions ouvertes est qu'elles nécessitent un post-traitement long et coûteux. À la question 5, si un sujet inscrit la réponse GÉRANT, il est difficile d'apprécier son rang social (prestige, position sociale). Le gérant d'un petit commerce n'a pas le statut social d'un gérant de banque !

En guise de précaution contre ce genre d'omission, le chercheur explorera l'éventail des possibilités lors d'un prétest.

Question 5: Quel est le métier ou la profession que vous avez exercé le plus longtemps ? ______________________.

On remarquera ici la manière de formuler une question relative au statut socioprofessionnel dans le cas des retraités. Il est important d'insister sur l'*occupation* principale et non sur le dernier métier ou sur la dernière profession exercée, sinon on risque d'obtenir un portrait peu révélateur de la vie professionnelle antérieure (plusieurs mentionnent la profession de rentier ou encore la profession la plus prestigieuse même s'ils l'ont exercée seulement quelques années, souvent en fin de carrière).

Passons maintenant aux questions de type évaluatif. Nous avons déjà abordé ce thème, au chapitre précédent, dans notre discussion sur la construction des échelles de mesure. On dispose de plusieurs méthodes pour obtenir une mesure appréciative de l'attitude, de l'opinion, de la motivation ou encore du niveau de fonctionnement physique ou individuel d'un individu.

Une première méthode est celle de l'évaluation du sujet par l'enquêteur à partir des réponses à une batterie de questions. Par exemple, l'instrument MFAQ (*Multidimentional Functional Assessment Questionnaire*), développé dans le cadre du programme OARS (*Older American's Resources and Services*) interroge le sujet sur les services de santé reçus au cours des cinq dernières années, la prévalence des maladies, la consommation des médicaments et l'usage de prothèses, pour ne mentionner que les principales dimensions mesurées (Pfeiffer, 1975). L'interviewer dispose d'une grille de codification lui permettant, à partir d'une appréciation basée sur les réponses fournies, de classer l'individu sur le plan de son fonctionnement physique.

Mais l'autonotation par le sujet est d'un emploi plus fréquent. Le libellé de la question est habituellement énoncé sous la forme d'une affirmation ou d'une simple interrogation, ou encore d'une opinion-type. Par exemple, la question 6 est une question d'évaluation simple tandis que la question 7 est une question d'évaluation présentée sous la forme d'une opinion-type. Dans les deux cas, il s'agit de questions fermées.

Question 6: Actuellement, estimez-vous que votre santé physique est excellente, bonne, passable ou mauvaise ?

——— Excellente ——— Bonne

——— Passable ——— Mauvaise ——— Non-réponse.

Question 7: Les policiers devraient protéger beaucoup mieux plus les endroits souvent fréquentés par les personnes âgées (centres commerciaux, résidences communautaires, clubs de loisir) ? (Encerclez le chiffre correspondant à votre choix)

Très d'accord	D'accord	Désaccord	Très en désaccord
1	2	3	4

Au lieu d'indiquer au répondant les catégories de réponses (cf. question 7), on utilise parfois une échelle graduée comme dans l'exemple de la question 8 empruntée à Javeau (1989).

Question 8: Pouvez-vous préciser votre opinion politique en marquant d'une croix ce que vous estimez être votre position personnelle sur la ligne graduée que voici ?

Extrême gauche Centre Extrême droite

|—-—-—|—-—-—|—-—-—|—-—-—|

10 5 0 5 10

Le lecteur aura remarqué dans la seconde présentation l'ajout d'un choix neutre. Or les avis au sujet de cette pratique méthodologique (p. ex. catégorie de réponse du genre «indifférent», «neutre») sont partagés dans la documentation scientifique. Certains soutiennent qu'environ 20 % des répondants se réfugient dans les choix neutres, ce qui peut rendre délicate l'interprétation ou la vérification des hypothèses. Converse et Presser (1986) recommandent d'omettre le choix neutre pour forcer un choix orienté vers le pour ou le contre.

Les questions d'évaluation peuvent également être formulées de manière à obtenir des réponses binaires du type VRAI ou FAUX, OUI ou NON, ce qui facilite d'autant plus le dépouillement, même si l'on risque d'obtenir des réponses moins nuancées.

Mentionnons également les échelles de rangement. On demande au répondant de hiérarchiser ses choix selon un ordre de grandeur donné comme dans l'exemple de la question 9.

Question 9: Classez par ordre d'importance les problèmes apparaissant dans la liste; lesquels selon vous affectent le plus les gens du troisième âge en général (1 étant le problème le plus important, 6 étant le moins important) ?

——— Les difficultés financières
——— La solitude
——— La maladie
——— L'ennui
——— Le rejet social
——— Les risques d'agression.

Finalement, l'appréciation du sujet peut s'exprimer en termes de magnitude, formule souvent supérieure au mode d'appréciation qualitatif. En effet, quand il est possible de substituer aux étiquettes du genre *parfois, quelquefois, souvent*, des valeurs numériques, on obtient une mesure beaucoup plus précise de la position du répondant. Les questions 10 et 11 fournissent deux modèles de ce genre.

Question 10: Au cours des six derniers mois, combien de jours en tout la maladie vous a-t-elle empêché(e) de faire vos activités habituelles (sorties, jardinage, etc.) ?

——— Aucun (0)
——— Une semaine ou moins (1)
——— Plus d'une semaine mais moins d'un mois (2)
——— Entre un et trois mois (3)
——— Entre quatre et six mois (4)
——— Non-réponse (9). └───┘ code

Question 11: Environ quel pourcentage de votre revenu sert à satisfaire les besoins suivants ?

——— % logement
——— % nourriture
——— % habillement
——— % entretien ménager (et la résidence s'il y a lieu)
——— % remboursement des dettes
——— % divertissement
——— % autres dépenses

100 % TOTAL.

Un autre point important concerne les questions de type rétrospectif qui font appel à la mémoire. Chaque cas doit être soigneusement étudié, surtout lorsqu'il s'agit de personnes âgées dont la mémoire est plus souvent susceptible d'être défaillante. Par exemple, il faut s'attendre à ce que les gens se souviennent davantage de la fréquence des visites médicales ou des séjours dans des centres hospitaliers au cours de la dernière année, que des médicaments consommés au cours de la même période.

Converse et Presser (1986:20-21) proposent divers moyens pour accroître la validité des réponses faisant référence à des faits ou à des expériences du passé:

1) D'après les résultats d'une étude de type «panel», la détermination d'un intervalle de temps (*bounded recall*) représente un moyen efficace mais coûteux. On fixera de cette manière la capacité maximale de mémorisation pour un groupe d'individus (c.-à-d. Depuis les six derniers mois.... ou depuis les trois dernier mois...);
2) L'utilisation d'une tranche de temps plus ou moins courte selon le type d'événements;
3) L'obtention de l'appréciation du sujet selon la fréquence moyenne (*averaging*) (p. ex. au cours du dernier mois, combien de fois *en moyenne*, avez-vous...);
4) L'utilisation de repères temporels connus (*landmark*) (p. ex. depuis le début de la nouvelle année...);
5) La communication d'indices temporels (*cueing*).

Comme dernier point, mentionnons qu'il existe des stratégies, dans la construction des questionnaires, dont le but est de vérifier l'aptitude ou la sincérité du répondant. Ainsi les *questions tests* cherchent à obtenir indirectement un renseignement. Au lieu par exemple de demander le revenu, on interroge le sujet sur son niveau de consommation.

Par ailleurs, on recourt parfois à des *questions témoins* pour vérifier l'exactitude ou le bien-fondé d'une réponse. La question témoin est une formulation différente d'une question déjà posée qui est insérée plus loin dans le questionnaire.

Signalons qu'il existe une foule d'autres techniques utilisées dans la fabrication des questionnaires: les questions projectives, les questions comparatives (choix entre deux énoncés), les tests iconographiques (recours à des images, photos, etc.).

8.5.4 L'ORDRE DES QUESTIONS

L'ordre de présentation des questions est à considérer dans la construction de l'instrument, même s'il n'existe pas de règles méthodologiques formelles ou indicatives à ce propos. Les biais imputables à l'ordre des questions (ou des choix de réponses) ont cependant été étudiés et constituent les *effets d'ordonnancement*. Nous nous contenterons donc de faire état de certains principes directeurs communément admis.

Le point le plus important est d'agencer les questions suivant la logique du répondant et non celle de l'investigateur. L'idée est d'alléger autant que faire se peut le travail du répondant de façon à maximiser la qualité des informations. Après tout, comme la plupart des questionnaires sont précodifiés, l'opération de dépouillement n'est pas plus complexe dans un mode de présentation que dans un autre.

De plus en plus de méthodologues recommandent d'ailleurs de placer à la fin les questions relatives aux coordonnées du répondant (âge, sexe, statut civil, etc.), préférant débuter par des questions susceptibles d'intéresser davantage le sujet (Babbie, 1973:150; Converse & Presser, 1986).

Un second principe veut qu'il soit plus avantageux d'opter pour des *questions en entonnoir* plutôt que pour un arrangement par sous-thèmes. On débute par des questions simples, par exemple sur les caractéristiques du répondant, puis on passe à des questions d'évaluation de type fermé, pour enfin déboucher sur les questions plus complexes, généralement de type ouvert.

Si le questionnaire se subdivise en sections plus ou moins étanches, on inclura des *questions charnières* simples pour faciliter la transition. Cette procédure met le répondant en confiance dès le début (facilité de répondre). Par ailleurs, on capitalise ainsi sur l'*effet d'entraînement*: il est vraisemblable que la compétence du répondant augmente au rythme de la difficulté des questions.

Enfin, il importe de souligner que les questions ne doivent pas se contaminer mutuellement (*effet de contagion*). Le fait de répondre favorablement à une question peut amener un sujet à ne pas se contredire en répondant à une autre question dans le même sens que la précédente (*effet de constance)*.

Sur ce point, la première question dans une batterie d'énoncés est souvent déterminante. On parle d'*effet de position*. On se méfiera aussi d'autres biais, tels que l'*effet du point de référence*, l'*effet de premier choix* et l'*effet de dernier choix*[5].

8.5.5 LA RÉDACTION DES QUESTIONS

D'immenses progrès ont été accomplis au cours des dernières années dans l'art de construire des questionnaires d'enquête (Huet & Gremy, 1987; Smith, 1987). Malgré ces développements, l'opération la plus difficile et la plus délicate demeure celle de la formulation des libellés de questions ainsi que des catégories de réponses. Les Québécois se souviendront que *la* question du référendum sur la souveraineté-association a fait couler beaucoup d'encre ! Il s'agit donc d'une thématique méthodologique difficile que nous ne traiterons pas dans les détails dans le cadre de ce livre. L'ouvrage désormais classique de Paynes (1980), intitulé *The Art of Asking Questions*, propose une centaine de règles à ce propos. Nous nous limiterons ici aux points essentiels.

Le premier élément à considérer touche à la clarté. Il est toujours avantageux de choisir des termes simples, clairs, libres d'ambiguïtés, bref faciles à comprendre. La longueur de la question importe également, bien que les avis demeurent partagés sur ce sujet. Certains soutiennent qu'une question longue, ou une question précédée d'un long préambule, accorde au lecteur un temps de réflexion qui l'aide à mieux traduire sa pensée. À l'inverse, certains prétendent qu'une question trop longue risque d'être déroutante, d'entraîner de la confusion et de décourager le répondant.

Un autre point est celui des doubles questions. Par exemple: «Les personnes âgées souffrant d'un handicap physique ou mental sont-elles l'objet de préjugés défavorables à leur endroit ?» Le répondant risque d'être médusé. Comment répondre à la question si l'on estime que les personnes âgées handicapées mentalement sont victimes de préjugés négatifs et non les autres ? Une question ne doit donc évoquer qu'une seule idée à la fois. Dans le même ordre de difficulté, on se méfiera des questions à double sens (*amphibolie*) et des doubles négations qui peuvent être source de confusion.

On s'abstiendra également d'user de formulations tendancieuses ou inappropriées. La question doit rester neutre dans la mesure du possible. Ainsi, les termes évoquant des événements troublants, le vocabulaire technique, les adverbes imprécis (beaucoup, souvent, parfois), les mots à double sens, le recours à des termes chargés émotivement, la mention de figures prestigieuses (*effet de prestige*) ou les formulations trompeuses sont à éviter. Par exemple, une formulation comme « Êtes-vous favorable à l'indépendance du Québec même si cela devait entraîner une diminution des prestations de vieillesse ?» est à proscrire (c.-à-d. terminologie technique, vocabulaire chargé émotivement, etc.).

Également, il faut renoncer à aider le répondant en lui fournissant un exemple trop précis, notamment dans le préambule, ce qui risque d'orienter son choix. Règle générale, il est souhaitable de prévoir une solution de remplacement explicite dans la question. Ainsi, on préférera la première formulation: «Êtes-vous pour ou contre l'avortement ?», à la seconde, trop tendancieuse: «Êtes-vous opposé à l'avortement ?».

Il est surprenant de constater qu'une question aussi simple que l'âge puisse donner lieu à des résultats tronqués chez certains sujets. Peterson (1984) a comparé les réponses d'un échantillon de sujets à qui l'on avait demandé directement leur âge (a) à d'autres sujets qui devaient donner leur année de naissance (b), puis à un dernier échantillon où les répondants devaient cocher la case correspondant à leur catégorie d'âge (c). Après vérification de l'âge exact d'après les dossiers, il obtint dans l'ordre les pourcentages d'erreurs suivants: 1) 1,3 %; 2) 2,8 % et 3) 4,9 %. Toutefois, et on s'en étonnera, c'est chez les personnes de 65 ans et plus qu'il enregistra la plus faible marge d'erreur.

8.5.6 LES CONSIGNES ET LES EXPLICATIONS

Tous les questionnaires, surtout ceux de facture épistolaire, doivent fournir au répondant plusieurs types d'instructions. On retrouve d'abord celles placées sous la page titre du questionnaire dans le but d'indiquer la procédure de réponse. Cette procédure s'accompagne souvent d'un exemple concret (p. ex. encercler le numéro correspondant à son choix, placer une croix, etc.). Les consignes touchent également l'attitude à adopter face au questionnaire. Il est important par exemple de signifier au répondant qu'il n'y a pas de bonnes ni de mauvaises réponses et qu'il doit répondre au meilleur de sa connaissance. On inclura aussi une note rappelant la nécessité de répondre à toutes les questions en rassurant le répondant sur la confidentialité et l'anonymat.

En outre, à l'intérieur même du questionnaire, certaines consignes seront données: 1) dans les questions-filtres (p. ex. si vous répondez NON, passez à la question numéro X); 2) dans les questions-types (p. ex. donnez une seule réponse, *ou* vous pouvez inscrire plusieurs choix, *ou* ordonnez vos réponses: 1 = premier choix, 2 = deuxième choix, *ou* ne pas inclure tel élément..., *ou* des exemples, etc.); 3) des consignes ou des explications à propos des choix de réponses (p. ex. précisez:______________________).

La lettre d'accompagnement doit être soigneusement rédigée: elle sera motivante, incitative, explicative, rassurante et concise. Le chercheur apposera sa signature sur cette lettre qui comportera préférablement le sigle de l'institution d'appartenance dans l'en-tête. Finalement, on insistera sur la nécessité de retourner le questionnaire dûment complété dans les meilleurs délais en mentionnant la procédure à suivre.

8.5.7 LES BIAIS DE RÉPONSE

Malgré toutes les précautions pour contourner les difficultés habituellement associées à des formulations de questions inadéquates (p. ex. prétest du questionnaire, lecture critique par des experts, etc.), il est difficile de prévoir la réaction de certains sujets. Même si le questionnaire est bien conçu sur le plan technique, l'enquêteur s'expose presque inévitablement à des biais dans la qualité des informations. Pour obvier à ces difficultés — en vue d'accroître la validité des données —, certaines décisions peuvent être prises avant et après l'administration du questionnaire. Voyons d'abord un premier type d'intervention à poser une fois l'enquête terminée.

Dans un premier temps, le chercheur s'emploiera à rejeter les questionnaires qui, à l'examen, n'ont pas fait l'objet d'une attention minimale de la part de l'intéressé. Un premier indice est celui du questionnaire partiellement complété. Selon l'ampleur des non-réponses, une décision sera rendue quant au sort final du document à la suite d'une évaluation cas par cas (Aiken, 1988).

Un deuxième indice est celui des réponses aberrantes: on peut en l'occurrence déceler un modèle type de réponse, considéré comme improbable (par exemple le répondant coche sur une ou plusieurs pages la case correspondant au premier choix). Également, une lecture attentive des réponses révélera dans certains cas un ensemble incohérent de réponses comme si le répondant, pour se débarrasser, s'était mis dans la tête de cocher des cases au hasard. Finalement, on comparera les réponses fournies dans les questions principales et les questions témoins correspondantes.

En dépit des efforts pour détecter ce que l'on appelle les questionnaires-déchets, certains obstacles ne peuvent être surmontés même lorsqu'un prétest a été réalisé. Le meilleur remède est finalement de les prévenir à l'étape même de la formulation des questions. Encore là, certains biais sont certainement susceptibles de contaminer la qualité des résultats finals. Les réactions imprévisibles des sujets étant ici en cause, nous nous y attarderons plus en détail.

Un premier phénomène réactionnel est l'*attirance du oui* (complexe de Panurge). Certains répondants sont, de nature, portés à être en faveur des propositions que contiennent certains énoncés. Pour détecter un tel effet, dans une batterie de questions, il y a lieu par exemple de faire alterner les énoncés contenant des propositions négatives avec les énoncés contenant des propositions présentées à l'affirmative.

Un second problème, complémentaire au premier, est associé à la *désirabilité sociale*. Certains sujets, par crainte d'être mal jugés, répondront en fonction de ce qu'il est convenable de penser du point de vue des normes socialement acceptées.

8.5.8 LA PRÉSENTATION MATÉRIELLE DU QUESTIONNAIRE

Il peut paraître surprenant de consacrer une sous-section à la présentation matérielle des questionnaires. Mais l'expérience nous enseigne qu'il s'agit-là d'un élément psychologique qui mérite d'être exploité en vue d'accroître le rendement ou, si l'on préfère, le taux de retour. Nous avons déjà exploité ces moyens (Lefrançois, 1970) qui se sont révélés efficaces, tant sur le plan de la qualité des réponses que sur le taux de retour (nous avons obtenu un taux de participation de 77 % dans cette étude auprès d'un échantillon de professionnels).

Notre questionnaire était présenté dans un format non conventionnel (format légal) avec une page couverture bleue. L'aspect général était soigné sur le plan typographique et esthétique. La présentation intérieure était ventilée de manière à ce que le répondant puisse se rendre compte qu'il progressait rapidement dans l'exécution de sa tâche. Le questionnaire était rédigé en français côté recto, et en anglais côté verso: le répondant n'avait pas à chercher la suite des questions au verso de la page. En outre, l'enveloppe d'envoi incluait deux lettres d'appui signées, dont l'une par le président de l'association du groupe de professionnels en question. S'y trouvait également une enveloppe-réponse de grand format préaffranchie (timbres commémoratifs attrayants).

Il existe plusieurs moyens incitatifs pour accroître le taux de retour des questionnaires. Sur la base des résultats d'une étude rétrospective consacrée à cette question, Duncan (1979) classe en trois groupes les mesures incitatives, selon leur indice d'efficacité relative. Les meilleurs stimulants sont: 1) l'information sur les buts et l'importance de l'étude; 2) un contenu personnalisé (*personalization*); 3) un incitatif monétaire; 4) la relance (cf. section plus loin); 5) une enveloppe-réponse affranchie en première classe. Les incitatifs ayant obtenu un rendement moyen ont été: 1) l'information quant à la source de financement; 2) les divers arguments de sollicitation dans la lettre d'accompagnement (*type of appeal in cover letter*).

Enfin les moyens qui se sont avérés les moins performants furent: 1) le lieu d'expédition de l'envoi (au bureau ou au domicile); 2) la mention d'une date d'échéance pour le retour; 3) la couleur, la longueur, le format ou la précodification du questionnaire; 4) une combinaison de ces multiples incitatifs.

8.5.9 LA PRÉCODIFICATION

Grâce aux outils informatiques — matériel et logiciels — très souples et hautement performants dont sont munis la plupart des laboratoires de recherche et les institutions d'enseignement d'aujourd'hui, le dépouillement des questionnaires se fait de moins en moins manuellement. C'est pourquoi lors de la fabrication des questionnaires, il est d'usage de prévoir un système de codification susceptible d'accélérer le processus de compilation et de traitement des réponses.

La mise au point d'un système de codification (*codebook*) où l'on attribue une valeur numérique à chaque variable et à chaque catégorie de réponse (matrice de saisie de données) est devenue de nos jours une opération de routine dans la plupart des enquêtes. Il est donc extrêmement important, au moment de la conception du questionnaire, de se forger une idée précise sur le mode d'exploitation envisagé. Autrement dit, la précodification du questionnaire tiendra idéalement compte du matériel informatique utilisé, du type de logiciel statistique et des procédures de traitement qu'il autorise.

L'exemple de la question n° 10 évoqué plus haut fournit un modèle simple de précodification. Le code 15 est attribué à la variable correspondant à la question n° 10, les attributs de la variable comprenant les valeurs de 0 à 4 sont codés en conséquence, le code 9 étant réservé pour les non-réponses. Il est important également d'identifier chaque questionnaire au moyen d'un code (par exemple de 000 à 300). Suivant le type de programme statistique utilisé, les fichiers sont souvent enregistrés par groupes de 80 colonnes (vestige des cartes perforées!), de sorte qu'il faut prévoir un code numérique pour chaque tranche de fichier. Il est entendu que la précodification s'applique uniquement pour les questions fermées. Les questions ouvertes peuvent aussi être codifiées, mais seulement après coup, à la suite d'une analyse de contenu.

8.5.10 LA RELANCE

La relance est une étape importante dans le processus d'administration du questionnaire. La procédure habituelle consiste, dans un premier temps, à tenir un registre quotidien des questionnaires retournés en consignant le nombre de retours. L'idéal est de répartir les retours en quatre classes principales: 1) les questionnaires dûment complétés; 2) les questionnaires semi-complétés; 3) les questionnaires retournés vierges (l'expéditeur signifie parfois dans une lettre les motifs expliquant son refus de participer à l'étude); 4) les questionnaires retournés par le service postal (p. ex. mauvaise adresse, adresse inconnue, etc.). Certains chercheurs tentent même de classifier les retours d'après la provenance géographique (lorsque le sceau d'oblitération le permet) afin de vérifier des problèmes éventuels d'expédition dans certaines régions.

Cette analyse statistique des retours permet de traiter immédiatement les cas problèmes (p. ex. recherche des nouvelles adresses, etc.), d'identifier les questionnaires-déchets et surtout de déterminer le moment le plus approprié pour effectuer une relance.

Lorsque les statistiques sur le retour montrent des signes évidents de déclin, c'est qu'il est temps d'expédier une lettre de rappel dans un effort pour augmenter la participation. L'enquête se déroulant la plupart du temps dans l'anonymat le plus complet, on devra expédier cette lettre à toutes les personnes sollicitées. Le processus de relance peut se répéter deux, trois ou même plusieurs fois, selon les ressources du chercheur et suivant l'importance accordée au taux de participation (marge d'erreur acceptable). Ajoutons que les stratégies déployées lors de la rédaction des lettres de rappel sont nombreuses.

Pourquoi accorder une telle importance à l'opération de la relance ? Parce que le succès d'une enquête par questionnaire repose sur la représentativité. Plus le nombre de participants sera élevé, meilleure sera la représentativité. Il convient donc de s'assurer que l'échantillon effectif (personnes participantes) soit le plus près possible de l'échantillon théorique (les personnes sollicitées).

La principale source de biais à ce chapitre réside dans une surestimation du groupe observé (échantillon effectif). En effet, les répondants peuvent avoir un profil différent de celui des non-répondants (p. ex. meilleure éducation, intérêt plus grand vis-à-vis le thème d'étude, etc.). Une façon de vérifier cet écart de profil consiste, une fois l'opération de relance terminée, à expédier ultimement un mini-questionnaire de contrôle aux individus récalcitrants. Il s'agit de proposer à ces non-répondants de compléter un très court questionnaire dans le but de contrôler la validité de l'échantillon. Les informations de base que l'on obtient sur ces individus (p. ex. âge, sexe, scolarité) peuvent se révéler précieuses lorsque comparées à celles des participants, notamment pour détecter des effets de surreprésentation possibles (Sudman, 1967).

8.5.11 LES AVANTAGES ET LES INCONVÉNIENTS DU QUESTIONNAIRE AUTO-ADMINISTRÉ

Pour conclure cette analyse, nous présentons à la figure 8-2 (page suivante) une comparaison des avantages et des inconvénients des trois principales méthodes étudiées jusqu'ici. Cette grille ne donne cependant qu'une indication générale des critères à soupeser dans le choix d'une stratégie de collecte de données.

8.6 L'OBSERVATION DOCUMENTAIRE

Pour compléter ce chapitre, nous brosserons un bref aperçu des méthodes documentaires qui connaissent présentement un regain de vie, non seulement dans les travaux qualitatifs de type ethnographique, mais également dans les études quantitatives. L'utilisation de documents dans la recherche empirique est déjà une stratégie d'observation fort répandue chez les historiens, politicologues et démographes.

Or, l'apport de l'observation documentaire dans le développement de la gérontologie est aussi à souligner. L'étude comparative que nous avons réalisée sur la base des publications dans trois périodiques en gérontologie révèle des chiffres convaincants (cf. figure 8-2).

	ÉLÉMENT	Questionnaire	Entrevue téléphonique	Entrevue de face à face
1.	Accessibilité	1	2	3
2.	Simplicité administrative	1	2	3
3.	Standardisation	1	2	3
4.	Anonymat	1	2	3
5.	Personnel requis	1	2	3
6.	Supervision	1	2	3
7.	Taille d'échantillonnage	1	2	3
8.	Rythme du répondant	1	3	2
9.	Facilité de compilation	2	1	3
10.	Confidentialité	2	1	3
11.	Temps d'exécution	2	1	3
12.	Coût	2	1	3
13.	Complexité des questions	2	3	1
14.	Impact de la longueur	2	3	1
15.	Questions délicates	2	3	1
16.	Biais de réponse	3	2	1
17.	Taux de participation	3	2	1
18.	Questions ouvertes	3	2	1
19.	Identité du répondant	3	2	1
20.	Compréhension des questions	3	2	1
21.	Contrôle de la qualité	3	2	1
	SCORE MOYEN (3)	1,9	2,0	2,1

Fig. 8-2. Comparaison entre le questionnaire, l'entrevue de face à face et l'entrevue téléphonique.

NOTES: (1) 1 = plutôt avantageux; 2 = plus ou moins avantageux; 3 = peu avantageux; (2) Ce tableau est inspiré de Frey (1989:76); (3) Le score moyen est purement indicatif, les éléments n'étant pas pondérés et chaque situation de recherche ayant sa particularité propre.

En totalisant les différentes approches documentaires recensées au cours des quatre dernières années (p. ex. études documentaires de première main, analyses secondaires et méta-analyses), on obtient les pourcentages suivants: la *Revue canadienne du vieillissement* compte 22 % de travaux de type documentaire, la revue *Research on aging*, 56 % et la revue *Gérontologie et Société*, 21 %.

Le matériel documentaire englobe toute forme de représentation symbolique: 1) documents écrits (textes, symboles, etc.); 2) documents sonores (bandes magnétiques, pièces musicales, etc.); 3) documents iconographiques (photographies, croquis, dessins, timbres-poste, etc.). À titre d'exemple, mentionnons cette étude de Seefeldt *et al.* (1977) où on a utilisé des dessins pour révéler les attitudes des enfants envers les gens du troisième âge. Les études documentaires se subdivisent en quatre groupes principaux selon la source: 1) la documentation primaire (1- documents personnels, 2- documents officiels); 2) la documentation secondaire (1- analyses secondaires, 2- méta-analyses).

8.6.1 LA DOCUMENTATION PRIMAIRE

L'observation à partir de documents primaires désigne les situations où le chercheur réunit et traite un matériel qu'il saisit à l'état brut. Il s'agit donc d'une analyse de première main.

Deux sous-types de documents entrent dans cette catégorie. D'un côté, on retrouve les documents personnels, de l'autre les documents publics. Les *documents personnels* comprennent essentiellement les histoires de vies rassemblées sous diverses formes: 1) les écrits *autobiographiques*; 2) les *généalogies* ou histoires familiales; 3) les *agendas*; et 4) le *matériel de correspondance* (lettres, communiqués). À titre illustratif, mentionnons la recherche de Rakowski *et al.* (1987) sur les facteurs comportementaux de prévention de la maladie, combinant la technique de l'interview et l'analyse des agendas auprès de 172 personnes âgées.

Les *documents publics* regroupent de leur côté le matériel d'archives, soit: 1) les données brutes résultant des compilations du *recensement* (statistiques judiciaires, statistiques de population); 2) les *dossiers d'institution* (registres médicaux, procès-verbaux d'assemblées, fichiers de clientèle, etc.); et 3) les *documents de presse* (journaux, livres, etc.). Par exemple, Kraus (1988) a examiné 500 certificats de décès à partir de registres officiels dans le but d'étudier la compression de la morbidité chez les individus du troisième âge. Également, Denton, Pineo et Spencer (1988) ont étudié les données du recensement afin de suivre l'évolution de l'inscription des personnes âgées dans des activités d'éducation pour adultes.

Le matériel documentaire primaire est extrêmement précieux dans certaines études longitudinales rétrospectives, les recherches de tendance par exemple, et dans l'exploration en profondeur d'une problématique sur la base des récits de vie. Le principal avantage à utiliser un matériel primaire réside dans le contenu habituellement récent des informations, et surtout dans la possibilité de sélectionner parmi plusieurs sources le matériel qui peut se révéler le plus pertinent. En contrepartie, le chercheur est souvent tributaire du mode de collecte des données primaires adopté dans l'étude initiale, surtout lorsqu'il s'agit de données du recensement ou d'autres sources publiques.

8.6.2 LA DOCUMENTATION SECONDAIRE

De plus en plus de chercheurs se consacrent à une nouvelle analyse des données qu'ont rassemblées d'autres investigateurs. Plusieurs scénarios peuvent être envisagés (Glass, McGaw & Smith, 1987). Il peut s'agir par exemple de réexaminer les données d'une étude antérieure afin d'en vérifier l'exactitude dans une optique d'*évaluation critique*. L'approche est ici celle de l'évaluation méthodologique. Par ailleurs, les mêmes données peuvent être réutilisées dans le but de vérifier de nouvelles hypothèses. Par exemple, Shapiro et Roos (1986) ont réalisé une analyse secondaire à partir des données longitudinales de 195 cas, dans le but de connaître les usagers types de l'hôpital de jour. Identiquement, Hirdes *et al.* (1986) ont repris les données de l'étude longitudinale ontarienne sur le vieillissement, afin de vérifier si une association existait entre l'auto-appréciation de la santé et le revenu déclaré de 1 100 individus âgés.

Finalement, un sous-échantillon extrait de l'échantillon principal peut servir à explorer d'autres questions ou à vérifier une nouvelle hypothèse à partir des données d'un sous-groupe d'individus. Toutes ces approches décrivent la procédure de l'*analyse secondaire*.

Le principal avantage des analyses secondaires s'exprime en termes de temps et de coût. Il est en effet beaucoup moins onéreux d'entreprendre une étude à partir de données déjà constituées. On fait ainsi l'économie des opérations ayant trait à la construction d'un échantillon, à la fabrication des instruments et à la collecte des données. Les données de source secondaire représentent un excellent moyen d'amorcer une étude d'exploration en vue de formuler un nouveau problème de recherche (Stewart, 1984:14). L'étude d'un matériel secondaire permet de mieux choisir les groupes de sujets à inclure dans un éventuel plan de recherche, de repérer les failles méthodologiques et d'identifier les lacunes dans nos connaissances.

Cependant, les analyses secondaires souffrent d'handicaps majeurs. D'une part, le chercheur doit se satisfaire des données telles qu'elles ont été recueillies par l'investigateur ayant mené l'étude initiale. Il doit par conséquent composer avec un plan d'échantillonnage destiné à d'autres applications, avec des variables plus ou moins pertinentes, avec des questions formulées à d'autres fins que la sienne et avec une procédure de collecte de données moins adaptée à son problème de recherche. Remarquons enfin que les données secondaires sont souvent obsolètes, ce qui réclame une grande prudence dans l'interprétation des résultats.

Outre les analyses secondaires, une autre voie tend de plus en plus à s'affirmer dans le développement de la recherche sociale, bien que la gérontologie tarde à se manifester dans ce domaine. Il s'agit des *méta-analyses* (Glass, McGaw & Smith, 1987; Cook & Leviton, 1981; Guzzo *et al.*, 1987; Rosenthal, 1984). Les méta-analyses se donnent pour objet d'intégrer les connaissances accumulées au cours des ans dans un domaine particulier de recherche. Il peut même s'agir de bilans d'approches ou de recensions critiques de techniques méthodologiques. Un exemple caractérisant une méta-analyse de type méthodologique est l'étude de Marshall (1987), qui a comparé plusieurs travaux de recherche afin de relever les différents facteurs pouvant influer sur le taux de participation et de réponse des personnes âgées.

Pour mener à terme un tel projet, le chercheur doit rassembler les résultats de plusieurs études consacrées à l'examen d'un problème particulier. À l'aide de méthodes statistiques appropriées, il dressera un bilan-synthèse de ces travaux qu'il commentera et critiquera.

La procédure ayant trait au repérage, au dépouillement, à la codification et à l'analyse de matériaux de type documentaire dépasse cependant le cadre de cet ouvrage. Il existe dans certains ouvrages de méthodologie d'excellents exposés sur ces techniques.

NOTES:

(1) Fitchter (1960:68) définit l'agrégat social comme étant un «assemblage ou une pluralité de gens qui se trouvent en état de proximité physique mais sans communication réciproque».

(2) La catégorie **non-réponse** sert à enregistrer les refus de répondre et éventuellement l'oubli de répondre si aucune réponse n'est inscrite. On prévoira un code spécial lors du dépouillement pour ce type de refus ou d'oubli. Le fait d'inclure la catégorie «non-réponse» fait toutefois l'objet de controverses. Certains méthodologues préfèrent enlever au répondant ce genre de porte de sortie.

(3) *Contraction défensive*: attitude (se replier sur soi, répondre évasivement, refuser de coopérer) qu'adopte un sujet lorsqu'il craint que ses réponses lui causent préjudice.

(4) Cf. Lefrançois (1991), pour la définition de ces expressions.

(5) L'*effet du point de référence:* biais attribuable à l'impact du premier énoncé dans une liste comportant une échelle d'évaluation. Le premier énoncé sert de point de référence chez le répondant pour attribuer un score aux énoncés subséquents. *Effet de premier choix*: tendance à choisir systématiquement le premier énoncé dans la liste proposée. *Effet de dernier choix*: tendance de certains répondants à choisir le dernier énoncé dans la liste proposée. *Choix des catégories extrêmes*: tendance à choisir les catégories extrêmes dans une série de choix de réponses. *Effet de proéminence*: biais dû à l'impact d'une série de questions sur une ou des réponses subséquentes. *Effet de suggestibilité*: biais dû au fait que la réponse est suggérée par le libellé de la question (Sudman & Bradburn, 1974; Schuman & Presser, 1981; Lefrançois, 1991).

PARTIE V

LES STRATÉGIES D'ANALYSE

CHAPITRE 9

LES MÉTHODES D'ANALYSE EXPLORATOIRE

9.1 INTRODUCTION

Point culminant de toute recherche, la discussion ou l'interprétation des résultats dépend fondamentalement de la qualité des analyses produites. Le succès de cette étape repose en définitive sur un agencement cohérent d'éléments: degré d'approfondissement de la problématique, pertinence des hypothèses, rigueur de la conceptualisation, validité interne et externe, qualité des instruments de collecte des données et des données elles-mêmes. En outre, l'analyse devra tenir compte non seulement des données initialement prévues lors de l'élaboration de la recherche, mais éventuellement des faits nouveaux qui ont pu émerger lors de l'observation. Autrement dit, certaines difficultés rencontrées sur le terrain, notamment lors de la collecte des données (p. ex. participation plus faible que prévu, échantillon non représentatif, taux de non-réponse élevé, déperdition, etc.), pourront inciter le chercheur à modifier la trajectoire envisagée, c'est-à-dire éventuellement à recadrer ses objectifs, voire à en abandonner certains.

Au moment décisif de traiter les données, trop de chercheurs s'en tiennent strictement aux objectifs énoncés dans leur problématique. Si les difficultés rencontrées sur le terrain n'ont pu être surmontées, il faudra bien se rendre à l'évidence et en faire état de toute manière dans la section consacrée aux réserves méthodologiques et à la discussion. Ainsi, il serait malvenu de faire dire aux données ce qu'elles ne peuvent révéler. Toute mise en garde méthodologique bien documentée et tout effort justifié de révision des intentions de recherche portera fruit. On se rend donc compte que la méthodologie ne doit pas être un carcan: un assouplissement de la démarche est toujours préférable aux interprétations abusives qui accompagnent souvent la rigidité analytique.

D'entrée de jeu, il faut préciser sur quelle base sera articulé ce chapitre, considérant le caractère général de l'ouvrage. Notre principal souci est de fournir une instrumentation de base quant aux outils statistiques essentiels et quant à la manière de présenter les résultats de l'analyse. Les méthodes ont été choisies en tenant compte des besoins qui, à nos yeux, sont apparus les plus usuels, ou du moins qui ont été le plus fréquemment exprimés, notamment chez les étudiants. Mais, pour approfondir certaines techniques statistiques ou encore s'initier aux approches qualitatives, le lecteur tirera profit des nombreux ouvrages spécialisés traitant du sujet (cf. références dans le texte).

Dans ce chapitre, il sera question de l'exploitation et de l'analyse descriptive des données d'enquête. Ces stratégies conviennent particulièrement au traitement des informations obtenues à l'aide de questionnaires structurés, de l'analyse documentaire ou par le biais de l'administration des tests, dans les expérimentations notamment. Nous n'aborderons pas ici les techniques d'analyse qualitative, telle l'analyse de contenu, qui nécessiteraient un long développement. Le tableau 9-1 identifie les principales méthodes d'analyse exploratoires.

TABLEAU 9-1. Principales stratégies d'analyse exploratoire.

ANALYSE EXPLORATOIRE		
STRATÉGIES	TYPES D'ANALYSE	MESURES
Analyse univariée	Mesures de tendance centrale	Moyenne Médiane Mode
	Mesures de dispersion	Écart type Variance
	Calcul de fréquences	Écart interquartile
	Test de normalité	Pourcentages
		Dissymétrie, kurtose
Analyse bivariée	Tableaux croisés	*C*, *V* de Cramer, *Phi* Coefficients: *gamma*
	Mesures d'association, de corrélation, de concordance	*lambda, tau a, tau b, tau c* *Dxy*, *Dyx* de Somers, *r*, *Rhô*, *W* de Kendall

Le rôle des méthodes exploratoires peut se résumer aux points suivants:

1. Elles visent à dégager un profil d'ensemble du groupe d'étude, en comparant notamment les distributions de l'échantillon avec celles de la population;
2. Elles ont pour but de réduire les données sous une forme synthétique (mesures de tendance centrale, de dispersion, défaut de normalité des distributions, corrélation);
3. Elles comparent des distributions (comparaison intervariables ou intergroupes) en les exprimant sous forme de tableaux ou de graphiques;
4. Elles permettent de vérifier le bien-fondé des catégorisations initialement développées et d'obtenir de meilleurs regroupements de données;
5. Enfin, elles préparent à l'analyse confirmatoire.

9.2 LA CRÉATION DU FICHIER DE DONNÉES

Bien que les opérations préliminaires dans la préparation d'un fichier de données soient devenues relativement standardisées dans la recherche sociale, il est indiqué d'en rappeler les principes essentiels. Cet exposé aidera à mieux se représenter le travail à accomplir en commençant par le *tri à plat* qui constitue la première étape de tout traitement statistique de données.

Un fichier de données est habituellement composé d'un ensemble structuré d'informations relatives aux variables mesurées et se rapportant à chaque sujet observé. Un fichier est en quelque sorte une matrice où les unités (p. ex. les sujets de l'enquête) sont disposées en rangées et les variables en colonnes. Chaque cellule de la matrice contient le code assigné à un individu pour une variable donnée. Le format de structuration du fichier est toujours tributaire du mode de traitement (manuel ou informatique) envisagé et du type de logiciel utilisé. Lorsque le volume des données à traiter est important, il est préférable de recourir à l'informatique, ce qui suppose une connaissance appropriée du logiciel sélectionné.

La procédure de saisie et de traitement des données dépendra donc des particularités propres à chaque logiciel. À titre d'information, voici une énumération sommaire de quelques logiciels fréquemment utilisés: parmi les principaux programmes implantés dans les gros systèmes, il faut mentionner: SAS, SPSS, BMDP, DATATEXT. Du côté des logiciels tournant sur micro-ordinateurs, on retrouve: ABSTAT, MINITAB, STATISTICA, BASISTAT[1], SYSTAT, ABSTAT, etc.

Le tableau 9-2 fournit un exemple hypothétique d'un arrangement matriciel avec huit sujets et cinq variables.

TABLEAU 9-2. Matrice de données.

SUJETS	VARIABLES				
	(1)	(2)	(3)	(4)	(5)
A	69	1	9	15	7
B	82	1	7	9	4
C	76	2	6	11	11
D	64	1	11	17	8
E	00	2	8	14	6
F	91	2	3	6	5
G	66	1	9	13	6
H	70	3	8	10	5

Le lecteur constatera que la matrice permet de visualiser toutes les valeurs se situant à la croisée de chaque variable et de chaque répondant. Le listage de la matrice — sous une forme ou sous une autre — est utile non seulement pour condenser les résultats de l'observation, mais aussi pour faciliter le nettoyage des données.

9.3 LE NETTOYAGE DES DONNÉES

Dans l'exemple du tableau 9-2, chaque répondant est identifié par un code alphabétique et chaque variable par un chiffre. Dans cet exemple, la désignation des variables est la suivante: 1 = âge; 2 = sexe (code 1 = femme / code 2 = homme); 3 = scolarité (exprimée en nombre d'années); 4 = score à un test *X*, sur un total de 20 points; 5 = score à un test *Y*, sur un total de 10 points.

Une inspection rapide de la matrice révèle en premier lieu des erreurs de codification. Par exemple, pour le sujet C la valeur «11» est inscrite à la variable 5, bien que le maximum admissible soit de 10. Également, on a attribué le code «3» au sujet H pour la variable sexe qui n'en contient évidemment que deux. Par ailleurs, pour l'individu D, la valeur «64» ans est rapportée malgré que l'enquête ne s'adressait qu'à des sujets âgés de 65 ans et plus. Également, on note que l'individu E n'a pas mentionné son âge ou que l'opérateur de saisie des données a omis d'introduire cette information. Des problèmes de ce genre doivent donc être soigneusement identifiés, puis corrigés avant que puisse se poursuivre l'analyse. Pour utile qu'il soit, le nettoyage des données n'est qu'une étape préliminaire visant à détecter les erreurs. Une vigilance de tous les instants s'impose, même aux étapes plus avancées de l'analyse.

9.4 LE TRI À PLAT

Les opérations de recodification (par regroupement de scores par exemple) ainsi que les transformations d'échelle afin de tenir compte des distributions réelles (transformations en valeurs «*z*», mise en retrait des valeurs aberrantes, etc.) représentent une second volet d'analyse. Le tri à plat des données brutes permet de mettre en oeuvre ces procédures. Le *tri à plat* est tout simplement un décompte des codes attribués à chaque variable pour l'ensemble des sujets étudiés. Par exemple, il pourra révéler qu'aucun choix n'a été exprimé sur une modalité de variable donnée, ce qui entraînera éventuellement le retranchement de cette modalité du plan d'analyse. Également, une faiblesse des effectifs rapportés pour une modalité quelconque incitera au fusionnement à une autre catégorie ou à un autre attribut de variable.

Le cas des valeurs manquantes doit être souligné. Il arrive fréquemment qu'un sujet choisisse de s'abstenir de répondre à une ou à plusieurs questions, ou encore que l'on doive traiter d'une manière quelconque les «je ne sais pas» ou «ne s'applique pas». Il faut être particulièrement circonspect vis-à-vis ce type de réponse au moment de la codification, et surtout dans l'emploi des procédures statistiques. Si un chercheur requiert l'assignation d'un code aux valeurs ou observations manquantes, il doit le prévoir lors de la codification (on attribue par exemple le code -9 à un refus de répondre).

En définitive, le nettoyage, le regroupement et la transformation des données aident au bon fonctionnement du programme, que ce soit pour s'assurer que tous les sujets et toutes les variables sont bien inclus dans le fichier, pour vérifier l'exactitude des codes ou pour relever les valeurs aberrantes. Ces opérations visent donc à adapter le travail de l'analyse à la réalité des faits observés tels qu'ils se présentent.

9.5 L'ANALYSE UNIVARIÉE

Les opérations de nettoyage et de regroupement des données étant complétées, l'analyse exploratoire comme telle peut s'amorcer. L'analyse univariée, c'est-à-dire le traitement statistique d'une seule variable à la fois, est normalement la première étape à franchir. Elle se rapporte au traitement numérique et statistique de chacune des variables pertinentes de l'étude. On distinguera ici deux procédures, l'une s'appliquant aux variables catégorisées, l'autre aux variables continues.

La procédure de l'analyse des *distributions de fréquence* se prête exclusivement aux variables catégorisées. Elle fournit la répartition en effectifs et en pourcentage de chaque catégorie ou modalité d'une variable donnée. Pour communiquer les résultats de ce type d'analyse, on recourt soit à la présentation tabulaire, soit à la présentation graphique. Le tableau 9-3 illustre un cas type de distribution de fréquences simples.

TABLEAU 9-3. Distribution des répondants selon le niveau d'études complété, par classes d'âge (n = 198).

NIVEAU D'ÉTUDE	CLASSES D'ÂGE 65-75 ANS *f*	%	76 ANS ET PLUS *f*	%
Primaire	75	38,27	52	42,98
Secondaire	88	44,90	48	38,67
Collégial	21	10,71	15	12,39
Universitaire				
1ᵉ cycle	8	4,08	5	4,13
2ᵉ cycle	3	1,53	1	0,83
3ᵉ cycle	1	0,51	0	0,00
Non-réponse	(2)	-	(0)	-
TOTAL	196	100,00	121	100,0

Ce tableau permet donc d'apprécier comment sont répartis les répondants dans chaque classe correspondant au niveau d'étude, soit en effectifs (*f*) et en pourcentages (%). Ajoutons que dans la majorité des situations d'analyse, il est souhaitable de calculer les pourcentages à partir des choix exprimés, ce qui dans l'exemple ci-dessus donne 196 réponses chez les 65-75 ans.

Une approche moins rébarbative que la représentation tabulaire est celle de l'illustration graphique. Par exemple, l'*histogramme* (pour une variable continue) et le *diagramme à bâtons* (pour une variable catégorisée) remplissent adéquatement ce rôle[2]. La figure 9-1 permet de visualiser la répartition procentuelle des effectifs du tableau 9-3 selon la méthode du diagramme à bâtons. Quand le nombre de catégories est restreint, il est préférable d'utiliser, comme dans notre exemple (données relatives au groupe des 65-75 ans), le *cercle divisé en secteurs*, en exploitant le médium de façon à mettre en évidence la décomposition de la catégorie «universitaire». La figure 9-2 nous convainc de l'intérêt de cette méthode. Pour décrire des variables continues (p. ex. l'âge, le revenu), il est certes utile de regrouper les données dans des classes à intervalles égaux, mais le recours à des mesures statistiques est souvent préférable. Plusieurs stratégies quantitatives sont utilisées à cette fin: 1) mesures de tendance centrale; 2) mesures de dispersion; 3) mesures décrivant la forme de la distribution.

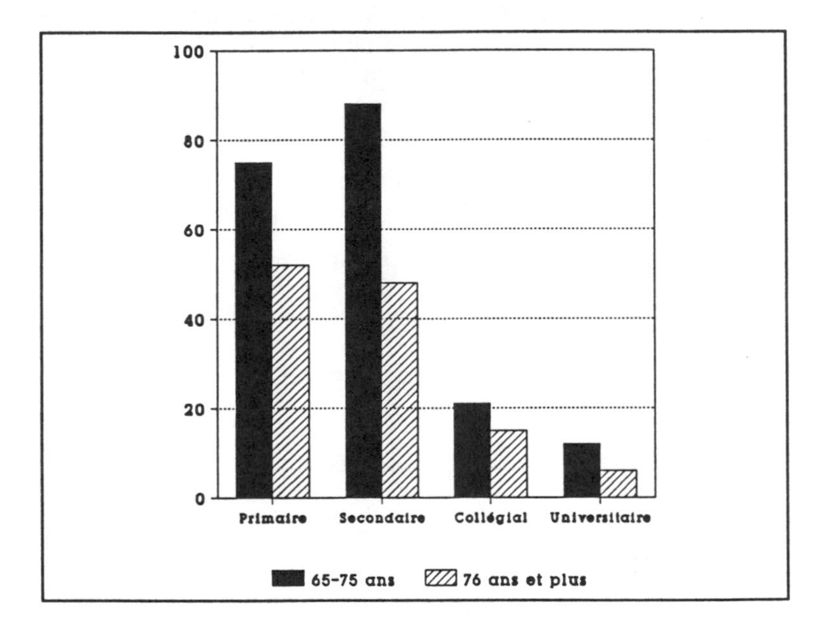

Fig. 9-1. Répartition des effectifs selon le niveau d'étude.

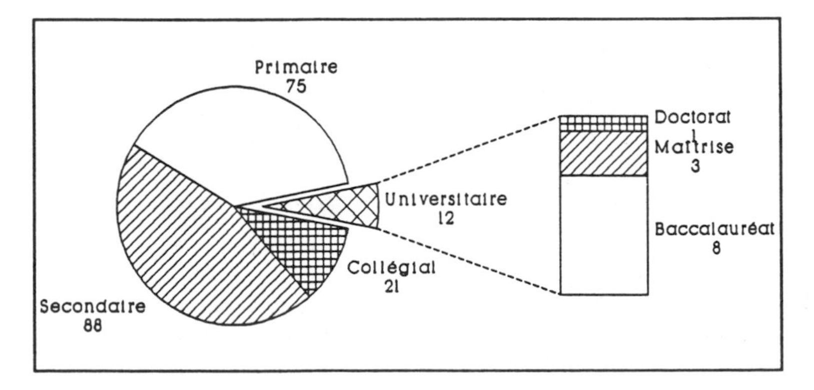

Fig. 9-2. Distribution des répondants selon le niveau d'étude complété (n = 196).

9.5.1 LES MESURES DE TENDANCE CENTRALE

Les mesures de tendance centrale les plus employées en recherche sociale sont la moyenne arithmétique et la médiane, les autres mesures-synthèses, telles que la moyenne géométrique ou le mode, étant d'un usage plus limité. Signalons également que la moyenne pondérée trouve son utilité lorsqu'il s'agit d'ajuster des données inégalement distribuées.

La *moyenne* est la mesure de tendance centrale la plus fréquente. Elle est appropriée lorsque les données sont des variables d'intervalles ou de rapport. Le calcul de la moyenne dans le cas des scores bruts d'un échantillon est simple, comme le montre la formule suivante:

$$\bar{x} = \frac{\sum_{i=1}^{n} x_i}{n} \quad [9.1]$$

Mais l'inconvénient majeur de la moyenne est sa sensibilité aux valeurs extrêmes, comme on peut facilement le vérifier dans l'exemple de la distribution d'âge du tableau 9-4 (c.-à-d. les valeurs 93 et 98 se démarquent nettement du peloton).

TABLEAU 9-4. Mesures de tendance centrale et de dispersion pour une distribution d'âge.

FEMMES: 65, 66, 68, 70, 75, 75, 76, 77, 79, 93, 98

HOMMES: 72, 73, 73, 75, 77, 77, 77, 78, 78, 80, 81

STATISTIQUES	FEMMES	HOMMES
MOYENNE	76,55	76,45
MÉDIANE	75,00	77,00
MODE	75,00	77,00
ÉCART TYPE	10,50	2,91
n	11	11

La moyenne est donc un sommaire numérique peu robuste lorsque des *valeurs aberrantes* figurent dans une distribution. La *médiane* permet de contourner un tel obstacle puisqu'elle représente le point milieu des valeurs ordonnées d'une distribution. Elle n'est donc pas affectée par les scores franchement éloignés (*outliers*) du milieu de la distribution. Si le *n* est pair, la médiane s'exprime par la moyenne des deux valeurs centrales (remarque:

la méthode de l'interpolation linéaire est une méthode plus précise dans certains cas).

Signalons enfin que le *mode brut* (c.-à-d. non calculé) correspond à la plus haute fréquence dans une distribution (sommet d'un histogramme). S'il existe deux valeurs contiguës ayant la plus haute fréquence, le mode est la moyenne de ces deux valeurs (*distribution unimodale*). Si elles ne sont pas contiguës, la distribution est *bimodale* (ou trimodale, etc.) et on doit rapporter deux modes.

9.5.2 LES MESURES DE DISPERSION

En statistique, il est insuffisant de résumer une distribution à l'aide de la moyenne. Or, les mesures de dispersion nous renseignent précisément sur la distance qu'occupent les valeurs brutes par rapport à la valeur centrale. Elles fournissent donc une indication précieuse quant à la forme de la distribution. Bien que peu utilisée, l'*amplitude* est une mesure qui donne rapidement un aperçu de l'étendue de la distribution. Dans le cas des données de l'exemple plus haut (tableau 9-4, groupe des femmes), l'amplitude est de 98 — 65, soit 33. Mais la *variance* et l'*écart type* sont des mesures de dispersion beaucoup plus puissantes; on y fait appel lorsque les données sont de type continu (la variance est l'écart type élevé à la puissance 2). Les deux formules suivantes permettent de calculer l'écart type (symbole σ pour les distributions tirées d'une population et s pour un échantillon) dans le cas d'un échantillon, la seconde équation ne nécessitant pas le calcul préalable de la moyenne (cf. tableau 9-4 ou s = 10,5).

$$S = \sqrt{\frac{\sum_{i=1}^{n}(x_i-\bar{X})^2}{(n-1)}} \qquad [9.2]$$

$$S = \left(\frac{\sum X^2 - \frac{(\sum X)^2}{n}}{(n-1)}\right)^{1/2} \qquad [9.3]$$

L'*étendue interquartile* (*ÉQ*) est une autre mesure de dispersion qui accompagne la médiane. Il s'agit de la différence entre le 3e quartile (*Q3*) et le 1er quartile (*Q1*) dans une distribution ordonnée. Reportons les données du tableau 9-4 (groupe des femmes) dans le tableau 9-5, données déjà disposées en rang, afin d'illustrer la procédure de calcul.

La position du premier quartile est déterminée par: *Q1* = (rang de la première valeur + rang de la médiane)/2 = 3,5. Donc *Q1* est à mi-chemin entre la valeur de la position 3 et celle de la position 4, soit (68 + 70)/2 = 69. Celle du troisième quartile par: *Q3* = (rang de la dernière valeur + rang de la médiane)/2 = 8,5, soit: (77 + 79)/2 = 78. De sorte que: *ÉQ* = (*Q3* — *Q1*) ou (78 — 69) = 9.

TABLEAU 9-5. Position des valeurs distribuées.

VALEURS	65,	66,	68,	70,	75,	75,	76,	77,	79,	93,	98
RANG	1	2	3	4	5	**6**	7	8	9	10	**11**

Tukey (1977) a proposé une méthode, dite du *diagramme en boîte*, pour représenter graphiquement un ensemble de données (*box-and-whiskers plot*). Cette méthode aide à visualiser l'aspect global d'une distribution et est particulièrement recommandable pour comparer deux ou plusieurs séries de données. Nous reprendrons ici l'explication fournie par Bertrand (1986:46).

Le diagramme en boîte comporte: 1) un axe (l'ordonnée) vertical le long duquel sont échelonnées les données de la distribution; 2) une boîte rectangulaire dont les deux extrémités correspondent au premier (*Q1*) et au troisième quartile (*Q3*); 3) un trait horizontal à l'intérieur de la boîte qui situe la médiane (on peut aussi le faire pour la moyenne); 4) des traitillés (appelés moustaches) qui prolongent la boîte à ses deux extrémités; 5) un cercle minuscule qui représente les valeurs aberrantes, parfois suspectes, situées au-delà des traitillés. Le point limite des traitillés correspond au saut, c'est-à-dire à une fois et demie la longueur de l'étendue interquartile. Dans l'exemple précédent, le saut s'établit à: 9 + (9/2) = 13,5. Par conséquent, le traitillé supérieur se prolonge jusqu'à la valeur 91,5 (c.-à-d. 78 + 13,5) tandis que le traitillé inférieur est de 55,5 (c.-à-d. 69 — 13,5).

Cependant, nous prévient Bertrand (1986:47), le diagramme en boîte a aussi ses limites. Ainsi deux diagrammes apparemment égaux peuvent cacher des distributions différentes, l'une pouvant par exemple comporter un seul sommet et l'autre deux. Bien que le diagramme en boîte ne révèle pas toutes les composantes d'une distribution, il représente un outil dont les propriétés visuelles sont intéressantes pour le chercheur.

Remarquons que le diagramme en boîte se construit également autour de la moyenne, de l'écart type et de l'erreur standard. Nous renvoyons le lecteur aux ouvrages précités pour connaître les transformations mathématiques applicables aux diagrammes en boîte. La figure 9-3 montre l'effet que produit le diagramme en boîte obtenu à partir des données du tableau 9-5. Une approche similaire utilise la moyenne, l'erreur type (la dimension de la boîte) et l'écart type (cf. figure 9-4 construite à partir des données du tableau 9-4). Dans un cas comme dans l'autre, la comparaison de deux ou plusieurs distributions numériques, illustre l'intérêt de cette technique.

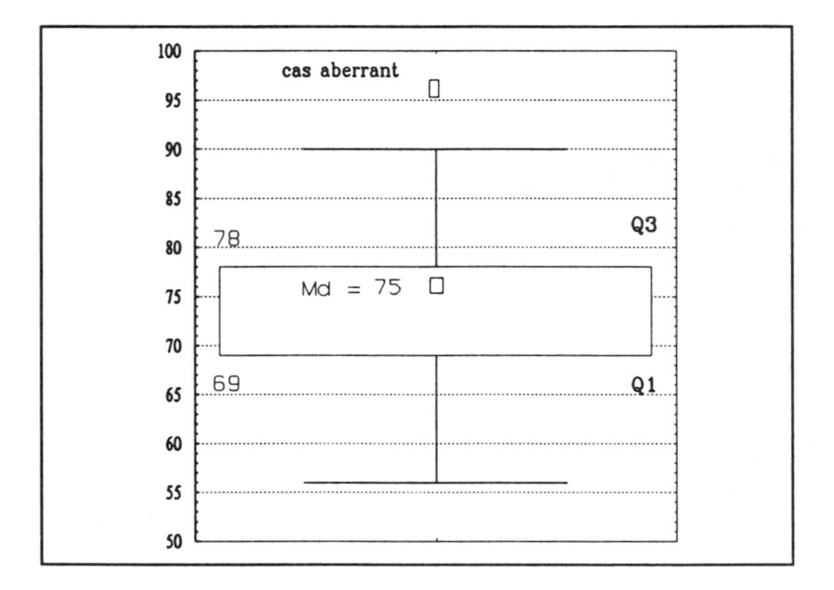

Fig. 9-3. Diagramme en boîte.

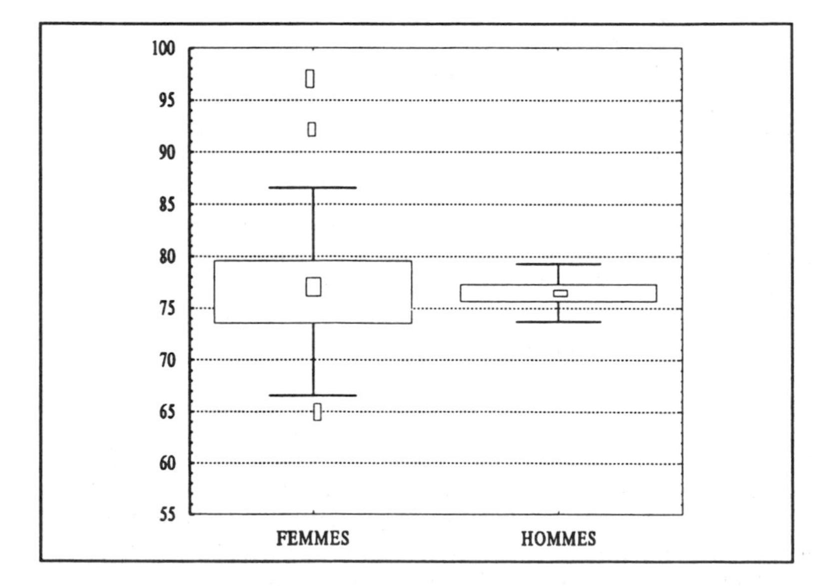

Fig. 9-4. Diagramme en boîte (utilisant la moyenne).

9.5.3 L'ESTIMATION DES DÉFAUTS DE NORMALITÉ

Le dernier problème sur lequel nous voulons attirer l'attention du lecteur a trait à l'estimation des défauts de normalité. Nous emprunterons ici la terminologie et les explications fournies par Dayhaw (1966:81-82). Dans une courbe normalement distribuée (fonction la plus courante), nous rappelle cet auteur, la moyenne, la médiane et le mode coïncident. Or, il est rare que l'on obtienne, avec les données provenant des enquêtes, une distribution parfaite qui suive la loi de la courbe normale[3].

Pourtant, plusieurs mesures statistiques requièrent, pour être correctement applicables, une approximation de la courbe normale.

Une première mesure nous indique le degré de *dissymétrie* (on dit aussi asymétrie) d'une distribution, au sens où elle permet de détecter l'existence d'une pente latérale.

On obtient un coefficient de dissymétrie de 0 quand la courbe est parfaitement normale. Dans une distribution normale centrée réduite, le coefficient est habituellement compris entre — 0,5 et + 0,5. La formule est la suivante:

$$\beta_1 = \frac{n(\sum x^3)^2}{(\sum x^2)^3} \qquad [9.4]$$

La *kurtose* est une autre mesure qui aide à estimer le degré de convexité de la courbe. Quand la voussure ou la convexité est parfaitement normale (*mésokurtique*), le coefficient d'aplatissement donne une valeur de 0 selon la formule 9.5.

On considère comme normale une distribution dont le coefficient d'aplatissement donne une valeur comprise entre — et + 1. Lorsque la courbe est aplatie (*platykurtique*), on obtient une valeur inférieure à 0. Finalement une courbe resserrée vers le centre (*leptokurtique*) donne une valeur supérieure à 0. La formule de la kurtose est la suivante:

$$\beta_2 = \frac{n\sum x^4}{(\sum x^2)^2} - 3 \qquad [9.5]$$

L'estimation de la normalité d'une distribution (on suppose ici que les données suivent la loi normale) est utile dans la prise de décision touchant l'emploi d'un test paramétrique (cf. chapitre 10). Généralement, lorsque la taille d'échantillonnage est relativement grande, cette condition est présumée respectée (théorème central limite) (Kirk, 1982; Snedecor & Cochran, 1980).

9.6 L'ANALYSE BIVARIÉE

Une autre façon d'analyser les données d'enquête consiste à comparer qualitativement deux distributions pour dégager ensuite des mesures synthèses décrivant le lien qui les unit (variables). Le coefficient de corrélation, les mesures d'association et les coefficients de concordance sont, au même titre que la moyenne, la médiane ou l'écart type, des mesures synthèses s'appliquant au lien entre deux variables ou parfois plusieurs variables.

Mais quelques observations préliminaires doivent être relevées avant d'aborder la corrélation. Étudions d'abord les *tableaux de contingence* qui mettent en perspective deux variables catégorisées (nominales ou ordinales). La première opération vise à présenter sous forme de tableau la répartition des effectifs d'après les deux variables considérées, comme dans le tableau 9-6.

Il est à noter que dans le format de présentation du tableau 9-6, seules les données les plus pertinentes pour l'analyse sont affichées (c.-à-d. les pourcentages).

On aura remarqué qu'il est tout de même possible de reconstruire la matrice des données brutes puisque les effectifs sont rapportés dans les marginales de colonne (les chiffres entre parenthèses étant multipliés par les pourcentages correspondants).

La question qui nous préoccupera ici est l'analyse structurelle de la relation entre ces deux variables de manière à en dégager une interprétation valable. Mais il importe surtout de comprendre que dans un *tableau croisé* (ou à double entrée), la lecture interprétative peut s'effectuer dans les deux directions, en raisonnant soit sur la variable dépendante, soit sur la variable indépendante.

Par exemple, le chercheur qui souhaite découvrir pour chaque statut civil la répartition des individus selon le sexe, calculera les pourcentages selon les rangées (tel que disposé horizontalement dans le tableau 9-6). Inversement, le calcul des pourcentages en colonne permettra de connaître, pour chaque sexe, la distribution des individus selon le statut civil. Cependant, dans la plupart des scénarios d'interprétation, la logique de l'analyse «causale» commande le calcul des pourcentages dans le sens de la variable «explicative», ou si l'on préfère de celle considérée comme indépendante. La comparaison des pourcentages procède alors dans la direction opposée.

Il faut enfin mettre en garde le lecteur contre l'idée qu'une corrélation établit la preuve d'une liaison causale. La corrélation confirme simplement l'existence d'un lien statistique, sans plus. Il sera question de l'analyse causale dans le prochain chapitre.

La figure 9-5 nous rappelle la procédure à suivre pour l'interprétation d'un tableau à double entrée.

TABLEAU 9-6. Distribution procentuelle des personnes âgées selon le statut civil et le sexe (n = 398).

	SEXE		
STATUT CIVIL	HOMMES	FEMMES	TOTAL
MARIÉ(E)	35,23	36,59	35,92
CÉLIBATAIRE	45,60	33,66	38,45
VEUF(VEUVE)	15,54	27,32	21,61
SÉPARÉ(E) OU DIVORCÉ(E)	3,63	2,44	3,02
TOTAL	100,0	100,0	100,0
(*n*)	(193)	(205)	(398)

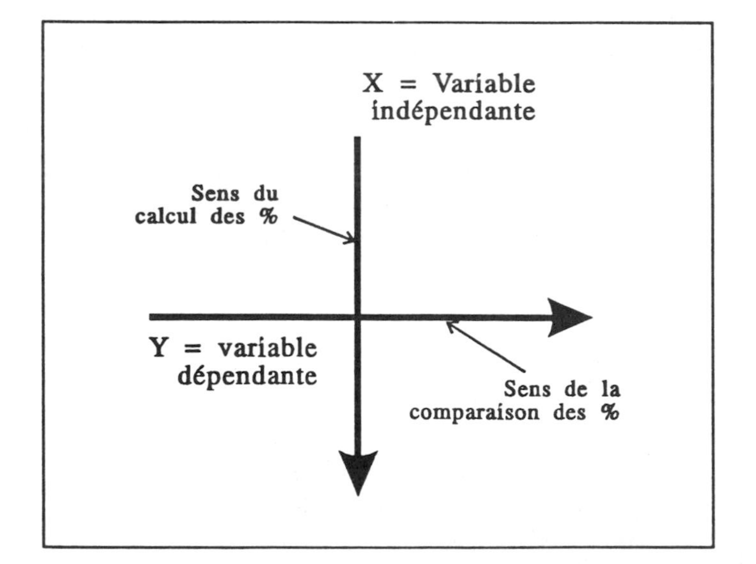

Fig. 9-5. Mode de calcul et de comparaison des pourcentages dans un tableau croisé.

Concrètement, l'observation qui se dégage du tableau 9-6 se formule ainsi: la proportion des répondants ayant déclaré être célibataires est supérieure chez les hommes (45,6 %), par rapport aux femmes (36,66 %). Par contre, il y a proportionnellement plus de veuves (27,3 %) que de veufs

(15,54 %). Enfin, les différences entre les hommes et les femmes en regard des statuts «marié(e) et séparé(e) ou divorcé(e)» sont peu prononcées. Mais revenons au mode de présentation graphique. La technique du diagramme en bâtons évoquée plus haut peut à cet effet s'avérer efficace pour comparer deux distributions. La figure 9-6 suggère un modèle de présentation graphique à partir des données du tableau 9-6.

Ces différences de statut constatées entre les hommes et les femmes peuvent-elles être résumées en un seul indice ? Pour répondre à cette question, il faut introduire une discussion sur la covariation et les mesures d'association.

Les mesures d'association sont destinées à fournir un coefficient indiquant la magnitude de la dépendance entre deux variables. Tous les coefficients (coefficients de corrélation ou mesures d'association) prennent une valeur comprise entre 0 et ± 1. L'indice 0 suggère l'absence de lien ou l'indépendance totale entre les deux variables mesurées, tandis qu'un indice de magnitude 1 (signe négatif ou positif) indique une association parfaite. Entre ces deux coefficients extrêmes, s'échelonnent des valeurs d'indice intermédiaires qui s'expriment en valeurs décimales. Ainsi un coefficient de 0,82 signifie une forte corrélation parce que cette valeur se rapproche de 1, tandis qu'un coefficient de 0,15 est plutôt faible étant donné qu'il est près de 0.

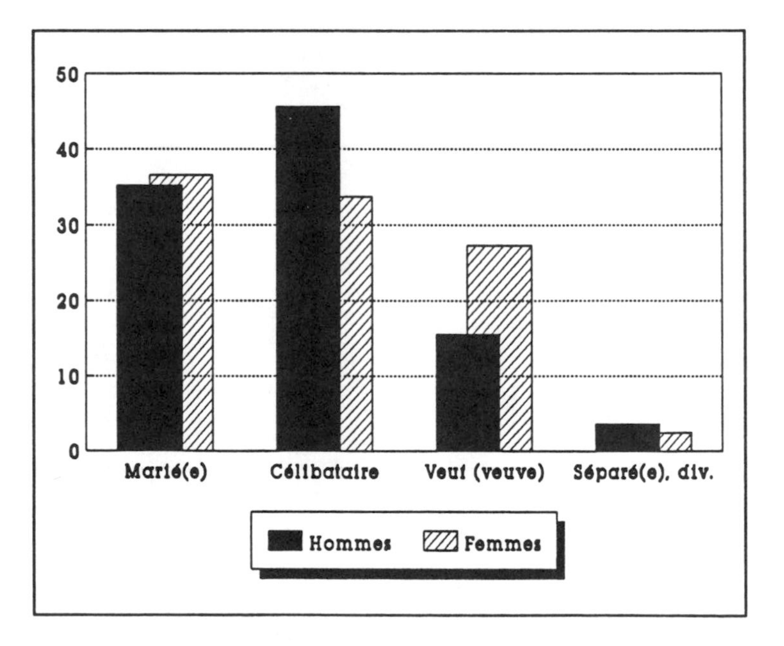

Fig. 9-6. Distribution procentuelle des hommes et des femmes selon le statut civil.

S'agissant de variables catégorisées, comme dans le tableau précédent, plusieurs types de mesure d'association peuvent être employés, selon le type d'échelle utilisé (nominal, ordinal, intervalle). Dans le cadre de cet ouvrage, nous n'étudierons toutefois que quelques mesures d'association, l'idée étant d'aider à la compréhension. On trouvera dans les ouvrages suivants les explications appropriées pour les autres mesures d'association: Mueller *et al.* 1977; Dayhah, 1966; Galtung, 1967. Rassurons toutefois le lecteur en mentionnant que la plupart du temps les chercheurs utilisent des logiciels statistiques qui leur évitent d'effectuer eux-mêmes les calculs. L'essentiel est donc de savoir choisir la mesure qui s'applique le mieux à une situation d'analyse, et surtout de savoir comment interpréter le coefficient.

La figure 9-7 présente un éventail des principales mesures d'association et de corrélation. Il est à noter que, dans ce tableau, les symboles entre parenthèses réfèrent au nombre de catégories. Par exemple pour le coefficient *Q*, la mention (2 X 2) signifie que cette mesure s'applique lorsque les deux variables sont dichotomisées (tableau 2 par 2).

VARIABLE	NOMINALE	ORDINALE	INTERVALLE
NOMINALE	- *Lambda* - Coefficient de contingence - *Phi* (2 X 2) - *Q* (Yule) (2 X 2)	- Coefficient de contingence - *Phi* (2 X 2)	- *r* Point bisérial (2 X *n*)
ORDINALE		- *Rhô* (Spearman) - *Gamma* - *Q* (Yule) (2 X 2) - D_{xy}, D_{yx} (Somers) - *Tau a, tau b, tau c* (Kendall)	- *r* (Pearson)
INTERVALLE			- *r* (Pearson) - *r* bisérial (2 X *c*) - *r* tétrachorique (2 X 2) - *Phi* bisérial (2 X *c*)

Fig. 9-7. Principales mesures d'association et de corrélation.

Calculons le coefficient d'association pour le tableau 9-6. Ce tableau forme une matrice de dimension «2 X 4» et comporte deux variables catégorisées de type nominal (le sexe et le statut civil). Si on se reporte à la figure précédente, on découvre que le coefficient de contingence et le Lambda conviennent pour ce type de situation d'analyse.

Nous choisirons ici le coefficient de contingence (*C*) que l'on obtient grâce à cette formule:

$$C = \sqrt{\frac{\chi^2}{n+\chi^2}} \qquad [9.6]$$

Le calcul du khi deux proprement dit, utilisé dans cette formule, sera exposé plus loin. Il suffit pour l'instant de préciser qu'il s'établit à 10,48 pour une valeur «n» de 398 dans le cas de ce tableau. En appliquant la formule du coefficient de contingence à ce résultat, on obtient $C = 0,16$ ce qui dénote une association positive plutôt faible.

Étudions maintenant la corrélation simple pour variables intervalles, soit le r de Pearson. Certaines conditions doivent être satisfaites avant d'utiliser cette méthode: 1) linéarité de la relation; 2) distribution suivant la courbe normale; 3) homoscédasticité (égalité de la dispersion des scores); 4) valeurs continues (on tolère parfois certaines échelles ordinales). La violation d'un seul postulat est, selon certains auteurs, sans conséquence majeure. Il s'agit d'une mesure paramétrique dont la formule est:

$$r = \frac{n\sum xy - \sum x \sum y}{\sqrt{n\sum x^2-(\sum x)^2}\ \sqrt{n\sum y^{-}(\sum y)^2}} \qquad [9.7]$$

où
x = les scores bruts de la variable x
y = les scores bruts de la variable y
n = les effectifs.

Un exemple aidera à se représenter l'intérêt de cette mesure. Le tableau 9-7 rapporte les résultats d'une étude fictive, menée auprès de 28 aînés, sur la performance à un test d'endurance physique selon l'âge.

Comme l'indiquent les résultats de l'analyse, la corrélation entre l'âge et le score au test x est très élevée, soit de — 0,79. La corrélation est négative puisque l'augmentation en âge s'accompagne d'une diminution de l'endurance physique. La représentation graphique de cette relation, qui montre le nuage de points (*corrélogramme*) résultant du positionnement de chaque sujet dans le plan, nous donne un meilleur aperçu de cette liaison entre les deux variables (cf. figure 9-8).

TABLEAU 9-7. Test d'endurance physique selon l'âge.

SUJETS	TEST (X)	ÂGE (Y)	SUJETS	TEST (X)	ÂGE (Y)
A	16	69	O	17	60
B	19	65	P	18	62
C	19	67	Q	11	79
D	14	75	R	17	70
E	8	84	S	9	77
F	16	70	T	10	68
G	10	80	U	19	72
H	18	66	V	15	68
I	15	71	W	12	78
J	11	78	X	16	71
K	12	76	Y	14	79
L	17	66	Z	13	77
M	10	80	AA	13	69
N	9	82	AB	19	69
Moyenne : x = 14,18; y = 72,74; Écart type: x = 3,52; y = 6,30; Corrélation: r = — 0,793.					

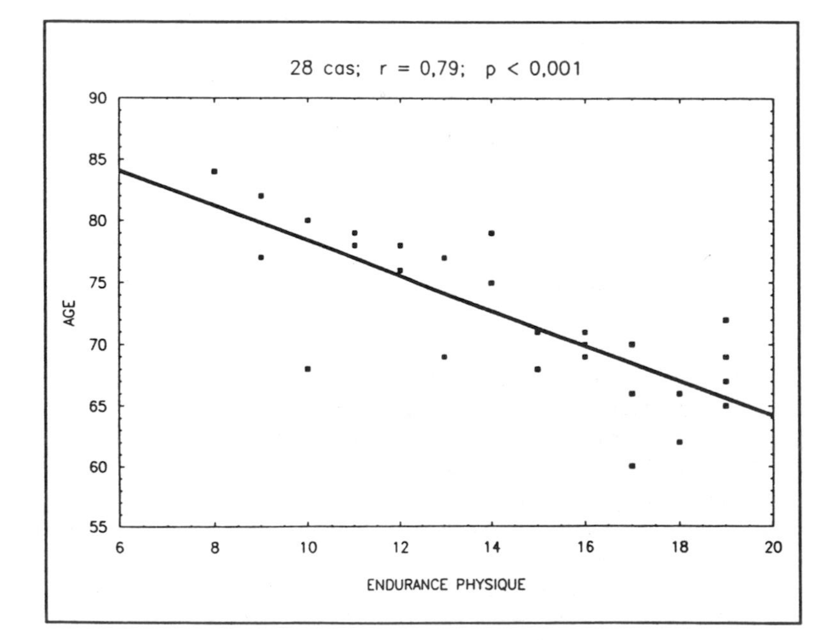

Fig. 9-8. Corrélogramme.

Le lecteur notera qu'une *droite de régression* peut être tracée à partir des valeurs (ordonnée à l'origine et pente) fournies par l'équation. Ainsi, la fonction: $Y = \alpha + \beta x$ où α = l'ordonnée à l'origine et β = la pente, permet de prédire pour une valeur x (en abscisse) sa valeur y probable (en ordonnée). Le *rhô* de Spearman (1904) est une autre mesure d'association pour variables ordinales qui s'applique lorsque les valeurs des deux variables sont disposées en rang. La méthode de calcul est la suivante:

$$\rho = 1 - \frac{6\sum d_i^2}{n(n^2-1)} \qquad [9.8]$$

$$\sum d_i^2 = \sum_{1=i}^{n} [R(x_i)-R(y_i)]^2 \qquad [9.9]$$

où
$r(x_i)$ = le rang de la valeur x_i
$r(y_i)$ = le rang de la valeur y_i
n = le nombre de couples d'observation.

Supposons que l'on veuille établir la corrélation entre le jugement de deux évaluateurs concernant l'aptitude à la relation d'aide d'un groupe de 10 sujets âgés vivant en institution. Les résultats de cette étude fictive sont rapportés au tableau 9-8.

TABLEAU 9-8. Calcul du coefficient de corrélation *rhô*.

JUGE A (x_i)	JUGE B (y_i)	$R(x_i)$	$R(y_i)$	d_i	d_i^2
90	81	9	8	1	1
65	60	6	3	3	9
40	58	1	1	0	0
74	85	7,5	9	- 1,5	2,25
56	77	3	7	- 4	16
92	89	10	10	0	0
55	59	2	2	0	0
63	68	5	4	1	1
59	71	4	5	- 1	1
74	76	7,5	6	- 1,5	2,25

$\Sigma d_i^2 = 32,5$

En appliquant la formule aux données de ce tableau, on obtient: *rhô* = 0,80, donc une corrélation plutôt forte. Il est à noter que lorsque deux valeurs sont *ex aequo*, les rangs attribués correspondent au point milieu (7,5) des deux rangs adjacents (c.-à-d. rangs 7 et 8).

NOTES:

(1) BASISTAT est un logiciel de statistique conçu par l'auteur.

(2) Il existe une foule de techniques de représentation graphiques: diagrammes en tuyaux d'orgue, pyramides, représentations polaires, stéréogrammes, représentations planes en semi, diagrammes en tiges et en feuilles, diagrammes figuratifs, faces de Chernoff, etc. (Bialès, 1988; APA, 1983).

(3) On suppose ici évidemment la courbe de Gauss, dite normale (ou mieux «approximativement» normale). Mais il en existe bien d'autres, notamment: 1) distribution exponentielle; 2) distribution *gamma*; 3) distribution du khi deux; 4) distribution lognormale; 5) distribution binomiale, etc.

CHAPITRE 10

LES MÉTHODES D'ANALYSE CONFIRMATOIRE

10.1 INTRODUCTION

Les méthodes de l'analyse confirmatoire traitent essentiellement deux types de problème touchant à l'*inférence*: 1) l'induction ou *généralisation des résultats* (inférence statistique); 2) l'*assignation des causes*, c'est-à-dire l'angle d'interprétation des liaisons causales (inférence causale). Les tests de signification s'adressent à la problématique de la généralisation tandis que les techniques telles que l'analyse multivariée, le *path analysis*, ou l'analyse en composantes principales se penchent sur le second ordre de problème. Le tableau 10-1 présente les principales techniques statistiques utilisées (cf. Sheskin, 1984). Globalement, les méthodes de l'analyse confirmatoire poursuivent les buts suivants:

1. Dégager des facteurs lourds, en l'occurrence ceux qui s'avèrent les plus significatifs (p. ex. facteurs précipitants, facteurs atténuateurs, etc.) en regard du problème étudié;
2. Fournir des estimations de certains paramètres;
3. Mettre statistiquement à l'épreuve les hypothèses de recherche;
4. Assigner des causes aux phénomènes ou prédire certains phénomènes;
5. Indiquer dans quelle mesure les faits observés sur un échantillon peuvent être généralisés à l'ensemble de la population.

TABLEAU 10-1. Principales stratégies d'analyse confirmatoire.

ANALYSE CONFIRMATOIRE		
STRATÉGIES	TYPES D'ANALYSE	MESURES
Tests de signification	- Analyse de variance - Analyse du Khi deux - Tests non paramétriques	- Test *t* - Test *F* - Khi deux - Kormogorov-Smirnov - Mann-Whitney *U* - Kruskal-Wallis - Wilcoxon
Analyse multivariée	- Corrélation multiple - Corrélation partielle	- Régression - Analyse de covariance
Autres	- analyse factorielle - analyse discriminante - analyse canonique - analyse en composantes principales - analyse en grappes - analyse des correspondances	Cf. explications

10.2 LES TESTS DE SIGNIFICATION

L'*inférence statistique* est une procédure de mise à l'épreuve d'hypothèses à partir des données d'un échantillon, dans l'optique de généraliser les résultats à l'ensemble de la population mère. La plupart du temps, le chercheur teste l'*hypothèse nulle*, c'est-à-dire qu'il postule au départ l'absence de lien statistique entre les variables formant l'hypothèse. L'*hypothèse alternative* par contre prédit que deux distributions (variables ou groupes de sujets) diffèrent sur une ou plusieurs dimensions.

La décision d'accepter ou de rejeter l'hypothèse nulle s'appuie sur le principe probabiliste du *seuil de confiance*. Le seuil de confiance, ou niveau de signification, établit selon quelle probabilité l'hypothèse est statistiquement acceptable. Règle générale, la zone de rejet de l'hypothèse nulle est fixée au seuil critique de $p \leq 0{,}05$. Lorsqu'un test d'hypothèse indique que la relation est significative au seuil *alpha* (niveau de signification) de 0,05 (ou $p \leq 0{,}05$), cela signifie que la relation constatée entre les deux variables risque de survenir au hasard seulement cinq fois ou moins sur cent. Dans une telle éventualité, on acceptera l'hypothèse selon laquelle la relation est réelle entre les deux variables. Inversement, si un test nous signale une probabilité d'erreur supérieure à 0,05, s'élevant par exemple à $p = 0{,}26$, on acceptera l'hypothèse nulle puisqu'il existe 26 chances sur 100 que le lien entre les deux variables soit dû au hasard ou aux fluctuations d'échantillonnage.

Une décision en faveur de l'hypothèse nulle ou de l'hypothèse alternative expose à deux types d'erreur: 1) l'hypothèse alternative peut être acceptée alors que l'hypothèse nulle est vraie (*erreur de première espèce* ou de type I); 2) l'hypothèse nulle peut être acceptée alors que l'hypothèse alternative est vraie (*erreur de deuxième espèce* ou de type II). La probabilité de commettre une erreur de première espèce se nomme *niveau de signification du test*. Ce niveau *alpha* (α) est adopté arbitrairement avant que débute l'analyse (normalement au seuil de 0,05 ou de 0,01 selon le problème à l'étude). La probabilité de ne pas rejeter l'hypothèse nulle alors que l'hypothèse alternative est vraie (type II) concerne la valeur β. La valeur $1—\beta$ réfère à la *puissance d'un test* et désigne la probabilité d'accepter l'hypothèse alternative alors qu'elle est vraie.

Tous les tests de signification opèrent selon ce principe. Le résultat d'un test de signification fournit deux indices: 1) une valeur-test; 2) le nombre de degrés de liberté. Partant de ces deux indices, on recherche dans une table appropriée au test (la table des valeurs du khi deux ou celle du *t* par exemple) la valeur du niveau *alpha* (pour un test unilatéral ou bilatéral) que l'on compare avec la valeur test avant de décider si l'on accepte ou rejette l'hypothèse nulle. L'hypothèse nulle est rejetée lorsque la valeur test est supérieure à la valeur indiquée dans la table.

Lorsque l'hypothèse alternative est directionnelle (p. ex. $G_1 > G_2$), c'est que le sens de la relation, ou si l'on préfère le rapport entre G_1 et G_2, est prédit. On applique alors un test de signification unilatéral (ou unicaudal: *one-tailed test*). Si l'hypothèse alternative est non directionnelle (p. ex. $G_1 \neq G_2$), le test de signification doit être interprété bilatéralement (*two-tailed test*). Lorsqu'un *test unilatéral* est utilisé, la zone de rejet de l'hypothèse nulle représente le double de celle d'un *test bilatéral*. Concrètement, pour un seuil bilatéral *alpha* de 0,05 correspondra un seuil *alpha* de 0,025 dans le cas d'un test unilatéral. L'hypothèse nulle résiste donc moins à un test unilatéral qu'à un test bilatéral.

Il faut toutefois mettre en garde le lecteur contre la tentation d'appuyer son jugement uniquement sur la technique des tests d'hypothèse. Certains affirment même que «lorsque l'effectif est élevé, la forme usuelle des épreuves de signification ne présente plus guère d'intérêt si ce n'est, peut-être, pour s'assurer qu'un facteur n'a que très peu d'influence» (Bacher, 1982, tome 1:164).

Bacher (1982) a exposé certaines stratégies pour contourner le problème: 1) fixer une différence minimale dans la comparaison entre deux groupes à la lumière d'une interprétation théorique; 2) établir des règles de décision adaptées aux besoins du chercheur (méthode de Calot); 3) utiliser la méthode d'inférence fiduciaire de Lépine et Rouanet.

Le choix d'un test de signification est fonction de plusieurs éléments:

1) La nature de la distribution: paramétrique ou non paramétrique;
2) Le nombre de groupes ou de variables à comparer: deux ou plus de deux;
3) La dépendance ou l'indépendance des groupes (soit des données pairées d'une manière quelconque (p. ex. test-retest, comparaison entre les hommes et les femmes formant des couples) ou des données non pairées);
4) Le type d'échelle caractérisant les variables: nominale, ordinale, intervalle ou de rapport.

Le tableau qui suit présente les principaux tests de signification. La suite de l'exposé sera consacrée à l'étude des tests les plus fréquemment utilisés en recherche sociale. Pour simplifier, seront décrits uniquement les tests autorisant l'utilisation de la table du khi deux et du t pour déterminer le seuil de signification. Un astérisque marque les tests les plus utilisés qui feront l'objet d'un court exposé.

Pour une étude plus approfondie des différents tests de signification, les ouvrages suivants sont particulièrement recommandés: Sharp (1979), Daniel (1978) et Mueller *et al.* (1977), Sheskin (1984).

TABLEAU 10-2. Typologie des principaux tests de signification impliquant la comparaison de deux ou plusieurs groupes.

NOMBRE ET NATURE DES GROUPES	VARIABLE NOMINALE	VARIABLE ORDINALE	VARIABLE INTERVALLE
(2) indépendants	-Khi deux (homogénéité)* -Test exact de Fisher	-Khi deux* -Mann-Whitney (*U*) -Kolmogorov-Smirnov -Wald-Wolfowitz	-Student *t* (A)* -Kolmogorov-Smirnov
(2) dépendants(a) (ou mesures répétées)	-McNemar*	-Wilcoxon -McNemar -Sign test	-Wilcoxon -Student *t* (B)*
(3 ou plus) indépendants	-Khi deux (homogénéité)*	-Kruskal-Wallis -Khi deux*	-Test *F* ANOVA*
(3 ou plus) dépendants (ou mesures répétées)	-Cochran *Q** -Test de Boker -Test de Stuart	-Friedman* -Test de Durbin	-Test *F* -Randomized block design

10.2.1 LE KHI DEUX

Le test du khi deux sert à éprouver des hypothèses se rapportant à des distributions de fréquence nominales ou ordinales. Voici sa formule:

$$\chi^2 = \sum \frac{(O-E)^2}{E} \qquad [10.1]$$

où
O = fréquence observée.
E = fréquence théorique.

La principale difficulté est la détermination des fréquences théoriques. Plusieurs situations peuvent se présenter: 1) loi de la distribution (p. ex. courbe normale); 2) fonction mathématique quelconque; 3) indépendance de deux facteurs. Nous nous pencherons ici sur le cas fréquent en gérontologie où l'hypothèse prédit l'indépendance entre deux variables, par exemple dans un tableau de contingence à deux dimensions. Il est à noter que ce test ne s'applique qu'aux variables catégorisées (nominale ou ordinale), que lorsque les observations sont indépendantes, donc non interreliées (c.-à-d. les variables comparées renvoient à des individus différents), les distributions pouvant être non paramétriques.

Un exemple aidera à comprendre l'emploi de ce test. Dans une étude sur la transmission de l'expérience et des connaissances entre les anciens et les jeunes, Marcus (1977) dans son échantillon distingue les sujets d'après l'âge et le lieu de naissance. Examinons ses données afin de vérifier s'il y a lieu d'accepter l'hypothèse nulle.

TABLEAU 10-3. Distribution des sujets par âge et lieu de naissance.

ÂGE	LIEU DE NAISSANCE		
	AMÉRIQUE DU NORD	EUROPE	TOTAL
60 - 74 ANS	20	11	31
75 ANS ET PLUS	16	12	28
TOTAL	36	23	59
KHI DEUX = 0,336; DL = 1; p = 0,57			

Source: Marcus (1977:93)

Le calcul du khi deux se réalise à partir des données brutes. On calcule d'abord les fréquences théoriques (*E*) en procédant de la façon suivante: pour une case (ou cellule) donnée (excluant les marginales, donc les totaux), multiplier la marginale de la colonne par celle de la rangée correspondante et diviser par le grand total. Par exemple, pour la cellule A (qui contient la valeur 20) on multiplie 36 par 31 divisé par 59, de sorte que l'on obtient la fréquence théorique de 18,9. On répète ensuite cette opération pour toutes les autres cases du tableau. En reportant ces valeurs dans la formule on obtient, dans le cas présent, un khi deux de: 0,336. Le même raisonnement s'applique bien entendu aux tableaux de toutes dimensions.

Pour déterminer les degrés de liberté, on utilise la formule suivante: $(r\text{-}1)(c—1)$, où r = le nombre de rangées et c = le nombre de colonnes. Dans l'exemple précédent, on a donc 1 degré de liberté. On consulte ensuite la table du khi deux (cf. un manuel de statistique) pour vérifier si cette valeur du khi deux est significative au seuil *alpha* de 0,05 ou au seuil de 0,01 selon les exigences de l'étude.

Rappelons qu'en sciences sociales on fixe habituellement à 0,05 la valeur *alpha*. À l'intersection de la colonne affichant 0,05 et de la rangée correspondant à 1 degré de liberté, le khi deux nécessaire pour accepter l'hypothèse alternative s'établit à 3,84. Or, comme le khi deux dans ce tableau n'est que de 0,336, on accepte l'hypothèse nulle selon laquelle il n'y a pas de différence significative entre l'âge des sujets et le lieu d'origine. Certains programmes informatiques calculent la valeur exacte du p qui est ici de 0,57. C'est donc dire qu'il y a 57 % de chances de se tromper en affirmant que l'âge des sujets est relié au lieu d'origine. Dans ce type de problème, pareil résultat convient au chercheur soucieux de la représentativité de son échantillon. Par contre, lorsque l'intérêt porte sur la découverte d'une différence entre deux variables, c'est l'hypothèse alternative qu'il s'avère souhaitable d'accepter.

Mentionnons au passage que Fisher a proposé un facteur de correction pour la continuité dans le cas des tableaux 2 par 2, comme dans l'exemple ci-dessus. Une correction doit aussi être apportée lorsqu'il y a trop de fréquences inférieures à 5 dans un tableau. Le khi deux corrigé de Yates s'applique alors, selon la formule suivante:

$$\chi^2\,(Yates) = \sum \frac{[(O-E)-.5]^2}{E} \qquad [10.2]$$

10.2.2 LE TEST MCNEMAR

Le test McNemar est surtout utilisé dans les protocoles d'observation du type «avant et après» avec appariement ou jumelage des sujets. C'est un test bilatéral non paramétrique pour variables nominales, les observations étant dépendantes ou appariées. On cherchera par exemple à démontrer si un changement est survenu chez les mêmes sujets entre l'observation au temps A et au temps B. La formule est la suivante:

$$\chi^2(McNemar) = \frac{(|A-D|-1)^2}{(A+D)} \qquad [10.3]$$

où
A = changement de réponse dans une direction.
D = changement de réponse dans l'autre direction.

Signalons que l'emploi de ce test requiert une fréquence théorique d'au moins 5. Elle est estimée d'après la formule complémentaire suivante:

$$(A+D)/2.$$

Éclairons la méthode par un exemple fictif. Cinquante (50) personnes âgées sont recrutées pour participer à une étude sur les attitudes face au testament biologique. Dans un premier temps, les sujets sont invités à se prononcer soit en faveur soit contre le testament biologique. Une campagne d'information louant les avantages (ou signifiant les inconvénients) du testament biologique est ensuite menée auprès des participants, dans l'espoir de modifier leurs attitudes. Un mois plus tard les mêmes sujets sont invités à nouveau à se prononcer sur le testament biologique. Les résultats obtenus au prétest et au post-test sont réunis dans le tableau 10-4.

TABLEAU 10-4. Réponses des sujets au prétest et au post-test sur le testament biologique.

OBSERVATIONS		PRÉTEST	
		POUR	CONTRE
POST-TEST	POUR	20	17
	CONTRE	4	9

On vérifiera d'abord si la fréquence théorique atteint au moins la valeur 5. Dans ce cas-ci elle est de 10,5 (c.-à-d. (17 + 4)/2 = 10,5), de sorte que l'emploi du test est justifié. On a donc A (changement positif) = 17 et D (changement négatif) = 4.

En reportant ces résultats dans la formule, on obtient: khi deux (McNemar) = 6,86 pour 1 degré de liberté. Il suffit maintenant d'utiliser la table des valeurs pour le khi deux comme dans l'exemple précédent, ce qui donne la valeur 3,84 au niveau *alpha* 0,05 pour 1 degré de liberté. Comme la valeur du khi deux excède la valeur 3,84, on peut conclure au rejet de l'hypothèse nulle.

Le résultat est-il significatif au seuil *alpha* 0,01 ? Nous convions le lecteur à répondre à la question.

10.2.3 LE TEST *Q* DE COCHRAN

Le test bilatéral *Q* de Cochran est une extension du test de McNemar pour la comparaison de trois groupes dépendants ou plus. La formule est la suivante:

$$Q(Cochran) = \frac{(k-1)(k\sum C^2 - T^2)}{kT - \sum R^2} \qquad [10.4]$$

où
$R =$ total des rangées
$C =$ total des colonnes
$k =$ nombre de groupes
$T = R+C$

Les valeurs seront préalablement dichotomisées sous une forme binaire (*dummy)*, soit 1 pour les valeurs positives et 0 pour les valeurs négatives.

Illustrons l'emploi de la méthode. Un expérimentateur expose 24 sujets âgés obèses à trois approches différentes destinées à contrôler leur poids (méthodes *a*, *b* et *c*). Les sujets sont jumelés dans trois groupes (ce qui satisfait au critère des observations dépendantes) d'après leur succès antérieur pour contrôler leur poids. Une fois l'expérimentation complétée, on demande à chaque sujet d'indiquer si l'approche à laquelle il a été exposé s'est révélée efficace (1) ou non efficace (0) dans sa tentative pour réduire ou contrôler son poids. Les résultats de l'expérience figurent au tableau 10-5, ainsi que la procédure de calcul.

TABLEAU 10-5. Appréciation des trois méthodes de contrôle du poids.

SUJETS	MÉTHODE A	MÉTHODE B	METHODE C	R	R^2
A	1	0	1	2	4
B	1	1	1	3	9
C	1	1	1	3	9
D	1	0	0	1	1
E	1	0	0	1	1
F	1	1	0	2	4
G	1	1	1	3	9
C:	7	4	4	T = 15	
	$C^2 = 81$;	$T^2 = 225$;	$k = 3$;	$\Sigma R^2 = 36$	

En appliquant la formule, on obtient: Q = 4,0. Ici les degrés de liberté sont au nombre de 2 (k - 1). On procède ensuite comme précédemment, en consultant la table des valeurs du khi deux. Pour 2 degrés de liberté à un seuil *alpha* de 0,05, la valeur minimale requise pour rejeter l'hypothèse nulle s'élève à 5,99. Comme on n'a que 4,0, on retient ici l'hypothèse nulle.

10.2.4 LE TEST DE FRIEDMAN

Le test de Friedman est une procédure non paramétrique analogue à l'analyse de variance à deux dimensions (ANOVA). Il s'applique en principe aux variables de type intervalle lorsque les conditions d'emploi d'un test paramétrique ne sont pas satisfaites. Mais certains auteurs (Sharp, 1978) l'utilisent également pour des données ordinales. Le test de Friedman est en fait une extension du test Wilcoxon appliqué à plusieurs groupes.

Supposons qu'il s'agisse de comparer les scores de plusieurs juges lors de l'évaluation de la capacité de quatre personnes âgées à participer à une expérience quelconque. L'échelle d'évaluation est sur 100 points. Ici l'hypothèse nulle veut qu'il n'y ait pas de différence de capacité qui soit significative chez les quatre sujets d'après l'évaluation globale fournie par l'ensemble des juges. Un premier tableau enregistre les scores bruts des juges.

TABLEAU 10-6. Évaluation de la capacité d'un groupe de participer à une expérience de recherche.

JUGES	SUJETS			
	A	B	C	D
1	78	75	82	66
2	66	54	62	60
3	61	78	74	70
4	78	71	69	65
5	70	76	71	73
6	80	70	77	76

Le test de Friedman est basé sur les valeurs ordonnées, d'après cette formule:

$$\chi_r^2 = \frac{12}{nk(k+1)}[\sum R_i^2] - 3n(k+1) \qquad [10.5]$$

où
n = nombre de rangées
k = nombre de colonnes
R^2_i = sommation des scores des rangs au carré.

L'étape suivante consiste donc à disposer en rang les évaluations par juge (et non par sujet). Le tableau 10-6 rapporte le résultat du classement ainsi que la procédure de calcul.

TABLEAU 10-7. Procédure de calcul du test de Friedman.

JUGES	SUJETS			
	A	B	C	D
1	2	3	1	4
2	1	4	2	3
3	4	1	2	3
4	1	2	3	4
5	4	1	3	2
6	1	4	2	3
ΣR(1 à 4) =	13	15	13	19
ΣR^2(1 à 4) =	169	225	169	361
			TOTAL =	924

En reportant ces données dans la formule, on obtient: khi (Friedman) = 2,4. Le nombre de degrés de liberté est de (k — 1) soit 3. On utilisera à nouveau la table du khi deux qui donne une valeur de 7,82 au seuil *alpha* de 0,05. Comme on n'a que 2,4 on accepte l'hypothèse nulle. Signalons que Huck *et al.* (1974:213) recommandent l'emploi de la table du khi deux seulement lorsque le nombre de groupes ou de conditions expérimentales est supérieur à 4 *ou* qu'il y a plus de neuf sujets.

10.2.5 LE TEST *T (A)* DE STUDENT

On utilise le test *t* (A) de Student pour déterminer s'il existe une différence significative entre deux groupes indépendants, en fonction de scores obéissant préférablement au principe des échelles à intervalles. Il s'agit d'un test *paramétrique* relativement *robuste* (c.-à-d. qui résiste bien lorsqu'il y a violation d'un ou de deux postulats justifiant son emploi).

S'agissant de ces postulats, on assume que les deux échantillons ont été prélevés aléatoirement, que les valeurs sont normalement distribuées et surtout que leurs variances sont voisines l'une de l'autre (il existe plusieurs tests pour estimer l'homogénéité de la variance: Khi deux de Bartlett, *C* de Cochran, *F-max* de Hartley). En pratique, on s'accommodera du test *t* lorsque la variance dans un groupe n'est pas plus que le double de celle de l'autre groupe. Le cas échéant, il est recommandé de recourir à un test non paramétrique (p. ex. test de Behrens-Fisher, test de Welsh ou l'un des tests non paramétriques vus précédemment dans ce chapitre). Enfin, certains (Sharp, 1978:275) soutiennent qu'un écart, même prononcé par rapport à une distribution normale (asymétrie), n'invalide pas le test *t* si les données sont de taille $n > 30$.

La formule du test *t*[1] est rébarbative. C'est pourquoi on aura avantage à automatiser les calculs en utilisant un logiciel de statistique.

$$t(A) = \frac{\overline{X_1} - \overline{X_2}}{\sqrt{\dfrac{[\sum X_1^2 - \dfrac{(\sum X_1)^2}{n_1}] + [\sum X_2^2 - \dfrac{(\sum X_2)^2}{n_2}]}{n_1 + n_2 - 2} \cdot (\dfrac{n_1 + n_2}{n_1 \cdot n2})}} \qquad [10.6]$$

Degré de liberté = $n_1 + n_2 - 2$.

Voyons un exemple. Soit deux groupes indépendants A et B mesurés d'après un critère (X), et dont les valeurs sont (tableau 10-8):

TABLEAU 10-8. Scores *X* pour deux échantillons A et B.

GROUPE A	GROUPE B
7	2
8	4
8	3
9	5
6	2
8	9
4	5
7	6
6	3
3	-

$\Sigma X1 = 66$	$\Sigma X_2 = 39$
$n_1 = 10$	$n_2 = 9$
$X_1 = 6{,}6$	$X_2 = 4{,}3$
$\Sigma X^2_1 = 468$	$\Sigma X^2_2 = 209$
$p < 0{,}05$	
$dl = 17;\ T = 2{,}45$	

TABLEAU 10-8, (suite)

En reportant ces valeurs dans la formule, on découvre que t (2,45) est supérieur à 2,11 (test bilatéral au seuil *alpha* de 0,05). On rejette donc l'hypothèse nulle, la différence entre les deux groupes étant significative à $p \leq 0{,}05$.

10.2.6 LE TEST *T (B)* DE STUDENT

Il existe une autre situation où les deux groupes sont dépendants ou reliés d'une façon quelconque (test-retest, appariement). L'emploi de la formule requiert toutefois que $n_1 = n_2$. On appliquera alors la formule suivante:

$$T(B) = \frac{\bar{D}}{\sqrt{\dfrac{\sum D^2 - \dfrac{(\sum D)^2}{n}}{n(n-1)}}} \qquad [10.7]$$

où D barre est égal à la différence entre chaque couple de valeur X_i. Les degrés de liberté sont: $n-1$.

10.2.7 LE TEST *F*

Le rapport F est une extension du test t quand la comparaison implique trois groupes indépendants ou plus. Ce test est utilisé dans l'analyse de variance (ANOVA) à une ou à plusieurs dimensions (devis intra-groupes, devis à mesures répétées, plans *a priori* et *post hoc*, etc.).

L'hypothèse nulle sera par exemple qu'il n'existe pas de différence significative entre les moyennes de l'ensemble des groupes mis en comparaison. Les résultats d'une analyse de variance à une dimension sont présentés sous une forme tabulaire similaire au modèle présenté au tableau 10-9.

Remarquons qu'une fois connus les résultats d'un test F, on poursuit l'analyse pour détecter quelles combinaisons de groupes montrent des différences significatives. Le test *t* ne convient pas (les valeurs *n* des groupes étant plus petites), d'autres techniques (test de Sheffé, HSD de Tukey, test de Newman-Keuls, etc.) étant beaucoup plus performantes.

Dans une analyse de variance à deux dimensions, on tente aussi de vérifier si les deux variables indépendantes sont *additives* ou en *interaction*. La figure 10-1 montre un tel effet à partir des données du tableau 10-10 où l'on mesure l'effet de l'âge (3 groupes) et du sexe (2 groupes) sur l'autonomie psychologique, tel que mesuré (valeurs en ordonnée) à partir d'un échantillon de 601 personnes âgées (Leclerc, Lefrançois et Poulin, 1992).

TABLEAU 10-9. Résultats d'une analyse de variance à une dimension.

SOURCES DE VARIATION	SOMME DE CARRÉS	DEGRÉS DE LIBERTÉ	VARIANCE ESTIMÉE
INTER-GROUPES	34,6	4	8,65
INTRA-GROUPE	21,9	18	1,22
TOTALE	56,5	22	
	F = 7,09 (1)	p < 0,01** (2)	

NOTES: (1) F = (8,65/1,22); (2) L'emploi de la table des valeurs F exige l'emploi des deux degrés de liberté (dl = 4 et dl = 18).

TABLEAU 10-10. Résultats d'une analyse de variance à deux dimensions.

SOURCES DE VARIATION	SOMME DES CARRÉS	DEGRÉS DE LIBERTÉ	VARIANCE ESTIMÉE	*F*	*P*
EFFET DE L'ÂGE	8,8	595	6,96	1,26	0,28
EFFET DU SEXE	6,3	595	6,96	0,90	0,34
EFFET D'INTERACTION	26,5	595	6,96	3,81	0,02*

Les résultats révèlent qu'il n'y a pas de différence significative entre l'âge et l'autonomie psychologique ou entre le sexe et l'autonomie psychologique. Cependant, l'action combinée de l'âge et du sexe est significative. Le graphique permet de désigner quel groupe d'âge explique ce résultat.

La plupart des manuels de statistique exposent en détail la méthode de l'analyse de variance. Nous renvoyons donc le lecteur aux ouvrages de base.

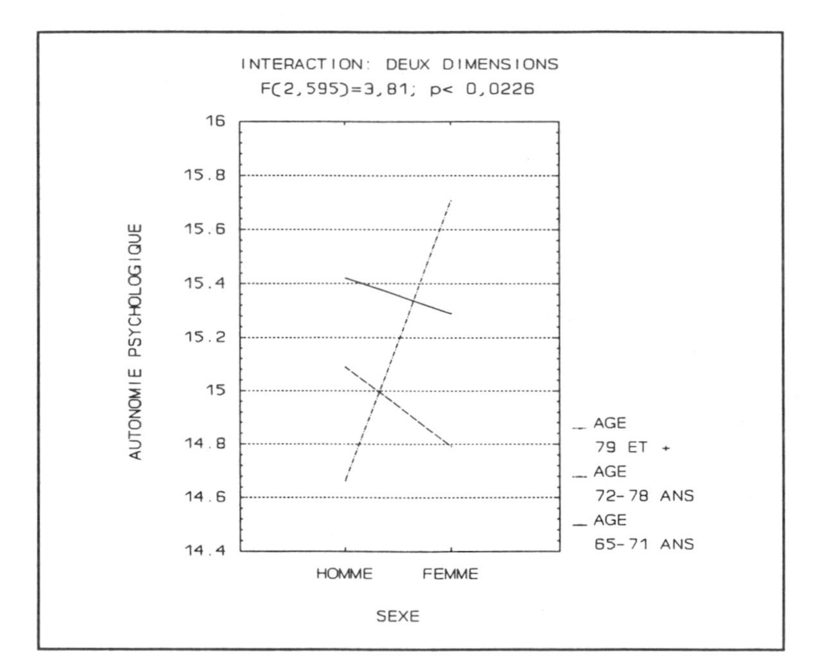

Fig. 10-1. Effet d'interaction (ANOVA à deux dimensions).

10.3 L'ANALYSE MULTIVARIÉE

L'interprétation causale exige, comme on l'a vu au deuxième chapitre, le recours à des dispositifs expérimentaux qui soient capables d'une part d'attribuer le sens «causal» d'une relation et, d'autre part, d'éliminer (en les isolant ou les contrôlant) les facteurs parasites soupçonnés d'affaiblir la validité interne. Dans le cas du rapport (temporel) de dépendance entre *X* et *Y*, la stratégie du prétest — traitement — post-test tranche en principe la question, quoiqu'il faille se prémunir, nous prévient Pagès (1969), contre l'illusion des fausses apparences de consécution causale (*post hoc ergo propter hoc*). Dans le cas de la contamination par des tierces variables, la stratégie consistant à inclure un groupe témoin (en plus du groupe expérimental) et à répartir aléatoirement les sujets dans deux groupes (randomisation) protège contre les explications rivales.

Or, on ne peut recourir à des solutions simples pour contrer ces problèmes d'inférence causale, surtout si le chercheur ne dispose que de données recueillies transversalement. L'analyse corrélationnelle demeure pourtant, dans ce type de recherche transversale, la seule technique capable d'examiner les liens de dépendance intervariables. De manière générale, l'analyse corrélationnelle convient à la plupart des dispositifs *ex post facto* ou du type enquête (stratégies transversales), soit parce que l'observation est invoquée (aucun contrôle n'a été effectué), soit parce que les variables sous l'étude excluent toute manipulation expérimentale (p. ex. âge, sexe, revenu, scolarité, QI, etc.). Il faut en outre rappeler que l'absence de manipulation peut aussi s'expliquer pour des raisons d'éthique.

On trouve cependant une pluralité de techniques, dites «méthodes d'analyse multivariée», qui autorisent l'analyse des liaisons entre trois ou plusieurs variables et qui aident à résoudre le second problème identifié plus haut, à savoir la «contamination» d'une relation initiale par une ou des tierces variables. De notre point de vue, le problème du sens de la relation entre X et Y demeure statistiquement insoluble en dehors d'une démarche longitudinale.

Les principales techniques d'analyse multivariée sont: la régression multiple, la corrélation partielle, le *path analysis*, l'analyse en grappes (*cluster analysis*), l'analyse en composantes principales, l'analyse des correspondances, l'analyse canonique et l'analyse discriminante. Mais, nous n'aborderons ici que très succinctement la logique de l'analyse des corrélations à trois variables.

Lorsqu'un chercheur découvre la présence d'un lien statistique entre une variable indépendante X et une variable dépendante Y, il se demandera d'abord si cette relation initiale peut être attribuable à l'action d'une tierce variable. La procédure méthodologique classique consiste ici à mettre systématiquement à l'épreuve une corrélation importante. À cet égard, il est impératif d'éliminer les explications rivales, donc de détecter les relations apparentes en s'interrogeant sur la possibilité de contamination d'une variable antécédente (antérieure à l'action de X) ou intervenante (qui intervient entre X et Y). Hélas, avec les dispositifs transversaux, on parvient difficilement à éliminer ou à contrôler l'action de toutes les tierces variables, encore moins leur action combinée. Ce problème, rappelons-le, est simplifié de beaucoup dans les expérimentations, la présence d'un groupe témoin ayant précisément pour effet de contrôler les sources de variation endogènes et exogènes. On soupçonnera l'existence d'un lien de causalité entre X et Y lorsque le fait de la contrôler, c'est-à-dire en maintenant constante l'action de tierces variables, n'altère pas de façon significative sa magnitude et son signe. Un exemple aidera à assimiler la portée de cette affirmation.

Supposons qu'un chercheur veuille démontrer que la santé physique des personnes âgées (X) contribue à leur mieux-être psychologique (Y) et que l'étude lui permet de contrôler pour l'âge (A) et la mobilité physique

(*B*). Les variables *X*, *Y* et *B* rapportent des scores sur une échelle de 20 points, les valeurs supérieures reflétant les situations favorables (c.-à-d. santé, bien-être psychologique et mobilité meilleurs). Le tableau 10-11 enregistre les données brutes obtenues pour 15 sujets, tandis que le tableau 10-12 présente la matrice des coefficients de corrélation *r* pour chaque couple de variables.

On constate que le lien entre la santé et le bien-être est positif et très élevé ($r = 0{,}95$), de même que la relation entre la santé et la mobilité ($r = 0{,}97$), puis la mobilité et le bien-être ($r = 0{,}93$). Par contre, l'âge est moyennement relié à la santé (0,41) de même que le facteur bien-être (0,31). Également, le lien entre la santé et la mobilité est aussi de magnitude moyenne (0,35). Or, peut-on véritablement conclure que la santé détermine le bien-être psychologique ? L'effet de la santé sur le bien-être est-il conditionnel à l'état de santé de la personne âgée ou à sa mobilité?

Pour répondre à ces questions, il convient de contrôler la relation initiale $X \longrightarrow Y$, en maintenant constante l'action de chacune des deux autres variables (prises séparément ou combinées). Mais nous n'étudierons ici que la procédure d'analyse à trois variables, qui permet de mieux saisir le principe de l'analyse.

TABLEAU 10-11. Résultat d'une enquête fictive auprès de 15 sujets.

SUJETS	SANTÉ(X)	BIEN-ÊTRE(Y)	ÂGE(A)	MOBILITÉ(B)
A	17	17	69	18
B	13	14	65	12
C	15	16	73	16
D	10	11	65	9
E	12	10	75	13
F	16	15	66	17
G	14	14	68	15
H	18	17	70	19
I	7	8	70	6
J	8	7	67	8
K	15	15	77	16
L	14	15	68	15
M	19	18	85	18
N	13	12	75	12
O	14	13	68	13
MOYENNE	13,67	13,47	70,73	13,8
ÉCART-TYPE	3,39	3,29	5,43	3,87

TABLEAU 10-12. Matrice des coefficients de corrélation.

	X	Y	A	B
X	1,00	0,95	0,41	0,97
Y		1,00	0,31	0,93
A			1,00	0,35

Si après avoir introduit plusieurs tierces variables signifiantes en regard de la liaison $X \longrightarrow Y$, celle-ci montre un coefficient de corrélation de magnitude identique à la relation initiale non contrôlée, nous aurons une bonne raison de croire que la dépendance entre ces deux variables est plausible et mérite d'être interprétée dans «l'optique de la causalité».

Si par contre, la relation statistique disparaît, diminue ou augmente considérablement ou que le signe du coefficient est inversé, on affirmera que la relation $X \longrightarrow Y$ est fallacieuse (1). Habituellement, l'un de ces effets se produit quand la tierce variable est liée aux deux variables initiales (X et Y).

Si la tierce variable n'est liée qu'à une seule des deux variables initiales, le fait de la contrôler ne modifiera pas (en pratique, pas substantiellement) cette relation initiale.

Mais une autre situation est également intéressante à examiner: une relation initiale nulle peut s'avérer de magnitude plus ou moins élevée lorsqu'elle est soumise au contrôle d'une variable test.

L'approche classique pour vérifier l'effet d'une tierce variable consiste à calculer la corrélation partielle puis à interpréter le nouveau coefficient en fonction du facteur test. La corrélation partielle du premier degré de X et Y, contrôlée avec A (ou B) nous est donnée par la formule suivante:

$$r_{xy.a} = \frac{r_{xy} - r_{xa} r_{ya}}{\sqrt{1-r_{xa}^2}\sqrt{1-r_{ya}^2}} \qquad [10.8]$$

Dans l'exemple précédent, les résultats sont:

$r_{xy.a} = 0{,}95$ corrélation partielle de X sur Y avec contrôle de la tierce variable A.

$r_{xy.b} = 0{,}61$ corrélation partielle de X sur Y avec contrôle de la tierce variable B.

Le fait de contrôler pour l'âge (A) ne modifie donc pas la relation initiale, celle-ci demeurant de même magnitude ($r = 0{,}95$) que lorsqu'elle n'est pas contrôlée avec cette tierce variable ($r = 0{,}95$).

Par contre, l'action de la variable test «mobilité» (B) affecte la relation première ($r = 0{,}61$), puisqu'on enregistre une diminution sensible de l'effet de X sur Y. On peut ici suspecter que la mobilité exerce autant d'influence sur le bien-être que sur la santé. Ce qui suggère de recourir de nouveau à la corrélation partielle en interchangeant cette fois le rôle des variables, la variable santé (X) devenant le variable test et la variable mobilité (B) prenant le statut de variable indépendante.

Cette façon de concevoir l'interdépendance entre ces variables est d'ailleurs beaucoup plus intuitive, étant donné leur enchaînement temporel. Il est en effet naturel de prétendre que la mobilité puisse déterminer le bien-être, la mobilité étant elle-même une résultante de l'état de santé. L'âge par contre est normalement associé à l'état de santé, de sorte que l'on supposera ici qu'il contribue à spécifier les autres relations.

Rappelons que la corrélation entre la mobilité et le bien-être a été établie à 0,97, comme indiqué dans la matrice plus haut. Or, cette relation résiste-t-elle au contrôle des deux tierces variables (santé et âge)? Les résultats de l'analyse de corrélation partielle nous donnent:

$$r_{by.x} = 0{,}01$$

$$r_{by.a} = 0{,}92$$

Voilà un résultat intéressant. Dans la première partielle ($r_{by.x}$), la corrélation entre la mobilité (B) et le bien-être (Y) disparaît lorsque contrôlée par la santé (X), ce qui suggère que la relation initiale est fallacieuse et que c'est bien la santé qui détermine le bien-être. Autrement dit, B (mobilité) et Y (bien-être) sont en corrélation, étant donné leur dépendance mutuelle avec une tierce variable, en l'occurrence X (la santé). Comme la santé est logiquement antérieure à la mobilité et au bien-être, la structure relationnelle est donc:

$$x \longrightarrow t \longrightarrow y$$

La seconde analyse de corrélation partielle (contrôle avec l'âge) établit que la relation initiale se maintient: elle contribue peu à élaborer ou à spécifier la relation initiale.

Mentionnons que cette technique d'interprétation des relations à trois variables est généralisable à l'étude des autres mesures d'association d'après la formule générale développée par Lazarsfeld (1970:309):

$$(XY) = (XY;T) + (XY;T') + (XT)\,(YT)$$

N.B. : Dans la formule, les signes plus (+) signifient des sommes pondérées des trois éléments.

Nous aurons cette fois recours à des tableaux de contingence dichotomique pour simplifier la présentation. Expliquons en premier lieu la procédure de calcul du coefficient Q de Yule et du *phi* (on emploi le Q ou le *phi* suivant la nature des marginales; cf. plus loin), coefficients qui conviennent lorsque les deux variables comportent des attributs dichotomisés.

Dans le tableau type 10-13, on retrouve les principales coordonnées nécessaires pour calculer le *Q* ou le *phi*.

TABLEAU 10-13. Tableau type pour variables dichotomiques.

		VARIABLE X	
		1	2
VARIABLE Y	1	A	B
	2	C	D

Pour calculer le *Q* de Yule et le *Phi*, on doit transposer les données apparaissant normalement dans les cases *A*, *B*, *C* et *D*, respectivement dans les formules suivantes:

$$Q(Yule) = \frac{AD-BC}{AD+BC} \qquad [10.9]$$

$$\Phi = \frac{AD-BC}{\sqrt{(A+B)(C+D)(A+C)(B+D)}} \qquad [10.10]$$

Mentionnons que le coefficient *Phi* s'obtient également à partir du khi deux selon la formule suivante:

$$\phi = \sqrt{\frac{\chi^2}{N}} \qquad [10.11]$$

Il est utile de rappeler que le *Phi* est sensible aux variations dans les marginales (les sous-totaux) contrairement au coefficient *Q*. Par contre le *Phi* est de 0, si et seulement si $AD = BC$, tandis que le *Q* est de 0 quand la valeur dans l'une des quatre cases est de 0.

Supposons maintenant que l'on veuille établir le rapport de dépendance entre les trois variables suivantes: 1) l'âge; 2) le sexe; et 3) le statut de veuf (veuve). Pour des raisons de commodité mentionnées plus haut, les attributs sont ici dichotomisés, soit:

SEXE (*X*)	Homme
	Femme
ÂGE (*T*)	65 à 75 ans
	76 ans et plus

STATUT (*Y*) Veuf (veuve)
Non-veuf (veuve).

L'hypothèse sera la suivante: la tendance au veuvage est plus forte chez les personnes de plus de 76 ans que chez celles de 65 à 75 ans. Donc ici l'âge (*X*) est la variable indépendante et le statut (*Y*) est la variable dépendante. Le sexe interviendra comme variable test. Le tableau 10-14 enregistre les données fictives permettant l'analyse à trois variables.

TABLEAU 10-14. Distribution des répondants selon le statut, l'âge et le sexe ($n = 200$).

	SEXE					
	HOMMES			FEMMES		
ÂGE	65 - 75	76 ET +	TOTAL	65 - 75	76 ET +	TOTAL
STATUT						
VEUF (VEUVE)	10	30	40	15	50	65
NON-VEUF (VEUVE)	50	10	60	25	10	35
TOTAL	60	40	100	40	60	100

À partir des données du tableau 10-14, on construit ensuite les différentes tables de contingence conformément aux indications fournies précédemment (tableaux et formules), soit:

1. Table 10-14A (*XY*): mettant en relation l'âge (*X*) et le statut (*Y*);
2. Table 10-14B ($XY;t^1$): mettant en relation l'âge et le statut, en contrôlant pour le sexe (hommes seulement);
3. Table 10-14C ($XY;T^2$): mettant en relation l'âge et le statut, en contrôlant pour le sexe (femmes seulement);
4. Table 10-14D (*XT*): mettant en relation le sexe et l'âge;
5. Table 10-14E (*YT*): mettant en relation le statut et le sexe.

TABLEAU 10-14A. Relation entre l'âge et le statut.

		ÂGE		
		65 - 75	76 +	TOTAL
STATUT	veuf (veuve)	25	80	105
	non-veuf (veuve)	75	20	95
	TOTAL	100	100	200

$Q = -0,85$ $Phi = -0,55$

TABLEAU 10-14B. Relation entre l'âge et le statut selon le sexe (hommes).

		ÂGE		
		65 - 75	76 +	TOTAL
STATUT	veuf (veuve)	10	30	40
	non-veuf (veuve)	50	10	60
	TOTAL	60	40	100

Q = — 0,87 *Phi* = — 0,58

TABLEAU 10-14C. Relation entre l'âge et le statut selon le sexe (femmes).

		ÂGE		
		65 - 75	76 ET +	TOTAL
STATUT	veuf (veuve)	15	50	65
	non-veuf (veuve)	25	10	35
	TOTAL	40	60	100

Q = — 0,78 *Phi* = — 0,47

TABLEAU 10-14D. Relation entre le sexe et l'âge.

		ÂGE		
		65 - 75	76 et +	TOTAL
SEXE	hommes	60	40	100
	femmes	40	60	100
	TOTAL	100	100	200

Q = + 0,38 *Phi* = + 0,20

TABLEAU 10-14E. Relation entre le sexe et le statut.

		SEXE		
		HOMMES	FEMMES	TOTAL
STATUT	veuf (veuve)	40	60	100
	non- veuf (veuve)	60	40	100
	TOTAL	100	100	200

Q = — 0,38 *Phi* = — 0,20

Transposons en premier lieu les valeurs des coefficients (on utilisera par exemple les coefficients Q) ce qui donne:

TABLEAU 10-15. Valeurs des coefficients pour une analyse à trois variables.

ÉQUATION	$(XY) = (XY;T) + (XY;T') + (XT)(YT)$
RELATION	(originelle) (les partielles) (les marginales)
COEFFICIENT	(— 0,85)= (— 0,87) + (— 0,78) + (0,38) -(0,38)

* N.B. Nous rappelons au lecteur que le signe plus (+) signifie une somme pondérée ce qui explique pourquoi la partie droite de l'équation n'équivaut pas à celle de gauche.

Comment interpréter ces relations ? Le principe de l'analyse se rapproche de celui de la corrélation partielle. L'opération de contrôle permet de mesurer l'effet que produit la tierce variable sur la relation originelle. Si la relation originelle entre X et Y, telle que mesurée par le coefficient, ne subit pas de modification significative dans les partielles (c.-à-d. n'augmente pas ou ne diminue pas de façon marquée, et que les signes ne sont pas inversés), on peut maintenir provisoirement l'affirmation voulant que X détermine Y.

Il est a remarquer que lorsque les partielles sont fortes, les marginales sont faibles ou de 0, comme dans notre exemple (— 0,38, + 0,38).

Une fois la relation contrôlée, il faut l'élaborer pour préciser la «fonction» de «T» (la tierce variable). Si en introduisant «T» la relation entre X et Y disparaît dans les partielles (p. ex. le coefficient devient 0 ou près de 0, les signes s'inversent), on a deux possibilités:

1) Ou bien X est lié organiquement à T, de sorte qu'on se trouve en présence d'une structure du type $T \longrightarrow X \longrightarrow Y$;
2) Ou bien X n'est pas lié organiquement à T, et à ce moment le lien entre X et Y est fallacieux; on a alors une structure relationnelle comme celle-ci:

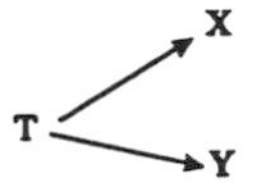

L'interprétation finale dépend de la position de *T* en regard de *X* et *Y*. Si *T* est logiquement ou temporellement antérieur à *X*, il est antécédent. Au contraire, si *T* intervient entre *X* et *T*, il est intermédiaire. Le tableau 10-16 illustre quelle interprétation on peut tirer d'une analyse multivariée à trois variables.

Dans notre exemple, la variable *T* (sexe) est manifestement antérieure à *X* et à *Y*. Comme les partielles en moyenne demeurent fortes — et que les marginales sont plus faibles — on a un effet d'interaction où *T* (le sexe) est une condition qui spécifie la relation entre *X* et *Y*.

Il convient toutefois de préciser que ce type d'analyse requiert une interprétation prudente, selon la nature et le rôle des variables en cause. On trouvera des explications plus détaillées dans certains ouvrages spécialisés dont Lazarsfeld, 1970; Blalock, 1971, 1972; Smith, 1981, Boudon, 1967; Berry & Lewis-Beck, 1986.

TABLEAU 10-16. Principaux types d'interprétation d'une analyse multivariée à trois variables.

EFFETS	POSITION DE T	
	ANTÉCÉDENTE	INTERMÉDIAIRE
INTERACTION Marginales = 0 ou petites Partielles = fortes	T= CIRCONSTANCE QUI SPÉCIFIE *XY*	T = CONDITION QUI SPÉCIFIE *XY*
RÉGRESSION Marginales = fortes Partielles = 0 ou petites	*XY* = RELATION FALLACIEUSE	*XY* EST EXPLICITÉ

NOTE:

(1) Il existe plusieurs catégories de variables impliquées dans des relations fallacieuses: les variables «suppressives» (*supressor variables*), les variables «déformantes» (*distorter variables*), les variables canoniques (*canonical variables*). Les premières ont pour effet de réduire ou d'annihiler une relation initiale entre *X* et *Y*. Les deuxièmes ont pour effet de changer une relation positive en une relation négative, ou vice versa. Enfin, les troisièmes sont des variables qui produisent un effet et qui en retour sont altérées par cet effet (dans l'étude des interactions notamment) (Lefrançois, 1991).

CHAPITRE 11

PRÉSENTATION DES RÉSULTATS ET CONCLUSION

Pour conclure cet ouvrage, nous convions le lecteur à porter son attention sur les principes devant guider la préparation de l'étape finale de toute recherche, soit la présentation des résultats et la discussion qui doit l'accompagner. Un rapport de recherche répondant aux critères habituels d'excellence dépend, cela va de soi, du soin apporté à chaque phase de sa réalisation. Mais ce sont surtout l'interprétation et l'évaluation des résultats qui détermineront, tout compte fait, le degré de succès qui a été atteint.

Le contenu et la mise en forme du chapitre consacré à la présentation des résultats de l'analyse sont aussi des éléments cruciaux dans l'appréciation de la portée scientifique et de la qualité méthodologique de l'étude. La valeur de ce chapitre reposera essentiellement sur un ensemble de points: une planification et une structuration minutieuses des étapes, une disposition cohérente et ordonnée des contenus, des attitudes intellectuelles reflétant un souci de scientificité (rigueur, objectivité, persuasion, transparence, authenticité, sens critique, etc.), et enfin un savoir-faire technique (logique de l'argumentation, maîtrise des outils de présentation, clarté, langage approprié, etc.).

Ces dispositions et ces habiletés se refléteront, soulignons-le, dans chaque chapitre d'un rapport de recherche. En effet, chaque phase de l'étude est une occasion privilégiée de faire connaître des résultats pertinents: dresser le bilan de la recension des écrits, justifier l'apport des instruments, préciser le niveau de participation des sujets, relever des faits inattendus rencontrés au moment de l'observation, etc.

Mais nous nous en tiendrons ici à la lecture critique que le chercheur doit dégager, une fois complétées toutes les opérations de collecte et d'analyse des données. L'interprétation finale fera donc l'objet d'une section spécifique du rapport de recherche, la conclusion générale par exemple. Idéalement, cette section comportera trois éléments distincts:

TÂCHES À EFFECTUER	BUT DE L'OPÉRATION
1. Présentation des résultats	1. Communiquer objectivement les faits.
2. Interprétation des résultats.	2. Évaluer l'implication des résultats.
3. Analyse critique de l'impact de l'étude.	3. Formuler des recommandations.

Fig. 11-1. Contenu du bilan critique d'une recherche.

11.1 PRÉSENTATION DES RÉSULTATS

La description des résultats de l'analyse est indubitablement le coeur du rapport de recherche, puisqu'en définitive elle se propose d'apporter des éléments de réponse aux questions soulevées dès le départ. En fin de parcours, c'est-à-dire au moment de tirer des conclusions, le chercheur a donc pour mission de produire les résultats d'analyse suivants:
1. Un tableau synthèse des scores obtenus aux instruments (test, questionnaire, entrevue, etc.). Idéalement, les résultats seront étayés suivant une procédure en entonnoir: a) on rapportera en premier les résultats globaux (sur l'ensemble des échelles de mesure ou pour l'ensemble des groupes principaux); b) on explorera ensuite les résultats partiels (p.ex. sous-échelles, sous-groupes, etc.).

Ces résultats feront habituellement l'objet d'une présentation tabulaire ou graphique destinée à souligner les observations les plus pertinentes, habituellement celles qui sont directement reliées aux objectifs de l'étude. La description aura pour but par exemple de souligner la performance des sujets, de comparer les scores qu'ont obtenus les différents groupes étudiés,

d'hiérarchiser les facteurs selon leur importance relative dans la description du phénomène à l'étude;
2. Un bilan récapitulatif des analyses statistiques effectuées: tests de significations, matrice des corrélations, tableaux-synthèses des analyses de variance, compte rendu des analyses de contenu, etc.

Par exemple, on devra spécifier quelles hypothèses sont confirmées ou infirmées, sous quelles conditions les liaisons entre variables se manifestent, quels facteurs lourds interviennent dans l'analyse, quelle proportion de la variance est expliquée par tel ensemble de facteurs;
3. Un relevé des faits aberrants rencontrés et des difficultés qui ont eu un impact sur les résultats. Quels ont été les résultats inattendus, les artefacts ? Quels sous-groupes de sujets ont des profils qui se démarquent nettement des autres effectifs ? Jusqu'à quel point ces artefacts interpellent-ils le chercheur dans sa démonstration ?

Certes, il n'existe pas de normes universelles ou de protocoles établis quant à la procédure à suivre pour s'acquitter de cette tâche. Cependant, certains principes généraux peuvent être formulés. En premier lieu, le chercheur doit s'efforcer d'exposer ses résultats avec la plus grande objectivité possible, dans un langage clair et précis, en ne négligeant surtout pas de mettre en relief les observations qui tendent à affaiblir ses hypothèses ou à contredire ses affirmations initiales. Trop souvent le jeune chercheur conclut à un échec lorsque ses hypothèses sont infirmées ou encore lorsqu'il ne découvre pas de liens entre ses variables. Pourtant, ce résultat est scientifiquement tout aussi valable.

En second lieu, les résultats doivent être suffisamment complets et le travail d'analyse amplement documenté et transparent pour permettre des contre-vérifications. Sur ce point, il est utile de rappeler qu'un travail n'est véritablement scientifique que dans la mesure où il autorise la vérification des résultats (on en tiendra compte dans la construction des tableaux par exemple), qu'il permet la réitération de l'étude et finalement qu'il rend possible les analyses secondaires ou les méta-analyses.

En troisième lieu, les observations rapportées seront complètes et dépourvues d'ambiguïté. La présentation s'articulera harmonieusement avec les étapes antérieures. Soulignons toutefois que si certaines données risquaient d'alourdir inutilement la présentation, il serait alors judicieux de les produire en annexe.

Nous devons ici mettre en garde le jeune chercheur contre deux travers que l'on rencontre fréquemment dans le chapitre sur le compte rendu des résultats. Le premier consiste à tirer des conclusions hâtives à la lumière des premières analyses. Même si la première tranche de la section finale du rapport doit être réservée à la présentation des résultats bruts, la tentation est toujours forte de déborder quelque peu en sautant rapidement à des conclusions. Il convient donc de faire preuve de vigilance et de se contenter, à cette étape du moins, de rapporter l'essentiel des analyses effectuées.

Un autre défaut consiste à submerger le lecteur avec des détails, des anecdotes inutiles ou encore d'interminables tableaux statistiques qui embrouillent beaucoup plus qu'ils n'éclairent. Il faut s'en tenir à l'essentiel, ce qui ne signifie pas qu'il faille escamoter pour autant certains faits imprévus susceptibles d'intéresser et d'interroger le lecteur.

11.2 INTERPRÉTATION DES RÉSULTATS

Par interprétation des résultats, nous entendons l'appréciation que fournit le chercheur sur la valeur épistémologique et scientifique des découvertes et sur le degré d'atteinte des objectifs. Une fois les hypothèses mises à l'épreuve, il importe en effet de porter un jugement éclairé sur les conséquences des résultats obtenus en regard de la littérature existante, en continuité avec la théorie sous-jacente ou en comparaison avec les expérimentations réalisées antérieurement.

La démarche à suivre reflétera certes le plan général de la recherche, mais on inversera la logique suivie jusqu'ici. Dans le cas des stratégies de recherche comportant des hypothèses, la discussion procédera donc à rebours: partant des conclusions on remontera aux hypothèses pour les interpréter et les expliciter, puis on poursuivra une relecture en amont jusqu'aux travaux antérieurs (recension des écrits) dans le but de confronter ses résultats, et enfin on portera un jugement sur le cadre théorique initial d'où émanent les hypothèses.

Tout le long de cette trajectoire, les principales questions à soumettre à la réflexion sont les suivantes. Les résultats apportent-ils une preuve suffisante (ou supplémentaire) du bien-fondé de la théorie ? Existe-t-il des explications rivales qui mériteraient d'être étudiées ? En a-t-on tenu compte dans la présente étude ?

Dans l'appréciation globale des résultats, le chercheur doit également soupeser le pour et le contre de certaines analyses effectuées, relever les failles méthodologiques avec lesquelles il a dû composer et en préciser les effets négatifs, identifier clairement les différents biais et sources d'invalidité qui ont pu contaminer les observations.

Enfin, l'interprétation des résultats peut, selon le type de stratégie utilisée, se poser en termes de validité externe, c'est-à-dire d'inférence. Les observations sont-elles généralisables à l'ensemble de la population ? Quelles sont les conditions de la généralisation, en termes de population cible, de contexte d'expérimentation ?

Pour attribuer un sens aux résultats, le chercheur s'appuiera essentiellement sur ses données, en lien cependant avec le cadre théorique sous-jacent, et d'après les constatations relevées dans sa recension des écrits. Par ailleurs, dans le cas des études appliquées, il s'emploiera en outre à porter un jugement sur les conséquences ou sur l'impact de ses découvertes pour l'action ou la décision.

Une attention particulière sera portée aux résultats qui semblent contradictoires eu égard aux attentes du chercheur. Souvent les cas d'exception sont riches en enseignement et peuvent aider à mieux comprendre l'action des facteurs à l'étude. Ils permettront éventuellement d'alimenter d'autres spéculations à propos de certaines hypothèses rivales. Plusieurs défauts peuvent hélas s'inscrire dans cet épineux travail d'exégèse. Une première difficulté est celle des interprétations prématurées ou abusives. Il faut notamment prendre garde d'attribuer un sens aux résultats à la faveur d'idées préconçues ou de croyances solidement ancrées. On évitera donc de tirer des conclusions trop rapidement, conclusions qui risqueraient d'être perçues comme douteuses, surtout lorsque les données ne peuvent soutenir clairement telles ou telles conclusions. A-t-on épuisé toutes les épreuves de validation et de vérification ? Toutes les nuances ont-elles été faites ?

11.3 ANALYSE CRITIQUE DE L'IMPACT DE L'ÉTUDE

Le dernier volet d'une conclusion de recherche porte normalement sur les suites à donner au projet qui prend fin. S'il s'agit d'une recherche fondamentale, l'auteur se donnera comme mandat de suggérer de nouvelles pistes de recherche qui pourraient s'avérer fécondes à la lumière de son expertise. Il peut ici s'agir de scénarios de recherche à remanier, de nouvelles hypothèses à explorer, d'analyses en friche ou laissées en suspens, de variables à écarter des futures analyses ou au contraire d'autres variables qui mériteraient d'être examinées.

Par la même occasion, il fournira à la communauté scientifique un aperçu des écueils à éviter, en insistant notamment sur les réserves méthodologiques entourant son étude.

Si par contre il s'agit d'une étude appliquée, il profitera de sa conclusion pour formuler des recommandations susceptibles de guider l'intervenant ou le décideur.

BIBLIOGRAPHIE

ABRECHT, R., (1991). *L'évalutation formative, une analyse critique*, Bruxelles: De Boeck-Wesmael.

AIKEN, L.R., (1988). «The Problem of non response in Survey Research», *The Journal of Experimental Education*, 56(3), (printemps): 116-119.

AKTOUF, O., (1987). *Méthodologie des sciences sociales et approche qualitative des organisations (une introduction à la démarche classique et une critique)*, Sillery: PUQ.

ALBAREDE, J.L. & VELLAS, P., (1991). *L'année gérontologique*, Paris: Serdi.

ALLISON, P.D., (1985). *Event History Analysis*, Beverly Hills: Sage Publications.

AMEGAN, S. *et al.*, (1981). «La recherche-action: un processus heuristique de connaissance et de changement», *Actes du colloque de recherche-action*, UQAC: 143-157.

ANDERSON, N., (1923). *The Hobo*, Chicago: The University of Chicago Press.

ANDRESKI, S., (1975). *Les sciences sociales: sorcellerie des temps modernes ?*, (trad.), Paris: PUF.

ANGERS, C., (1989). «Étude du phénomène confusionnel chez les personnes âgées résidant en milieu institutionnel», *in* J.C. Pageot, (éditeur), *Vieillesse: société et démence*, Montréal: Méridien

«gérontologie».
ANGERS, P. & BOUCHARD, C., (1978). *École et innovation*, Laval: Éditions NPH.
AMERICAN PSYCHOLOGICAL ASSOCIATION, (1983). *Publication Manual of the American Psychological Association*, 3e éd., Washington, D.C.: APA.
BABBIE, E.R., (1973). *Survey Research Methods*, Belmont (Calif.): Wadsworth Publishing.
BACHELARD, G., (1965). *La formation de l'esprit scientifique (Contribution à une psychanalyse de la connaissance objective)*, 4e éd., Paris: Librairie philosophique J. Vrin.
BACHER, F., (1982). *Les enquêtes en psychologie*, Tome 1: description, Tome 2: explication, Lille: Presses universitaires de Lille.
BACON, F., (réédit. 1961). *Bacon's Essays*, New York: Macmillan.
BALIER, C., (1976). *In*: *Vieillissement individuel et vieillissement social*, Paris: FNG.
BARBIER, R., (1977). *La recherche-action dans l'institution éducative*, Paris: Gauthier-Villars.
BARLOW, D.H. & HERSEN, M., (1984). *Single Case Experimental Designs: Strategies for Studying Behavior Change in the Individual*, 2e éd. New York: Pergamon Press.
BARNER-BARRY, C., (1986). «An introduction to non participant observational research techniques», *Politics and the Life Sciences*, 5(1) (août):139-147.
BARRERA, M. SANDLER, I.N. & RAMSAY, T.B., (1981). «Preliminary Development of a Scale of Social Support», *American Journal of Community Psychology*, 9: 435-447.
BARRÈRE, H. *et al.*, (1982). «Les facteurs de bien-être psychologique au-delà de 55 ans (résultats d'une étude transversale réalisée sur la population d'une commune rurale de la région parisienne)», *Gérontologie et société*, 22: 32-43.
BASTIN, G., (1966). *Les techniques sociométriques*, Paris: PUF.
BAUSELL, R.B., (1986). *A Practical Guide to Conducting Empirical Research*, New York: Harper & Row.
BEAUDOIN, A., LEFRANÇOIS, R. & OUELLET, F., (1986). «Les pratiques évaluatives: enjeux, stratégies et principes», *Service social*, 35(1 et 2): 188-214.
BÉLAND, F., (1988). «La recherche en gérontologie sociale au Québec: une originalité obscure ou une obscurité méritée ?» *La Revue canadienne du vieillissement*, 7(4): 257-293.
BELLACK, A.S. & HERSEN, M., (éditeurs), (1984). *Research Methods in Clinical Psychology*, New York: Pergamon Press.
BERDIE, D.R. & ANDERSON, J.F., (1974). *Questionnaires: Design and Use*, Metuchen, N.J.: The Scarecrow Press.

BERGER, R.M. & PATCHNER, M.A., (1988). *Planning for Research (A Guide for the Helping Professions)*, 50, Newbury Park: Sage Publications.

BERNARD, P.M. & LAPOINTE, C., (1987). *Mesures statistiques en épidémiologie*, Sillery: PUQ.

BERNARDIN-HALDEMANN, V., (1988). «La recherche en sciences sociales en gérontologie au Québec: constater, comprendre ou expliquer ?», *La Revue canadienne du vieillissement*, 7 (4): 319-325.

BERNIER, J.J., (1985). *Théorie des tests (principes et techniques de base)*, 2e éd., Chicoutimi: Gaëtan Morin éditeur.

BERRY, W.D. & LEWIS-BECK, M.S., (1986). *New Tools for the Social Scientists (Advances and Applications in Research Methods)*, Beverly Hills: Sage Publications.

BERTAUX, D., (1976). «Pour sortir de l'ornière néo-positiviste», *Sociologie et sociétés*, 8(2), (octobre): 119-133.

BERTHELOT, J.M. (1985). «Discours sociologique et logique de la preuve», *Recherches sociologiques*, 16(2): 251-268.

BERTHIER, N. & BERTHIER, F., (1978). *Le sondage d'opinion*, Paris: Éditions ESF.

BERTRAND, R., (1986). *Pratique de l'analyse statistique des données*, Sillery: PUQ.

BIALES, C., (1988). *Analyse statistique des données*, Paris: Chotard et associés éditeurs.

BIERNACKI, P. & WALDORF, D., (1981). «Snowball Sampling, Problems and Techniques of Chain Referral Sampling», *Sociological Methods and Research*, 10, 141-163.

BINSTOCK, R.H. & SHANAS, E., (éditeurs), (1977). *Handbook of Aging and the Social Sciences*, New York: Van Nostrand Reinhold.

BIRREN, J.E., (1959). *Handbook of aging and the Individual*, Chicago: University of Chicago Press.

BIRREN, J.E., (1987). *Guides autobiography: Themes and Sensitizing Materials*, (document miméo), 22 p.

BIRREN, J.E. & SCHAIE, K.W., (1977). *Handbook of the Psychology of Aging*, New York: Van Nostrand Reinhold.

BIRREN, J., (1961). «A brief History of the Psychology of Aging», *Gerontologist*, 1(2): 76-77.

BIRREN, J.E., (1988). «A Contribution to the Theory of the Psychology of Aging: As a Counterpart of Development», *in* J.E. Birren et V.L. Bengtson, *Emergent Theories of Aging*, New York: Springer Publishing: 153-176.

BIRREN J.E., & BENGTSON V.L., (1988). *Emergent Theories of Aging*, New York: Springer Publishing.

BLALOCK, H.M. Jr., (1971). *Causal Models in the Social Sciences*,

Chicago: Aldine Publishing.

BLALOCK, H.M. Jr., (1972). *Social Statistics*, New York: McGraw Hill.

BLALOCK, H., (1973). *Introduction à la recherche sociale*, (trad.), Gembloux: Duculot.

BLANCHARD, R.D., BUNKER, J.B. & WACHS, M., (1977). «Distinguishing Aging, Period and Cohort Effects in Longitudinal Studies of Elderly Populations», *Socio-economic Planning Science*, 11: 137-146.

BLANCHET A. *et al.*, (1987). *Les techniques d'enquête en sciences sociales*, Paris: Dunod.

BLOOM, M. *et al.*, (1971). «Interviewing the Ill Aged», *The Gerontologist*, 11(4): 292-299.

BOGAT, G.A., & JASON, L.A., (1983). «An Evaluation of two Visiting Programs for Elderly Community Residents», *International Journal of Aging and Human Development*, 17(4): 267-279.

BOGDAN, R. & BIKLEN, S.K., (1982). *Qualitative Research for education: an introduction to Theory and Methods*, Boston: Allyn and Bacon.

BOHR, N., (1985). *A Centenary Volume, in* A.P. French et P.J. Kennedy (éditeurs), Cambridge, Mass.: Harvard University Press.

BOISVERT, R., (1989). «La santé dentaire des personnes âgées vivant dans les centres d'accueil», *in* Jean-Claude Pageot (éditeur), *Vieillesse: société et démence*, Montréal: Méridien, 151-165.

BONAR, R. & MACLEAN, M.J., (1985). *Handbook of Clinical Social Work Practice with the Elderly*, Montréal: Université McGill (Département de service social), chapitre 3: 37-53.

BORKOWSKI, J.L., (1985). «Trois dimensions de la vie des personnes âgées», *Futuribles*, (mai): 65-72.

BOTWINICK, J., (1978). *Aging and Behavior*, 2e éd. New York: Springer Publishing.

BOUDON, R., (1977). *Effets pervers et ordre social*, 1e éd., Paris: PUF.

BOUDON, R., (1967). *L'analyse mathématique des faits sociaux*, Paris: Plon.

BOURDIEU, P. & PASSERON, J.C., (1970). *La reproduction*, Paris: Éditions de Minuit.

BOURDIEU, P., CHAMBOREDON, J.C. & PASSERON, J.C., (1968). *Le métier de sociologue*, Paris: Mouton, Bordas.

BRADBURN, N.M., (1983). «Response Effects«», *in* P.H. Rossi, J.D. Wright et A.B. Anderson (éditeurs), *Handbook of Social Survey*, New York: Academic Press, 289-328.

BRIDGMAN, P.W., (1927). *The Logic of Modern Physics*, New York: Macmillan.

BRISSETTE, L., (1985). «La fréquentation d'un centre de jour pour personnes âgées: les effets sur la relation avec le réseau de support naturel», *Service social*, 34(1): 46-55.

BRUNER, J.S., GOODNOW, J.J. & AUSTIN, G.A.,(1967). *A Study of Thinking*, New York: Science Edition.

BRUNSWICK, E., (1947). *Systematic and Representative Design of Psychological Experiments*, Berkeley: University of California Press.

BRUYN, S.T., (1966). *The Human Perspective in Sociology (The Methodology of Participant Observation)*, Englewood Cliffs, N.J.: Prentice-Hall.

BULCROFT, K., BULCROFT, R., HATCH, L. & BORGATTA, E.F., (1989). «Antecedents and Consequences of Remarriage in Later Life», *Research on Aging*, 11(1): 82-107.

BUROS, O.K., (1978). *The Eighth Mental Measurement Yearbook*, Highland Park: Gryphon Press.

CAMPBELL, D.T. & STANLEY, J.C., (1967). *Experimental and Quasi-experimental Designs for Research*, Chicago: Rand McNally.

CAMPBELL, R.T. & HUDSON, C.M., (1985). «Synthetic Cohorts from Panel Surveys: An Approach to Studying Rare Events», *Research on Aging*, 7(1): 91-94.

CAMPBELL, R.T., MUTRAN, E. & PARKER, R.N., (1986). «Longitudinal Design and Longitudinal Analysis. A Comparison of Three Approaches», *Research on Aging*, 8(4), (décembre): 480-502.

CANQUILHEM, G., (1965). *Les connaissances de la vie*, 2e éd. Paris: J. Vrin.

CAPLOW, T., (1982). «La répétition des enquêtes: une méthode de recherche sociologique», *L'Année sociologique*, 32: 9-22.

CARETTE, J., (1986). «L'Etat béné-vole les retraités», *in Actes du congrès 1986*, Montréal, Université de Montréal,(RUFUTS): 33-47.

CATANI, M. & MAZE, S., (1982). *Tante Suzanne: une histoire de vie sociale*, Paris: Librairie des Méridiens.

CATTLE, R.B., (1971). *Handbook of Multivariate Experimental Psychology*, Chicago: Rand McNally.

CHALMERS, A. (1991). *La fabrication de la science*, Paris: Éditions la Découverte.

CHAMPAGNE, P., LENOIR, R., MERLLIÉ, D & PINTO, L., (1989). *Initiation à la pratique sociologique*, Paris: Dunod.

CHAPIN S., (1947). *Experimental Designs in sociological Research*, New York: Harper.

CHILD, C.M., (1915). *Senescence and Rejuvenescence*, Chicago: University of Chicago Press.

CICOUREL, A., (1964). *Method and Measurement in Sociology*, New York: Free Press.

COCHRAN, W.G., (1955). *Sampling techniques*, New York: John Wiley & Sons.

COCHRAN, W.G. & COX, G.M., (1957). *Experimental Design*, 2e éd.

New York: Wiley.

COHEN, C.I., TERESI, J, & HOLMES, D., (1985). «Social Networks and Adaptation», *Gerontologist*, 25: 297-304.

COLLESANO, S., (1985). *Personal and Telephone Interviews: Comparison for Trend Data*, Thèse de doctorat non publiée, (American University).

COMFORT, A., (1964). *The Process of Ageing*, New York: New American Library.

COMTE, A., (réédit. 1974). *Discours sur l'esprit positif: ordre et progrès*, Paris: J. Vrin.

COMTE, A., (1966). *Catéchisme positivisme*, Paris: Garnier- Flammarion.

CONTANDRIOPOULOS, A.P. *et al.* (1990). *Savoir préparer une recherche, la définir, la structurer, la financer*, Montréal: PUM.

CONVERSE, J.M. & PRESSER, S., (1986). *Survey Questions (Handcrafting the standardized questionnaire)*, 6e éd., Newbury Park: Sage Publications.

COOK, T.D. & REICHARDT, C.S., (éditeurs), (1979). *Qualitative and Quantitative Methods in Evaluation Research*, Beverly Hills: Sage Publications.

COOK, T. & LEVITON, L., (1981). «Reviewing the Literature: A Comparison of Traditional Methods with Meta-analysis», *Journal of Personality*, 48: 449-471.

COOPER, H.M., (1989). *Integrating Research, (A Guide for Literature Reviews)*, 2e éd., Vol. 2, (Applied Social Research Methods Series), Newbury Park: Sage Publications.

CORIN, E., *et al.*, (1984). «Stratégies et tactiques: les modalités d'affrontement des problèmes chez des personnes âgées de milieu urbain et rural», *Sociologie et sociétés*, 16(2): 89-104.

CORSO, J.F., (1977). «Auditory perception and communication», *in* J.E. Birren et K.W. Schaie (éditeurs), *Handbook of the Psychology of Aging*, New York: Van Nostrand Reinhold.

COUTURE, C. & ERPICUM D., (1989). «Conditions de vie et satisfaction des personnes âgées en milieu urbain», *in* J.C. Pageot, (éditeur), *Vieillesse: société et démence*, Montréal: Méridien «gérontologie».

COVEY, H.C. et MENARD S., (1988). «Trends in Elderly Criminal Victimization from 1973 to 1984», *Research on Aging*, 10(3), (septembre): 329-341.

CRIBIER, F., (1979). «Estimation de l'état de santé et pratiques médicales: une enquête auprès des nouveaux retraités parisiens», *Gérontologie*, 29 (janvier): 12-20.

CRONBACH, L.J. & MEEHL, P.E., (1955). «Construct Validity in Psychological Tests», *Psychological Bulletin*, 52: 281-302.

CUELLAR, J., (1980). *Minority Elderly Americans: A Prototype for Area Agencies on Aging*, San Diego, Californie: Allied Home Health

Association.

CUTLER, S.J. *et al.*, (1980). «Aging and Conservatism: Cohort Changes in Attitudes About Legalized Abortion», *Journal of Gerontology*, 35(1): 115-123.

DANIEL, W.W., (1978). *Applied Nonparametric Statistics,* Boston: Houghton Mifflin.

DARVEAU-FOURNIER, L., (1985). «Bénéficiaires et intervenants, partenaires dans l'amélioration de la qualité de vie: une recherche-action en milieu de soins prolongés» *Service social*, 34(1), 30-45.

DAVAL, R. *et al.*, (1963). *Traité de psychologie sociale*, Tome 1, Paris: PUF.

DAYHAW, L.T., (1966). *Manuel de statistique*, Ottawa: Éditions de l'Université d'Ottawa.

DE BRUYNE, P., HERMAN, J. & DE SCHOUTHEETE, M., (1974). *Dynamique de la recherche en sciences sociales*, Paris: PUF.

DE RAVINEL, H., (1980). «Qui est responsable de la recherche en gérontologie ?», *Cahiers de l'ACFAS*, 5: 247-260.

DECKER, D.L., (1980). *Social Gerontology. An introduction to the Dynamics of Aging,* Boston: Little, Brown.

DENTON, F.T., PINEO, P.C. & SPENCER, B.G., (1988).«Participation in Adult Education by the Elderly: A Multivariate Analysis and Some Implications for the Future», *la Revue canadienne du vieillissement*, 7(1), (printemps): 4-17.

DENZIN, N.K., (1970). *The Research Act (A Theoretical Introduction to Sociological Methods)*, Chicago: Aldine Publishing Co.

DESLAURIERS, J.P., (éditeur), (1987). *Les méthodes de la recherche qualitative*, Sillery: PUQ.

DESLAURIERS, J.P. (1991). *Recherche qualitative (guide pratique)*, Montréal: McGraw Hill.

DESROSIERS-SABBATH, R., (1984). *Comment enseigner les concepts. Vers un système de modèles d'enseignement,* Sillery: PUQ.

DILLMAN, D.A., (1978). *Mail and Telephone Surveys: The Total Design Method*, New York: John Wiley.

DREW, C.J. & HARDMAN, M.L., (1985). *Designing and Conducting Behavioral Research,* New York : Pergamon Press.

DUNCAN, O.D. & STENBECK, M., (1987). «Are Likert Scales Unidimensional ?», *Social Science Research*, 16: 245-259.

DUNCAN, W.J., (1979). «Mail Questionnaires in Survey Research: A Review of Response Inducement Techniques», *Journal of Management*, 5(1): 39-55.

DURKHEIM, E., (réédit. 1963). *Les règles de la méthode sociologique*, 15e éd., Paris: PUF (1e édition en 1895 chez Alcan).

DUVERGER, M., (1964). *Méthodes des sciences sociales*, Paris: PUF.

FAVRE-BERRONE *et al.*, (1990). «Les effets du tourisme sur l'état de santé des sujets âgés dépendants. Étude contrôlée avec comparaison à un groupe témoin.» *la Revue de gériatrie*, tome 15(2): 102-108.

FEATHERMAN, D.L., (1977). «Retrospective longitudinal Research: Methodological Consideration», *Journal of Economics and Business*, 32(2): 152-169.

FERRAROTTI, F., (1983). *Histoire et histoires de vie*, Paris: Librairie des Méridiens.

FEYERABEND, P.K., (1975). *Contre la méthode*, Paris: Seuil.

FEYERABEND, P.K. (1987). *Adieu à la raison*, Paris: Seuil.

FISCHER, L., VISINTAINER, P.F. & SCHULZ, R., (1989). «Reliable Assessment of Cognitive Impairment in Dementia Patients by Family Caregivers», *The Gerontologist*, 29(3): 333-335.

FITCHTER, J.H., (1960). *La sociologie*, Paris: PUF.

FORBES, W.F., MCPHERSON, B.D. & SHADBOLT-FORBES, M.A., (1989). «The Validation of Longitudinal Studies: The Case of the Ontario Longitudinal Study of Aging (LSA)», *la Revue canadienne du vieillissement*, 8(1): 51-67.

FOWLER, F.J. Jr., (1988). *Survey Research Methods*, édition révisée, Newbury Park: Sage Publications.

FRANKEL, M.R., & FRANKEL,» L.R., (1987). «50 years of survey sampling in the U.S.», *Public Opinion Quarterly*, 51 (hiver): 5127-5138.

FREIRE, P., (1974). *Pédagogie des opprimés (suivi de: Conscientisation et révolution)*, (trad.), Paris: Maspero.

FREY, J.H., (1989). *Survey Research by Telephone*, 2e éd., Newbury Park: Sage Publications.

FRY, C.L., (1988). «Theories of Age and Culture», *in* J.E. Birren et V.L. Bengtson (éditeur), *Emergent Theories of Aging*, New York: Springer Publishing: 447-482.

GALTUNG, J., (1967). *Theory and Methods of Social Research*, New York: Columbia University Press.

GARFINKEL, H., (1967). *Studies in Methodology*, Englewood Cliffs, N.J.: Prentice Hall.

GATES, R. & SOLOMON, P.J., (1982/83). «Research Ising the Mall Intercept: State of the Art», *Journal of Advertising Research*, 22: 43-49.

GAUTHIER, B., (dir. de publication), (1984). *Recherche sociale. De la problématique à la collecte des données*, Sillery: PUQ.

GAUTHIER, B., (1982). *Méta-évaluation en affaires sociales: analyse de cent cas de recherches évaluatives*, Hull: Conseil québécois de la recherche sociale.

GEORGE, L. & LANDERMAN, L.R., (1978). *The Meaning and Measurement of Attitudes toward Aging*. Durham: Duke University Medical Center.

GÉRIN, L., (1898). *L'habitant de St-Justin*, Mémoires et comptes rendus de la Société royale du Canada, série 2, Tome 4.

GLASER, B.G. & STRAUSS, A.L., (1967). *The Discovery of Grounded Theories: Strategies for Qualitative Research*, Chicago: Aldine Publishing.

GLASS, G., (1976). «Primary, Secondary, and Meta-analysis of Research», *Educational Researcher*, 5: 3-8.

GLASS, G.V., WILLSON, V.L., & GOTTMAN, J.M., (1975). *Design and Analysis of Time-series Experiments*. Boulder: Colorado Associated University Press.

GLASS, G.V., McGAW, B, & SMITH, M.L., (1987). *Meta-analysis in Social Research*, 4e éd., Beverly Hills: Sage Publications.

GLENN, N.D., (1974). «Aging and Conservatism», *Annals of the American Academy of Political and Social Science*, 415: 176-186.

GOFFMAN, E., (1974). *Les rites d'interaction*, Paris: Éditions de Minuit.

GOODE, W.J. & HATT, P.K., (1952). *Methods in Social Research*, New York: McGraw Hill.

GOYETTE, G. & LESSARD-HÉBERT, M., (1987). *La recherche-action: ses fonctions, ses fondements et son instrumentation*, Sillery: PUQ.

GRANGER, G., (1960). *Pensée formelle et sciences de l'homme*, Paris: Aubier.

GRELL, P. & WERY, A., (1981). «Problématiques de la recherche-action», *Revue internationale d'action communautaire*, 5(45), (printemps): 123-130.

GROSBRAS, J.M., (1987). *Méthodes statistiques des sondages*, Paris: Economica.

GROVES, R.M., & KAHN, R.L., (1979). *Surveys by Telephone: A National Comparison with Personal Interviews*, New York: Academic Press.

GRUMAN, G.J., (1966). *A History of Ideas About the Prolongation of Life: The Evolution of Prolongevity Hypothesis to 1800*, Philadelphia: American Philosophical Society.

GUBA, E.G. & LINCOLN, Y.S., (1981). *Effective Evaluation: Improving the Usefulness of Evaluation Results Through Responsive and Naturalistic Approaches*, San Francisco: Jossey-Bass.

GUIMOND, J. & BARBEAU, G., (1986). «L'observance d'un régime médicamenteux chez les aînés fréquentant un centre de jour», *Le fonctionnement individuel et social de la personne âgée*, Montréal: Association québécoise de gérontologie, n° 46.

GULLIKSEN, H., (1950). *Theory of Mental Tests*, New York: Wiley.

GUTTMAN, L., (1944). «A basis for Scaling Quantitative Data», *American Sociological Review*, 9: 139-150.

GUZZO, R., JACKSON, S. & KATZELL, R., (1987). «Meta-analysis», *in* B. Staw et L. Cummings (éditeurs), *Research in Organizational*

Behavior, Vol. 9, Greenwich: JAI.

HALL, G.S., (1922). *Senescence: The Second Half of Life*, New York: Appleton.

HAMMERSLEY, M., (1989). *The Dilemma of Qualitative Method (Herbert Blumer and the Chicago Tradition)*, London: Routledge.

HANSEN, M.H., HURWITZ, W.N., WILLIAM, N. & MADOW, W., (1953). *Sample Survey Methods and Theory*, New York: Wiley.

HAYFLICK, L., (1988). «La biologie du vieillissement humain», *Impact: science et société*, 153: 5-19.

HEDGES, L. & OLKIN, I., (1985). *Statistical Methods for Meta-analysis*, Orlando: Academic Press.

HEMPEL, C.G., (1972). *Éléments d'épistémologie*, Paris: Armand Colin.

HEMPTINNE, J.D., (1960). *Taxonomie de la recherche scientifique*, Bruxelles: CNPS.

HERNIAUX, G., (1971). *Initiation aux sondages*, Paris: Masson.

HERZOG, A.R. & RODGERS, W.L., (1988). «Interviewing Older Adults: Mode Comparison Using Data from a Face-to-Face Survey and a Telephone Survey», *The Public Opinion Quarterly*, 52(1): 84-89.

HERZOG, A.R. RODGERS, W.L. & KULKA R.A., (1983). «Interviewing older Adults: A Comparison of Telephone and Face-to-Face Modalities», *The Public Opinion Quarterly*, 47: 405-418.

HESS, R., (1981). *La sociologie d'intervention*, Paris, PUF.

HICKS, C.R., (1973). *Fundamental Concepts in the Design of Experiments*, 2e édit. New York: Holt, Rinehart & Winston.

HIRDES, J.P. *et al.*, (1986). «The Association Between Self-reported Income and Perceived Health Based on the Ontario Longitudinal Study of Aging», *La Revue canadienne du vieillissement*, 5(3) (automne): 189-205.

HOC, J.M., (1983). *L'analyse planifiée des données en psychologie*, Paris: PUF.

HOLMES T.S. & HOLMES, H.,(1970). «Short-term Intrusions into the Life Style Routine», *Journal of Psychosomatic Research*, 14: 121-132.

HUCK, S.W., CORMIER, W.H. & BOUNDS, W.J. Jr., (1974). *Reading Statistics and Research*, New York: Harper & Row Publishers.

HUET, A. & GREMY, J.P., (1987). «Les expériences françaises sur la formulation des questions d'enquête: résultats d'un premier inventaire», *Revue française de sociologie*, 28(4) (oct.-déc.): 567-599.

HYMAN, H.H., WRIGHT, C.R. & REED, J.S., (1975). *The Enduring Effets of Education*, Chicago: University of Chicago Press.

IKELS, C., KEITH, J. & FRY, C.L., (1988). «The Use of Qualitative Methodologies in Large-Scale Cross-Cultural Research», *in* S. Reinharz et G.D. Rowles (éditeurs), *Qualitative Gerontology*, New York: Springer Publishing, 274-299.

ISRAEL, L. KOZAREVICK, D. & SARTORIUS, N., (1984). *Évaluations en gérontologie*, Vol. 1 et 2, Basel: Karger.

IVES, K.H., (1986). «Case Study Methods: An Essay Review of the State of the Art, as Found in Five Recent Sources», *Case Analysis*, 2(2), (été): 137-160.

JAVEAU, C., (1988). *L'enquête par questionnaire (manuel à l'intention du praticien)*, 3e éd., Bruxelles: Éditions de l'Université de Bruxelles.

JOHNSON, T.P., HOUGHLAND, J.C & CLAYTON, R.R., (1987). «Obtaining Reports of Sensitive Behavior: A Comparaison from Telephone and Face-to-Face Interviews», Présenté à la First International Conference on Telephone Survey Methodology, Charlotte: Caroline du Nord. (novembre), (cf. FREY, 1989).

JOUBERT, A. & LEVY-LEBLOND, J.M., (1973). *Autocritique de la science*, Paris: Seuil.

KALTON, G., (1983). *Introduction to Survey Sampling,* Newbury Park: Sage Publications.

KANE, R.A. & KANE, R.L., (1981). *Assessing the Elderly: a Practical Guide to Measurement*, Lexington: Lexington Books.

KANT, E. (rééd. 1976). *Critique de la raison pure*, Paris: Flammarion.

KELLY, J.R. & MCGRATH, (1988). *On Time and Method,* Newbury Park: Sage Publications.

KERLINGER, F.N., (1986). *Foundations of Behavioral Research*, 3e éd., New York: Holt, Rinehart & Winston.

KIECOLT, K.J. & NATHAN, L.E., (1985). *Secondary Analysis of Survey Data*, Beverly Hills: Sage Publications.

KIRK, R. E., (1982). *Experimental Design: Procedures for the Behavioral Sciences*, Belmont: Wadsworth Pub.

KLEINBAUM, D.G., KUPPER, L.L. & MORGENSTERN, H., (1982). *Epidemiologic Research, (Principles and Quantitative Methods)*, New York: Van Nostrand Reinhold.

KOGAN, N., (1961). «Attitudes Toward Old People: The Development of a Scale and an Examination of Correlates», *J.A.S.P.*, 62: 44-54.

KRAEMER, H.C. & THIEMANN, S., (1987). *How many subjects? (Statistical Power Analysis in Research)*, Newbury Park: Sage Publications.

KRAUS, A.S., (1988). «Is Compression of Morbidity in Later Life Occuring ?», *La Revue canadienne du vieillissement*, 7(1), (printemps): 58-71.

KRAUSE, N., (1986). «Social Support, Stress, and Well-Being Among Older Adults», *Journal of Gerontology,* 41(4): 512-519.

KUHN, T.S., (1972). *La structure des révolutions scientifiques*, Paris: Flammarion.

LABILLOIS, E. (1990). *L'impact social des nouvelles technologies sur les personnes âgées,* Ste-Foy, École de service social, Université Laval.

LADOUCEUR, R. & BÉGIN, G., (1980). *Protocoles de recherche en sciences appliquées et fondamentales,* Saint-Hyacinthe: Édisem.

LAGACHE, D., (1949). *L'unité de la psychologie,* Paris: PUF.

LAKATOS, I. & MUSGRAVE, A. (éd.),(1974). *Criticism and the Growth of Knowledge,* Cambridge: Cambridge University Press.

LAMOUREUX, H. MAYER, R. & PANET-RAYMOND, J., (1984). *L'intervention communautaire,* Montréal, Éditions Saint-Martin.

LANDRY, S. *et al.*, (1984). *Recherche-action. La Fédération des femmes du Québec: sa mission, sa structure, sa communication, son idéologie.* Montréal, Département des communications de l'U-QUAM.

LANDSHEERE, G.D., (1976). *Introduction à la recherche en éducation,* Paris: Armand Colin, Bouvier.

LAUFFER, A., (1982). *Assessment Tools*, Newbury Park: Sage Publications.

LAVRAKAS, P.J., (1987). *Telephone Survey Methods (Sampling, Selection and Supervision)*, Newbury Park: Sage Publications.

LAWER L.M. & ASHER, J.W., (1988). *Composition Research: Empirical Design*, New York: Oxford University Press.

LAWTON, M.P., (1975). «The Philadelphia Geriatric Center Morale Scale: A Revision», *Journal of Gerontology*, 30: 85-89.

LAWTON, M.P. & HERZOG, A.R., (1989). *Special Research Methods for Gerontology,* Amityville: Baywood Publishing Company.

LAZARSFELD, P., (1970). *Philosophie des sciences sociales*, Paris: Gallimard.

LAZARSFELD, P. *et al.*, (1967). *The Uses of Sociology*, New York: Basic Books.

LECLERC, G. & POULIN, N., (1986). «Déterminants socio-économiques de l'actualisation de soi des personnes âgées», *in* M.A. Delisle (sous la direction de), 1986. *Le fonctionnement individuel et social de la personne âgée*, Montréal: Association québécoise de gérontologie, pp. 119-135.

LECLERC, G. LEFRANÇOIS, R. & POULIN, N. (1992). *Vieillissement actualisé et santé*, Sherbrooke: Université de Sherbrooke.

LECOMTE, R. & RUTMAN, L., (1982). *Introduction aux méthodes de recherche évaluative*, Université Carleton (Ottawa): Lecomte et Rutman.

LEFRANÇOIS, R., (1970). *La valorisation du travail chez les comptables généraux licenciés du Québec et de l'Ontario,* thèse de maîtrise, Université Laval.

LEFRANÇOIS, R., (1984). «Cadre familial et délinquance», *Service social,* 33(2,3): 171-185.

LEFRANCOIS, R., (1985). «La recherche sociale comme nécessité», *Revue canadienne de service social*, 1985, pp. 171-185.

LEFRANÇOIS, R. & SOULET, M.H., (1983). *Le système de la recherche sociale,* tome 1: «La recherche sociale dans l'État», Sherbrooke: Département de service social, «collection Recherche sociale».

LEFRANÇOIS, R., (1985). *Basistat (logiciel d'analyse statistique pour micro-ordinateur),* Sherbrooke, Département de service social, «collection Recherche sociale», n° 5.

LEFRANÇOIS, R., (1991). *Dictionnaire de la recherche scientifique*, Lennoxville: Les éditions Némésis.

LEGENDRE, R., (1988). *Dictionnaire actuel de l'éducation*, Paris-Montréal: Larousse.

LEMAINE, G. & LEMAINE, J.M., (1986). *Psychologie sociale et expérimentation*, Paris: Mouton, Bordas.

LEPLAY, F., (1956). *Société d'économie et de sciences sociales, recueil d'études sociales publié à la mémoire de Frédéric LePlay*, Paris: Dunod.

LEWIN, K., (1951). *Field Theory in Social Sciences*, New York: Harper and Row.

LIEBETRAU, A.M. (1983). *Measures of Association*, Beverly Hills: Sage Publications.

LINDEMAN, C., (1975). «Delphi Survey of Priorities in Clinical Nursing Research», *Nursing Research*, 23: 434-441.

LINSTONE, H.A. & TUROFF, M. (éditeurs), (1975). *The Delphi Method: Techniques and Applications*, Don Mills: Addison Westley.

LOUBET DEL BAYLE, J.L., (1989). *Introduction aux méthodes des sciences sociales,* Toulouse: Privat.

MACE, G., (1988). *Guide d'élaboration d'un projet de recherche,* Québec: PUL.

MACPHERSON, K.I., (1988). «Dilemmas of Participant-Observation in a Menopause Collective», *in* S. Reinharz et G.D. Rowles (éditeurs), *Qualitative Gerontology,* New York: Springer Publishing.

MAITRE, J., (1972). *Sociologie religieuse et méthodes mathématiques*, Paris: PUF.

MANGEN, D.J. & PETERSON, W.A., (1984). Volume 1: *Health, Program Education, and Demography*, (1982), Volume 2: *Social Roles and Social Participation*, (1982), *Clinical and social Psychology*, Minneapolis: University of Minneapolis Press.

MARSHALL, V.W., (1987). «Factors Affecting Response and Completion Rates in Some Canadian Studies», *La Revue canadienne du vieillissement*, 6(3) (automne): 217-228.

MARTINDALE, D., (1960). *The Nature and Types of Sociological Theory*, Boston: Houghton Mifflin.

MARTUZA, V.R., (1977). *Applying Norm-Referenced and Criterion-Referenced Measurement in Education,* Boston: Allyn & Bacon.

MAYER, R. & PIRSON, R., (1986). «Recherche-action au Québec et en

Belgique francophone», *Actes du congrès 1986*, RUFUTS, Montréal: Université de Montréal.

MAYER, R. & OUELLET, F., (1991). *Méthodologie de recherche pour les intervenants sociaux*, Boucherville: Gaëtan Morin éditeur.

MCCRACKEN, G., (1989). *The long interview*, 2e éd., Newbury Park: Sage Publications.

MCDOEWLL, I. & NEWELL, C., (1987). *Measuring Health: A Guide to Rating Scales and Questionnaires*, New York: Oxford University Press.

MEGARGEE, E.I., (1966). *Research in Clinical Assessment*, New York: Harper & Row Publishers.

MERCIER-TREMBLAY, C. & MILSTEIN, S.L., (1978). «L'évaluation formative et l'amélioration des programmes de traitement», *Toxicomanies*, II, (juin): 77-92

MERTON, R.K., (1965). *Éléments de théorie et de méthode sociologique*, (trad. H. Mendras), Paris: Plon.

METCHNIKOFF, E., (1908). *The Prolongation of Life*, New York: Putnam and Sons.

MILES, M.B. & HUBERMAN, A.M., (1984). *Qualitative Data Analysis*, Newbury Park: Sage Publications.

MILLS, C.W., (1971). *L'imagination sociologique*, Paris: François Maspero.

MINER, H., (1939). *St-Denis, A French Canadian Parish*, Chicago: University of Chicago Press.

MINOT, C., (1908). *The Problems of Age, Growth and Death*, New York: Putnam and Sons.

MONTIGNY, P., (1986). «Peut-on évaluer le travail de recherche ?», *POUR*, 107, (juin-juillet): 57-60.

MOODY, H.R., (1988). «Toward a Critical Gerontology: The Contribution of the Humanities to Theories of Aging», *in* Birren J.E. et Bengtson, V.L. (éditeurs), *Emergent Theories of Aging*, New York: Springer Publishing, 19-40.

MORENO, J.L., (réédit. 1970). *Fondements de la sociométrie*, 2e éd. révisée. et augmentée, Paris: PUF.

MORGAN, D.L., (1988). *Focus groups as Qualitative Research*, Newbury Park: Sage Publications.

MORIN, A., (1979). *Étude évaluative anthropopédagogique de systèmes ouverts en pédagogie universitaire*, Tomes 1 et 2, GESOE, Technologie éducationnelle, Montréal: Université de Montréal.

MOTENKO, A.M., (1989). «The Frustrations, Gratifications, and Well-Being of Dementia Caregivers», *The Gerontologist*, 29(2):166-172.

MUCHIELLI, R., (1972). *L'entretien de face à face dans la relation d'aide*, Paris: co-édition ESF-EME.

MUELLER, J.H., SCHUESSLER, K.F. & COSTNER, H.L., (1977).

Statistical Reasoning in Sociology, Boston: Houghton Mifflin.
MURRAY, R., (1980). «La recherche gérontologique au Québec», *Cahiers de l'ACFAS*, 5: 261-274.
NAHOUM, C., (1967). *L'entretien psychologique*, Paris: PUF.
NEMIROFF, T., ROSENBERG, G. & RADBILL, R., (1977). «Étude expérimentale de l'orientation des personnes âgées dans la réalité», *Service social*, 26(2,3), (juillet-décembre): 40-55.
NESSELROADE, J.R. & FORD, D.H., (1985). «P-Technique Comes of Age», *Research on Aging*, 7(1): 46-79.
NEUGARTEN, B.L. *et al.*, (1964). *Personality in Middle and Late Life*, New York: Atherton Press.
NEUGARTEN, B.L., & HAGESTAD, G.O., (1977). «Age and the Life Course», in R.H. Binstock et E. Shanas (éditeurs), *Handbook of Aging and the Social Sciences*, New York: Van Nostrand Reinhold.
NORRIS, F.H. & MURREL, S.A., (1984). «Protective Function of Resources Related to Life Events, Global Stress, and Depression in Older Adults», *Journal of Health and Social Behavior*, 25: 424-437.
NUNALLY, J.C., (1978). *Psychometric Theory*, 2e éd., New York: McGraw Hill.
NYDEGGER, C., (éditeur), (1977). *Measuring Morale: A Guide to effective Assessment*, Washington, D.C. Gerontological Society.
ORTON, R.E., (1987). «The foundations of Construct Validity: Towards an Update», *Journal of Research and Development in Education*, 21(1), (automne): 25-35.
OSGOOD, C.E., SUCI, G.J. & TANNENBAUM, P.H., (1957). *The Measurement of Meaning*, Urbana (Ill.): University of Illinois Press.
OUELLET, A., (1981). *Processus de recherche. Une approche systémique*, Sillery: PUQ.
OUELLET, A., (1990). *Guide du chercheur: quelques éléments du zen dans l'approche holistique*, Boucherville: Gaëtan Morin éditeur.
OUELLET-DUBÉ, F., (1983). «La technique Delphi», *Mesure et évaluation en éducation*, 6(1): 3-15.
OUELLET, F., (1987). «L'utilisation du groupe nominal dans l'analyse des besoins», *in* J.P. Deslauriers, (éditeur), *La recherche qualitative*, Sillery: PUQ, pp.67-80.
PAENSON, I., (1970). *Glossaire systématique anglais, français, russe de la terminologie des méthodes statistiques*, Oxford: Pergamon Press.
PAGEOT, J.C., (éditeur), (1989). *Vieillesse: société et démence*, Montréal: Méridien «gérontologie».
PAGES, R., (1969). «L'expérimentation en sociologie». *in* G. Lemaine et J.M. Lemaine, *Psychologie sociale et expérimentation*, Paris: Mouton-Bordas.
PATTON, M.Q., (1988). *Qualitative Evaluation Methods*, Beverly Hills: Sage Publications.

PATTON, M.Q., (1986). *Utilization-focused Evaluation*, 2e éd., Beverly Hills: Sage Publications.

PAYNE, S.L., (1980). *The Art of Asking Questions*, 3e éd. Princeton, N.J.: Princeton University Press.

PAYTON, O.D., (1979). *Research, the Validation of Clinical Practice*, Philadelphie: F.A. Davis.

PEARL, R., (1922). *The Biology of Death*, Philadelphie: J.P. Lippincott.

PENEFF, J., (1990). *La méthode biographique*, Paris: Armand Colin.

PETERSON, R.A., (1984). «Asking the Age Question: A Research Note», *Public Opinion Quarterly,* 48: 379-383.

PFEIFFER, E., (1975). *OARS Multidimensional Functional Assessment Questionnaire*, Durham: Duke University Press.

PHILIBERT, M., (1965). «The Emergence of Social Gerontology», *The Journal of Social Issues*, 221: 4.

PHILIBERT, M., (1988). «La spécificité du vieillissement humain», *Gérontologie*, 68, (octobre): 9-17.

PIAGET, J., (1946). *La formation du symbole chez l'enfant*, Genève: Delachaux et Niestlé.

PIAGET, J., (1970). *Épistémologie des sciences de l'homme*, Paris: Gallimard.

POIRIER, J. CLAPIER-VALLADON, S. & RAYBAUT, P., (1983). *Les récits de vie (théorie et pratique)*, Paris: PUF.

POPPER, K.L., (1978: édition originale 1959). *La logique de la découverte scientifique*, Paris: Payot.

POUS, J. *et al.* (1988). «Trajectoires de vieillissement dans une population rurale», *Gérontologie et société*, n°. 44: 26-34.

QUETELET, A., (1836). *Sur l'homme et le développement de ses facultés ou essai de physique sociale*, Vol. 2, Bruxelles: Conis Hanman,

QUIVY, R. & VAN CAMPENHOUDT, L., (1988). *Manuel de recherche en sciences sociales*, Paris: Dunod

RADLOFF, L., (1975). «The CES-D Scale: A self-report Depression Scale for Research in the General Population», *Applied Psychological Measurement*, 1: 385-401.

RAKOWSKI, W. *et al.*, (1987). «Correlates of Preventive Health Behavior in Late Life», *Research on Aging*, 9(3), (septembre): 331-336.

RAND CORPORATION, (1955). *A million Random Digits with 100,000 Normal Deviates,* Glencoe: Free Press.

REINHARZ, S. & ROWLES, G.D., (éditeurs), (1988). *Qualitative Gerontology*, New York: Springer Publishing.

REVAULT D'ALLONNES, C. *et al.*, (1989). *La démarche clinique en sciences humaines*, Paris: Dunod.

RHÉAUME, J., (1982). «La recherche-action: un nouveau mode de savoir ?», *Sociologie et sociétés,* 14(1) (avril): 43-51.

RHEIN, C., (1977). *Jeunes femmes au travail à Paris entre les deux guerres*, thèse de 3e cycle, Paris VII.

RIJSMAN, J. & LEMAINE, G., (1969).« Le laboratoire de J.M. Nuttin à Louvain: un exemple type de laboratoire de psychologie sociale expérimentale», 189-207, *in* G. Lemaine et J.M. Lemaine (éditeur), (1986). *Psychologie sociale et expérimentation*, Paris: Mouton, Bordas.

RILEY, M.W, (1973). «Aging and Cohort Succession: Interpretations and Misinterpretations», *Public Opinion Quarterly*, 37, (automne): 35-49.

RILEY. M.W. & FONER, A., (1968). *Aging and Society: An Inventory of Research Findings*, New York: Russel Sage.

RITCHIE, K. *et al.*, (1990). «Les familles des personnes âgées démentes hébergées en institution», *La Revue de gériatrie*, Tome 15, n° 4: 179-182.

ROBLEDO, L.M.G., (1989). «Le vieillissement: la situation en Amérique latine », *Impact*, n° 153: 71-89.

RODIN, J. McAVAY, G. & TIMKO, C., (1988). «A Longitudinal Study of Depressed Mood and Sleep Disturbances in Elderly Adults», *Journal of Gerontology*, 43(2): 45-53.

ROGERS, T.F., (1976). «Interviews by Telephone and in Person: Quality of Responses and Field Performance», *Public Opinion Quarterly*, 40: 51-65.

ROGERS, C., (1985). *La relation d'aide et la psychothérapie*, 6e éd., Paris: ESF.

ROSENTHAL, R., (1967). «L'influence de l'expérimentateur sur les résultats dans la recherche en psychologie», in G. Lemaine et J.M. Lemaine (1967). *Psychologie sociale et expérimentation*, Paris: Mouton, Bordas: 291-311.

ROSENTHAL, R., (1984). *Meta-analytic Procedures for Social Research*, Vol. 6. (Applied Social Research Methods Series), 4e éd., Newbury Park: Sage Publications.

ROSSI, P.H. & FREEMAN, H.E., (1982). *Evaluation: A systematic Approach*, Beverly Hills: Sage Publications.

ROSSI, P.H., WRIGHT, J.D. & ANDERSON, A.B., (éditeurs), (1983). *Handbook of Social Survey*, New York: Academic Press.

ROSSI, P.H., & WRIGHT, J.D., (1984). «Evaluation Research: An Assessment», *Annual Review of Sociology*, 10: 331-352.

RUSSEL, B. *et al.*, (1984). «The Problem of Informant Accuracy: The Validity of Retrospective Data», *Annual Review of Anthropology*, 13: 495-517.

SALOMON, J.J., (1970). *Science et politique*, Paris: Seuil.

SATIN, A & SHASTRY, W., (1983). *L'échantillonnage: un guide non mathématique*, Ottawa: Statistique Canada.

SCHMIDT, M.G., (1975). «Interviewing the Old-Old», *The Gerontologist*, 15(6): 544-557.

SCHUMAN, H. & PRESSER, S., (1981). *Questions and Answers (Experiments on Questions Forms, Wording, and Context)*, New York: Academic Press.

SEAMAN, C.H.C. & VERHONICK, P.J., (1982). *Research Methods for Undergraduate Students in Nursing*, 2e éd., Norwalk, Conn.: Appleton-Century-Crofts.

SEEFELDT, C. *et al.*, (1977). «Using Pictures to Explore Chil-dren's Attitudes Toward the Elderly», *The Gerontologist*, 17: 506-512.

SELLTIZ, C., WRIGHTSMAN, L.S. & COOK, S.W., (1977). *Les méthodes de recherche en sciences sociales*, Montréal: Éditions HRW.

SHANAS, E., (1985). *Handbook of Aging and the Social Sciences*, *in* R.H. Birnstock, et E. Shanas, (éditeurs).

SHAPIRO, E. & ROOS, N.P., (1986). «High Users of Hospital Days», *La Revue canadienne du vieillissement*, 5(3), (automne): 165-175.

SHARP, V.F., (1979). *Statistics for the Social Sciences,* Toronto: Little, Brown and Company.

SHELTON, D. & LAROCQUE, G., (1981). *La recherche-action, technologie éducationnelle*, Montréal, Université de Montréal.

SHESKIN, D., (1984). *Statistical Tests and Experimental Design, A Guidebook*, New York: Gardner Press.

SIEMIATYCKI, J., (1979). «A Comparison of Mail, Telephone and Home Interview Strategies for Household Health Survey», *American Journal of Public Health*, 69: 238-245.

SIMARD, E., (1956). *La nature et la portée de la méthode scientifique*, Québec: PUL.

SIMARD, G., (1989). *La méthode du «focus group»*, Laval: Mondia.

SIMIAND, F., (1987). *Méthode historique et sciences sociales*, Paris: Éditions des Archives contemporaines.

SMALL, W.P., (1972). *An Introduction to Clinical Research,* Edinburg: Churchill Livingstone.

SMITH, T.W., (1987). «The art of Asking Questions», *The Public Opinion Quarterly*, 514(2): s95-s108.

SMITH, H.W., (1981). *Strategies of Social Research,* 2e éd. Englewood Cliffs, N.J.: Prentice-Hall.

SMITH, M.L. & GLASS, G.V., (1986). *Research and Evaluation in Education and the Social Sciences*, Englewood Cliffs: Prentice Hall.

SNEDECOR, G.W. & COCHRAN, W.G., (1980). *Statistical Methods*, 7e éd., Iowa: The Iowa States University Press.

SOMERS, R.H., (1962). «A New Asymmetric Measure of Association for Ordinal Variables», *American Sociological Review*, 27, (déc.):799-811.

SOROKIN, P.A., (1959). *Tendances et déboires de la sociologie américaine*, Paris: Aubier.

SPEARMAN, C., (1904). «The Proof and Measurement of Association Between Two Things», *American Journal of Psychology*, 15: 72-101.

SPECTOR, P.E., (1981). *Research Designs*, Beverly Hills: Sage Publications.

ST-PIERRE, A., (1986). *Méthodes analytiques appliquées aux problèmes de gestion*, Saint-Jean-sur-Richelieu: Éditions BO-PRÉ.

STAW, B. & CUMMINGS, L., (éditeurs), (1987). *Research in Organizational Behavior*, Vol. 9, Greenwich: JAI.

STEBBINS, R.A., (1972). «The Unstructured Research Interview as Incipient Interpersonal Relationship», *Sociology and Social Research*, 56(2): 164-177.

STEWART, D.W., (1984). *Secondary Research (Information Sources and Methods)*, Beverly Hills: Sage Publications.

STOCK, W.A. & OKUN, M.A., (1982). «The Construct Validity of Life Satisfaction among the Elderly», *Journal of Gerontology*, 37(5): 625-627.

STOETZEL, J. & GIRARD, A., (1973). *Les sondages d'opinion publique*, Paris: PUF.

STOLAR, G.E., HILL M.A. & TOMBLIN, A., (1986). «Family Disengagement-Myth or Reality: A Follow-up Study after Geriatric Assessment», *la Revue canadienne du vieillissement*, 5(2): 113-123.

STOLLER, E.P. & PUGLIESI K.L., (1989). «The Transition to the Caregiving Role», *Research on Aging*, 11(3), (septembre): 312-330.

STOUFFER, S.A. *et al.*, (1950). *Measurement and Prediction*, London: Oxford University Press.

STREIB, G.F. & ORBACH, H.L., (1967). «The Development of Social Gerontology and the Sociology of Aging», *in* Paul Lazarsfeld *et al.* *The Uses of Sociology*, New York: Basic Books.

STULL, D.E., «A Dyadic Approach to Predicting Well-Being in Later Life», *Research on Aging*, 10(1): 81-101.

SUDMAN, S., (1967). *Reducing the Cost of Survey*, Chicago: Aldine Pub.

SUDMAN, S. & BRADBURN, N.M., (1974). *Response Effects in Survey*, Chicago: Aldine Pub.

SUDMAN, S., (1976). *Applied Sampling*, New York: Academic Press.

SUDMAN, S., (1983). «Applied Sampling», *in* P.H. Rossi, J.D. Wright et A.B. Anderson (éditeurs), *Handbooks of Survey Research*, New York: Academic Press, 145-194.

SUDMAN, S. & BRADBURN, N.M., (1983). *Asking Questions*, San Francisco: Jossey-Bass.

SUMMERS, W.K. *et al.*, (1985). «Maladie d'Alzheimer: traitement au long cours par la tétrahydroaminoacridine per os», *The New England Journal of Medecine (articles internationaux)*, 1985: 21-26.

SURAULT, P., (1980). «La mort inégale», *Gérontologie et société*, 12, (mars), 13-28.

SUSMAN G.I. & EVERED, R., (1978). «An assessmment of the Scientific Merits of Action Research», *Administrative Science Quarterly*, 23(4), (décembre): 582-603.

TAEITZ, P., (1988). «L'intégration socioculturelle des Américains âgés vivant à Paris», *Gérontologie et société*, 44: 104-116.

TESCH, S.A. *et al.*, (1989). «Social Relationships, Psychosocial Adaptation, and Intrainstitutional Relocation of Elderly Men», *The Gerontologist*, 29(4): 517-523.

THIRION, A.M., (1981). «La recherche-action: un analyseur des politiques et des pratiques éducatives», *Revue de l'Institut de sociologie*, Bruxelles, 3: 145-155.

THORNBERRY, O.T. & MASSEY, J.T., (1978). «Correcting for Undercoverage Bias in Random Digit Dialed National Health Surveys», *in Proceedings of the section on Survey Research Methods*, American Statistical Association: 224-229.

THURSTONE, L.L., (1927). «A Law of Comparative Judgment», *Psychological Review*, 34: 273-286.

THURSTONE, L.L., (1927). «Psychological Analysis», *American Journal of Psychology*, 38: 368-389.

TIBBITS, C., (éditeur), (1960). *Handbook of Social Gerontology*, Chicago: University of Chicago Press.

TREMBLAY, M.A., (1968). *Initiation à la recherche empirique*, Montréal: McGraw Hill.

TREMBLAY, A., (1991). *Sondages, histoire, pratique et analyse*, Boucherville: Gaëtan Morin éditeur.

TRIPODI, T., (1985). «Research Designs», *in* R.M. Grinnell, *Social Work Research and Evaluation*, Itasca: F.E. Peacock.

TUKEY, J.W., (1977). *Exploratory Data Analysis,* Reading, Mass.: Addison-Wiley.

ULLMO, J., (1969). *La pensée scientifique moderne*, Paris: Flammarion.

VALLERAND, R.J. (1989). «Vers une méthodologie de validation transculturelle de questionnaires psychologiques: implications pour la recherche en langue française», *Psychologie canadienne*, 30(4): 662-680.

VEYSSET, B., (1989). *Dépendance et vieillissement*, Paris: Édition l'Harmattan.

VÉZINA, J. & ST-ARNAUD, L., (1989). «Augmentation de l'attention auprès des personnes âgées institutionnalisées par la pratique d'un jeu vidéo: une étude pilote», *in* J. Pageot, *Vieillesse, société et démence*, Montréal: Méridien, pp. 127-149.

VOLLE, M. (1980). *Le métier de statisticien*, Paris: Hachette.

WAN, T.T.H., ODELL, B.G. & LEWIS, D.T., (1982). *Promoting the Well-Being of the Elderly*, New York: Haworth.

WAN, T.H., (1986). «Evaluation Research in Long-Term Care», *Research on Aging*, 8(4), (décembre): 559-585.

WATSON, R.I., (1963). *The Clinical Method in Psychology*, New York: John Wiley & Sons.

WEBB, E. *et al.*, (1966). *Unobtrusive Measures: Nonreactive Research in the Social Sciences,* Chicago: Rand McNally.

WEBER, M., (traduction: 1965). *Essais sur la théorie de la science*, Paris: Plon.

WEST, K.J., (1987). «Telephone Surveys of the Elderly: Some Empirical Considerations», Communication présentée à la First International Conference on Telephone Survey Methodology, Charlotte: Caroline du Nord, (novembre), (cf. FREY, 1989).

WHYTE, W.F., (1955). *Street Corner Society*, Chicago: University of Chicago Press.

WINGROVE, C.R. & ALSTON, J.P., (1971). «Age, Ageing, and Church Attendance», *The Gerontologist*, 11(4): 356-58.

WOODRUFF, D. & S. BIRREN J.E., (1983). *Aging: Scientific Perspectives and Social Issues*, 2e éd., Monterey, Californie: Brooks/Cole Publishing.

WORLD HEALTH ORGANIZATION, (1980), *International Classification of Impairments, Disabilities and Handicaps: A Manual of Classification Relating to the Consequences of Desease*, Genève: OMS.

YIN, R.K., (1984). *Case Study Research: Design and Methods*, Beverly Hills: Sage Publications.

YOUNG, D.D., (1974). «The Semantic Differential Application as an Effective Measure», *The Journal of Experiment Education*, 42(4): 86-91.

ZAY, N., (1984). «Profil de la recherche en gérontologie au Québec», *le Gérontophile*, 6(3): 1-25.

ZAY, N., (1981). *Dictionnaire-manuel de gérontologie sociale*, Sainte-Foy: PUL.

ZONABEND, F., (1980). *La mémoire longue. Temps et histoire au village*, Paris: PUF.

INDEX DES MATIÈRES

R

S